Dieter Hoffmann (Hrsg.):
Operation Epsilon

DIETER HOFFMANN (HRSG.)

OPERATION EPSILON

DIE FARM-HALL-PROTOKOLLE

ERSTMALS VOLLSTÄNDIG, ERGÄNZT UM ZEIT-GENÖSSISCHE BRIEFE UND WEITERE DOKUMENTE DER 1945 IN ENGLAND INTERNIERTEN DEUTSCHEN ATOMFORSCHER

GNT-Verlag

BERLIN 2023

Bibliografische Information
der Deutschen Nationalbibliothek
Die Deutsche Nationalbibliothek verzeichnet diese Publikation in der Deutschen Nationalbibliografie; detaillierte bibliografische Daten sind im Internet über http://dnb.dnb.de abrufbar.

Übertragung ins Deutsche
Wilfried Sczepan. Abdruck mit freundlicher Genehmigung der Rowohlt Verlag GmbH, Hamburg.

Gesamtherstellung
GNT-Verlag GmbH, Lasiuszeile 2, 13585 Berlin, www.gnt-verlag.de.

Druck und buchbinderische Verarbeitung
Overprintas GmbH, Blindžių g. 7, 08111 Vilnius, Lietuva

Sämtliche im Buch aufgeführten externen Links wurden zuletzt am 17.10.2022 überprüft.

1. Auflage 2023

ISBN 978-3-86225-111-7 (Hardcover)
ISBN 978-3-86225-508-5 (E-Book / PDF)
DOI: https://doi.org/10.47261/1508

Inhaltsverzeichnis

Dieter Hoffmann (Hrsg.): Operation Epsilon.
 DOI: <https://doi.org/10.47261/1508>.

Zur Neu-Edition der Farm-Hall-Protokolle

Als im Sommer 1993 der deutsche Erstdruck von *Operation Epsilon – Die Farm Hall-Protokolle oder die Angst der Alliierten vor der Deutschen Atombombe* im Verlag Rowohlt Berlin erschien, da erregte das Buch einiges Aufsehen. Dies war vor allem der Tatsache geschuldet, dass es nicht nur bei Historikern und Physikern ein großes Interesse für die Geschichte und Hintergründe des deutschen Uranprojekts im nationalsozialistischen Deutschland gab, sondern der Problemkomplex auch eine breite Öffentlichkeit berührte. Dafür stand beispielsweise der zweiteilige Fernsehfilm *Ende der Unschuld* von Frank Beyer (Regie) und Wolfgang Menge (Drehbuch) aus dem Jahre 1991, der kurz nach Mauerfall und Wiedervereinigung die Schauspielelite aus Ost und West vereinte und ein ungewöhnlich starkes Medienecho fand.[1] Der Film reihte sich ein in Diskussionen, die seit dem Ende des Zweiten Weltkriegs und dem Untergang des Dritten Reichs insbesondere im deutschen und angelsächsischen Sprachraum geführt und von Publikationen maßgeblicher Akteure wie Samuel A. Goudsmit[2], General Leslie R. Groves[3] oder Werner Heisenberg[4] sowie nicht zuletzt vom Buch *Heller als Tausend Sonnen* des Wissenschaftspublizisten und Zukunftsforschers Robert Jungk[5] getragen wurden – die Einleitung des Erstdrucks von *Operation Epsilon* liefert dazu einen einführenden Überblick (S. 11 ff. der vorliegenden Ausgabe).

Auch heute ist das Interesse am Problemkomplex „deutsche Atombombe“ nach wie vor groß und wird periodisch immer wieder angefacht, insbesondere dann, wenn neue Dokumente auftauchen und zu interpretieren sind oder neue Sichtweisen bzw. Fiktionen zum Thema die Runde machen – so im Anschluss an die Uraufführung von Michael

1 Vgl. Schwelien 1991. Vgl. auch Hahnenkampf 1991.

2 Goudsmit 1947.

3 Groves 1962.

4 Heisenberg 1969.

5 Jungk 1956.

Dieter Hoffmann (Hrsg.): Operation Epsilon.
© 2023 GNT-Verlag GmbH, Berlin, Germany. DOI: <https://doi.org/10.47261/1508>.

Frayns Schauspiel *Copenhagen* (1998) über das Treffen von Werner Heisenberg und Niels Bohr im von Nazi-Deutschland besetzten Kopenhagen im Herbst 1941[6] oder im Zusammenhang mit dem Buch *Hitlers Bombe* (2005) des Berliner Historikers Rainer Karlsch und den dort entwickelten Spekulationen über deutsche Kernwaffenversuche in der Endphase des Zweiten Weltkriegs[7]. Ebenfalls erwähnenswert ist der Blick des Göttinger Historikers Gerhard Oexle auf Farm-Hall und der zentralen Rolle, die er der Internierung in England für die Transformation der Kaiser-Wilhelm-Gesellschaft zur Max-Planck-Gesellschaft zuweist.[8] Jüngst wurde zudem vom Karlsruher Kernphysiker Manfred Popp eine Kontroverse entfacht[9], ob das deutsche Uranprojekt prinzipiell imstande gewesen sei, eine Atombombe zu entwickeln, wobei die Farm-Hall-Protokolle gewissermaßen zum Kronzeugen mutierten. Darüber hinaus sind die Protokolle auch literarisch ausgeschlachtet worden. So gab es Dramatisierungen der Protokolle am Schauspiel Hannover (1995, in der Bearbeitung von Alfred Nordmann und Hartmut Wickert)[10] und am E.T.A. Hoffmann-Theater in Bamberg („Die Bombe" 2014, in der Bearbeitungen von Rainer Lewandowski)[11] sowie jüngst durch den amerikanischen Physikhistoriker David Cassidy[12]; dem Münchener Schriftsteller und Sinologen Richard von Schirach dienten die Protokolle zudem als Folie für einen umfänglichen Essay mit grundsätzlichen (aber wissenschaftshistorisch höchst problematischen) Reflexionen zum Verhalten deutscher Physiker während des Dritten Reichs im Spannungsfeld von Genie, Hybris, Schuld und Naivität.[13]

Seit dem Erscheinen von *Operation Epsilon* im Sommer 1993 ist mehr als ein Vierteljahrhundert vergangen und es liegen weltweit ungezählte Meinungsäußerungen zu den Farm-Hall-Protokollen in Gestalt von Aufsätzen, Rezensionen und Leserzuschriften (nicht zuletzt von Zeitzeugen) vor; auch ist inzwischen die Literatur zum Problemkomplex deutsche

6 Frayn 2000.

7 Karlsch 2005, S. 175 ff.; siehe auch Hoffmann 2005.

8 Oexle 2003.

9 Popp 2016a und b; Walker 2017, siehe auch Walker 1995.

10 Vgl. Hentschel 1996.

11 Vgl. Lewandowski 2014.

12 Cassidy 2017.

13 Schirach 2012; siehe auch die Rezension Hoffmann 2013 sowie Schaaf 2013.

Atombombe und die Rolle deutscher Kernphysiker im Dritten Reich weiter angewachsen, so dass eine auch nur einigermaßen vollständige Dokumentation zum Thema über den Rahmen dieser Einführung weit hinaus gehen würde und daher darauf verzichtet wird. Allerdings sollen nachfolgend in gebotener Kürze die bisher erschienenen Editionen der Farm-Hall-Protokolle Erwähnung finden.

Parallel und praktisch zeitgleich mit der deutschen Ausgabe erschien ebenfalls im Sommer 1993 eine englische Edition der Farm-Hall-Protokolle.[14] Die Edition wurde vom Londoner *The Institute of Physics*, d.h. der 1874 gegründeten Fachgesellschaft der britischen und irischen Physiker besorgt, der eine 13-seitige Einführung von Charles C. Frank vorangestellt wurde. Dieser erläutert als Physiker, Zeitzeuge und einstiger Mitarbeiter des britischen Geheimdienstes (in dieser Eigenschaft hatte er Farm Hall auch wiederholt besucht) den wissenschaftlichen und historischen Kontext der Protokolle und des deutschen Uran-Projektes. 1994 folgte eine Publikation des Münchener Heisenberg-Biographen Helmut Rechenberg[15], bei der zentrale Teile der Protokolle dokumentiert und im Sinne einer Exegese ausführlich physikhistorisch kommentiert werden. Last but not least gibt es noch die gewichtige Ausgabe von Jeremy Bernstein aus dem Jahre 1996[16], die in zahllosen Fußnoten großen Wert auf die Erläuterung der in Farm Hall geführten fachphysikalischen Diskussionen legt und nicht zuletzt zu erklären versucht, warum die deutschen Physiker im vermeintlichen Wettlauf um die Atombombe demütigend deklassiert wurden. Dass die Farm-Hall Protokolle nicht nur im deutschen und angelsächsischen Sprachraum auf großes Interesse stoßen, macht die Tatsache deutlich, dass die englische Edition der Protokolle sowie die von J. Bernstein auch ins Italienische übersetzt wurden.[17]

Die vorliegende Neuausgabe der Farm-Hall-Protokolle ist nicht nur eine korrigierte, sondern auch wesentlich ergänzte Fassung der Edition von 1993. Die Ergänzungen betreffen den zentralen Vortrag von Werner Heisenberg am 14. August 1945 über die Funktionsweise der Atombombe

14 Operation Epsilon 1993.

15 Rechenberg 1994.

16 Bernstein 1996 sowie 2001.

17 Operazione Epsilon 1994; Bernstein 2005.

(fünfter Bericht III.9, S. 234 – 257)[18] und das Gespräch zwischen Paul Harteck und Otto Hahn über die Produktion von schwerem Wasser vom 23. September 1945 (neunter Bericht, Anhang S. 326 – 330). Damit liegen die Protokolle nun erstmals vollständig in deutscher Sprache vor.

Ebenfalls erfuhr die vorliegende Edition eine maßgebliche Erweiterung durch die Aufnahme eines relativ umfangreichen Dokumentenanhangs (S. 409 ff.). Dieser soll im Kontrast bzw. in Ergänzung zu den Geheimdienst-Transkripten in Briefen, Tagebucheintragungen und anderen zeitgenössischen Dokumenten einen komplementären und ergänzenden Blick auf Farm Hall werfen und die Internierten selbst und nicht allein durch die selektiven Tonbandprotokolle der Geheimdienste zu Worte kommen lassen.

Neben dem Dokumentenanhang wurden die Protokolle zur Illustration und Erläuterung von dargelegten Zusammenhängen um weitere Bilder und Faksimiles ergänzt und durch Anmerkungen erweitert, wobei auch zahlreiche weitere, bislang keiner Person zuordenbare Namen aufgelöst werden konnten und im Protokolltext in korrigierter Form verwendet wurden.

Abschließend sei all jenen gedankt, die zum Zustandekommen der vorliegenden Neuausgabe beitrugen. An erster Stelle danke ich dem GNT-Verlag und namentlich Martin Barth und Ralf Hahn für das qualifizierte Lektorat, die technische Beratung und die gleichermaßen engagierte wie sachkundige Zusammenarbeit. Darüber hinaus habe ich allen genannten Archiven und ihren hilfreichen Mitarbeitern zu danken, die den Abdruck der Briefe und Dokumente des Anhangs ermöglicht und auch sonst bei der Editionsarbeit geholfen haben. Wichtige Hinweise bei der Editionsarbeit und speziell bei der Entschlüsselung von Personen und familiären Kontexten in den Briefen von Heisenberg, Laue und Gerlach haben insbesondere Martin Heisenberg (Würzburg), Christian Matthaei (Lübeck) und Helgard Krietsch (München) gegeben. Ein besonderer Dank gilt der Familie von Weizsäcker und namentlich Frau Elisabeth Raiser (Berlin), die die bislang unbekannten Briefe bzw. Brieffragmente und Dokumente ihres Vaters aus dem Familiennachlass der vorliegenden Edition zur Verfügung gestellt und bei deren Erschließung maßgeblich geholfen haben.

Berlin, im Herbst 2022 — Dieter Hoffmann

18 Erstveröffentlichung in Rechenberg 1992.

Operation „Epsilon“

Von Dieter Hoffmann

> „Wenn ich die Psychologie der Deutschen nicht völlig falsch einschätze, müssen sie sich mit Volldampf an die Arbeit gemacht haben, spätestens seit Stalingrad.“[19]

Dies schrieb der ungarisch-amerikanische Physiker Leo Szilard im Sommer 1944 an den englischen Physiker und Churchill-Berater Lord Cherwell (Frederick Lindemann). Beide wussten, um was es ging, hatten sie doch viele Jahre in Berlin gelebt und studiert; als Physiker waren sie über die wissenschaftlichen und politischen Konsequenzen jener Jahrhundertentdeckung ihrer einstigen Berliner Kollegen Otto Hahn und Fritz Straßmann aus erster Hand informiert. Diese hatten im Winter 1938/39 experimentell nachgewiesen, dass bei der Bestrahlung von Uran mit Neutronen der Atomkern „zerplatzt“ und dass bei diesem Spaltvorgang eine große Menge Energie freigesetzt wird. Den Physikern in aller Welt war sehr schnell klar geworden, dass mittels einer Kettenreaktion die im Atom eingeschlossene Energie technisch und militärisch nutzbar gemacht werden konnte. Viele von ihnen – insbesondere die seit 1933 aus Deutschland vertriebenen Wissenschaftler – waren über diese Perspektive tief beunruhigt, denn Deutschland, das Entdeckerland der Urankernspaltung, verfügte über ein bedeutendes wissenschaftliches und technisches Potential für die Ausnutzung dieser Entdeckung. Anfang 1939 schickte sich Hitler an, mit der Annexion der Tschechoslowakei seine aggressiven Welteroberungspläne mit aller Macht voranzutreiben; der zweite Weltkrieg stand unmittelbar vor der Tür. Leo Szilard lebte zu dieser Zeit als Emigrant in den Vereinigten Staaten. Würde Deutschland einen Vorsprung in der technischen

19 Szilard 1978, S. 193.

Dieter Hoffmann (Hrsg.): Operation Epsilon.
 DOI: <https://doi.org/10.47261/1508>.

Nutzung der Kernenergie erringen, soviel war ihm klar, dann könnte dort eine Bombe mit bislang unbekannter Sprengkraft entwickelt werden, und die Nazis hätten damit ein wirksames Mittel in der Hand, die Welt zu erpressen. Getrieben von dieser Furcht, suchte Szilard im Sommer 1939 nach Mitteln und Wegen, die amerikanische Regierung über die Möglichkeiten einer deutschen Superbombe zu informieren. In Albert Einstein fand er einen ebenso prominenten wie besorgten Mitstreiter. In einem Brief, den Szilard und sein Physikerkollege Eugene Wigner entworfen hatten und den Einstein am 2. August 1939 unterzeichnete, wurde der amerikanische Präsident darauf hingewiesen, dass das „neue Phänomen auch zum Bau von Bomben führen würde und es vorstellbar ist ..., dass außerordentlich starke Bomben des neuen Typs hergestellt werden“.[20] Diese Warnung, die auch den Hinweis einschloss, „dass Deutschland den Verkauf von Uran aus tschechoslowakischen Gruben eingestellt hat“, initiierte schließlich über mehrere Zwischenstufen das amerikanische Atombombenprogramm. Im sogenannten „Manhattan Project“ wurde ab 1942 mit einem bis dahin beispiellosen materiellen Aufwand und unter Beteiligung der angelsächsischen Wissenschaftselite sowie vieler Emigranten die amerikanische Atombombe entwickelt, die schließlich am 16. Juli 1945 in der Wüste von New Mexico erfolgreich getestet werden konnte.[21]

Alsos

Obwohl die amerikanischen Arbeiten zur Ausnutzung der Kernenergie sehr schnell gewaltige Fortschritte gemacht hatten – bereits im Dezember 1942 war durch Enrico Fermi in Chicago der erste Uranreaktor mit einer sich selbst erhaltenden und kontrollierbaren nuklearen Kettenreaktion in Gang gesetzt worden – und nach Stalingrad auch die Erfolge der Alliierten auf den Schlachtfeldern des Zweiten Weltkriegs kaum mehr Zweifel an einer Niederlage Hitler-Deutschlands ließen, blieb ein schwer kalkulierbares Restrisiko: die Möglichkeit einer deutschen Atombombe oder anderer „Wunderwaffen“, die das Kräfteverhältnis grundlegend verändern und alle errungenen Erfolge mit einem Schlage zunichte machen konnten. Die Anstrengungen der Amerikaner richteten sich daher nicht nur auf die

20 Einstein 1975, S. 310.

21 Vgl. Rhodes 1988.

Entwicklung einer eigenen Atombombe, sondern zugleich auch darauf, möglichst viel über die deutschen Fortschritte auf diesem Gebiet in Erfahrung zu bringen. In enger Beziehung zum amerikanischen Manhattan-Projekt, doch aus Sicherheitsgründen von diesem administrativ wie personell streng getrennt, wurde im Herbst 1943 eine spezielle Geheimdienstgruppe gegründet, deren wichtigster Auftrag es war, Nachrichten über die deutschen Entwicklungsarbeiten im Bereich der Kernenergie zu beschaffen. Sie erhielt die Tarnbezeichnung „Alsos" (nach dem griechischen Wort für „grove", dt. „Hain") und unterstand direkt dem militärischen Leiter des Manhattan-Projekts, Brigadegeneral Leslie R. Groves.

Über Zusammensetzung und Aufgaben dieses Spezialkommandos gibt Groves in seinen Memoiren den folgenden Bericht:

> „Die Gruppe sollte sich aus dreizehn Militärs einschließlich Dolmetschern und nicht mehr als sechs Wissenschaftlern, Zivilisten oder Militärs, zusammensetzen. Zu ihr gehörten Leute, die fähig waren, durch Ausfragen und Beobachtung eingehende wissenschaftliche Informationen über Atomenergie herauszuholen. Ferner gehörten ihr Leute an, die mit den Forschungsprogrammen und Interessen sowohl der Vereinigten Staaten als auch Großbritanniens und, soweit wie möglich, unserer Feinde vertraut waren. Sie alle mussten allgemein über die Ausrüstung des Gegners Bescheid wissen und darauf vorbereitet sein, nicht nur militärische Laboratorien und Techniker ausfindig zu machen, sondern auch zivile Forscher, Techniker und Einrichtungen."[22]

Die Alsos-Mission wurde von Oberstleutnant Boris T. Pash befehligt, dem als wissenschaftlicher Berater Samuel A. Goudsmit[23] zur Seite stand. Mit Goudsmit, einem holländischen Migranten, war die Wahl auf einen Wissenschaftler gefallen, der als exzellenter Physiker über die notwendige Fachkompetenz verfügte, doch bisher nichts mit dem Manhattan-Projekt zu tun gehabt hatte; bei einer möglichen Gefangenschaft hätte er somit kaum etwas über das streng geheime amerikanische Atombombenprojekt verraten können. Hinzu kam, dass er fließend deutsch und französisch

22 Groves 1965, S. 192.

23 Samuel A. Goudsmit, amerikanischer Physiker niederländischer Herkunft, ab 1927 Associate Professor und ab 1932 Professor an der University of Michigan, war der wissenschaftliche Leiter der Alsos-Mission. Zur Biographie siehe Calmthout 2018.

Samuel Goudsmit (rechts am Steuer) und Marinus Toepel von der Alsos-Mission.

sprach und mit vielen der führenden deutschen Atomforscher persönlich bekannt war.

Ihre Feuertaufe erhielt die Grovessche Spezialeinheit bei der Befreiung Süditaliens im Winter 1943/44. Die in Rom und anderen italienischen Forschungszentren gewonnenen Informationen waren jedoch so dürftig – die Italiener waren nicht in das deutsche Kernenergieprogramm einbezogen –, dass man schnell wieder in die Vereinigten Staaten zurückkehrte. Einen sehr viel größeren Erfolg konnte Alsos im Sommer 1944 nach der Invasion der alliierten Streitkräfte in Frankreich verbuchen.

Zunächst begann aber auch hier alles mit einem Misserfolg beziehungsweise einer Enttäuschung. Als Ende August 1944 Paris befreit wurde, gehörte zu den Vorauskommandos auch eine kleine Einsatzgruppe der Alsos-Mission, die den französischen Kernphysiker Frédéric Joliot-Curie ausfindig machen sollte. Man wusste, dass während der Besatzung zahlreiche deutsche Wissenschaftler am Joliotschen Institut gearbeitet hatten, verfügte es doch u. a. über ein leistungsfähiges Zyklotron. Die Befragungen Joliot-Curies brachten indes kaum neue Erkenntnisse mit Ausnahme der Tatsache, dass von den Deutschen in Paris keine militärisch relevanten Forschungen betrieben worden waren.[24]

Ganz anders stellte sich die Situation drei Monate später Ende November dar, als das elsässische Straßburg besetzt wurde. Straßburg war Sitz der sogenannten Reichsuniversität, an der zwei deutsche Atomforscher wirkten, die auf der „Fahndungsliste" der Alsos-Mission ganz oben standen: Rudolf Fleischmann und Carl Friedrich von Weizsäcker. Insbesondere Weizsäcker hatte die Fantasie des amerikanischen Geheimdienstes geweckt, tauchte sein Name doch bereits im eingangs erwähnten Brief Einsteins an Roosevelt auf. Als Schüler und einer der engsten Mitarbeiter Werner Heisenbergs, den man gemeinhin als Kopf der deutschen Uranforschung ansah, gehörte er zu den talentiertesten und leistungsfähigsten jüngeren Physikern in Deutschland. Zugleich war er der Sohn des Staatssekretärs Ernst von Weizsäcker, einer der höchsten und einflussreichsten Beamten im deutschen Auswärtigen Amt. Durch diese Verbindung – so die amerikanischen Vermutungen – waren die deutsche Regierung und nicht zuletzt Hitler selbst über die Bedeutung der Urankernspaltung und ihre militärischen Konsequenzen aus erster Hand informiert.

Das deutsche Uranprojekt

In Straßburg konnte man nur Rudolf Fleischmann ausfindig machen, der allerdings wenig Auskunft gab. Als sehr viel ergiebiger erwiesen sich die Papiere und Dokumente, die man in Weizsäckers Büro fand. Aus ihrem Studium konnten Pash, Goudsmit und die anderen Mitglieder der Alsos-Mission erstmals einen unmittelbaren Eindruck darüber gewinnen, wie weit die Bemühungen, Kernenergie nutzbar zu machen, in Deutschland gediehen waren.

Danach ergab sich in etwa das folgende Bild: Bereits im Frühjahr 1939 hatten unabhängig voneinander mehrere Physiker deutsche Regierungsstellen auf die wirtschaftlichen und militärischen Möglichkeiten der Uranspaltung hingewiesen. Eine Initiative ging von den Göttinger Physikern Georg Joos und Wilhelm Hanle aus, die in einem Brief vom 22. April

24 Hoover Institution, Stanford. Pash Papers. Box 1, Folder 24.

an das Reichserziehungsministerium, dem die deutschen Hochschulen unterstanden, auf eine mögliche technische Ausnutzung der Uranspaltung hinwiesen. Das Ministerium reagierte prompt. Für den 29. April wurde in Berlin eine Zusammenkunft führender deutscher Kernphysiker einberufen (s. Faksimile des Einladungsschreibens auf S. 17),[25] geleitet von Abraham Esau, dem Vorsitzenden der Fachsparte Physik im Reichsforschungsrat und designierter Präsident der Physikalisch-Technischen Reichsanstalt. Ein Ergebnis dieser Tagung war, dass man in Göttingen mit ersten Vorarbeiten für die Entwicklung einer „Uranmaschine" begann.

Dieser erste „Uranverein" musste indes schon bald seine Arbeiten einstellen, da die Wehrmacht wenige Tage vor Ausbruch des zweiten Weltkriegs alle aktiven Mitglieder einzog. Dies geschah keineswegs zufällig, denn auch das Heereswaffenamt (HWA) war auf die Uranspaltung aufmerksam geworden und suchte sich auf diese Weise lästiger Konkurrenten eines eigenen Forschungsvorhabens zu entledigen. Das Interesse der Wehrmacht hatte ein Brief des Hamburger Physikochemikers Paul Harteck und seines Assistenten Wilhelm Groth vom 29. April 1939 geweckt – eine bemerkenswerte zeitliche Koinzidenz mit den Initiativen des Erziehungsministeriums –, in dem die beiden Wissenschaftler explizit auf die Möglichkeit der Auslösung einer Kettenreaktion und der Herstellung von neuartigen, höchst explosiven Sprengstoffen hinwiesen und feststellten, dass „das Land, das als erstes Gebrauch davon macht, den andern gegenüber eine nicht einzuholende Überlegenheit" besitze.[26]

Unter der Leitung von Kurt Diebner, einem promovierten Kernphysiker und Sprengstoffexperten, begann man sich daraufhin beim Heereswaffenamt intensiv mit dem „Uranproblem" zu beschäftigen. Erstes Ergebnis dieser Bemühungen war eine Zusammenkunft am 16. September 1939 in Berlin, die Diebner unter Mithilfe des Leipziger Physikers Erich Bagge organisierte und zu der neben den untenstehend aufgeführten Teilnehmern der April-Konferenz noch Siegfried Flügge (Berlin) und

25 Teilnehmer waren neben Georg Joos und Wilhelm Hanle (beide Göttingen): Walther Bothe (Heidelberg), Peter Debye (Berlin), Robert Döpel (Leipzig), Hans Geiger (Berlin), Wolfgang Gentner (Heidelberg), Gerhard Hoffmann (Leipzig), Josef Mattauch (Berlin), Erich Schumann (HWA).

26 Irving 1967, S. 36.

Reichs- ~~und Preußisches~~
Ministerium für Wissenschaft,
Erziehung und Volksbildung

Berlin W 8, den 24. April 1939
Unter den Linden 69

Fernsprecher: 11 00 30
Postscheckkonto: Berlin 14402
Reichsbank-Giro-Konto
Postfach

Im Auftrage des Fachspartenleiters Physik des Reichsforschungsrats Staatsrat Professor Dr. E s a u bitte ich Sie, am

Sonnabend, den 29. April 1939, 15.30 Uhr,

im Kleinen Sitzungssaal des Reichsministeriums für Wissenschaft, Erziehung und Volksbildung an einer Besprechung über die Frage einer sich selbst fortpflanzenden Kernreaktion teilzunehmen.

Das einführende Referat wird Professor Dr. J o o s, Göttingen, übernehmen.

Heil Hitler !

Dames

An

Herrn Ministerialdirigenten Prof. Dr. Schumann, Heereswaffenamt,
Berlin-Charlottenburg 2, Jebensstrasse 1

Herrn Prof. Dr. Debeye, Kaiser-Wilhelm-Institut für Physik,
Berlin-Dahlem, Harnackstrasse 5

Herrn Prof. Dr. Hans Geiger, Phys.-Institut der Techn.Hochschule,
Berlin-Charlottenburg

Herrn Prof. Dr. Bothe
Direktor des Instituts für Physik des Kaiser-Wilhelm-Instituts
für Medizinische Forschung
Heidelberg, Im Bückerfeld 4

Herrn Prof. Dr. Gerhard Hoffmann
Leipzig C 1, Linnéstrasse 4

Herrn Prof. Dr. Joos
Göttingen, Am Kreuze 13

Herrn Prof. Dr. Döpel
Leipzig C 1, Linnéstrasse 5

Herrn Prof. Dr. Hanle
Göttingen, Litzmannstrasse 22

Herrn Prof. Dr. Gentner
Institut für Physik des Kaiser-Wilhelm-Instituts für
Medizinische Forschung
Heidelberg

Einladung des Reichserziehungsministeriums zur „Besprechung über die Frage einer sich selbst fortpflanzenden Kernreaktion“ am 29. April 1939, auf der der erste „Uranverein“ gegründet wurde.

Georg Stetter (Wien) hinzugezogen wurden. Der zuständige Referent des Heereswaffenamtes Basche erhob die Forderung,

> „alle Vorbereitungen zu treffen, die Frage nach der technischen Realisierbarkeit der Kernenergie eindeutig zu beantworten. Es wäre natürlich sehr schön, wenn es gelänge, eine neue Energiequelle zu erschließen, sie werde mit großer Wahrscheinlichkeit auch militärische Bedeutung haben; eine negative Feststellung sei aber ebenso wichtig, da man dann sicher sei, dass der Feind nicht über sie verfügen könne."[27]

Aus dieser Zusammenkunft entwickelte sich in den folgenden Wochen und Monaten das deutsche „Uranprojekt", das bis Anfang 1942 direkt dem Heereswaffenamt und der administrativen Leitung Diebners unterstand. Zum engeren Mitarbeiterkreis, dem sogenannten Uranverein, wurden sehr bald auch Carl Friedrich von Weizsäcker (Berlin) und Werner Heisenberg (Leipzig) hinzugezogen. Letzterer avancierte binnen kurzem zum Kopf und „inoffiziellen wissenschaftlichen Leiter" des deutschen Uranprojekts;[28] als solcher entwickelte er schnell erste Vorstellungen über die Funktionsweise einer „Uranmaschine", die zur Richtschnur für die künftigen Forschungen in Deutschland werden sollten. In einem internen Bericht stellte er bereits im Dezember 1939 fest (s. Faksimile auf S. 19):

> „Die von Hahn und Strassmann entdeckten Spaltungsprozesse an Uran können nach den bisher vorliegenden Daten auch zur Energieerzeugung im Grossen verwendet werden. Die sicherste Methode zur Herstellung einer hierzu geeigneten Maschine besteht in der Anreicherung des Isotops U^{235}. Je weiter die Anreicherung getrieben wird, desto kleiner kann die Maschine gebaut werden. Die Anreicherung von U^{235} ist die einzige Methode, mit der das Volumen der Maschine klein gegen 1 cbm gemacht werden kann. Sie ist ferner die einzige Methode, um Explosivstoffe herzustellen, die die Explosivkraft der bisher stärksten Explosivstoffe um mehrere Zehnerpotenzen übertreffen. Zur Energieerzeugung kann man aber auch das normale Uran ohne Anreicherung von U^{235} benützen, wenn man Uran mit einer anderen Substanz verbindet, die die Neutronen von Uran verlangsamt, ohne sie zu absorbieren. Wasser eignet sich hierzu nicht. Dagegen erfüllen nach

---

27 Bagge 1985, S. 31.

28 Weizsäcker 1976, S. 10.

-24- ~~SECRET~~ 24 i

Neutronen und γ-Quanten freigesetzt. Dies entspricht der gesamten γ-Strahlung von 1 kg Ra im Lauf eines Tages.

Zusammenfassung.

Die von Hahn und Strassmann entdeckten Spaltungsprozesse an Uran können nach deh bisher vorliegenden Daten auch zur Energieerzeugung im Grodsen verwendet werden. Die sicherste Methode zur Herstellung einer hierzu geeigneten Maschine besteht in der Anreicherung des Isotops U^{235}_{92}. Je weiter die Anreicherung getrieben wird, desto kleiner kann die Maschine gebaut werden. Die Anreicherung von U^{235} ist die einzige Methode, mit der das Volumen der Maschine klein gegen ø 1 cbm gemacht werdenkann. Sie ist ferner die einzige Methode, um Explosivstoffe herzustellen, die die Explosivkraft der bisher stärksten Explosivstoffe um mehrere Zehnerpotenzen übertreffen. Zur Energieerzeugung kann man aber auch das normale Uran ohne Anreicherung von U^{235} benützen, wenn man Uran mit einer anderen Substanz verbindet, die die Neutronen von Uran verlangsamt, ohne sie zu absorbieren, Wasser eignet sich hierzu nicht. Dagegen erfüllen nach den bisher vorliegenden Daten schweres Wasser und ganz reine Kohle diesen Zweck. Geringe Verunreinigungen können die Energieerzeugung stets unmöglich machen. Die günstigste Anordnung der Maschine besteht nach den bisher vorliegenden Resultaten aus U_3O_8-Schichten von etwa 4 cm Dicke, die auf beiden Seiten mit D_2O-Schichten von etwa 5 cm Dicke bedeckt sind. Der Zwischenraum zwischen den verschiedenen Dreifachschichten dieser Art soll etwa 10-20 cm betragen und mit reiner Kohle gefüllt sein; auch wird die ganze Maschine zweckmässig mit reiner Kohle umgeben. Die Mindestfläche der Schichten ist etwa 1 m^2. Eine Maschine dieser Art würde durch die Spaltprozesse dauernd auf einer konstanten Temperatur gehalten, deren Höhe von der Grösse der Apparatur abhängt. Die absolute Temperatur wächst mit der vierten Potenz des Durchmessers der Apparatur. Die Maschine wäre gleichzeitig eine ausserordentlich intensive Neutronen- und γ-Strahlungsquelle.- Zur Kontrolle dieser Ergebnisse wäre die exp. Nachprüfg. der Tab. 2 u.3 v.grösst.Wichtigkei

Zusammenfassung aus Werner Heisenbergs Bericht „Die Möglichkeit der technischen Energiegewinnung aus der Uranspaltung“ vom Dezember 1939.

den bisher vorliegenden Daten schweres Wasser und ganz reine Kohle diesen Zweck."[29]

Parallel zur Klärung der wissenschaftlichen Grundlagen des Uranprojekts wurde ein administrativer Rahmen geschaffen. Zu den ersten Maßnahmen gehörte, dass die Wehrmacht im Oktober 1939 die Kaiser-Wilhelm-Gesellschaft mehr oder weniger ultimativ aufforderte, das Dahlemer Institut für Physik im Interesse kriegswichtiger Arbeiten dem Heereswaffenamt zu unterstellen. Obwohl das Institut damit offiziell zum Zentrum des Uranprojekts erklärt war, fand auch weiterhin ein Großteil der Forschungen nicht dort, sondern in den Forschungseinrichtungen – zumeist Universitätsinstituten – der einzelnen Mitglieder des Uranvereins statt. So wurde – um nur einige der wichtigsten Bereiche zu nennen – Paul Harteck in Hamburg die Uranisotopentrennung zugewiesen; die Messung der physikalischen Eigenschaften des Urankerns und anderer wichtiger Konstanten fand bei Walther Bothe am Kaiser-Wilhelm-Institut für medizinische Forschung in Heidelberg statt; Otto Hahn am Berliner Kaiser-Wilhelm-Institut für Chemie beschäftigte sich mit der Kernchemie der Spaltprodukte; an der Leipziger Universität entwickelte Werner Heisenberg die Theorie der Kettenreaktion, während Robert Döpel entsprechende Reaktorexperimente durchführte; Erwähnung verdient auch die Heeresversuchsstelle in Gottow bei Berlin, wo Kurt Diebner analoge Experimente betrieb.[30]

Nachdem in den ersten beiden Kriegsjahren beachtenswerte Fortschritte bei den vorbereitenden Forschungen zur großtechnischen Gewinnung von Energie aus der Kernspaltung erzielt worden waren, wurde im Winter 1941 / 42 – nicht zuletzt vor dem Hintergrund der sich verschlechternden Kriegslage und des Scheiterns der deutschen Blitzkriegsstrategie – über die deutsche Uranforschung Bilanz gezogen. Im Rahmen einer mehrtägigen wissenschaftlichen Konferenz, verbunden mit einer allgemeinverständlichen Vortragsveranstaltung, zu der auch führende Vertreter von Partei, Regierung und Wirtschaft eingeladen wurden, berichteten Ende Februar 1942 die maßgeblichen Mitglieder des Uranvereins über die Ergeb-

29 Werner Heisenberg, Die Möglichkeit der technischen Energiegewinnung aus der Uranspaltung, Dezember 1939. Deutsches Museum, FA 002/461, Blatt 24. Online verfügbar unter <https://digital.deutsches-museum.de/item/FA-002-461/#0024>.

30 Walker 1989, S. 70; Rechenberg 1988, S. 453 ff.; Karlsch 2005, S. 43 f.; Nagel 2016.

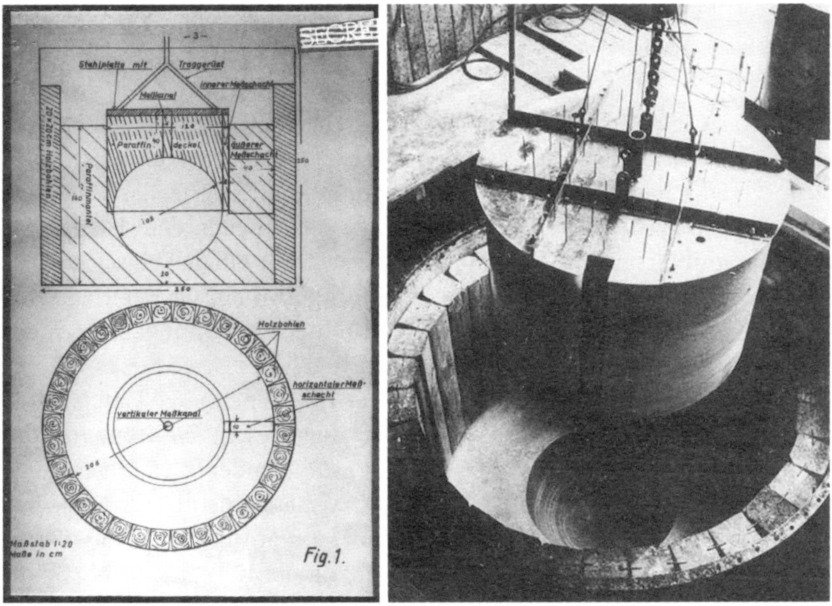

Kernspaltungsexperiment „G III" der Diebner-Gruppe in Gottow 1943 mit Uranwürfeln, links Konstruktionsskizze, rechts Bild des mit Paraffin ausgegossenen Bottichs mit der Reaktorkugel.

nisse ihrer Forschungen.[31] Die Tagung zeigte, dass von den deutschen Atomforschern „unerschütterliche Beweise für die Durchführbarkeit der Sache" erbracht worden waren, insbesondere hatte Dopel in Leipzig experimentell nachgewiesen, dass eine Kugel-Schichtenanordnung von Uranoxid und schwerem Wasser einen Neutronenüberschuss lieferte. Damit war die prinzipielle Möglichkeit einer energieerzeugenden Uranmaschine erstmals physikalisch gesichert, aber noch nicht experimentell realisiert.

Vor dem Hintergrund solcher und ähnlicher Forschungsergebnisse lässt sich rückblickend konstatieren, dass man in Deutschland und den USA zum damaligen Zeitpunkt – im Frühjahr 1942 – über einen Forschungsstand verfügte, der sich kaum unterschied.[32] Im Sommer desselben Jahres hatte sich die Situation allerdings grundsätzlich gewendet, denn nachdem

31 Vgl. Walker 1989, S. 68 ff.

32 Bagge et al. 1957, S. 28.

> „die Amerikaner ihre Laborversuche bis zur großtechnischen Produktion voran[ge]trieben und den Kreis von hundert Forschern um Tausende von Wissenschaftlern und Ingenieuren erweitert [hatten], erreichten sie ebenso viel wie die Deutschen in der ganzen restlichen Dauer des Krieges".[33]

Für Heisenberg war die Zeit zwischen Frühjahr 1942 und Frühjahr 1945 rückblickend „ein Auf-der-Stelle-Treten" des deutschen Uranprojekts.[34]

Die bis zum Frühjahr 1942 erzielten Forschungsergebnisse hatten deutlich gemacht, wie weit der Weg zu einer funktionierenden Uranmaschine und erst recht bis zu einer Bombe noch war; insbesondere waren dafür Anstrengungen und Investitionen notwendig, die die ohnehin knappen deutschen Kriegsressourcen in hohem Maße belastet hätten. Kernwaffen erschienen somit für die aktuellen deutschen Kriegsanstrengungen irrelevant – um so mehr, als Hitler in einem sogenannten Führerbefehl festgelegt hatte, dass nur solche Rüstungsprojekte in großem Maßstab zu fördern seien, die in absehbarer Zeit einsatzbereite Waffen hervorbrächten. Vor diesem Hintergrund wurde im Frühjahr 1942 das Uranprojekt wieder aus dem Verantwortungsbereich des Heereswaffenamtes herausgelöst und dem (zivilen) Reichsforschungsrat übertragen. Interessanterweise geschah dies zum selben Zeitpunkt, als sich die Vereinigten Staaten dazu entschlossen, das Manhattan-Projekt und damit riesige Forschungs- und Industriekomplexe aus dem Boden zu stampfen, um so die Entwicklungsarbeiten für eine Atombombe im großen Stil voranzutreiben.

In Deutschland dagegen wurde das Uranprojekt als reines Forschungsvorhaben weitergeführt. Für die beteiligten Wissenschaftler bedeutete dies nicht zuletzt, dass sie der politischen Verantwortung weitgehend enthoben waren und nicht mehr auf dem „Präsentierteller der großen Politik" lagen. Die Forschungen selbst, ihre Methoden und Ziele, wurden im Grundsatz beibehalten. Auch war das Projekt nach wie vor als „kriegswichtig" eingestuft, denn an verantwortlicher Stelle war man sich der großen potentiellen Anwendungsmöglichkeiten bewusst – im militärischen wie im wirtschaftlichen Bereich, und sei es „nur" für die Nachkriegszeit. Zudem hatte man in dem im Februar 1942 zum Nachfolger Todts ernannten Reichsmi-

33 Walker 1990, S. 53.

34 Heisenberg 1992, S. 162.

Demontage des letzten deutschen Reaktorexperiments durch die Alsos-Mission in Haigerloch. Oben links stehend Eric Welsh, später Kontaktmann für die Internierten in Farm Hall, unten links der britischer Biochemiker Rupert Cecil. Dazwischen Col. John Lansdale, der für die Sicherstellung des deutschen Uranerzes zuständig war.

nister für Bewaffnung und Munition, Albert Speer, einen einflussreichen Förderer gefunden, der von den künftigen Möglichkeiten der Kernenergie beeindruckt war und sich persönlich für die Forschungen auf diesem Gebiet interessierte.[35] Dies hat zwar dem deutschen Uranprojekt geholfen, über die Runden zu kommen, doch den erhofften Erfolg oder gar irgendeinen Nutzen für die deutsche Kriegswirtschaft hat es nicht gebracht; dafür war mehr nötig als nur das persönliche Interesse des Ministers, nämlich ein großtechnischer Einsatz und immense Finanzmittel, um die erkannten Engpässe zu überwinden. Diese betrafen das Fehlen geeig-

35 Speer 1969, S. 239 ff.

neter Trenn- bzw. Anreicherungsverfahren für das Uran-235-Isotop sowie den Mangel an schwerem Wasser, was nicht nur eine wissenschaftliche Aufgabe, sondern nicht zuletzt ein Problem des technischen Knowhows und der industriellen Umsetzung war. Im Frühjahr 1943 hatte Heisenberg in einem Vortrag diese Problematik thematisiert und für das Ziel des Baus eines energieliefernden Uranbrenners festgestellt, dass

> „der Bau von Versuchsapparaturen, die uns diesem Ziel näher bringen, in seinem Tempo durch die Herstellung dieser beiden Materialien bestimmt [wird]".[36]

Bis zum Schluss konnte in Deutschland weder beim Uran noch beim schweren Wasser der entscheidende Durchbruch erzielt werden. Bei der Isotopentrennung von Uran kam man nie über Laborexperimente hinaus; 1945 stand gerade genug Material zur Verfügung, um die Experimente für die geplante Uranmaschine erfolgreich abzuschließen. Doch als man Anfang 1945 im schwäbischen Haigerloch, wo das wegen der Bombenangriffe auf Berlin ausgelagerte Kaiser-Wilhelm-Institut für Physik seinen letzten Großversuch für einen kritischen Reaktor durchführte,[37] das entscheidende Stadium erreichte, da fehlten für die sich selbst erhaltende Kettenreaktion einige Uranwürfel und mehrere hundert Liter schweres Wasser. Auch beim schweren Wasser hatte man es nicht geschafft, eigene Produktionsanlagen aufzubauen, und war von den Lieferungen des norwegischen Unternehmens Norsk Hydro in Rjukan / Vemork abhängig. Im November 1943, nach wiederholten norwegisch-englischen Sabotageakten, war das Werk von der US Air Force bombardiert und weitgehend zerstört worden; von da an mussten die deutschen Atomforscher mit den vorhandenen Vorräten haushalten, die indes nicht ausreichten. Schließlich trugen die kriegsbedingten Störungen und Erschwernisse – insbesondere die alliierten Bombenangriffe und die permanente Mangelwirtschaft – das Ihre dazu bei, dass sich der Fortgang des deutschen Uranprojekts stetig verlangsamte.

---

36 Werner Heisenberg: Die Energiegewinnung aus der Atomkernspaltung. In: Heisenberg 1992, S. 135.

37 Vgl. Wirtz 1947.

Farm Hall

Am 7. März 1945 überschritten alliierte Verbände den Rhein bei Remagen; am 15. März besetzten die schnell vorrückenden Truppen das weitgehend unzerstört gebliebene Heidelberg. Zu den ersten Vorauskommandos gehörte auch hier wieder die Alsos-Mission, denn in Heidelberg hoffte man, aus erster Hand an entscheidende Informationen über das deutsche Uranprojekt zu kommen. Am Heidelberger Kaiser-Wilhelm-Institut für medizinische Forschung betrieb Walther Bothe das einzige funktionsfähige Zyklotron Deutschlands; zudem wusste man, dass Bothe zu den maßgeblichen Mitgliedern des Uranvereins gehörte. Das Verhör Bothes brachte die erneute Bestätigung, dass das deutsche Uranprojekt einen mindestens zweijährigen Rückstand gegenüber dem amerikanischen hatte. Darüber hinaus war in Heidelberg zu erfahren, dass die Gruppe um Kurt Diebner vom Heereswaffenamt seit dem Sommer 1944 ihre Reaktorexperimente im thüringischen Stadtilm betrieb und dass dort auch der administrative Leiter des deutschen Uranprojekts, der „Bevollmächtigte des Reichsmarschalls für Kernphysik" Walther Gerlach, seine letzte Zuflucht gefunden hatte. Die Alsos-Leute machten sich unverzüglich nach Stadtilm auf den Weg und kamen indes zu spät: Sowohl die Gruppe um Diebner als auch Gerlach waren vor den heranrückenden amerikanischen Truppen in Richtung Bayern geflohen; mit ihnen waren ein großer Teil der Laborausrüstungen und sämtliche wichtigen Unterlagen verschwunden. Die Inspektion der verlassenen Labore und Büros ergab auch hier zweifelsfrei, dass das Projekt eher „im Stil einer sehr armen Provinzuniversität denn als seriöses Atomenergieprojekt" betrieben worden war.[38]

Nun musste nur noch die Gruppe um Heisenberg vom Kaiser-Wilhelm-Institut für Physik gefunden werden. Aus den beschlagnahmten Berichten wusste man, dass dieses zusammen mit anderen Berliner Instituten seit 1943 nach Württemberg-Hohenzollern in den Raum Hechingen ausgelagert worden war. In diesem Gebiet operierten aber französische Truppen, so dass man sich gezwungen sah, mit Hilfe einer Sondereinheit an den französischen Linien vorbei auf Hechingen vorzustoßen. Am 23. April 1945 fuhren amerikanische Jeeps vor dem Ausweichquartier

38 Goudsmit 1947, S. 89.

des Kaiser-Wilhelm-Instituts für Physik in Hechingen vor und begannen sofort, die Laboreinrichtungen, u. a. die Isotopentrennanlagen von Erich Bagge und Horst Korsching, zu beschlagnahmen bzw. zu demontieren und die anwesenden Wissenschaftler zu vernehmen. Sie erfuhren, dass Heisenberg bereits auf dem Weg zu seiner Familie nach Oberbayern war.

Nach einigem Zögern gaben Karl Wirtz und Carl Friedrich von Weizsäcker, denen Heisenberg die kommissarische Institutsleitung übertragen hatte, die Verstecke preis, in denen man das Uran und die Arbeitsberichte des Uranprojekts verborgen hatte. Das Uran war auf einem nahe gelegenen Kartoffelfeld vergraben worden, und die Berichte hatte man in einem zugelöteten Metallkanister in einer Jauchegrube versenkt; beides wurde unverzüglich geborgen und zusammen mit den beschlagnahmten Apparaturen via Paris nach Amerika zur detaillierten Auswertung gebracht. Auch die Reste des letzten Reaktorexperiments konnten die Alsos-Leute in einem ehemaligen Bierkeller im benachbarten Haigerloch besichtigen. Obwohl die Deutschen mit diesem Experiment vom Februar/März 1945 fast kritisch geworden waren, stellte sich auch hier der erzielte Forschungsstand als sehr viel bescheidener dar, als man ihn angesichts der amerikanischen Fortschritte auf diesem Gebiet erwartet hatte. Dennoch wurde auch diese Anlage sorgfältig dokumentiert, komplett demontiert und die leere Reaktorgrube schließlich noch zerstört.

Nachdem sich das deutsche Atombombenprojekt endgültig als Fata Morgana erwiesen hatte, von dem nicht einmal mehr ein Überraschungseffekt würde ausgehen können, stellte sich für die Alsos-Mission die Frage, was mit den Forschern selbst geschehen sollte. Der ursprüngliche Auftrag, den gesamten „Uranverein" aus Angst vor einer deutschen Atombombe auszuschalten und dingfest zu machen, war praktisch gegenstandslos geworden; was blieb, war die Furcht, die deutschen Atomforscher könnten ihr Wissen in den Dienst anderer Mächte, namentlich der Sowjetunion, stellen oder auch nur nach Kriegsende einfach „aus der Schule plaudern". Alsos hatte seinen Beitrag zur Sicherung des Bombenmonopols zu leisten. Hierzu war es beispielsweise nicht nötig, Walther Bothe festzusetzen, da sich dieser ohnehin in der künftigen amerikanischen Besatzungszone und unter unmittelbarer Kontrolle des Hauptquartiers der US Army befand. Hechingen, Haigerloch und Tailfingen – dort befand sich das Hahnsche

Schloßkirche in Haigerloch, darunter im Fels der „Atomkeller" (weißer Pfeil).

Institut – würden jedoch schon bald der französischen Besatzungsmacht unterstehen. Da man den Franzosen und insbesondere dem französischen Verantwortlichen für Kernenergiefragen, Frédéric Joliot-Curie, wegen seiner Mitgliedschaft in der Kommunistischen Partei nicht traute,[39] entschloss man sich, Weizsäcker, Wirtz, Bagge und Korsching höflich, aber bestimmt aufzufordern, sich der abziehenden Alsos-Mission „anzuschließen". Als man am 25. April in Tailfingen einrückte, erging diese Aufforderung auch an Otto Hahn und außerdem an Max von Laue, obwohl letzterer kaum etwas mit dem Uranverein zu tun gehabt hatte.[40] Man wusste jedoch, dass Laue ein konsequenter Nazigegner war, und hoffte, in ihm einen Gesprächspartner zu haben, dem man vertrauen konnte. Am 27. April, einem Freitag, war die erste Phase der „Operation Epsilon" – so der Tarnname der ganzen Aktion – erfolgreich abgeschlossen.

39 Vgl. Joliot-Curie 1962.
40 Vgl. Hoffmann 2010.

Im Tagebuch von Erich Bagge findet sich der folgende Bericht über diesen Tag:

> „Kurz nach 8 Uhr werde ich im Wagen abgeholt. Der Abschied ist kurz und herzlich. Es gibt im letzten Augenblick plötzlich viel Tränen und ich kann mich selbst nur schwer beherrschen. Kurz nach 9 Uhr setzt sich eine lange Wagenkolonne vom Institut aus in Richtung Heidelberg in Marsch mit Prof. Hahn, Prof. von Laue, Prof. von Weizsäcker, Dr. Wirtz, Dr. Korsching und mir. Ankunft in Heidelberg um 16 Uhr, Unterbringung in einem Hause am Philosophenweg. Man hat einen herrlichen Blick auf die Stadt und den Neckar."[41]

Heidelberg war nur eine Zwischenstation. Von dort brachte man die Gruppe am 1. Mai nach Reims, ins Hauptquartier der alliierten Streitkräfte. Man erlebte so am 8. Mai „hautnah" die bedingungslose Kapitulation der Wehrmacht, und nach einer weiteren Woche ging es per Flugzeug nach Versailles, ins Château Le Chesnay; hierher waren im Übrigen auch die Raketentechniker um Wernher von Braun gebracht worden. Da dieses Schloss eigentlich der Internierungsort für hochrangige Nazigrößen war, man andererseits aber jeglichen Kontakt der Gruppe zu Dritten unterbinden wollte, siedelte man am 11. Mai in eine geräumige Villa bei St. Germain über, wo die Gruppe „unter sehr angenehmen Bedingungen und mäßiger Bewachung" fast einen Monat bleiben sollte.[42] Inzwischen waren auch Diebner und Heisenberg, die Pashs Leute während der ersten Maitage in Bayern aufgestöbert hatten, dazugekommen; Paul Harteck, der Spezialist für Isotopentrennung und schweres Wasser, war aus Hamburg ebenfalls zur Gruppe gestoßen. Am 15. Juni schloss sich mit Walther Gerlach der Kreis der Internierten.

Am 4. Juni war man erneut umgezogen und hatte nahe dem belgischen Städtchen Huy bei Lüttich, in einem idyllischen Jagdschlösschen hoch über der Maas, ein neues Domizil gefunden. Der häufige Ortswechsel war nicht nur Ausdruck der ungewissen Lage und der noch unentschiedenen Situation der gefangenen deutschen Atomforscher, zugleich dokumentiert sich hierin auch der streng geheime und konspirative Charakter der ganzen Aktion. Man wollte die internierten Wissenschaftler weitestgehend

---

41 Bagge et al. 1957, S. 44.

42 Wirtz 1988, S. 162.

von der Außenwelt und damit vor jeglicher Öffentlichkeit abschirmen, um keinerlei Spekulationen Nahrung zu geben. Die Geheimhaltung der amerikanischen Atombombenpläne hatte nach wie vor oberste Priorität; das Manhattan-Projekt befand sich im Frühsommer 1945 in seiner entscheidenden Endphase, und unbedachte Äußerungen, die das Interesse der Japaner oder auch anderer Mächte hätten erregen oder sie gar warnen können, mussten um jeden Preis verhindert werden. Das kontinentale Europa mit seinen ungeordneten, ja chaotischen Verhältnissen war auf Dauer kein geeigneter Ort für eine Internierung, die strengster Geheimhaltung und Konspiration zu unterliegen hatte. Nachdem die ganze Angelegenheit bereits Ende April an höchster Stelle diskutiert worden war,[43] entschied man sich schließlich, die zehn deutschen Atomforscher nach England zu verbringen.

Am 3. Juli 1945 flog die Gruppe von Lüttich mit einer „Dakota" zum Militärflughafen Tempsford bei Cambridge, von dort ging es sofort per Auto zum Dorf Godmanchester. In der Nähe dieses Dörfchens liegt Farm Hall, ein alleinstehender Landsitz, der für die nächsten sechs Monate das Domizil der Internierten werden sollte. Erich Bagge beschreibt in seinem Tagebuch das Landhaus als

> „etwa 250 Jahre alt, ein echter Backsteinbau ohne besondere Architektonik, schlicht und einfach, aber doch gefällig. Zu ihm gehört ein großer Garten mit einer guten Rasenfläche und zwei alten gewaltigen Bäumen. Die Einrichtung im Innern ist ziemlich veraltet, aber doch freundlich und anheimelnd, besonders froh sind wir über eine kleine englische Bibliothek, die uns allerhand Lustiges und Interessantes bietet. Bemerkenswert an der Innenausstattung des Hauses sind vor allem die vielen, vielen Bilder an den Wänden, die zum größten Teil aus der Zeit um die Jahrhundertwende stammen."[44]

Das Haus war für den gedachten Zweck bestens geeignet. Nicht nur, dass es frei in „einer schönen parkähnlichen Landschaft" stand und damit ausgezeichnet abzuschirmen war (hierfür war eine etwa zehnköpfige Wachmannschaft abgestellt), es hatte auch in den Jahren zuvor dem englischen Geheimdienst zur Ausbildung von Agenten gedient – von dort sollen

43 Vgl. Powers 1993, S. 580.
44 Bagge et al. 1957, S. 54.

Zeitgenössisches Foto von Farm Hall, etwa 2 km nördlich von Godmanchester bei Huntington gelegen.

jene Männer aufgebrochen sein, die das norwegische Schwerwasserwerk gesprengt und damit das deutsche Uranprojekt nachhaltig gestört hatten.[45] Vor der Ankunft der deutschen Atomforscher war das Haus präpariert worden, indem man in sämtlichen Wohn- und Schlafräumen Mikrofone installierte. Wie der englische Physiker und Geheimdienstmitarbeiter R. V. Jones im Vorwort zur Neuausgabe von S. Goudsmits „Alsos" bekannte, rechnete man damit, „dass die deutschen Physiker intern über Dinge diskutieren würden, die sie bei den Verhören nicht offenbart hatten".[46] Ein spezielles Team des britischen Geheimdienstes hörte auf diese Weise die Gespräche der deutschen Atomforscher in Farm Hall systematisch ab und schnitt „Interessantes" auf Platten mit. Interessant waren vor allem Gespräche, die

- Auskunft über den Stand der deutschen Uranarbeiten gaben bzw. die Atombombe betrafen,
- sich auf die Rolle und Stellung der Internierten in der NS-Zeit bezogen,

45 Kramish 1987, S. 316.

46 Goudsmit 1983, S. XIV.

– die Fragen einer möglichen Kooperation der deutschen Atomforscher mit den Alliierten und ihre eigenen Zukunftsperspektiven behandelten.

Die Mitschnitte, die sich als „von unschätzbarem Wert erwiesen, da wir auf diese Weise verfolgen konnten, in welcher Richtung sich ihre Gedanken bewegten" (S. 112), wurden ins Englische übersetzt und dann von den beiden hauptamtlichen „Bewachern", Major T. H. Rittner und Captain P. L. C. Brodie, detailliert ausgewertet und zu den vorliegenden (zumeist wöchentlichen) Berichten komprimiert.

Geprägt von zwölf Jahren Nazidiktatur, haben die deutschen Atomforscher die Möglichkeit, belauscht zu werden, natürlich in Betracht gezogen, und der eine oder andere hatte auch nach den vermeintlichen Wanzen gesucht, allerdings ohne Erfolg. Nicht zufällig protokolliert der erste Bericht aus Farm Hall eine entsprechende Äußerung Werner Heisenbergs:

> „Mikrofone eingebaut? (Lachend) O nein, so gerissen sind die nicht. Ich glaube nicht, dass sie die richtigen Gestapomethoden kennen; in dieser Hinsicht sind sie ein bisschen altmodisch." (S. 112).

Als ganz so altmodisch und weltfremd hat Heisenberg die Engländer sicherlich nicht eingeschätzt. Mit seiner naiv ironisch klingenden Antwort wollte er wohl nicht nur die englischen Bewacher in Sicherheit wiegen[47] seine Bemerkung zielte auch auf Diebner, zu dem er dies sagte.

Dessen Sympathien für die Nazis waren nur allzu bekannt, und Heisenberg machte ihm auf diese Weise dezent deutlich, dass Schnüffelei und Terror des Dritten Reiches der Vergangenheit angehörten und dass man sich nun in einem demokratischen Land befand. Dass sich Heisenberg und mit ihm die anderen Internierten durchaus der Möglichkeit bewusst waren, abgehört zu werden, macht insbesondere der Umstand deutlich, dass man sich für vertrauliche Gespräche in den Garten, zum Rosenbeet, zurückzog.[48] Ob man nun abgehört wurde oder nicht: Man befand sich nicht in der Sommerfrische, sondern in Gefangenschaft.

Sorgen bereitete im „guten alten England" noch ein anderes Problem. Der Status der Gefangenen war nach wie vor ungeklärt. Da keiner der Wissenschaftler Soldat bzw. Angehöriger der Wehrmacht war, ihnen auch

47 E. Heisenberg 1983, S. 139.

48 Heisenberg 1969, S. 264.

keine Kriegsverbrechen zur Last gelegt wurden, schied für sie der Status eines Kriegsgefangenen bzw. Kriegsverbrechers aus. Ausweg bot ein altes englisches Gesetz, wonach im Krieg Personen bis zu sechs Monaten „nach dem Ermessen Seiner Majestät" ohne konkrete Begründung festgesetzt werden können. Von dieser Tatsache war den deutschen Atomforschern lediglich die Kurzformel „detained as guests of His Majesty" bekannt, woraus Otto Hahn das ironisch-sarkastische Wortspiel prägte: die „Detainten", welche „at His Majesty's pleasure" weltabgeschlossen in Farm Hall lebten. In normalen Zeiten hätte wohl manch einer, wie Wirtz rückblickend schrieb, „viel darum gegeben, einmal mit viel Bedienung und reichlich Essen ein solches englisches Landhaus bewohnen zu können".[49]

Die allgemeinen Bedingungen der Internierung in Farm Hall hat Otto Hahn in seinen Lebenserinnerungen treffend wiedergegeben:

> „Unser Leben in England konnte man ohne Übertreibung als luxuriös bezeichnen. Das Frühstück bestand aus Cornflakes oder Porridge, Schinken und Ei, Marmelade, Toast und Butter. Am Mittag und Abend gab es Rumpsteaks oder andere Braten und sehr oft Pommes frites. Kein Wunder, dass wir alle rapide zunahmen. [...] Der Unterhaltung und Bildung diente eine recht gute Bibliothek. Neben dem Radio lauschten wir oft den von Herrn Heisenberg auf einem Klavier vorgetragenen Sonaten von Beethoven. Nachmittags las Major Rittner manchmal einige Kapitel aus Dickens-Romanen vor, so dass wir unser Englisch verbessern konnten. Nach dem Abendessen wurde von den meisten bei Bier, das uns in beliebiger Menge zur Verfügung stand, weiterhin Bridge oder Skat gespielt."[50]

Und an seine Frau Edith berichtete er, dass sie

> „auch einen Teil des großen freien Gartens betreten oder bedauerlaufen dürfen. Allerdings sind wir ständig bewacht. [...] Einige von uns arbeiten theoretisch; ich nicht. Dafür lerne ich auf der Schreibmaschine schreiben."[51]

Um sich wissenschaftlich zu beschäftigen, arbeiteten einige der Internierten an allgemeinen Fragestellungen und „unverfänglichen" physika-

49 Wirtz 1988, S. 163.
50 Hahn 1986, S. 173.
51 Hahn 1975, S. 131.

lischen Grundlagenproblemen. Max von Laue begann in Farm Hall mit der Niederschrift seiner „Geschichte der Physik“[52] und erörterte mit Heisenberg Fragen der Supraleitungstheorie, Carl Friedrich von Weizsäcker beschäftigte sich mit kosmologischen Problemen. Vor allem hatte man ein regelmäßiges „Physikalisches Kolloquium“ eingerichtet, in dem zweimal wöchentlich reihum verschiedene physikalische Themen vom „Magnetismus“ (Gerlach) über „Thermodiffusion“ (Korsching) und K-Einfang (Diebner) bis hin zu einem Bericht Laues über seinen wissenschaftlichen Werdegang und Erinnerungen Otto Hahns an Ernest Rutherford diskutiert wurden, und Hahn verfasste Erinnerungen über seine „Beziehungen zu Nichtariern“,[53] die erst jüngst publiziert worden sind. Daneben spielte man regelmäßig Faustball und Tischtennis, und Otto Hahn verordnete sich noch zusätzlich längere Dauerläufe „rund ums Rosenbeet“, dessen Pflege Gerlach „mit geradezu fanatischer Konsequenz“ betrieb.

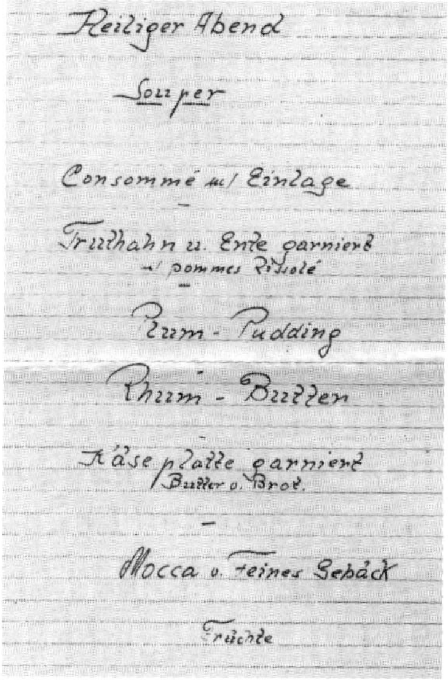
Heiliger Abend

Souper

Consommé m/ Einlage

Truthahn u. Ente garniert
m/ pommes Risolé

Rum-Pudding

Rhum-Butter

Käseplatte garniert
/ Butter u. Brot.

Mocca u. feines Gebäck

Früchte

Weihnachtsmenü für die „Gäste“ in Farm Hall.

Für nichts aber wurde in Farm Hall soviel Mühe und Zeit verwendet wie für das Studium und die Diskussion politischer Fragen. Insbesondere die jüngeren suchten sich mit Hilfe des Rundfunks und der reichlich zur Verfügung stehenden Zeitungen über das zu informieren, was ihnen die NS-Propaganda zwölf Jahre vorenthalten hatte.

> „Wir benutzten die Zeit unserer Gefangenschaft so gut wie möglich, uns mit der westlichen Politik oder mit der Weltpolitik, die wir bisher entbehrt hatten, vertraut zu machen und uns darin zurechtzufinden.“[54]

52 Laue 1947.

53 Keiser 2018, S. 245 – 270.

54 Wirtz 1988, S. 69.

Hierdurch reifte bei Wirtz sogar der Wunsch, „möglichst bald nach dem Krieg in die angelsächsischen Länder zu reisen, um den verlorenen Kontakt mit der Welt draußen wiederherzustellen".[55]

Im Laufe der Zeit spielte sich in Farm Hall ein Tagesablauf ein, der dem folgenden Rhythmus gehorchte:

> „8 Uhr Wecken, 8.30 Uhr Aufstehen, Waschen, 9 Uhr Frühstück, 9.45 bis 11 Uhr Beschäftigung auf dem Zimmer, 11 bis 12.30 Uhr Faustball, 12.30 bis 13 Uhr Waschen, Ankleiden. 13 Uhr Dinner: Fleisch, Gemüse, Kartoffeln, Nachspeise, Käsebrot, Tee. 14 bis 16 Uhr auf dem Zimmer, 16 bis 16.45 Uhr Kaffee mit Gebäck. 16.45 bis 19.45 Uhr auf dem Zimmer, Kolloquium, Radio, Konzert. 19.45 bis 20.30 Uhr Supper wie Dinner. 20.30 Uhr bis 24 Uhr Klavier, Skat, Bridge."[56]

Angesichts der chaotischen und vielfach existenzbedrohenden Verhältnisse im Nachkriegseuropa waren die Zustände in Farm Hall geradezu paradiesisch zu nennen. Man hätte sich, wie Otto Hahn schrieb,

> „wie in der Sommerfrische fühlen können, aber die andauernde Ungewissheit über unsere weitere Zukunft und die allzu dürftige Briefverbindung mit unseren Angehörigen in Deutschland erinnerte uns täglich an die Realitäten".[57]

„Special Guests"

> „Diese zehn Wissenschaftler waren keineswegs eine homogene Gesellschaft. Sie waren fast alle ausgeprägte, aber durchaus nicht alle auch abgeklärte und überlegene Persönlichkeiten, und sie kamen von sehr unterschiedlichen Anschauungen her – im Menschlichen sowie im Politischen."[58]

Elisabeth Heisenberg, die dies in ihren Erinnerungen an Werner Heisenberg schrieb, gab damit sicherlich auch die Meinung ihres Mannes wieder. Obwohl dieser in den Jahren zuvor die eigentliche Zentralfigur des Uranvereins gewesen war, nahm diese Rolle in Farm Hall mit großer Selbstverständlichkeit Otto Hahn ein. Als Ältester der Gruppe war er nicht nur

55 Ebd., S. 167.
56 Bagge et al. 1957, S. 59.
57 Hahn 1986, S. 173.
58 E. Heisenberg 1983, S. 142.

ex officio deren Doyen und Obmann, zugleich besaß er, wie Heisenberg schreibt,

> „durch die Anziehungskraft seiner Persönlichkeit und durch seine ruhige besonnene Haltung in schwierigen Lagen von selbst das Vertrauen jedes Einzelnen unserer kleinen Gruppe“.[59]

Walther Gerlach weiß zu ergänzen:

> „Schnelles Erfassen einer Situation, klares Urteil, Menschlichkeit, Humor und Schlagfertigkeit – alle Register standen ihm für die Verhandlungen mit den ‚Betreuern', für die Regelung von Schwierigkeiten zur Verfügung. Bei manchem Abendessen mit den zwei englischen Offizieren bestritt er die Unterhaltung mit seinen zahllosen Geschichtchen und Erlebnissen in immer neuen Variationen, für welche damals die Bezeichnung ‚Cock tales'[60] aufkam.“[61]

Eine der Schwierigkeiten und die wohl größte Sorge der Internierten war, dass sie streng abgeschirmt lebten und selbst zu ihren Familien nur per Kurier und nach Zensur der Briefe sporadischen Kontakt aufnehmen konnten – und auch das erst von August an, nach den amerikanischen Atombombenabwürfen. Nicht zufällig vermerkt der erste Bericht aus Farm Hall:

> „Die Gruppe hat sich in Farm Hall gut eingelebt, doch die Professoren werden immer nervöser. Das Problem ihrer Familienangehörigen macht ihnen am meisten Sorgen, und ich glaube, wenn es möglich wäre, mit ihren Familienangehörigen Nachrichten auszutauschen, hätte dies unmittelbare Auswirkungen auf die allgemeine Stimmung.“ (S. 112).

Wie gereizt die Stimmung in diesem Punkt zuweilen war, macht die bittere Bemerkung von Wirtz deutlich:

> „Falls ich jemals mit Luftlandetruppen in England landen sollte, würde ich alle Männer sofort verhaften lassen und zwei Jahre lang von ihren Frauen trennen, um ihnen zu zeigen, wie so was ist.“ (S. 131).

Solche Bemerkungen und manch unbillige Forderung bzw. missverständliches Verhalten führten natürlich zu Gegenreaktionen. Major Rittner, der ihnen im Grunde wohlgesinnt war, stellte hierzu über die Internierten

59 Heisenberg 1969, S. 262.

60 Für „Hahnenerzählungen“, siehe Interview mit Carl Friedrich von Weizsäcker, S. 536.

61 Gerlach 1984, S. 116.

kategorisch fest, dass es ihnen „in diesem wie in vielen anderen Punkten völlig an der Einsicht mangelt, dass sie Angehörige einer besiegten Nation sind […]" und sie „immer noch glauben, sie seien das ‚Herrenvolk'." (S. 268). Sieht man von solcherlei Querelen ab, war das Verhältnis zwischen den „Special guests" – so lautete die geheimdienstliche Bezeichnung der Internierten – und den sie betreuenden Geheimdienstoffizieren durchaus von großem Verständnis und gegenseitiger Akzeptanz gekennzeichnet. Die Mahlzeiten wurden von Anfang an gemeinsam eingenommen, und später unternahm man gelegentliche Ausflüge bzw. Ausfahrten in die Umgebung. Im Laufe der Zeit entwickelte sich zwischen den englischen Bewachern, namentlich Major Rittner, und den deutschen Gelehrten, so Heisenbergs Resümee, „ein echtes Vertrauensverhältnis".[62]

Sehr viel größere Probleme und Spannungen scheint es dagegen in der Gruppe selbst gegeben zu haben. Diese waren in gewissem Maße Ausdruck des allgegenwärtigen Generationskonflikts, denn zwischen Otto Hahn und Max von Laue, beide Jahrgang 1879, und Erich Bagge und Horst Korsching, beide Jahrgang 1912, lagen nicht nur drei Jahrzehnte Altersunterschied, sondern auch Welten hinsichtlich Erziehung, Ausbildung und wissenschaftlichem Status. Beispielsweise verstanden einige der Jüngeren nicht, warum sie interniert worden waren, was sich gerade bei Horst Korsching, den die englischen Bewacher in ihrem Bericht als „völliges Rätsel", „mürrisch" und „verdrießlich" charakterisieren, in manch sarkastischer Bemerkung und wiederholten Sticheleien entlud – etwa wenn er sein Unverständnis darüber zum Ausdruck brachte, dass „Leute so kindisch anglophil sind" (S. 119). In einem Gespräch mit Bagge schlug er gar

> „eine geheime separatistische Bewegung vor, bei der die jüngeren Wissenschaftler sich von den älteren distanzieren sollten, da die jüngeren mit der Atombombe nichts zu tun hätten." (S. 361).

Andererseits warf er nach Bekanntwerden des amerikanischen Atombombenabwurfs Gerlach als Leiter des deutschen Uranprojekts mehr oder weniger direkt Versagen vor und stellte generell fest, dass man in Deutschland zu keiner wirklichen Zusammenarbeit fähig gewesen sei: „Jeder behauptete, der andere sei inkompetent" (S. 174).

62 Heisenberg 1969, S. 162.

Von persönlichen Animositäten und nicht ungeteilter Akzeptanz bei seinen Physikerkollegen scheint auch die Stellung Max von Laues geprägt gewesen zu sein. Zwar entwickelte sich in der Zeit der Internierung eine engere Freundschaft zum gleichaltrigen Otto Hahn, und beide gingen zum Du über, doch in einem Brief an Paul Rosbaud vom 17. April 1959 spricht er davon, dass er in Farm Hall „am meisten unter meinen Mitgefangenen, insbesondere unter Weizsäcker“ zu leiden gehabt habe.[63] Die englischen Bewacher protokollierten in diesem Zusammenhang:

> „von Laue scheint, abgehörten Gesprächen zufolge, bei seinen Kollegen nicht beliebt zu sein.“ (S. 127).

In den persönlichen Querelen und Streitigkeiten, die in einer solchen Schicksalsgemeinschaft zwangsläufig auftreten, spiegelt sich aber nicht nur allzu Menschliches wider, zugleich fanden hier auch manche Rivalitäten und Konflikte des deutschen Uranvereins ihre Fortsetzung. Kurt Diebners relativ isolierte Position etwa – „alle außer Bagge mögen ihn nicht“ (S. 110) – erklärt sich wohl nicht allein aus seinem allzu engen Verhältnis zum NS-Regime – „wird von seinen Gastgebern ein bisschen wie ein Nazi angesehen“ (S. 352) –, sondern auch aus seiner konkurrierenden Position zur Berliner Gruppe um Heisenberg. Hier wie auch an anderer Stelle kommt ein generelles Problem der deutschen Kernenergieforschung zum Ausdruck: die dominierende Persönlichkeit von Werner Heisenberg und das vermeintliche Primat der theoretischen Forschung. In einem Gespräch mit Gerlach sprach Harteck dies deutlich aus:

> „Die Theorie wurde als das Wichtigste betrachtet und die Experimente als Nebensache, und dann wurden fast unverständliche Formeln hingeschrieben. Wir haben Experimente nicht mit genügendem Nachdruck betrieben.“ (S. 182).

Einen großen Raum nahmen zu Anfang der Internierung auch Diskussionen über die politische Vergangenheit ein. Eine wichtige Rolle spielte dabei die Frage – und dies ist wohl ein ewig deutsches Thema –, ob man in die Partei oder andere Naziorganisationen einzutreten hatte oder nicht

63 Max von Laue an Paul Rosbaud, Berlin 17.4.1959. Herr Prof. Gerald Holton (Cambridge, Mass.) stellte mir dankenswerterweise eine Kopie dieses Briefes zur Verfügung, der im Dokumentenanhang S. 481 ff. enthalten ist. Eine ungenau zitierte Fassung des Briefes findet sich bereits in Kramish 1987, S. 317 f.

und in welchem Maße man Kompromisse mit den Machthabern eingehen musste. Die Argumentationslinien, oder besser gesagt, die Rechtfertigungen, die in diesem Zusammenhang von einzelnen verfolgt wurden, erinnern in vielem an Diskussionen, die in der einstigen DDR während der neunziger Jahre u.a. im Zusammenhang mit der „Abwicklung" von Wissenschaftlern und anderen Personengruppen geführt wurden. Kurt Diebner erklärte, er hoffe,

> „wir würden vergessen, dass er ein Mitglied der Nazipartei war. Er sei nur deshalb in der Partei geblieben, weil bei einem deutschen Sieg nur Parteimitglieder Aussicht auf gute Arbeitsplätze gehabt hätten." (S. 127).

Zusammen mit Bagge träumte er davon, in England bleiben und dort seine Forschungen fortsetzen zu dürfen

> „und dann nichts mehr mit der Partei zu tun haben. Ich würde freiwillig einen Eid leisten, nie wieder etwas mit der Partei zu tun zu haben." (S. 122).

Hier wie auch an anderen Stellen der Protokolle sind die Bezüge zur „Wendezeit" in der untergehenden DDR (1989/90) geradezu verblüffend.

Von „schlechtem Gewissen" sind auch große Teile jener Gespräche diktiert, in denen Hilfeleistungen für gemaßregelte Kollegen minutiös aufgeführt und teilweise sogar zu Widerstandshandlungen hochstilisiert werden (S. 138 ff.). Dass man einem verbrecherischen Staat nur allzu bereitwillig gedient hatte, mochten sich die meisten damals ebenso wenig eingestehen wie die Tatsache, dass viele von den Verbrechen auch persönlich Kenntnis besaßen. Es überwog vielmehr die allzu bekannte opportunistische Sorge, solche Eingeständnisse könnten der weiteren Karriere schaden. Allein von Karl Wirtz ist das Eingeständnis protokolliert:

> „Wir haben Dinge getan, die einzig auf der Welt sind. Wir gingen nach Polen und ermordeten nicht nur die Juden in Polen, sondern die SS fuhr beispielsweise auch vor einer Mädchenschule vor, holte die gesamte oberste Klasse heraus und erschoss sie, nur weil die Mädchen Schülerinnen einer Oberschule waren und die Intelligenz ausgerottet werden sollte. Stellen Sie sich mal vor, die wären nach Hechingen gekommen, wären vor der Mädchenschule vorgefahren und hätten alle Mädchen erschossen! Das haben wir getan." (S. 145).

Major Rittner vermerkte in diesem Zusammenhang im Protokoll:

> „Die Gäste waren sehr bemüht, sich von jeder Unterstellung reinzuwaschen, sie hätten irgendwelche Verbindungen zu den Nazis unterhalten. Insbesondere Gerlach hat sein Möglichstes getan, um dies seinen Kollegen klarzumachen, und man fragt sich, ob dies nicht vielleicht auf sein eigenes schlechtes Gewissen zurückzuführen ist." (S. 158).

An anderer Stelle findet der Leser die lapidare Feststellung:

> „Allgemein scheint man die Einstellung zu vertreten, dass der deutsche Krieg ein Missgeschick gewesen sei" (S. 351).

Bei aller Hochachtung, die man für die Haltung Otto Hahns in der Zeit des Dritten Reiches, aber auch während der Internierung in Farm Hall empfinden kann –

> „sein Humor und gesunder Menschenverstand haben bei zahlreichen Gelegenheiten die Situation gerettet. [...] Über die Nachricht vom Abwurf der Atombombe zeigte er sich sehr erschüttert, da er sich aufgrund seiner Entdeckung für den Tod so vieler Menschen verantwortlich fühlt." (S. 109) –,

liest man im Memorandum vom 8. August 1945 mit einigem Befremden:

> „Die Atomkernspaltung beim Uran ist im Dezember 1938 von O. Hahn und F. Straßmann am Kaiser-Wilhelm Institut für Chemie in Berlin entdeckt worden." (S. 205).

In der Anmerkung dazu:

> „Professor Meitner [hatte] bereits ein halbes Jahr vor der Entdeckung Berlin verlassen und war an der Entdeckung selbst nicht beteiligt." (S. 207).

Selbst wenn man berücksichtigt, dass das Memorandum auch eine Reaktion auf einseitige englische Pressemeldungen war, die Lise Meitner die zentrale Rolle bei der Entdeckung der Urankernspaltung zuwiesen und Otto Hahn und Fritz Straßmann kaum erwähnten, stellt sich doch die Frage, ob sich solche Art von vermeintlicher „Objektivität" an dieser Stelle nicht verbietet. An anderer Stelle spricht Hahn vom „nichtarischen Fräulein Meitner", das noch da war (S. 172). Selbst wenn Otto Hahn, wie

Carl Friedrich von Weizsäcker meint,[64] das Wort eher ironisch verwendet haben soll, liest man dies mit einigem Unbehagen. Das Dritte Reich hat, wie wir wissen, bis in die Sprache hinein seine Spuren hinterlassen[65] – und dies offenbar nicht nur bei seinen Anhängern und Aktivisten.

Noch etwas anderes machen diese Diskussionen der deutschen Atomforscher deutlich: Sie dokumentieren ihr Selbstbewusstsein und ihre Überzeugung, so schlecht gar nicht dazustehen. Zwar haben die Amerikaner die Bombe gebaut, doch waren es die Deutschen gewesen, die mit der Entdeckung der Urankernspaltung die ganze Entwicklung erst ermöglicht hatten. Dies wollten sie nicht nur als ein wissenschaftliches Faustpfand für ihre zukünftige Karriere verstanden wissen, sondern es öffnete ihnen in Verbindung mit ihren Bemühungen um die Entwicklung einer funktionstüchtigen Uranmaschine auch ein moralisches Schlupfloch. Wie Carl Friedrich von Weizsäcker am 7. August feststellte, würde die Geschichte festhalten,

> „die friedliche Entwicklung der Uranmaschine fand in Deutschland unter dem Hitler-Regime statt, während die Amerikaner und die Engländer diese grässliche Kriegswaffe entwickelten." (S. 197 f.).

---

64 Bei dem am 3. Juni 1993 geführten Interview (S. 519 ff.) erinnerte sich Carl Friedrich von Weizsäcker, dass Hahn dies ironisch verstanden wissen wollte: „Hahn wäre nicht im geringsten auch nur von fern auf die Idee gekommen, dieses sei eine Formel, die seine Meinung ausdrückt, sondern er wollte formulieren, wie die Nazis sprechen, die er immer verachtet und gehasst hat. Deshalb ist diese Passage über ihn meines Erachtens nicht gerecht." Der Dissens zwischen dem Zeitzeugen und dem Historiker berührt ein grundsätzliches Problem auch der vorliegenden Edition. Aber trotz der Einschränkungen, die sowohl die Auswahlkriterien der Engländer als auch die Probleme einer Rückübersetzung mit sich bringen, stehen Authentizität und Gehalt der Protokolle außer Zweifel.

65 Klemperer 1968.

Die Bombe und ihre Folgen

„Die Gäste waren über die Nachricht äußerst verblüfft. Zuerst wollten sie sie nicht glauben und waren der Meinung, es handle sich um einen Bluff unsererseits, um die Japaner zur Kapitulation zu bewegen. Nachdem sie die offizielle Bekanntgabe gehört hatten, wurde ihnen bewusst, dass es sich um eine Tatsache handelte. Ihre erste und, wie ich glaube, aufrichtige Reaktion waren Äußerungen des Entsetzens darüber, dass wir diese Erfindung zum Zwecke der Zerstörung eingesetzt hatten." (S. 165).

So leitet Major Rittner den vierten Bericht ein, der die Reaktion der Internierten auf den Abwurf der amerikanischen Atombombe auf Hiroshima zusammenfasst. Tatsächlich war die Überraschung perfekt – keiner der Internierten hatte auch nur im Entferntesten an die Möglichkeit geglaubt, dass die Amerikaner das ebenso schwierige wie aufwendige Problem der Entwicklung einer Atombombe lösen und diese auch noch während des Krieges zum Einsatz bringen würden. Die Überraschung war um so größer, als die Deutschen bis zum Abend des 6. August davon überzeugt waren, dass sie diejenigen seien, die den Geheimnissen der Kernspaltung und ihrer Nutzung am dichtesten auf der Spur waren.

Dahinter steckte weniger deutsche Überheblichkeit – wenngleich Spuren davon an einigen Stellen der Farm-Hall-Protokolle anklingen (Korsching S. 120, Bagge S. 151) – als vielmehr die erfolgreiche Arbeit des amerikanischen Geheimdienstes. Die deutschen Atomforscher hatten bis zuletzt kaum konkrete Informationen über das amerikanische Kernenergieprojekt und meinten, „wirklich eine Menge mit Uran gemacht [zu] haben" (S. 118). Bestärkt wurde dieses Selbstbewusstsein durch die Geheimniskrämerei rund um ihre Internierung und nicht zuletzt durch das Verhalten von Goudsmit, der nichts tat, um diesen Eindruck zu korrigieren, im Gegenteil. Als Heisenberg ihm während der Heidelberger Vernehmungen das Angebot machte: „Sollten amerikanische Kollegen am Uranproblem interessiert sein, so werde ich ihnen gerne unsere Forschungsergebnisse zeigen, wenn sie in mein Laboratorium kommen", da empfand Goudsmit diese Offerte zwar als „traurig und ironisch", doch ging er nicht darauf ein.[66] Auf die direkte Frage, wie es in Amerika mit diesbezüglichen

66 Goudsmit 1947, S. 113.

Forschungsarbeiten stehe, soll er sogar lächelnd geantwortet haben, dass man in Amerika „Wichtigeres zu tun gehabt und keine Anstrengungen in dieser Richtung unternommen" hätte.[67] Die Enttäuschung über das Verhalten von Goudsmit ist in den Farm-Hall-Protokollen nachzulesen:

> „Heisenberg beklagte sich bitter, dass Goudsmit sie alle sehr geschickt belogen habe, und ist der Meinung, er hätte doch wenigstens ihm mitteilen können, dass ihre Experimente in Amerika schon weiter gediehen seien. Die Gäste waren sich darin einig, dass die Geheimhaltung hervorragend funktioniert habe." (S. 186).

Vor diesem Hintergrund wird es verständlich, wenn die deutschen Atomforscher am Abend des 6. August höchst skeptisch auf die Nachricht vom Abwurf einer amerikanischen Atombombe auf Hiroshima reagierten. Der Skeptischste von allen ist Heisenberg.

> „Ich kann mir nur denken, dass irgendein Dilettant in Amerika, der sehr wenig davon versteht, ihnen eingeredet hat: ‚Wenn ihr die abwerft, hat sie das Äquivalent von 20.000 Tonnen hochexplosivem Sprengstoff', und in Wirklichkeit funktioniert sie überhaupt nicht. [...] Ich bin bereit zu glauben, dass es eine Hochdruckbombe ist, aber ich glaube nicht, dass sie etwas mit Uran zu tun hat, sondern dass es ein chemisches Zeug ist, wodurch sie die Reaktionsgeschwindigkeit und die ganze Explosion ungeheuer beschleunigten." (S. 167 f.)

Als in den folgenden Tagen immer weitere Details der abgeworfenen Bombe und der amerikanischen Anstrengungen bekannt wurden, griff allgemeine Bestürzung um sich.

Die alles dominierende Frage war nun, auf welchem Wege die Amerikaner den Kernsprengstoff produziert hatten. Diskutiert wurden die bekannten Anreicherungsverfahren für das Uran 235, wobei sich die Mehrheit – und nicht zuletzt Heisenberg – der Meinung von Harteck anschloss, wonach die Anreicherung des Urans wahrscheinlich „mit hunderttausend Massenspektrographen" erfolgt sei; so lasse sich vielleicht auch die enorme Zahl von 180.000 Mitarbeitern am amerikanischen Atomprojekt erklären. Allein Korsching und Wirtz zweifelten dies ernsthaft an, wobei letzterer wetten wollte, dass die Uranisotope durch Diffusion getrennt worden seien (S. 171) – womit er auch recht hatte.

---

67 E. Heisenberg 1983, S. 133.

Eng verbunden mit diesem Problemkreis und der Frage nach der Leistungsfähigkeit der einzelnen Trennverfahren war das Problem, welches und wie viel spaltbares Material für die Konstruktion einer Atombombe überhaupt notwendig sei. Die Farm-Hall-Protokolle belegen eindeutig, dass man im Kreis der deutschen Atomforscher bis dahin nur grobe Abschätzungen über die kritische Masse einer Uranbombe angestellt hatte. So sprach Heisenberg unmittelbar nach den ersten Nachrichten von mehreren Tonnen reinem Uran 235, die für eine Atombombe nötig seien, worauf Hahn ihn daran erinnerte, er habe ihm „immer erzählt, dass man 50 kg 235 braucht, um etwas zu machen" (S. 169). Ohne sich weiter festlegen zu wollen, verwies Heisenberg auf die große mittlere freie Weglänge der Neutronen im Uran 235 und meinte abschließend: „Wenn es mit Uran 235 gemacht worden ist, dann sollten wir imstande sein, es richtig herauszubekommen." (S. 170).

Es war Heisenbergs ganzer Ehrgeiz, die Lösung zu finden, und er schaffte es – innerhalb einer Woche. Am 14. August berichtete er in einem Vortrag seinen internierten Physikerkollegen kompetent und detailliert über die physikalisch-technischen Grundprinzipien der Atombombe. Dieser Vortrag und die sich daran anknüpfende, sehr lebhafte Diskussion war den englischen Geheimdienstoffizieren so wichtig, dass sie ihn vollständig mitschnitten, von Spezialisten des britischen Wissenschaftsministeriums umgehend übersetzen ließen und beides – das deutsche Original wie die englische Übersetzung – dem fünften Bericht (8. – 22. August, vgl. S. 234 ff.) als Anhang beifügten. Die 13 Protokollseiten machen deutlich, was General Groves meinte, als er in seinen Memoiren feststellte, dass Werner Heisenberg den Amerikanern „zur Zeit des deutschen Zusammenbruchs mehr wert war als zehn deutsche Divisionen. Wäre er den Russen in die Hände gefallen, hätte er sich für sie als unschätzbar erwiesen."[68]

> „Ich möchte die U-235-Bombe nach den Methoden behandeln und besprechen, die wir bisher immer bei unserer Uranmaschine angewendet haben. Da stellt sich dann in der Tat heraus, dass man alle Einzelheiten der Bombe wirklich sehr gut verstehen kann." (S. 234).

68 Groves 1965, S. 245.

Heisenberg entwickelte in seinem Vortrag die Theorie des Spaltvorgangs in einer Atombombe, indem er zunächst für „die kritische Größe, die die Uran-Kugel unbedingt haben muss, damit sie explodiert", einen Radius zwischen 13,7 und 6,2 cm berechnete (S. 246 f.). Daraus ergäbe sich eine minimale Explosivmasse von 16 kg Uran 235.

Hinsichtlich der Zündung der Bombe entwickelte er die Vorstellung, dass zwei unterkritische Uranhalbkugeln, die jeweils auf Eisenzylinder montiert sind, in einem Kanonenrohr aufeinandergeschossen werden. Der Prozess der Vereinigung der beiden Halbkugeln müsse sehr schnell ablaufen (10^{-5}– 10^{-7} Sekunden), ansonsten

> „würde also die Sache sich so schnell so weit erwärmen, dass man auf 5.000 ° oder 10.000 ° oder 20.000 ° kommt. Sobald ich aber diese hohen Temperaturen habe, dann platzt die ganze Geschichte ja auseinander. [...] Das heißt, die Reaktion läuft gar nicht bis zu Ende ab, sondern sie läuft eben praktisch nur ab, bis sie etwa 10.000 ° erreicht hat, und dann ist sie schon zu Ende. Also ich muss die Zeit schon hinreichend kurz wählen, damit das nicht [schon] vorher auseinanderfliegt." (S. 251).

Abschließend ging Heisenberg in seinem Vortrag der Frage nach, welche Temperatur in einer solchen Kernspaltungsbombe entsteht. Auf der Grundlage des Stefan-Boltzmannschen Gesetzes kommt er dabei zu einer Abschätzung der Maximaltemperatur von etwa 30 Millionen Grad, wobei der größte Teil der damit verknüpften Strahlung als Röntgenstrahlung mit einer Wellenlänge von etwa 1 Ångström freigesetzt und von der umgebenden Luft absorbiert werde:

> „Das erste, was dann passiert, wird sein, dass die nächsten 10 m Luft zur Weißglut gebracht werden. Was man zuallererst sehen wird, ist ein glühender Ball von etwa 20 m Durchmesser, der infolge der absorbierten Röntgenstrahlung weiß glüht. [...] Die Geschichte [d. h. die Erscheinung] wird am Anfang wunderbar kugelsymmetrisch sein: Dann allmählich kommen Konvektionserscheinungen dazu und dann wird es kompliziert." (S. 256).

Mit seinem Vortrag hatte Heisenberg nicht nur seine physikalische Meisterschaft erneut eindrucksvoll unter Beweis gestellt, sondern er machte seinen englischen Bewachern auch deutlich, dass die deutschen Atomforscher zwar nicht die technisch-technologischen Details, wohl aber die grundlegenden physikalischen Phänomene der Atombombe verstanden. „Die Physik davon ist im Grunde sehr einfach; es ist ein industrielles Problem", stellte Heisenberg selbstbewusst fest (S. 277). Die Alliierten sahen es wohl ähnlich, denn schon vier Tage nach seinem Vortrag, anlässlich eines Besuches von Commander Welsh wurde den Internierten ein britisches „Weißbuch" zur Atombombe[69] zur Kenntnis gebracht, das detailliert Auskunft über die physikalisch-technische Seite der Atombombenentwicklung gab.

Nach dem amerikanischen Atombombenabwurf beschäftigte die deutschen Atomforscher aber nicht nur die Frage, wie die Bombe funktionierte, fast ebenso intensiv diskutierten sie die gesellschaftlichen Implikationen dieser Erfindung und ihr eigenes Engagement. Einen ersten Höhepunkt hatten diese Diskussionen bereits am Abend des 6. August. Nachdem klargeworden war, dass es sich tatsächlich um eine Kernspaltungsbombe handelte, griffen im Kreis der deutschen Atomforscher Erschütterung und Entsetzen um sich. So räumte Otto Hahn zwar ein, es handele sich um „eine gewaltige Leistung, die in der Geschichte ohnegleichen sei" (S. 179), doch gleichzeitig plagten ihn existentielle Schuldgefühle, da er sich – wie er gegenüber Major Rittner bekannte – als Entdecker der Urankernspaltung „persönlich … verantwortlich für den Tod von Hunderttausenden" fühle (S. 166).

Auch Max von Laue war von der Nachricht zutiefst erschüttert und bekannte gegenüber Erich Bagge etwas pathetisch:

> „Als ich jung war, wollte ich Physik treiben und Weltgeschichte erleben. Die Physik habe ich getrieben, und dass ich Weltgeschichte miterlebt habe, wahrhaftig, das kann ich jetzt in meinen alten Tagen wohl sagen."[70]

69 Dieses „White Paper" enthielt neben physikalischen und technischen Details zur Atombombe auch Stellungnahmen von Churchill und der Leitung des britischen Atomprojekts. Das „Manhattan-Projekt" wurde separat im sog. „Smyth-Report" (s. Smyth 1945) von amerikanischer Seite behandelt. Vgl. dazu die Anmerkung zum Besuch von Sir Charles Darwin im fünften Bericht, Kapitel IV.3 (S. 261).

70 Bagge et al. 1957, S. 58.

Es war jedoch Walther Gerlach, den die Nachricht am stärksten beschäftigte, ja er geriet nach einem hitzigen Wortgefecht außer sich und begab sich auf sein Zimmer,

> „wo man ihn schluchzen hörte. [...] Er schien sich in der Lage eines besiegten Generals zu sehen, dem nur noch die Wahl blieb, sich zu erschießen." (S. 179).

Gerlach, Jahrgang 1889, empfand dies wohl stärker als seine Mitgefangenen als Niederlage, und er fühlte sich mitverantwortlich; die Niederlage war in seinen Augen auch eine Niederlage der deutschen Wissenschaft. Als administrativer Leiter des deutschen Uranprojekts hatte er nun auch für die Folgen einzustehen – so jedenfalls sah er es. Für ihn ging es dabei nach eigener Aussage nicht um die Bombe – „keinen Augenblick dachte ich an eine Bombe" (S. 179) –, sondern darum, dass die Deutschen in einer Sache, die Gerlach wegen der Hahnschen Entdeckung als eine „deutsche Angelegenheit" betrachtete, unterlegen waren. Und in seinem Tagebuch vermerkte er: „Alle Arbeit der Ausbildung der Physiker für Unterricht und Industrie ist umsonst. Die ganze Arbeit während des Krieges ist umsonst."[71]

Als sich nach zwei Tagen die Emotionen gelegt hatten und nun der Ärger über die oberflächlichen und teilweise reißerisch aufgemachten Presseberichte Oberhand gewann, schlug Major Rittner den deutschen Atomforschern – sicherlich nicht ohne Auftrag – vor, „ein Memorandum aufzusetzen, in dem sie Einzelheiten über ihre Arbeit in Deutschland darlegen könnten" (S. 200). Heisenberg und Gerlach übernahmen die Redaktion des zweiseitigen Textes. Neben wissenschaftlichen Details des deutschen Uranprojekts hielt das Memorandum vor allem fest:

> „Die wissenschaftlichen Vorarbeiten hatten gegen Ende 1941 zu dem Ergebnis geführt, dass [...] die Voraussetzungen für die Herstellung einer Bombe im Rahmen der technischen Möglichkeiten, die Deutschland zur Verfügung standen, damals nicht gegeben zu sein [schienen]. Die weiteren Arbeiten konzentrierten sich daher auf das Problem der Maschine" (S. 205).

---

71 Zitiert nach Walker 1989, S. 196.

Vor dem Hintergrund der in Farm Hall geführten Diskussionen war dies ein erstaunlich einhelliges Votum über Ziel und Aufgaben des deutschen Uranprojekts. Sicherlich ist es richtig, dass im Mittelpunkt der deutschen Arbeiten die Entwicklung einer Uranmaschine gestanden hat, doch machen die Diskussionen von Farm Hall deutlich, dass für manche der Internierten (und vor allem auch für andere deutsche Kernphysiker[72]) dies keineswegs das Endziel sein sollte und verschiedentlich auch Stolz auf die militärtechnische Relevanz ihrer Forschungsergebnisse artikuliert wurde. So stellt Gerlach fest:

> „Ich hatte Angst, an die Bombe zu denken, aber ich habe sie mir als eine Sache der Zukunft vorgestellt; derjenige, der mit dem Einsatz der Bombe drohen konnte, würde alles erreichen können." (S. 180).

Auch Bagge erinnert wiederholt an die militärischen Dimensionen des Unternehmens – so wenn er darauf hinweist, dass man sich auf der ersten Sitzung des Uranvereins explizit für eine Erforschung aller Fragen, also auch der militärischen Aspekte der Kernenergie, ausgesprochen hatte (S. 187), oder an anderer Stelle erklärt:

> „Es ist absurd, von Weizsäcker zu sagen, wir hätten gar nicht gewollt, dass die Sache gelingt. Das mag für ihn zutreffen, aber nicht für uns alle." (S. 194).

Im Kaiser-Wilhelm-Institut für Physik habe es, heißt es an anderer Stelle, „ein Patent für die Herstellung einer solchen Bombe" gegeben (S. 201). Dies und die Tatsache, dass Weizsäcker (wie auch Houtermans[73]) seit 1940 wusste, dass neben dem Uran 235 auch das in einer Uranmaschine bzw. einem Brutreaktor anfallende Transuran mit der Massenzahl 239 (Plutonium) kernwaffenfähig ist, zeigt, dass sich auch der Uranverein um Heisenberg der militärischen Option ihrer Forschungen bewusst war. Schließlich stellte Kurt Diebner, der immer als der maßgebliche Protagonist einer deutschen Atombombenentwicklung angesehen wird, fest: „wir haben immer geglaubt, wir würden zwei Jahre für eine Bombe brauchen" (S. 168). Dass man es nicht geschafft hatte, dafür machte Heisenberg weniger mangelnde Anstrengungen oder gar eigenes Unvermögen verant-

72 Vgl. Karlsch 2005, S. 75, dort zitiert aus Anm. 27, S. 354.

73 Hoffmann 2014.

wortlich als vielmehr den Antagonismus zwischen Staat und Wissenschaft in Hitler-Deutschland:

> „Die Beziehungen zwischen Wissenschaftler und Staat waren in Deutschland derart, dass wir einerseits nicht hundertprozentig dazu entschlossen waren und dass andererseits der Staat uns so wenig Vertrauen entgegenbrachte." (S. 176).

Verfolgt man den Verlauf der Gespräche in Farm Hall, so gewinnt man den Eindruck, dass sich der Dissens der Meinungen nach und nach nivelliert und sich schrittweise ein Konsens herausbildete, der für die „Vergangenheitsbewältigung" in jeder Hinsicht dienlich, ja von Vorteil war, sowohl für die persönliche Integrität wie für die künftige Karriere. Diesen Prozess der mehr oder weniger stillschweigenden Normierung der Meinungen hat vor allem Carl Friedrich von Weizsäcker durch die Kraft und Schärfe seiner Argumente beeinflusst – so wenn er feststellt,

> „es ist uns nicht gelungen, weil alle Physiker im Grunde gar nicht wollten, dass es gelang. Wenn wir alle gewollt hätten, dass Deutschland den Krieg gewinnt, hätte es uns gelingen können" (S. 175),

oder wenn er wenig später explizit vorschlägt:

> „Wir sollten uns jetzt nicht in Rechtfertigungen ergehen, weil es uns nicht gelungen ist, vielmehr müssen wir zugeben, dass wir gar nicht wollten, dass die Sache gelingt." (S. 177).

Damit war eine Sprachregelung gefunden, der sich die Internierten nur allzu gern anschlossen. Indem man in Aschenputtelmanier die vermeintlich friedliche Entwicklung einer Uranmaschine säuberlich vom kriegerischen Atombombenbau trennt, wird die technologische Dualität der Kernenergieforschung bewusst und wider besseren Wissens ignoriert; mehr noch, allen Diskussionen über die heikle Frage nach den militärischen Intentionen der jeweiligen Forschungsvorhaben ist damit der Boden entzogen. Es war das Glück der deutschen Atomforscher, niemals wirklich vor dem moralischen Problem gestanden zu haben, Atomwaffen für Hitler-Deutschland entwickeln zu müssen. Er sei sehr froh gewesen, sagt denn auch Heisenberg, „dass ihnen die Entscheidung über die Atombombenherstellung durch die äußeren Umstände erspart wurde".[74]

74 Hierzu vgl. den Brief von Heisenberg an Hans Bethe in Hermann 1977, S. 175.

Die Würfel waren längst gefallen, und doch muss man sich fragen, was passiert wäre, wenn das Heereswaffenamt die erforderlichen Mittel bereitgestellt, Hitler in der Atombombe und nicht in V 1 und V 2 die Wunderwaffe gesehen oder der Krieg sich hingezogen hätte. Fragen, die in Farm Hall kaum gestellt und schon gar nicht in ihrer Konsequenz diskutiert worden sind. Dies gilt im Übrigen nicht nur für die zweite Hälfte des Jahres 1945, sondern für die gesamte Kernenergiediskussion der Nachkriegszeit, die fein säuberlich die friedliche Reaktortechnik von den kriegerischen Kernwaffen schied.[75] In diesem Sinne ließen die deutschen Atomforscher auch lange Zeit allzu bereitwillig die Auffassung Robert Jungks unwidersprochen,

> „dass die in einer säbelrasselnden Diktatur lebenden deutschen Kernphysiker, der Stimme ihres Gewissens folgend, den Bau von Atombomben verhindern wollten".[76]

Nicht ohne Grund hat Mark Walker das Memorandum der zehn internierten deutschen Atomforscher als „die Geburtsstunde des Mythos von der deutschen Atombombe"[77] bezeichnet, entstanden „in der psychologischen Feuerprobe von Farm Hall".[78] Mit dieser Art und Weise, dunkle Flecken der Vergangenheit zu übertünchen, sollten zugleich auch Brücken in die Zukunft geschlagen werden; fünfzig Jahre später wiederholte sich im Übrigen Ähnliches im deutschen Einigungsprozess. Den Blick für die Zukunft schärften damals besonders Werner Heisenberg und Carl Friedrich von Weizsäcker. So gab Heisenberg seiner Überzeugung Ausdruck,

> „dass unser Ziel wirklich richtig war und dass die Tatsache, dass wir uns auf das Uran konzentrierten, uns vielleicht die Chance einer Zusammenarbeit gibt." (S. 190).

Während der national-konservativ denkende Gerlach noch glaubt, „die deutsche Physik und die deutschen Physiker retten zu können", sieht Heisenberg schon ganz andere Perspektiven: „Vielleicht kann die deutsche Physik als Teil in einer großen westlichen Gruppe mitarbeiten" (S. 191). Das war eine realistische Vision, wie sich bald herausstellen sollte.

75 Vgl. Radkau 1983.

76 Jungk 1956, S. 112.

77 Walker 1989, S. 200.

78 Walker 1993.

Zukunftsperspektiven

Über nichts haben sich die deutschen Atomforscher in Farm Hall so viel Gedanken gemacht wie über ihre Zukunft. Überwog in den ersten Wochen und Monaten die existentielle Ungewissheit über das eigene Schicksal und das ihrer Familien, so treten nach Hiroshima konkrete Zukunftspläne in den Vordergrund der Diskussionen. Nachdem man bis dahin nur Mutmaßungen über den Grund der Internierung angestellt hatte – „weil sie uns für gefährlich halten, weil wir wirklich eine Menge mit Uran gemacht haben" (Weizsäcker, S. 118) –, lagen nun die Gründe auf der Hand; damit wuchsen aber auch die Hoffnungen, wie Heisenberg bereits am Abend des 6. August feststellte,

> „dass sie uns in verhältnismäßig kurzer Zeit mitteilen werden, was mit uns geschehen soll, da ich keinen Sinn darin sehe, uns hier weiter festzuhalten, da sie offensichtlich *viel* weiter sind als wir." (S. 191).

Den Alliierten blieb jedoch eine große Sorge, dass die deutschen Atomspezialisten ihr Wissen an die Sowjetunion oder andere Mächte weitergeben könnten. Zu solchen Spekulationen gaben die Internierten selbst Anlass – so wenn Bagge, Diebner und Korsching darüber diskutierten, nach Argentinien zu gehen, um dort ihre Uranforschungen fortzusetzen (S. 146ff.); oder wenn Heisenberg die Frage aufwirft, was man tun solle, wenn sich herausstellt,

> „dass wir uns unter den Angelsachsen bestenfalls schlecht und recht durchschlagen können, während die Russen uns einen mit, sagen wir mal, 50.000 Rubel dotierten Job anbieten" (S. 274).

Selbstverständlich wollte Heisenberg alles andere, als unter russischer Ägide zu forschen und zu leben, doch hat man andererseits zu konstatieren, dass zum damaligen Zeitpunkt keineswegs klar war, ob der russische Einfluss nicht doch bis an den Rhein reichen würde.

Bei der Lektüre der Protokolle erstaunt immer wieder, wie klar die deutschen Atomphysiker die politische Situation analysierten und wie klar ihnen die politische Dimension der Atombombe war. Für Weizsäcker, der in diesen Diskussionen zusammen mit Heisenberg das Wort führte, gab es schon damals keinen Zweifel, dass die Atombombe die Welt grund-

Die Nobelpreisträger von Farm Hall: Werner Heisenberg, Max von Laue und Otto Hahn nach ihrer Rückkehr aus England. Göttingen, Anfang 1946.

sätzlich verändert habe und die weltpolitische Entwicklung zwangsläufig zu einer Konfrontation zwischen den USA und der UdSSR führen werde:

> "Wären die Amerikaner und die Briten wirkliche Imperialisten, würden sie morgen mit dem Ding Stalin angreifen. Sie werden das aber nicht tun, weil sie die Bombe als politische Waffe benutzen. Das ist natürlich gut so, doch wird das Ergebnis ein Friede sein, der so lange hält, bis die Russen sie auch haben, und dann wird es sicher Krieg geben." (S. 193).

Neben solchen weltpolitischen Analysen, oft genug durch sie bedingt, standen Fragen der persönlichen Zukunft und des wissenschaftlichen Wiederaufbaus in Deutschland. Der Blick zurück wurde immer häufiger zum Blick nach vorn. In Farm Hall wurden erste wissenschaftspolitische und -organisatorische Konzepte für den Wiederaufbau der naturwissenschaftlichen Forschung in Deutschland, und speziell der Physik, entwickelt. Von zentraler Bedeutung sind dabei die Gespräche, die die Internierten im August und September mit den einflussreichen englischen Physikern

Charles Darwin und Patrick Blackett führten. Insbesondere das Gespräch mit Blackett, dem Wissenschaftsberater der neuen Labour-Regierung, wurde als schicksalhaft empfunden; seit den zwanziger Jahren war dieser mit einigen der Internierten, insbesondere mit Heisenberg, gut bekannt, was sich auf den Charakter der Gespräche auswirkte.

Blackett war autorisiert, mit den Internierten konkrete Fragen ihrer Rückkehr und des wissenschaftlichen Neuaufbaus in Deutschland bzw. in der britischen Besatzungszone zu besprechen. Im Gegensatz zu den radikalen Auffassungen der USA, die im Sinne des Morgenthauplans jegliche wissenschaftliche Forschung zunächst weitgehend einzuschränken und strikt zu kontrollieren suchten, gingen die britischen Vorstellungen davon aus, „gefährliche wissenschaftliche Aktivitäten am besten dadurch zu verhindern, dass die ‚friedliche Wissenschaft' ermutigt wurde".[79] In diesem Sinne vertrat Blackett gegenüber Heisenberg die Meinung, „die gewöhnliche Forschung sollte ganz ungehindert weitergehen. […] Vielleicht gibt es ein paar Inspektionen" (S. 279); was die Kernphysik angehe, würden Kontrollen unumgänglich sein. Solchen wollte und konnte sich Heisenberg natürlich nicht entziehen, wenn er auf diesem Gebiet weiter wissenschaftlich tätig sein wollte. Allerdings mochte er sich nicht mit dem Gedanken zufriedengeben, lediglich „kleine Physik" treiben zu dürfen, weshalb er „einen breiteren Arbeitsbereich mit Kontrolle einem sehr begrenzten Arbeitsbereich ohne Kontrolle" vorzog. In diesem Zusammenhang entwickelte er zusammen mit Weizsäcker die Idee einer „internationalen Wissenschaft", durch die Deutschland wieder den Anschluss schaffen könnte. Ein Gedanke übrigens, der sich bis in die zwanziger Jahre zurückverfolgen lässt, als Heisenberg im Kopenhagener Institut von Niels Bohr die stimulierende Erfahrung einer internationalen Physikergemeinschaft gemacht hatte.[80]

Blackett ging es in den Gesprächen mit seinen deutschen Kollegen nicht allein um die allgemeinen Grundlinien des Wiederaufbaus der physikalischen Forschung in Deutschland, zugleich sprach er mit ihnen über ihre eigene Rolle in diesem Prozess. So forderte er Heisenberg auf, „geben Sie Ihr Bestes, um ein neues Deutschland aufzubauen" (S. 289), und Max

79 Stamm 1981, S. 52.

80 Vgl. Robertson 1979, S. 131 ff.

von Laue riet er, „im Interesse des Wiederaufbaus" zurückzukehren, da „Sie unbedingt zu denjenigen Leuten in Deutschland gehören, die die richtigen Ansichten zu vermitteln versuchen" (S. 298). In einer speziellen Unterhaltung mit Heisenberg, einer Art „Kadergespräch", wurde dann die Zukunft der in Farm Hall Internierten ausführlich erörtert. Die englische Position fasste Blackett so zusammen:

> „Es gibt in Deutschland Tausende, die sich eine neue Beschäftigung suchen müssen. Wir haben eine Art wissenschaftliche Verantwortung für die guten Leute, die nicht so guten Leute werden sich selber zurechtfinden müssen." (S. 301).

In den folgenden Tagen und Wochen diskutierten beispielsweise Heisenberg und Gerlach die künftige Rolle der Deutschen Physikalischen Gesellschaft, der sie eine zentrale und integrative Rolle beim Wiederaufbau der Physik zuwiesen (S. 307 ff.), die ihr dann auch tatsächlich von den Alliierten eingeräumt wurde. Heisenberg, Gerlach und nicht zuletzt Max von Laue haben nach ihrer Rückkehr entscheidend zur Neugründung der Gesellschaft beigetragen, alle drei bekleideten über viele Jahre wichtige Vorstandsfunktionen. Ein anderes Beispiel ist die im Gespräch mit Harteck erwähnte Idee, „ein physikalisches Institut in Hamburg nach dem Vorbild der Reichsanstalt" entstehen zu lassen (S. 313), ein Gedanke, der in der Gründungsgeschichte der Physikalisch-Technischen Bundesanstalt als Nachfolgerin der Reichsanstalt eine Rolle spielte, dann jedoch zugunsten des heutigen Standortes Braunschweig aufgegeben wurde. So ist der „Geist von Farm Hall" in der Wissenschaftsgeschichte Nachkriegsdeutschlands auf vielfältige Weise präsent – nicht zuletzt beim Wiederaufbau der Kaiser-Wilhelm/Max-Planck-Gesellschaft und bei der Entwicklung der Kernenergietechnik in der Bundesrepublik.[81]

Haben sich die Prognosen Blacketts bezüglich der wissenschaftlichen Entwicklung Nachkriegsdeutschlands im Großen und Ganzen bestätigt, so konnte er sein Versprechen, dass sich die Situation der Internierten innerhalb kurzer Zeit klären werde, nicht erfüllen. Zwar wurde Heisen-

---

81 Es verdient einen Hinweis, dass der Aufbau der Kernenergie im anderen deutschen Teilstaat von Wissenschaftlern bestimmt wurde, die in den fünfziger Jahren aus der Sowjetunion zurückkehrten. Vgl. Albrecht et al. 1992; Barkleit 2007; Hoffmann, Laitko 2018.

berg, Hahn und von Laue am 2. Oktober, anlässlich eines Besuches der drei in der Royal Institution in London, die grundsätzliche Mitteilung gemacht, dass „die Amerikaner beschlossen haben, dass wir nach Deutschland zurückkehren" (S. 340), doch über das Wann und Wo vermochte er nichts zu sagen. Die deutschen Atomforscher mussten noch bis Weihnachten warten. Für die Besatzungsbehörden stellte es ein ausgesprochen schwieriges Problem dar, die einschlägigen Sicherheitsbedingungen für die Heimkehrer zu realisieren und ihnen vor allem auch geeignete Forschungs- und Lebensbedingungen zu bieten – wohl wissend, dass „der Teufel für müßige und unzufriedene Hände Arbeit bereithält". Einen Eindruck von den Schwierigkeiten vermittelt ein den Protokollen beigefügter Brief vom 31. Oktober, in dem es heißt, dass Montgomery nicht akzeptieren könne, die prominenten Gäste unter relativ freizügigen Bedingungen in seine Obhut zu nehmen; die einzig akzeptable Bedingung für den Chef der britischen Besatzungszone sei, „dass sie unter strengster Aufsicht eingeschlossen würden".

Die weiterhin bestehende Ungewissheit, das trübe englische Herbstwetter und wohl auch die krankheitsbedingte Ablösung Major Rittners durch Captain Brodie, mit dem man nicht so gut auskam, führten dazu, dass sich die Stimmung der Internierten von Woche zu Woche verschlechterte. Die Wochenberichte protokollieren nicht nur zahlreiche Proteste über das Ausbleiben von Post oder die fast schon rituellen Drohungen der Internierten, ihr Ehrenwort zu widerrufen und aus Farm Hall zu flüchten, sondern sie berichten auch, „die Gäste werden allmählich apathisch, sie halten nicht einmal mehr Kolloquien ab", ja dass „Laue einen ganzen Tag lang im Bett blieb und [...] Gerlach hysterische Anfälle bekommt" (S. 363).

Es muss den Internierten fast schon wie ein Geschenk des Himmels vorgekommen sein, als sie am 16. November, einem Freitag, davon erfuhren, dass Otto Hahn der Nobelpreis für Chemie verliehen worden war.[82] Die Nachricht verbesserte die Stimmung nachhaltig und über den Tag hinaus, empfand man doch die Preisverleihung nicht nur als eine persönliche Ehrung für Otto Hahn, sondern zugleich auch als eine generelle Anerkennung der in Deutschland betriebenen Forschungen zur

82 Vgl. Laue 1947.

Farm Hall, Zeichnung Erich Bagge, Okt. 1945.

Kernphysik. Darüber hinaus hatte die Nachricht natürlich auch Konsequenzen für die Internierung, da sie die breite Öffentlichkeit auf das mysteriöse Verschwinden der deutschen Atomforscher aufmerksam machte, so dass ihre Freilassung nur noch eine Frage der Zeit sein konnte. Zunächst wurde die Zeitungsmeldung jedoch Anlass für ein feuchtfröhliches Fest, auf dem „die Verleihung mit Liedern, Ansprachen, allerlei Gebackenem und einigem Alkohol gefeiert" wurde (S. 370). „Zum ersten Mal vergaß man, daß man hier gefangen war."[83]

Die Adventszeit, Nikolaustag, der Geburtstag Heisenbergs (5. Dezember) und schließlich Vorahnungen, dass ihre Freilassung unmittelbar bevorstand, trugen dazu bei, dass das Stimmungshoch in Farm Hall weiter anhielt. Am Vorabend zum Weihnachtsfest wurde ihnen dann endlich die erlösende Mitteilung gemacht, dass sie am 3. Januar aus der Internierung entlassen und per Flugzeug nach Deutschland zurückgebracht würden. Das Entlassungsdatum war keineswegs zufällig gewählt; es bezeichnete

83 Tagebucheintrag von Bagge vom 18. November 1945, s. Dokumentenanhang S. 419; Hoffmann 1993.

exakt jenen Zeitraum von sechs Monaten, den das englische Kriegsrecht Seiner Majestät einräumt, jemanden „nach Belieben" festzusetzen.

Von Farm Hall ging es am 3. Januar mit dem Flugzeug ins niedersächsische Alswede, wo die kriegsgefangenen Ordonnanzen ihre Entlassungspapiere bekamen. Ein freigeräumtes Manufakturwarenhaus wurde für die nächsten Wochen das Domizil der Wissenschaftler. Nachdem in Göttingen entsprechende Arbeitsplätze geschaffen worden waren, bauten Heisenberg und Laue dort zusammen mit Bagge, Korsching, Weizsäcker und Wirtz das neue Max-Planck-Institut für Physik auf; auch Otto Hahn ging nach Göttingen, um im Frühjahr vom greisen Max Planck die Präsidentschaft der Kaiser-Wilhelm-, der späteren Max-Planck-Gesellschaft, zu übernehmen. Paul Harteck kehrte nach Hamburg in sein altes Universitätsinstitut zurück, Walther Gerlach ging zunächst als Gastprofessor an die Universität Bonn, um 1948 auf seine Münchener Professur zurückzukehren und das Rektorat der Ludwig-Maximilians-Universität zu übernehmen. Kurt Diebner schließlich gründete in Hamburg eine Firma für Messgeräte und Sicherungstechnik. Der Aufenthalt wurde für alle zunächst auf die britische Besatzungszone beschränkt.

Die achtmonatige Internierung hatte eine Schicksals- und Solidargemeinschaft geschmiedet, die sich in der Zukunft in verschiedenen Situationen bewähren und teilweise über den engen Kreis der Wissenschaft hinausreichen sollte.

Zum historischen Ort der Protokolle

Hatte man es seit der Veröffentlichung von Samuel Goudsmits Alsos-Report 1947 geahnt, so war es mit den Memoiren von General Leslie Groves 1962 zur Gewissheit geworden, dass die deutschen Atomforscher während ihrer Internierung in Farm Hall systematisch abgehört worden waren. Auch wenn Groves die abgehörten Gespräche in Ausschnitten zitiert hat, blieben die Aufzeichnungen selbst weitere dreißig Jahre „Top Secret" und Verschlusssache der britischen Regierung. Selbst renommierten Wissenschaftshistorikern wie der offiziellen Chronistin des britischen Atombombenprojekts, Margaret Gowing, wurde die Einsichtnahme verwehrt. Als Grund für ihre restriktive Haltung machte die britische Regierung immer wieder staatliche Sicherheitsinteressen geltend; auch wurde auf entsprechende Abkommen mit den Vereinigten Staaten und auf den Persönlichkeitsschutz der Betroffenen verwiesen. Nicht zuletzt wegen der eminenten historischen Relevanz der Dokumente und wohl aueh wegen der gerade in den letzten Jahren wieder aufgelebten Diskussionen und Spekulationen um das deutsche Atom(bomben)projekt – für den deutschsprachigen Raum nenne ich nur den schon den erwähnten und im Frühjahr 1991 ausgestrahlten Fernsehfilm „Ende der Unschuld" – wandten sich im Dezember 1991 auf Initiative von Nicholas Kurti und Rudolf Peierls mehr als zehn prominente Mitglieder der Royal Society an die britische Regierung. In ihrem Brief verwiesen sie auch darauf, dass die vier noch lebenden Internierten (Bagge, Wirtz, Korsching und von Weizsäcker) in hohem Alter stehen; wolle man von ihnen noch Kommentare, dürfe man die Freigabe nicht weiter hinauszögern. „Wer aber vor der Vergangenheit die Augen verschließt", so wurde aus der Rede von Bundespräsident Richard von Weizsäcker zum 8. Mai 1985 zitiert, sei „blind für die Gegenwart".[84] Im Februar 1992 ist der Bitte schließlich durch das britische Oberhaus entsprochen worden.

Die Farm-Hall-Protokolle sind ein einzigartiges Zeitdokument, das auf eindringliche Weise Auskunft gibt, nicht nur über die deutschen Forschungen zur Nutzung der Kernenergie im Dritten Reich, sondern auch über das Verhältnis von Wissenschaft und Politik insgesamt. Sie dokumentieren eines der umstrittensten und spektakulärsten Kapitel deutscher Wissenschaftsgeschichte, das wiederholt Anlass zu Legenden, Mythen und Spekulationen geboten hat. Letzteres nicht zuletzt auch deshalb, weil ihre Geheimhaltung Mutmaßungen jeder Art Vorschub leistete.

Darüber hinaus sind die vorliegenden Protokolle auch eine einzigartige biografische Quelle für die in Farm Hall inhaftierten deutschen Atomforscher – unter ihnen immerhin drei Nobelpreisträger: Otto Hahn, Werner Heisenberg und Max von Laue. Sie geben Auskunft über das Denken, die Motive, die politischen Anschauungen und das Verhalten der zehn Internierten, die wichtige Positionen in der Wissenschaft während des Dritten Reiches bekleideten. Da die Internierten auch im Nachkriegsdeutschland eine zentrale Rolle spielten, führen uns die Protokolle an die Wurzeln westdeutscher Wissenschaftspolitik nach 1945 und damit zu der

84 R. v. Weizsäcker 1985, S. 20.

Frage nach den Kontinuitäten „freier" Wissenschaft über alle politischen Umwälzungen und Brüche hinweg.

Vor diesem Hintergrund und angesichts des Ranges der Dokumente ist es kein Zufall, dass 1992 eine vielfältige und teilweise sehr kontroverse öffentliche Debatte über die Farm-Hall-Protokolle entstand. Mit der vollständigen Publikation der Protokolle wird diese Diskussion auf eine solide Grundlage gestellt.

Zur Edition

Von den sogenannten „Farm Hall Transcripts" existieren zwei Versionen – die eine befindet sich in den Londoner National Archives und ist heute online zugänglich,[85] die andere in den Washingtoner National Archives.[86] Beide wurden im Februar 1992 gleichzeitig der Öffentlichkeit zugänglich gemacht. Bei der englischen Version handelt es sich um ein Konvolut verschiedener Kopien – 1945 wurden von den Protokollen insgesamt sieben Kopien erstellt –,[87] wogegen das amerikanische Exemplar durchgängig den Vermerk „Copy No. 1 (Captain Davis for General Groves)" trägt. Im englischen Exemplar sind die Berichte zeitlich geordnet und besitzen eine durchlaufende Nummerierung von Blatt 1 bis 213; dagegen besteht das Washingtoner Exemplar aus zwei Ordnern mit 153 bzw. 126 Seiten, wobei diese weder durchgehend paginiert noch zeitlich streng geordnet sind. Die unterschiedliche Seitenzahl der Berichte erklärt sich dadurch, dass nur das amerikanische Exemplar der Farm-Hall-Protokolle den gesamten Zeitraum der Internierung, d. h. die Zeit vom 1. Mai bis zum 30. Dezember 1945, dokumentiert und den Ordnern außerdem noch diverse Begleitschreiben u. ä. m. beigeheftet wurden. In der britischen Kopie fehlen und sind offenbar verlorengegangen: der Anhang zum achtzehnten Bericht (12.–18. November 1945) über das

85 The National Archives, Kew, London, WO 208/5019. Online verfügbar unter <http://discovery.nationalarchives.gov.uk/details/r/C4414534>.

86 National Archives Washington, Record Number 77 (Manhattan Engineer District), Entry 22, Box 163.

87 Die Kopien gingen an General Groves (Nr. 1) und Captain Davis, Michael Perrin, das Hauptquartier („C. P. A. for C. S. S."), Commander Welsh sowie Major Rittner. Darüber hinaus kursierten nach Bedarf weitere Kopien beispielsweise für Patrick Blackett, der seit August 1945 zum Beraterstab des neuen britischen Premiers C. Attlee gehörte, oder für James Chadwick, dem Leiter der „British Mission" im Manhattan-Projekt.

Dieter Hoffmann (Hrsg.): Operation Epsilon.
 DOI: <https://doi.org/10.47261/1508>.

Fest, das die Internierten anlässlich der Verleihung des Nobelpreises an Otto Hahn am Abend des 16. November feierten; weiterhin die Wochenberichte Nr. 19–21 (19. November bis 9. Dezember 1945) – insgesamt ein Konvolut von 23 Seiten. Bemerkenswert ist auch, dass einige (wenige) Teile des Washingtoner Exemplars nicht mehr in Originalkopien vorliegen, sondern in durch General Groves erstellten maschinenschriftlichen Abschriften – der Sicherheitswahn von Groves verbot die Herstellung von Fotokopien streng geheimer Dokumente, so dass die Abschrift solcher Schriftstücke zur gängigen Praxis im Manhattan Project gehörte. Erwähnung verdient weiterhin, dass sich in der amerikanischen Kopie einige handschriftliche Anmerkungen finden, die wahrscheinlich von Samuel Goudsmit oder General Groves stammen. Ansonsten handelt es sich aber bei den in London und Washington aufbewahrten Exemplaren um identische Kopien.

Seiner Vollständigkeit (und auch besseren Lesbarkeit) wegen wurde das Exemplar aus den National Archives in Washington der vorliegenden Edition zugrunde gelegt. Für die bereitwillig erteilte Abdruckgenehmigung sei dem Archiv an dieser Stelle herzlich gedankt; zu danken ist namentlich Dr. Wilbert Mahoney (Military Reference Branch) für die freundliche Unterstützung meiner Archivarbeiten.

In der aktuellen Ausgabe wird die vollständige Fassung der Protokolle in die Edition aufgenommen, also auch die zwei sehr fachspezifischen Anhänge der Protokolle, die in der Erstausgabe von 1993 fehlten: der Vortrag von Werner Heisenberg über die Atombombe vom 14. August 1945 (fünfter Bericht, Kap. III.9, vgl. S. 234 ff.)[88] sowie ein vierseitiger Bericht einer Unterhaltung von Harteck und Hahn, in der es um ein spezielles Verfahren zur Herstellung von schwerem Wasser geht (Anhang zum neunten Bericht). Der interessierte Leser sei auf die englischen Publikationen der Farm Hall Transcripts verwiesen.[89] Nicht aufgenommen wurden die formalen Begleitschreiben zu den jeweiligen Berichten. Die von Major Rittner verfassten Kurzcharakteristika der Internierten wurden dem Text vorangestellt (S. 63 ff.), sie stammen aus dem Anhang zum Vorbericht vom 14. Juli (S. 109 f.) und zum vierten Bericht vom 11. August (S. 202 ff.).

88 Auch vollständig abgedruckt in Heisenberg 1992 b.

89 Operation Epsilon 1993; Bernstein 2001 sowie das Digitalisat, vgl. Anm. 85 auf S. 59.

In der vorliegenden Edition sind offensichtlich falsch geschriebene Namen von Personen, Institutionen oder Orten stillschweigend korrigiert worden (z. B. wurde in den englischen Protokollen der Name „Weizsäcker" durchgängig falsch als „Weiszacker" geschrieben); in gleicher Weise wurde in den wenigen deutschen Originalpassagen mit orthografischen und grammatikalischen Inkorrektheiten verfahren und die Schreibweise deutschen Gepflogenheiten (z. B. „ä" statt „ae") angepasst. Ergänzungen des Herausgebers wurden im Text durch [ ] kenntlich gemacht oder in Fußnoten ausgeführt. Ein von den englischen Abhörspezialisten nicht ganz korrekt verstandenes Wort ist durch (?) gekennzeichnet, was aber nur dann im vorliegenden Text belassen wurde, wenn es auch vom Herausgeber dieser Ausgabe nicht eindeutig aufgelöst werden konnte. Lücken im Original markiert die vorliegenden Edition durch < >. Mit Ausnahme der beiden erwähnten Anhänge erfolgt der Abdruck der Protokolle vollständig und in chronologischer Abfolge, wobei generell auf die Wiedergabe des Kopfes (To [...] From Major Rittner; Copy No. 1 [...]) verzichtet wurde.

Abschließend möchte ich all jenen Dank sagen, die zum Entstehen dieses Buches maßgeblich beitrugen: Zu danken habe ich insbesondere meinen amerikanischen Freunden und Kollegen, die mich auf die Freigabe der Farm-Hall-Protokolle aufmerksam machten und meine Arbeit durch Hinweise und erste Diskussionen förderten – namentlich gilt mein Dank den Professoren Gerald Holton (Cambridge, Mass.), Roger Stuewer (Minneapolis) und Mark Walker (Schenectady). Letzterer hat mich zudem in meinen Bemühungen um eine deutsche Ausgabe nachhaltig ermutigt und war darüber hinaus in vielen Arbeitsphasen ein geduldiger wie hilfreicher Gesprächspartner, der außerdem manche Übersetzungsklippe überwinden und das Bildmaterial aus den Washingtoner National Archives beschaffen half. In den vergangenen drei Jahrzehnten ist er mir zudem nicht nur Kollege, sondern auch ein enger Freund geworden. Für kritische Diskussionen und wertvolle Hinweise habe ich den inzwischen verstorbenen Kollegen Dr. Helmut Rechenberg und Prof. Dr. Ulrich Röseberg zu danken. Allen Zeitzeugen, die sich auf Gespräche mit mir einließen, bin ich für Zeit und Mühe, die sie für die Beantwortung meiner Fragen aufwendeten, zu großem Dank verpflichtet – insbesondere den 1996 bzw.

2007 verstorbenen Erich Bagge (Kiel) und Carl Friedrich von Weizsäcker (Starnberg)

Mein Dank gilt weiterhin meiner Tochter Sophie, mit der ich eine erste Arbeitsübersetzung der Protokolle anfertigte und die mir bei der Beschaffung einschlägiger Literatur eine große Hilfe war; nicht zuletzt hat meine Frau Reina Hoffmann in bewährter Weise zur Lesbarkeit des vorliegenden Manuskripts beigetragen. Last but not least habe ich dem Verlag Rowohlt, Berlin, und insbesondere seinem Lektor Thomas Karlauf für die geduldige, engagierte und fruchtbare Zusammenarbeit herzlich zu danken. Der German Marshall Fund of the United States, und insbesondere die Alexander-von-Humboldt-Stiftung und die Hans-Schimank-Gedächtnisstiftung haben meine Arbeiten an der Edition mit Forschungs- und Reisestipendien unterstützt – auch ihnen sei an dieser Stelle gedankt.

Berlin, im Mai 1993 (Herbst 2022)
Dieter Hoffmann

Porträts und Kurzbiografien der Internierten[90]

90 Die im Folgenden aufgeführten Zitate stammen aus dem Vorbericht, der am 14. Juli 1945 erstellt wurde (S. 109 f.), sowie aus dem Anhang zum vierten Bericht (zum 6./7. August), der am 11. August fertiggestellt wurde (S. 202 ff.). Daraus stammen auch die Bilder. Die Kurzbiografien wurden redaktionell aktualisiert. Weitere Einschätzungen der Internierten finden sich im ersten Bericht vom 19. Juli (S. 127 ff.) sowie im fünften Bericht, Kapitel II.6 auf S. 215 f.

 DOI: <https://doi.org/10.47261/1508>.

Erich Bagge

Geboren am 30. Mai 1912 in Neustadt bei Coburg, Schulbesuch in Sonneberg, dort 1931 Abitur. 1931 – 1935 Physikstudium in Berlin und München. 1935 – 1938 Doktorand bei Werner Heisenberg in Leipzig, dort 1941 auch Habilitation. Seit 1939, nach der Einberufung zur Wehrmacht, Mitarbeiter des Heereswaffenamtes und Tätigkeit am Kaiser-Wilhelm-Institut für Physik in Berlin-Dahlem.

1946 Rückkehr nach Göttingen und Mitarbeiter am Kaiser-Wilhelm-/ Max-Planck-Institut für Physik. 1949 Professor an der Universität Hamburg, 1956 Technisch-wissenschaftlicher Geschäftsführer der Studiengesellschaft zur Förderung der Kernenergieverwertung in Schiffbau und Schiffahn Hamburg / Geesthacht, seit 1957 Direktor des Instituts für reine und angewandte Kernphysik der Universität Kiel, 1977 Emeritierung; am 5. Juni 1996 in Kiel verstorben.

Erich Bagge.

Charakterisierung durch die Alliierten vom Sommer 1945:

„Ein ernster und hart arbeitender junger Mann. Er ist durch und durch deutsch, und es ist unwahrscheinlich, dass er kooperiert. Seine Freundschaft mit Diebner macht ihn verdächtig."

„Ein ernster und sehr hart arbeitender junger Mann. Er ist durch und durch deutsch und dürfte zur Zusammenarbeit wahrscheinlich nicht bereit sein."

Kurt Diebner

Geboren am 13. Mai 1905 in Obernesse bei Naumburg; Schulbesuch in Naumburg, dort 1925 Abitur. Physikstudium in Innsbruck und Halle, 1931 Promotion bei Gerhard Hoffmann. 1931 – 1933 Assistent am Physikalischen Institut der Universität Halle, seit 1934 zunächst Mitarbeiter der Physikalisch-Technischen Reichsanstalt in Berlin und dann Referent des Heereswaffenamtes, ab Dez. 1943 Assistent Gerlachs.

1946 Aufbau eines Unternehmens für die Entwicklung elektronischer Messgeräte in Hamburg, seit 1947 Leiter und Mitinhaber der DURAG-Apparatebau GmbH, Hamburg; führend am Aufbau der Studiengesellschaft zur Förderung der Kernenergieverwertung in Schiffbau und Schiffahrt Hamburg/Geesthacht beteiligt (u. a. geschäftsführender Vorstand und stellvertretender Aufsichtsratsvorsitzender), ab 1957 Dozent an der Staatlichen Schiffsingenieurschule in Flensburg; am 13. Juli 1964 in Oberhausen verstorben.

Kurt Diebner.

Charakterisierung durch die Alliierten vom Sommer 1945:

„Nach außen sehr freundlich, hat aber eine unangenehme Persönlichkeit, der man nicht trauen kann. Alle außer Bagge mögen ihn nicht."

„Ist sehr besorgt um seine Zukunft und hat Bagge erzählt, dass er ein formales Gesuch einreichen wolle mit der Bitte, wieder als Beamter eingestellt zu werden. Er hofft, wir würden vergessen, dass er ein Mitglied der Nazipartei war. Er sei nur deshalb in der Partei geblieben, weil bei einem deutschen Sieg nur Parteimitglieder Aussicht auf gute Arbeitsplätze gehabt hätten."

Walther Gerlach

Am 1. August 1889 in Biebrich geboren, Schulbesuch in Wiesbaden, dort 1908 Abitur. 1908 – 1912 Physikstudium in Tübingen; Promotion bei Friedrich Paschen mit einer experimentellen Arbeit, 1916 dort auch Habilitation. 1917 – 1919 Assistent an der Universität Göttingen. 1919 – 1920 Industrietätigkeit in Elberfeld. 1920 – 1925 Assistent und Privatdozent an der Universität Frankfurt a. M. 1925 – 1929 Professor an der Universität Tübingen, 1929 – 1945 in München (ab 1940 beurlaubt); 1939 – 1943 AG Cornelius (Torpedoentwicklung), ab 1944 Bevollmächtigter des Reichsmarschalls Hermann Göring für Kernphysik und Leiter des deutschen Uranprojekts.

1946 zunächst Rückkehr in die britische Besatzungszone und Gastprofessor an der Universität Bonn, ab 1948 wieder Professor für Experimentalphysik und Direktor des Physikalischen Instituts sowie 1948 – 1951 Rektor der Münchener Universität, 1957 Emeritierung; am 10. August 1979 in München verstorben.

Walther Gerlach.

Charakterisierung durch die Alliierten vom Sommer 1945:

„Hat eine sehr heitere Wesensart und man kann leicht mit ihm umgehen. Er scheint einen aufrichtig kooperativen Eindruck zu machen."

„War stets sehr heiter und freundlich, doch durch die abgehörten Gespräche steht er im Verdacht, Verbindungen zur Gestapo unterhalten zu haben. Als der Mann, der von der deutschen Regierung dazu berufen wurde, die Forschungsarbeiten zum Uran zu organisieren, sieht er sich selbst in der Position eines geschlagenen Generals und schien sich mit Selbstmordgedanken zu tragen, als die Nachricht [vom Atombombenabwurf, d. Hrsg.] kam."

Otto Hahn

Geboren am 8. März 1979 in Frankfurt a. M., dort auch Schulbesuch und 1897 Abitur. Anschließend Chemiestudium in Marburg und 1901 Promotion bei Theodor Zincke mit einer Arbeit zur organischen Chemie. 1902 – 1904 Assistent in Marburg, 1904 – 1906 Forschungsaufenthalt bei William Ramsay in London und Ernest Rutherford in Montreal. 1907 Habilitation an der Universität Berlin und Aufnahme umfangreicher Forschungen zur Radioaktivität; Beginn einer dreißigjährigen Zusammenarbeit mit Lise Meitner. 1912 Abteilungsleiter am neugegründeten Kaiser-Wilhelm-Institut für Chemie (ab 1926 Direktor des Instituts). 1938 Entdeckung der Urankernspaltung in Zusammenarbeit mit F. Straßmann und bis Juli 1938 mit Lise Meitner, wofür er 1945 den Nobelpreis für Chemie erhielt.

1946 Rückkehr nach Göttingen und maßgeblich am Wiederaufbau der Kaiser-Wilhelm- / Max-Planck-Gesellschaft beteiligt; von 1946 bis 1960 deren Präsident. Am 28. Juli 1968 in Göttingen verstorben.

Otto Hahn.

Charakterisierung durch die Alliierten vom Sommer 1945:

„Ein Mann von Welt. Er hat sich von allen Professoren als am hilfsbereitesten erwiesen, und sein Humor und gesunder Menschenverstand haben bei zahlreichen Gelegenheiten die Situation gerettet. Gegenüber England und Amerika ist er entschieden freundlich eingestellt."

„Der freundlichste der internierten Professoren. Er besitzt einen ausgeprägten Humor und einen gesunden Menschenverstand. Gegenüber England und Amerika ist er entschieden freundlich eingestellt. Über die Nachricht vom Abwurf der Atombombe zeigte er sich sehr erschüttert, da er sich aufgrund seiner Entdeckung für den Tod so vieler Menschen verantwortlich fühlt. Dass seine Entdeckung in der Presse Prof. Lise Meitner zugeschrieben wurde, hat er sehr gut aufgenommen, obwohl er darauf hinweist, dass sie in Wirklichkeit seine Assistentin war und zum Zeitpunkt der Entdeckung Berlin bereits verlassen hatte."

Paul Harteck

Am 20. Juli 1902 in Wien geboren, dort Schulbesuch und 1921 Matura. Anschließend Chemiestudium an den Universitäten Wien und Berlin, wo er 1926 bei Max Bodenstein promovierte. 1926 – 1928 Assistent von Arnold Eucken an der TH Breslau, 1928 – 1933 Mitarbeiter von Fritz Haber am Kaiser-Wilhelm-Institut für Physikalische Chemie und Elektrochemie in Berlin-Dahlem. 1931 Habilitation an der Berliner Universität. 1933 – 1934 Forschungsaufenthalt bei Ernest Rutherford in Cambridge. 1934 – 1945 Direktor des Instituts für Physikalische Chemie der Universität Hamburg.

1946 Rückkehr nach Hamburg an sein altes Institut. 1951 Professor am Rensselaer Polytechnical Institute Troy/New York; am 22. Januar 1985 in Santa Barbara/Kalifornien gestorben.

Paul Harteck.

Charakterisierung durch die Alliierten vom Sommer 1945:

„Eine charmante Persönlichkeit, die nie Schwierigkeiten gemacht hat. Sein einziger Wunsch ist, mit seiner Arbeit voranzukommen. Da er Junggeselle ist, bereiten ihm die Verhältnisse in Deutschland weniger Sorgen als den anderen."

„Eine sehr charmante Persönlichkeit. Scheint nur an seiner Forschungsarbeit interessiert zu sein. Er hat die Nachricht von der Atombombe mit großer Gelassenheit aufgenommen und eine Reihe von Theorien aufgestellt, wie sie funktioniert haben könnte."

Werner Heisenberg

Am 5. Dezember 1901 in Würzburg geboren, Schulbesuch in München, dort 1920 Abitur. Anschließend Physikstudium in München; 1923 Promotion bei Arnold Sommerfeld mit einer theoretischen Arbeit, anschließend Assistent an der Universität Göttingen, 1924 Habilitation; zugleich mehrmalige und längere Studienaufenthalte bei Niels Bohr in Kopenhagen. Fundamentale Arbeiten zur Begründung der Quantenmechanik, wofür er 1933 den Nobelpreis für Physik erhält. 1927 – 1942 Professor für theoretische Physik an der Universität Leipzig. 1942 Berufung zum Direktor am Kaiser-Wilhelm-Institut für Physik in Berlin-Dahlem, zugleich Professor an der Universität Berlin.

1946 Rückkehr nach Göttingen und als Direktor des Kaiser-Wilhelm-/Max-Planck-Instituts für Physik entscheidend am Wiederaufbau der physikalischen Forschung in der Bundesrepublik beteiligt; 1958 Übersiedlung des Instituts nach München, 1970 Emeritierung. Am 1. Februar 1976 in München verstorben.

Werner Heisenberg.

Charakterisierung durch die Alliierten vom Sommer 1945:

„Er ist sehr freundlich und hilfsbereit und, wie ich glaube, ehrlich bemüht, mit den englischen und amerikanischen Wissenschaftlern zusammenzuarbeiten, obwohl er auch davon gesprochen hat, zu den Russen zu gehen."

„Ist während der ganzen Zeit seiner Internierung sehr freundlich und hilfsbereit gewesen. Er hat die Nachricht von der Atombombe wirklich sehr gut aufgenommen und ist ehrlich bestrebt, mit den britischen und amerikanischen Wissenschaftlern zusammenzuarbeiten."

Horst Korsching

Geboren am 2. August 1912 in Danzig; Schulbesuch in Danzig und Berlin, dort 1932 Abitur. Danach Physikstudium in Berlin, 1938 Promotion bei Hermann Schüler, dessen Mitarbeiter er seit 1935 am Kaiser-Wilhelm-Institut für Physik war.

1946 Rückkehr nach Göttingen und seitdem Mitarbeiter am Kaiser-Wilhelm- / Max-Planck-Institut für Physik; 1958 mit dem Institut Übersiedlung nach München. Am 21. März 1998 in Hildesheim verstorben.

Horst Korsching.

Charakterisierung durch die Alliierten vom Sommer 1945:

„Ein völliges Rätsel. Er macht einen verdrießlichen und mürrischen Eindruck. Er macht nur selten den Mund auf. Seit der Ankunft in England ist er jedoch menschlicher geworden."

„Ein völliges Rätsel. Auf die Nachricht vom Einsatz der Atombombe machte er Bemerkungen über den Mangel an Mut unter seinen Kollegen, was Gerlach fast in den Selbstmord trieb."

Max von Laue

Am 9. Oktober 1879 in Koblenz geboren, Schulbesuch in Posen, Berlin und Straßburg, dort 1898 Abitur. 1899–1903 Physikstudium in Straßburg, Göttingen, München und Berlin; Promotion bei Max Planck mit einer theoretischen Arbeit. 1905–1909 Assistent von Planck an der Universität Berlin, 1906 Habilitation. 1909–1912 Privatdozent an der Universität München. Arbeiten zur Relativitätstheorie, Entdeckung der Röntgenstrahlinterferenzen (1912), wofür ihm 1914 der Nobelpreis für Physik verliehen wird. 1912–1914 Professor für theoretische Physik in Zürich, 1914–1919 in Frankfurt a. M., ab 1919 an der Universität Berlin, 1943 vorzeitige Emeritierung; zugleich (ab 1921) stellvertretender Direktor des Kaiser-Wilhelm-Instituts für Physik.

1946 Rückkehr nach Göttingen und zunächst erneut stellvertretender Direktor des Kaiser-Wilhelm-/Max-Planck-Instituts für Physik, ab 1951 Direktor des Fritz-Haber-Instituts der Max-Planck-Gesellschaft in Berlin-Dahlem; am 24. April 1960 in Berlin (West) verstorben.

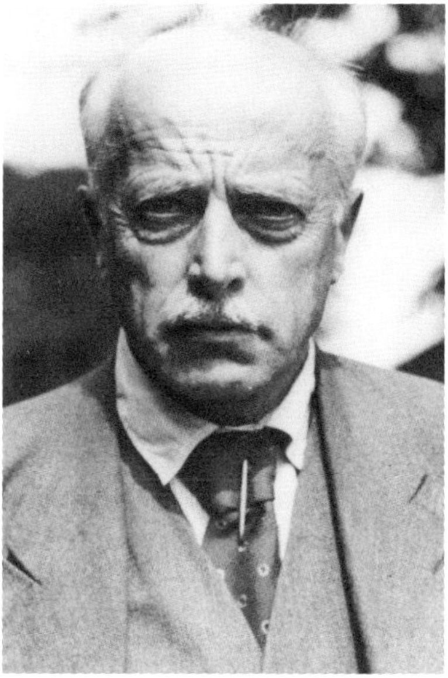

Max von Laue.

Charakterisierung durch die Alliierten vom Sommer 1945:

„Ein schüchterner, sanfter Mensch. Er kann nicht verstehen, warum er interniert ist. Er ist äußerst freundlich und England und Amerika gegenüber wohlgesinnt."

„Ein scheuer, sanfter Mensch. Er kann nicht verstehen, warum er interniert ist; er erklärt, dass er mit Uran oder den Experimenten am Kaiser-Wilhelm-Institut nie etwas zu tun hatte. Er amüsiert sich über das Unbehagen der anderen, da er sich in keiner Weise daran beteiligt fühlt. Er ist außerordentlich freundlich und England und Amerika gegenüber sehr wohlgesinnt."

Carl Friedrich Freiherr von Weizsäcker

Geboren am 28. Juli 1912 in Kiel, Schulbesuch in Basel, Kopenhagen und Berlin, dort 1929 Abitur. Anschließend Physikstudium an den Universitäten Berlin und Leipzig; dort 1933 Promotion bei Werner Heisenberg mit einer theoretischen Arbeit, danach Assistent, 1936 Habilitation. 1937 – 1942 Mitarbeiter am Kaiser-Wilhelm-Institut für Physik in Berlin-Dahlem. 1942 – 1944 Professor für theoretische Physik an der Reichsuniversität Straßburg.

1946 Rückkehr nach Göttingen, Leiter der theoretischen Abteilung des Kaiser-Wilhelm- / Max-Planck-Instituts für Physik. 1957 – 1969 Professor für Philosophie an der Universität Hamburg. 1970 Direktor des neugegründeten Max-Planck-Instituts zur Erforschung der Lebensbedingungen der wissenschaftlich-technischen Welt in Starnberg, 1980 Emeritierung; am 28. April 2007 in Söcking am Starnberger See verstorben.

Carl Friedrich Freiherr von Weizsäcker.

Charakterisierung durch die Alliierten vom Sommer 1945:

„Ein Diplomat. Hat sich stets sehr freundlich und kooperativ gezeigt und ist, wie ich glaube, aufrichtig bereit, mit England und Amerika zusammenzuarbeiten, aber er ist ein guter Deutscher."

„Nach außen sehr freundlich und anscheinend ehrlich zur Zusammenarbeit bereit. Er hat behauptet, sowohl direkt als auch in abgehörten Gesprächen, dass er aufrichtig gegen das Naziregime gewesen sei und nicht an einer Atombombe habe arbeiten wollen. Als Sohn eines Diplomaten ist er selbst so etwas wie einer. Es ist schwer zu sagen, ob er wirklich bereit ist, mit England und Amerika zusammenzuarbeiten."

Karl Wirtz

Am 24. April 1910 in Köln geboren, Schulbesuch in Bergheim und Köln, dort 1928 Abitur. 1929 – 1934 Physikstudium in Bonn, Freiburg und Breslau, dort Promotion bei Clemens Schaefer mit einer experimentellen Arbeit. 1934 Assistent bei Adolf Smekal in Halle, danach (1935 – 1937) Assistent von Karl-Friedrich Bonhoeffer am Physikalisch-Chemischen Institut in Leipzig. 1937 – 1945 Mitarbeiter am Kaiser-Wilhelm-Institut für Physik in Berlin-Dahlem; 1938 Habilitation an der Berliner Universität.

1946 Rückkehr nach Göttingen und Abteilungsleiter des Kaiser-Wilhelm- / Max-Planck-Instituts für Physik; 1949 zugleich Professor an der Universität Göttingen. 1957 Gründungsdirektor des Instituts für Neutronenphysik und Reaktortechnik am Kernforschungszentrum Karlsruhe sowie Professor an der dortigen Technischen Hochschule; führend an der Entwicklung der Kernenergietechnik in der Bundesrepublik beteiligt. 1979 Emeritierung, am 12. Februar 1994 in Karlsruhe verstorben.

Karl Wirtz.

Charakterisierung durch die Alliierten vom Sommer 1945:

„Ein Egoist. Sehr freundlich an der Oberfläche, aber man kann ihm nicht trauen. Ich bezweifle, ob er kooperationsbereit ist, wenn es sich für ihn nicht lohnt."

„Ein cleverer Egoist. Sehr freundlich an der Oberfläche, aber man kann ihm nicht trauen. Er wird nur kooperativ, wenn es sich für ihn lohnt."

Farm Hall, Zeichnung von Walther Gerlach vom 7. Juli 1945.

COPY NO 1 of:

Copy No. 2
of 3 copies

TOP SECRET

EPSILON

1st May to 30th December, 1945

This document is of historical interest
and must not be destroyed.

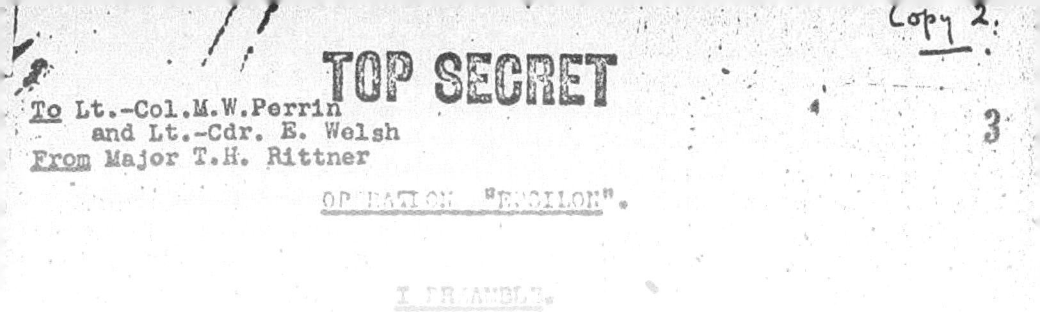
Copy 2.

TOP SECRET

3

To Lt.-Col.M.W.Perrin
and Lt.-Cdr. E. Welsh
From Major T.H. Rittner

OPERATION "EPSILON".

I PREAMBLE.

Vorbericht
1. Mai – 2. Juli 1945

I. Vorbemerkung

1. Mai 1945.

Ich[91] erhielt im Hauptquartier von Lieutenant Commander Welsh den Auftrag, mich nach Reims in Frankreich zu begeben und mich dort beim G-2 von SHAEF[92] zu melden, um eine Gruppe deutscher Wissenschaftler abzuholen. Ein Château in Spa (Belgien) war für ihre Internierung hergerichtet worden. Eine Reihe berühmter britischer und amerikanischer Wissenschaftler sollte die Deutschen in naher Zukunft aufsuchen, und meine Instruktionen lauteten, dass diese Deutschen als unsere Gäste zu behandeln seien. Niemand – ich wiederhole: niemand – sollte zu ihnen Kontakt aufnehmen außer auf Anweisung des Hauptquartiers.

II. Reims (2. – 7. Mai)

2. Mai 1945.

Ich begab mich auf dem Luftweg nach Reims und meldete mich bei SHAEF, wo ich von Major Keith davon in Kenntnis gesetzt wurde, dass das Château

91 Protokollant ist Major Thomas Hardwick Rittner, der als Offizier des britischen Geheimdienstes bis zu seiner Erkrankung Anfang September 1945 für die Betreuung der Internierten in Farm Hall und die Abhörprotokolle verantwortlich zeichnete.

92 SHAEF („Supreme Headquarters, Allied Expeditionary Forces", dt. „Oberstes Hauptquartier der Alliierten Expeditionsstreitkräfte") war ab Ende 1943 das Oberkommando der alliierten Streitkräfte in Europa mit Dwight D. Eisenhower als Oberbefehlshaber. G-2 war der Nachrichtendienst des Oberkommandos.

Dieter Hoffmann (Hrsg.): Operation Epsilon.
 DOI: <https://doi.org/10.47261/1508>.

in Spa nicht mehr zur Verfügung stehe und dass die Gruppe in Reims in der Rue Gambetta 75 unterzubringen sei, bis weitere Vorkehrungen getroffen werden könnten.

Es war vorgesehen, amerikanische fertig zubereitete „A"-Rationen in Empfang zu nehmen, und als Personal stellte SHAEF zusätzlich zu der erforderlichen Bewachung noch zwei britische Ordonnanzen sowie einen amerikanischen Koch zur Verfügung.

Noch am selben Abend trafen die folgenden Personen in Begleitung von Major Furman von der US-Armee in der Rue Gambetta 75 ein:

Prof. Hahn
Prof. von Laue
Dr. von Weizsäcker
Dr. Wirtz
Dr. Bagge
Dr. Korsching.

Prof. Mattauch[93], der mir angekündigt worden war, befand sich nicht in der Gruppe.

Die Professoren waren freundlich und machten es sich gemütlich. Sie äußerten sich anerkennend über die gute Behandlung, die ihnen zuteil werde, und es herrschte eine sehr angenehme Atmosphäre. Auf meine Bitte hin gaben sie mir ihr persönliches Ehrenwort, das Haus beziehungsweise den Teil des Gartens, den ich ihnen anwies, nicht zu verlassen.

3. Mai 1945.

Am folgenden Tag rief ich Lieutenant Commander Welsh[94] im Hauptquartier an und informierte ihn über die Situation in Spa. Inzwischen wurde mir von SHAEF mitgeteilt, dass Dispositionen getroffen worden seien, die Gruppe in einem Château bei Versailles unterzubringen, wo die

---

93 Josef Mattauch, Physiker, der 1938 nach der Flucht von L. Meitner deren Stelle am KWI für Chemie übernommen und bis zum Kriegsende eng mit O. Hahn zusammengearbeitet hatte, befand sich offenbar auf der ursprünglichen Internierungsliste von S. Goudsmit. Warum er in Taiflingen bleiben konnte, wo er dann die kommissarische Leitung des KWI übernahm, ist nicht bekannt.

94 Eric Welsh, britischer Chemiker und hochrangiger Geheimdienstoffizier; Verbindungsoffizier zur ALSOS-Mission.

ursprünglich beabsichtigte Taktik gegenüber den in unserem Gewahrsam befindlichen Deutschen durchgeführt werden könne. Ich traf Major Calvert[95] und erläuterte ihm die Situation.

5. Mai 1945.

Der Kommandant des SHAEF-Hauptquartiers hat mich gebeten, das alliierte Personal freizugeben, das im Zusammenhang mit den bevorstehenden Verhandlungen anlässlich des VE-Day[96] benötigt werde und das sich ohnehin nur widerstrebend bereit gefunden habe, die Deutschen zu bedienen. Ich wies darauf hin, dass es für mich wichtig sei, für diesen Zweck Personal zur Verfügung zu haben, und es wurde der Vorschlag gemacht, ich solle dafür doch deutsche Kriegsgefangene nehmen. Dadurch schien mir das Personalproblem gelöst, und so stimmte ich dem Vorschlag zu und besorgte mir aus dem Kriegsgefangenenlager in Reims einen deutschen kriegsgefangenen Kellner und einen Koch,[97] machte diesen Männern allerdings zur Auflage, dass sie bis zum Ende der Internierung der Professoren bleiben müssten. Die Professoren begannen inzwischen unruhig zu werden und machten sich vor allem um ihre Familien Sorgen. Sie baten um die Erlaubnis, Briefe zu schreiben. Nachdem ich die Sache dem Hauptquartier (Lieutenant Commander Welsh) vorgetragen und seine Zustimmung erhalten hatte, wurden die Briefe geschrieben, von mir zensiert und anschließend dem Sekretär von General Strong (Junior Commander Frazer) im SHAEF zur Weiterleitung übergeben.

7. Mai 1945.

SHAEF informierte mich, dass Vorkehrungen getroffen worden seien, die Wissenschaftlergruppe in Versailles unterzubringen, und dass das Haupt-

95 Geheimdienstoffizier des amerikanischen Atombombenprojekts, Mitglied im 1944 gegründeten anglo-amerikanischen Ausschuss für kernphysikalische Abwehr, Angehöriger der ALSOS-Mission.

96 „Victory in Europe Day", Sieg der Alliierten in Europa am 8. Mai 1945.

97 Hierbei handelte es sich um Heinrich Baus und Alwin Wolf; beide begleiteten die Internierten nach Farm Hall und wurden nach der Rückkehr Anfang Januar 1946 in Alswede aus der Kriegsgefangenschaft entlassen. Am 16. Juni 1945 (siehe S. 106) stießen ein weiterer Koch und ein Friseur zur Gruppe hinzu, womit man von auswärtigem Dienstpersonal unabhängig war.

quartier dem Umzug zugestimmt habe. Uns wurde eine Dakota[98] zur Verfügung gestellt, und die Gruppe startete um 17.00 Uhr in der Erwartung, dass der lang erwartete Kontakt zu ihren britischen und amerikanischen Kollegen nunmehr zustande kommen werde.

III. Versailles (7. – 11. Mai)

Nach der Ankunft in Versailles meldete ich mich beim G-2 SHAEF und erfuhr, dass die Gruppe in einem als „Dustbin" bekannten Internierungslager beim Château von Chesnay untergebracht werden sollte.[99] Dieses Lager war errichtet worden, um deutsche Naziwissenschaftler und -industrielle zu verhören. Die Verhältnisse waren von meinem Standpunkt aus höchst unbefriedigend, da eine völlige Isolierung der Gruppe sich als unmöglich erwies und somit große Gefahr bestand, dass zu den Professoren unerwünschte Kontakte geknüpft wurden. Außer Feldbetten gab es kaum anderes Mobiliar. Die Verpflegung bestand aus gewöhnlichen Kriegsgefangenenrationen. Es war ganz unmöglich, in dieser Umgebung meinen Auftrag auszuführen, aber ich konnte die Professoren beschwichtigen, die sich, so gut es eben ging, mit der Situation abfanden, und ich versprach ihnen, mein Möglichstes zu tun, sie von hier verlegen zu lassen, sobald sich hierzu eine Gelegenheit bieten würde. Der Lagerkommandant tat sein Möglichstes, um es ihnen gemütlich zu machen.

8. Mai 1945.

Trotz der allgemeinen Festtagsstimmung bei SHAEF und in London im Anschluss an die Erklärung zum VE-Day gelang es mir, mit dem Hauptquartier (Lieutenant Commander Welsh) zu telefonieren und die neuentstandene Lage zu erklären. Er riet mir, mich mit Major Furman von der US-Armee in Paris in Verbindung zu setzen und gegebenenfalls über ihn

98 Ein von der zivilen Douglas DC-3 abgeleitetes Transportflugzeug, das später während der Berliner Luftbrücke zu den „Rosinenbombern" gehörte.

99 Dustbin (dt. „Mülltonne"), das War-Criminal-Camp Chateau Le Grand Chesnay bei Versailles, war ein Sammellager für höhere NS-Funktionäre und Funktionsträger des Dritten Reichs, in dem auch Wissenschaftler und Techniker wie Wernher von Braun festgehalten, verhört und nicht zuletzt für die „Operation Paperclip" präpariert wurden. Vgl. Gimbel 1990, S. 17 ff., sowie Dokumentenhanang S. 434.

anderweitige Dispositionen zu treffen. Dies tat ich, und wir beschlossen, uns um eine Rückführung der Gruppe zur Rue Gambetta in Reims zu bemühen.

9. Mai 1945.

Major Furman informierte mich, dass er unsere Rückkehr nach Reims veranlassen werde und dass in der Zwischenzeit die folgenden Deutschen zur Gruppe hinzukommen würden:

Prof. Heisenberg[100]
Dr. Diebner.[101]

Die Situation im Château von Chesnay wurde immer schwieriger, weil die Professoren sich darüber entrüsteten, dass sie als – wie sie es formulierten – „Kriegsverbrecher" behandelt würden; Prof. von Laue war fast den Tränen nahe. Trotz der Tatsache, dass sich in dem Haus noch andere deutsche Wissenschaftler, darunter auch Prof. Osenberg,[102] befanden, die von britischen und amerikanischen Offizieren verhört wurden, konnte ich verhindern, dass die Identität meiner Gruppe offenbar wurde. Ich weigerte mich, eine Namensliste vorzulegen und irgendwelche Kontakte mit den Wissenschaftlern zuzulassen. Dr. Robertson, der wissenschaftliche Berater von SHAEF, erkannte allerdings Prof. von Laue bei der Gymnastik im Freien und sprach mit ihm, aber ich konnte ihn überreden, die Unterhaltung abzubrechen, und er fand sich damit ab.

100 Heisenberg hatte sich kurz vor der Besetzung Hechingens per Fahrrad zu seiner Familie nach Urfeld am Walchensee in Obernbayern abgesetzt, wo er am 2. Mai 1945 vom militärischen Leiter der ALSOS-Mission Oberst B. Pash in Gewahrsam genommen und zunächst nach Heidelberg, dem deutschen Hauptquartier der Mission, später in das W-C-Camp bei Versailles gebracht wurde.

101 Diebner hatte sich vom thüringischen Stadtilm, wohin seine Gruppe in den letzten Kriegsmonaten evakuiert worden war, nach Bayern abgesetzt und war dort Anfang Mai 1945 von der ALSOS-Mission aufgespürt und über Heidelberg nach Chesnay verbracht worden.

102 Werner Osenberg, deutscher Materialwissenschaftler und Organisator der deutschen Rüstungsforschung.

10. Mai 1945.

Die Professoren wurden immer nervöser und baten mich, Verbindung mit Prof. Joliot[103] in Paris aufzunehmen, der ihnen, wie sie mir versicherten, helfen würde. Diese Bitte wurde natürlich abgelehnt, und ich sagte ihnen, dass sie sich noch gedulden müssten und dass alles nur Mögliche für sie getan werde.

Um ihnen ihre Lage etwas zu erleichtern, fuhr ich mit ihnen im Auto gruppenweise nach Versailles, um die Gärten und das Schloss zu besichtigen. Einmal verlangte ein Schlossführer für den Besuch des Spiegelsaales ihre Personalausweise. Schleunigst verließen wir die Räumlichkeiten, nachdem wir uns mit einem anderen Termin herausgeredet hatten.

11. Mai 1945.

Es war jetzt klar, dass die entstandenen Schwierigkeiten auf einen vom Oberbefehlshaber[104] erlassenen Befehl zurückgingen, der besagte, dass gefangengenommenen deutschen Staatsbürgern keinerlei Vorzugsbehandlung zuteil werden dürfe. Dieser Befehl wurde erlassen, nachdem Presseberichte erschienen waren, in denen die gute Behandlung geschildert wurde, die Reichsmarschall Göring genoss.

General Strong lehnte eine abermalige Verlegung meiner Gruppe nach Reims ab. Dafür veranlasste der MIS[105] aufgrund der Instruktionen von Brigadegeneral Conrad, dass die Gruppe kurzfristig in einer Villa in Le Vésinet in der Nähe von St. Germain untergebracht werden konnte. Die Professoren waren hocherfreut über die Aussicht, das von ihnen so bezeichnete „Konzentrationslager“ verlassen zu können. Nachdem ich die Villa inspiziert hatte, verließ ich am Abend des 11. Mai zusammen mit der

---

103 Frankreichs führender Kernphysiker, dessen Pariser Institut mit dem Zyklotron während der deutschen Besatzung unter deutsche Aufsicht gestellt wurde, so dass dort auch Wissenschaftler des deutschen Uranprojekts gearbeitet hatten (vgl. Gentner 2006, S. 19ff.). Von den Amerikanern und Briten wurde Joliot wegen seiner Mitgliedschaft in der Kommunistischen Partei Frankreichs mit großer Reserviertheit behandelt und in keiner Weise in die Vorhaben der Alsos-Mission eingeweiht.

104 Dwight D. Eisenhower, SHAEF-Oberbefehlshaber.

105 Military Intelligence Service, dessen deutsch-österreichische Einheit General Strong leitete.

in Jeeps untergebrachten Wissenschaftlergruppe Versailles. Zuvor hatte ich telegrafisch das Hauptquartier über die von mir getroffenen Dispositionen informiert.

IV. Le Vésinet (11. Mai – 4. Juni)

Die in der Allée du Lac Inférieure 89 in Le Vésinet gelegene Villa Argentina war ein großes freistehendes Haus. Der MIS stellte eine Wache und sorgte dafür, dass wir aus seiner Kantine vorgekochte amerikanische „B"-Rationen[106] empfingen. Die MIS-Leute versorgten uns auch mit Kantinenwaren. Während unseres ganzen Aufenthalts in Le Vésinet gewährte mir der MIS jede nur mögliche Unterstützung.

Die Professoren waren von ihrer neuen Umgebung begeistert, und die alte herzliche Atmosphäre stellte sich rasch wieder ein. Es gab einige Schwierigkeiten mit den Rohrleitungen und dem elektrischen Licht in der Villa, die seit einiger Zeit leer gestanden hatte, und die Professoren trugen alle dazu bei, die Schäden zu beseitigen. Wenn Hilfe von außerhalb erforderlich wurde – wie zum Beispiel einmal, als der Keller infolge eines Rohrbruchs unter Wasser stand –, mussten die Deutschen in ihren Zimmern bleiben, während ein sehr geschwätziger und neugieriger französischer Klempner sich um die Beseitigung des Schadens kümmerte.

Am Abend unserer Ankunft traf Major Furman ein und brachte noch Prof. Harteck mit. Da die Gruppe nunmehr von sechs auf neun angewachsen war, bat ich die Professoren, ihr Ehrenwort zu erneuern, was sie auch sogleich taten.

12. Mai 1945.

Da wir die Villa nur für eine sehr begrenzte Zeitspanne nutzen konnten, setzte ich mich auf telegrafischem Wege über Colonel Robin Brook mit dem Hauptquartier in Verbindung und drängte darauf, dass Anstrengungen unternommen würden, die Gruppe nach England zu bringen, da es auf der Hand lag, dass es nicht möglich sein werde, auf dem Kontinent für eine zur Durchführung meines Auftrags geeignete Unterbringung zu sorgen.

---

106 „B"-Rationen bezeichneten in der US-Army Mahlzeiten, die in Feldküchen mit Zutaten aus Konservendosen zubereitet wurden.

„Le Vésinet bei Paris", Zeichnung von Walther Gerlach vom 13. Mai 1945.

Unter den amerikanischen Truppen und der französischen Zivilbevölkerung gab es erhebliches Rätselraten über die Identität der Gruppe. Ich wurde sogar beschuldigt, Marschall Pétain[107] Unterschlupf zu gewähren. Eine Reihe von Neugierigen, darunter auch der Besitzer der Villa, der eiligst aus Paris angereist war, nachdem er durch die Concierge von der Besetzung seines Hauses erfahren hatte, konnte in Schach gehalten werden. Es gelang mir, das Märchen zu verbreiten, dass es sich bei der Gruppe um aktive Nazigegner handle, die zu ihrem eigenen Schutz von uns in Gewahrsam gehalten würden.

Die Nachricht, die Major Furman unbeabsichtigt ausplauderte, dass französische Kolonialtruppen sich noch immer als Besatzung in Hechingen und Tailfingen aufhielten, sorgte für nicht geringe Bestürzung unter

107 Philippe Pétain, französischer Nationalheld des ersten Weltkrieges und nach der Kapitulation Frankreichs von 1940 – 1944 Staatschef der Kollaborations-Regierung von Vichy.

den Professoren, denen mitgeteilt worden war, dass amerikanische Truppen das Kommando übernehmen würden. Prof. Heisenberg bat um die Erlaubnis, einen Brief an seinen Freund Dr. Goudsmit in der US-Armee zu schreiben, der, wie er annahm, sich in Paris aufhielt, und ihn zu bitten, ihm Nachrichten von seinen Familienangehörigen zukommen zu lassen. Nach Erhalt eines Telegramms von Mr. Perrin, der seine Zustimmung gab, händigte ich den Brief Dr. Goudsmit aus, der sich erbot, sein Möglichstes zu tun. Später übergab er mir einen Brief von Prof. Heisenbergs Frau, den ich ihm aushändigte, wofür er mir dann auch sehr dankbar war.[108]

16. Mai 1945.

Major Gattiker wurde von Mr. Perrin geschickt, bei Prof. Harteck und Dr. Wirtz Erkundigungen über den Verbleib bestimmter Apparaturen und Vorrichtungen einzuholen. Ich war bei der Befragung zugegen. Sämtliche Fragen wurden beantwortet.

17. Mai 1945.

Brigadegeneral Conrad besuchte die Villa, und ich zeigte ihm das ganze Haus, wobei er mit keinem der Professoren sprach. Er brachte seine Zufriedenheit mit den getroffenen Dispositionen zum Ausdruck und war damit einverstanden, dass auch weiterhin Rationen der Klasse „B" empfangen wurden, obwohl der MIS sie auf Klasse „C"[109] herabstufen wollte, die für Kriegsgefangene bestimmt waren. Am folgenden Tag wurden die Verpflegungssätze jedoch ohne Vorankündigung gekürzt. Ich protestierte dagegen bei Colonel Ford, dem kommandierenden Offizier des MIS, der schließlich damit einverstanden war, wieder den ursprünglichen Verpflegungssatz zu bewilligen.

---

108 Goudsmit und Heisenberg kannten sich seit den zwanziger Jahren und hatten sich das letzte Mal 1939 während eines Besuchs von Heisenberg in den USA gesehen, wo Goudsmit seit 1932 an der University of Michigan in Ann Arbor wirkte. Nach seiner Festnahme war Heisenberg in Heidelberg durch Goudsmit verhört worden, wobei dieser nichts über das amerikanische Atombomben-Programm verlauten ließ, was Heisenberg als Vertrauensbruch ansah (vgl. S. 130); andererseits hat Goudsmit wohl Heisenberg nie verziehen, dass er trotz Bitte nicht geholfen hat, seine holländischen Eltern vor der Deportation und der Ermordung in Auschwitz zu bewahren (vgl. Calmthout 2018, S. 26 und 166).

109 Das waren reine Dosenrationen, siehe Anm. 106 auf S. 93.

Major Furman ließ durch Lieutenant Dietesheim von der US Army Prof. Harteck nach dem Verbleib bestimmter Apparaturen und Vorrichtungen in Celle[110] fragen. Ich war bei der Befragung zugegen. Die Professoren verbrachten ihre Zeit in Le Vésinet damit, dass sie entweder in ihrem Zimmer arbeiteten oder im Garten ein Sonnenbad nahmen. Sie entwickelten eine Vorliebe für körperliche Bewegung, und selbst die älteren Professoren von Laue und Hahn konnte man bereits morgens um sechs Uhr im Garten sehen, wie sie mit ernster Miene und nur mit dünnen Unterhosen bekleidet ihre Runden drehten. Dienstags und freitags versammelten sie sich im Gemeinschaftsraum, um sich einen Vortrag anzuhören, den einer von ihnen hielt. Ich war in der Lage, ihnen Bücher, Fachzeitschriften und Spiele zu besorgen.

Während dieser Zeit bemühte sich Major Furman, eine geeignete Dauerunterkunft zu finden. Er hatte ein Schreiben von Brigadegeneral Betts, D. A. C. of S. G-2 SHAEF,[111] erhalten, in dem alle Betroffenen aufgefordert wurden, bei der Suche nach einer Unterkunft für die Gruppe mitzuhelfen. Er informierte mich, dass er ein Château in der Nähe von Lüttich (Belgien) gefunden habe, und ich traf Vorbereitungen, um das Gebäude zu inspizieren.

20. Mai 1945.

Ich erhielt ein Telegramm von V. C. S. S., in dem mir mitgeteilt wurde, Washington sei um Zustimmung gebeten worden, die Professoren nach England zu bringen. In meiner Antwort schlug ich vor, das Château in Belgien zu inspizieren, und bat um weitere Instruktionen, bis eine Entscheidung aus Washington eingegangen sei. V. C. S. S. wies mich an, so zu verfahren, als hätte ich von diesen Verhandlungen keinerlei Kenntnis.

25. Mai 1945.

Ich flog mit Major Furman nach Lüttich, um das Château Le Facqueval in der Nähe von Huy zu besichtigen. Lieutenant Colonel Watkins von der

---

110 Im niedersächsischen Celle befanden sich seit dem Winter 1944 / 45 die Laboratorien Hartecks, in denen dieser mit seinen Mitarbeitern die Uranisotopentrennung und -anreicherung mittels Zentrifugen betrieb. Vgl. Schaaf 2003.

111 Edward Chambers Betts, stellvertretender Generalstabschef („Deputy Army Chief of Staff") beim G-2-Nachrichtendienst der alliierten Streitkräfte.

Le Vésinet, Zeichnung von Walther Gerlach vom 18. Mai 1945.

US-Armee, der für den Bereich zuständige Nachrichtenoffizier, brachte uns zum Château. Er wies darauf hin, dass die Verwaltung den örtlichen US-Militärbehörden unterstehen würde und dass, was die Behandlung feindlicher Personen betreffe, alles in strikter Übereinstimmung mit General Eisenhowers Befehl erfolgen müsse.[112] Abgesehen davon erschienen mir die Sicherheitsvorkehrungen unbefriedigend, da belgische Zivilisten auf dem Grundstück arbeiteten und mir außerdem mitgeteilt wurde, dass die politische Situation sehr gespannt sei und mit ernsten Unruhen gerechnet werde. Darüber hinaus war der Besitzer des Château, ein wohlhabender belgischer Rechtsanwalt namens Goldschmit, soeben erst aus fünfjähriger Kriegsgefangenschaft in Deutschland zurückgekehrt. Ich sprach mit ihm, und er war über die Requirierung seines Hauses natürlich sehr unglücklich. Selbstverständlich wusste er nicht, zu welchem Zweck sein Haus verwendet werden sollte, eröffnete mir aber, dass er die Gültigkeit der Beschlagnahmeverfügung anzufechten gedenke, da das Haus nicht von den Deutschen besetzt gewesen sei und in Übereinstimmung mit einem Abkommen zwischen den Alliierten und der belgischen Regierung nur solche Häuser requiriert werden könnten. Ich prüfte diesen Sachverhalt später nach und stellte fest, dass es sich so verhielt. Der Rechtsanwalt erzählte mir, dass er ein Freund von General Erskine, dem Leiter der SHAEF-Mission in Belgien,[113] sei und dass er beabsichtigte, sich an ihn zu wenden. Tatsächlich ging später, kurz bevor wir das Haus verließen, ein Ersuchen von General Erskine ein, die Beschlagnahme rückgängig zu machen.

Lieutenant Colonel Watkins wollte die amerikanischen Wachtruppen in den besten Räumen des Hauses unterbringen und schlug vor, die Professoren sollten auf dem Dachboden einquartiert werden. Ich weigerte mich, dazu meine Zustimmung zu geben.

Ich erstattete darüber dem Hauptquartier (V. C. S. S.) telegrafisch Bericht.

Inzwischen drängte der MIS, die Villa Argentina zu räumen, die er zur Unterbringung seiner eigenen Leute dringend benötigte, die sich auf dem Wege durch Le Vésinet zu einem anderen Einsatzgebiet befanden.

112 Gemeint ist wohl das für die amerikanischen Truppen erlassene Fraterniserungsverbot.

113 George Erskine, britischer General, Oberbefehlshaber der alliierten Truppen in Belgien, 1945 Stellvertretender Stabschef der Alliierten Kontrollkommission in Deutschland.

Ich suchte Colonel Ford auf und teilte ihm mit, dass auszuziehen für uns unmöglich sei, solange nicht geeignete Unterkünfte gefunden seien, und versicherte ihm, dass wir in dieser Hinsicht unser Möglichstes tun würden.

28. Mai 1945.

Ich erhielt ein Telegramm von Lieutenant Commander Welsh, in dem er mir mitteilte, dass er vorschlage, mich aufzusuchen. Ich rief ihn an und vereinbarte ein Treffen mit ihm am 30. Mai in Paris.[114]

30. Mai 1945.

Nach der Ankunft von Lieutenant Commander Welsh brachte ich ihn zu der Villa. Ich erklärte ihm die ganze Situation und sorgte dafür, dass er das Château Le Facqueval besichtigen konnte. Die Professoren empfingen ihn sehr herzlich, waren aber enttäuscht, dass er ihnen keine Nachricht von ihren Familien übermitteln noch irgend etwas über ihre Zukunft mitteilen konnte.

31. Mai 1945.

Lieutenant Commander Welsh und ich flogen nach Lüttich und wurden von Captain Mueller von der US-Armee, Colonel Watkins' Stellvertreter, zum Château Le Facqueval gebracht. Nachdem wir Haus und Grundstück inspiziert und mit Mr. Goldschmit gesprochen hatten, kamen wir zu dem Schluss, dass das Haus ungeeignet war, und kehrten nach Le Vésinet zuruck.

1. Juni 1945.

In Major Furmans Pariser Dienststelle fand eine Konferenz statt, bei der Major Calvert zugegen war. Lieutenant Commander Welsh sagte, dass wir das Château Le Facqueval für ungeeignet hielten und dass wir die Zustimmung zu erlangen versuchten, die Gruppe nach England zu bringen, wo geeignete Unterbringungsmöglichkeiten zur Verfügung stünden. Man kam überein, dass man versuchen sollte, bis zu einer Entscheidung in diesem Punkt in Le Vésinet zu bleiben. Major Furman schlug vor, an General Groves ein Telegramm zu schicken, das sogleich aufgesetzt wurde. Wie ich höre, wurde, nachdem ich die Konferenz verlassen hatte, beschlossen,

114 Das Treffen fand dann doch nicht in Paris, sondern in Le Vésinet statt.

Château Le Grand Chesnay, Zeichnungen von Walther Gerlach Ende Mai 1945.

dieses Telegramm nicht abzusenden. Lieutenant Commander Welsh kehrte dann nach London zurück.

Ich sprach mit Colonel Ford vom MIS, der mir mitteilte, dass die Villa Argentina dringend für eine Gruppe von Armeehelferinnen benötigt werde, und nach einiger Diskussion erklärte er sich bereit, uns für einige Tage eine andere Unterkunft zur Verfügung zu stellen.

3. Juni 1945.

Major Furman teilte mir mit, dass die Gruppe auf Befehl von Brigadegeneral Conrad unverzüglich nach Belgien verlegt werden solle. Ich lehnte es ab, die Verlegung vor Montag, den 4. Juni durchzuführen, und rief das Hauptquartier (Lieutenant Commander Welsh) an, der mir die Verlegung bestätigte.

Es war nicht möglich, den Transport der Gruppe auf dem Luftwege abzuwickeln, und so stellte der MIS für die Reise zwei Jeeps mit Anhängern sowie eine Limousine bereit.

4. Juni 1945.

Ich besorgte mir einen Marschbefehl von Colonel Ford, und wir verließen Le Vésinet am 4. Juni um 13.00 Uhr. Um 23.45 Uhr trafen wir im Château Le Facqueval ein.

Während meines ganzen Aufenthalts in Frankreich erhielt ich wertvolle Unterstützung von Colonel Brook und seinen Mitarbeitern.

V. Huy (4. Juni – 3. Juli)

Obwohl Major Furman mir versichert hatte, dass die von ihm im Château Le Facqueval getroffenen Vorbereitungen mit der abgesprochenen Linie übereinstimmen würden, musste ich bei der Ankunft feststellen, dass dies nicht der Fall war. Lediglich Kriegsgefangenenrationen standen zur Verfügung, und es war versäumt worden, eine Mahlzeit für die Professoren vorzubereiten, die seit Mittag unterwegs gewesen waren. Zum Glück hatte ich amerikanische „K"-Rationen[115] als Wegzehrung. Captain Davis von der US-Armee war zeitweilig das Kommando anvertraut worden, das heißt bis zum Eintreffen von Lieutenant Toepel von der Alsos-Mission,

115 In kurzer Zeit verzehrbare Frontration für Fallschirmjäger und andere spezialisierte Infanterietruppen.

der zum Befehlshaber der Einheit ernannt worden war. Mr. Oates, ein amerikanischer CIC-Mann,[116] war der Einheit ebenfalls zugeteilt. Diese Beamten taten alles in ihrer Macht Stehende, um mir zu helfen.

Ich wurde mit Nachdruck darauf hingewiesen, dass die amerikanischen Truppen gegen jegliche Form von Fraternisieren seien und dass es mir nicht gestattet sein würde, den Professoren zusätzliche Lebensmittel oder irgendwelche Erleichterungen zukommen zu lassen. Später verschaffte ich ihnen allerdings mit stillschweigender Duldung des verantwortlichen US-Offiziers, doch ohne Wissen der amerikanischen GIs, zusätzliche Lebensmittel und Getränke.

5. Juni 1945.

Ich erhielt ein Telegramm vom Hauptquartier (Lieutenant Commander Welsh), in dem er mir mitteilte, dass die gesamte künftige Linie im Hinblick auf die Professoren geprüft werde und dass ich mich nach Kräften bemühen solle, sie bis zu einer Entscheidung bei guter Verfassung zu halten.

In Anbetracht der Einstellung der amerikanischen Truppen war es mir unmöglich, mit den Professoren zusammenzuleben, wie ich es bisher getan hatte. Für die Offiziere und Mannschaften wurden die üblichen „A"-Rationen in Empfang genommen, während für die Professoren lediglich Kriegsgefangenenrationen zur Verfügung standen. Auch mussten zwei getrennte Speiseräume eingerichtet werden. Ich berichtete Lieutenant Commander Welsh im Hauptquartier über die unbefriedigende Situation.

Den Professoren blieb nichts anderes übrig, als sich mit ihrer Situation abzufinden, doch allmählich waren sie am Ende ihrer Kräfte. Ihnen war der Kontakt zu britischen und amerikanischen Wissenschaftlern versprochen und zugesichert worden, dass man sich um die Versorgung ihrer Familien mit Lebensmitteln kümmern werde. Sie konnten einfach nicht begreifen, warum ihnen eine solche Behandlung zuteil wurde. Ich erläuterte ihnen einige der entstandenen Schwierigkeiten, und es gelang mir, sie zu beruhigen und einigermaßen heiter und zufrieden zu stimmen.

116 „Counter Intelligence Corps", Spionageabwehrkorps des US-Heeres. Es dürfte sich um den für die Alsos-Mission gelisteten und in Aachen stationierten CIC-Spezialagenten Peter T. Oates handeln.

Der Tagesablauf im Château war so ziemlich der gleiche wie in Le Vésinet, und da vorwiegend schönes Wetter herrschte, verbrachten die Professoren die meiste Zeit im Garten. Für die Wachtruppen war ein Klavier bereitgestellt worden, und da sie selten darauf spielten, überredete ich sie, das Instrument den Professoren zu überlassen. Das Klavier war in sehr schlechtem Zustand, eine Reihe von Tönen fehlte, aber es dauerte nicht lange, bis sie das ganze Ding auseinandergenommen und mit improvisierten Werkzeugen repariert hatten. Ich lieh mir von einem ortsansässigen Klavierstimmer Werkzeug, und bald hatten sie das Instrument gestimmt. Ich kaufte auch ein Rundfunkgerät, das sich als sehr willkommene Ergänzung zu den Annehmlichkeiten des Hauses erwies.

Mutmaßungen über die Identität der Professoren wurden in Belgien in ebenso großer Zahl angestellt wie in Frankreich. Die häufigste Vermutung war die, dass die Gruppe aus Ribbentrop[117] und seinen Mitarbeitern bestehe. Es bestand ein erhebliches Sicherheitsrisiko, weil die amerikanischen Truppen, die keinerlei Ausbildung in Geheimdienstarbeit hatten, ungezwungen mit den Mädchen des Dorfes verkehrten. Sie unternahmen auch nächtliche Ausflüge nach Lüttich. Als Köche für die Offiziers- und Mannschaftsmesse waren drei belgische Zivilisten beschäftigt, deren Bewegungsfreiheit man nicht auf das Haus beschränken konnte.

Lieutenant Colonel Watkins bestand darauf, die ganze Einrichtung als amerikanischen Militärstützpunkt zu führen, ja er wollte am Flaggenmast auf dem Grundstück sogar das Sternenbanner hissen; gegen diesen Vorschlag legte ich mein Veto ein. Das Château wurde offiziell bezeichnet als „Special Detention Centre, Area No. 5, Channel Base Section, Etousa“, und diese Bezeichnung musste auf allen amtlichen Schreiben und Beschlagnahmeverfügungen erscheinen. Dadurch wurde natürlich die Aufmerksamkeit auf Art und Beschaffenheit der Einrichtung gelenkt, und es bestand die eindeutige Gefahr, dass Vertreter der Schweiz oder des Roten Kreuzes das Recht auf ungehinderten Zutritt geltend machten.

117 Joachim von Ribbentrop, seit 1938 Außenminister des Dritten Reichs, der sich seit Juni 1945 im britischen Gewahrsam befand.

9. Juni 1945.

Die Professoren waren sehr beunruhigt, als sie in den Zeitungen lasen, dass die Russen ihre Besatzungszone in Deutschland ausdehnten. Dr. Diebner war ganz verzweifelt, als sich herausstellte, dass das in Thüringen gelegene Stadtilm,[118] wo seine Frau und sein Sohn sich aufhielten, ebenfalls von den Sowjets besetzt werden sollte. Er flehte mich mit Tränen in den Augen an, seine Frau und seinen Sohn in die britische oder amerikanische Zone bringen zu lassen. Ich wies darauf hin, dass seine frühere Tätigkeit es kaum gerechtfertigt erscheinen lasse, ihm einen Gefallen zu tun, versprach ihm aber, ich würde zusehen, was sich machen ließe. Inzwischen hatte mir Prof. Heisenberg mitgeteilt, dass Frau Diebner mit ihrem Mann zusammengearbeitet habe und über seine ganze Arbeit und die der anderen Bescheid wisse; es sei doch bedauerlich, wenn sie in die Hände der Russen falle. Deshalb gab ich diese Information telegrafisch an das Hauptquartier durch mit der Bitte, Diebners Familie aus der Stadt zu bringen. In den nächsten paar Tagen waren an Dr. Diebner Anzeichen geistiger Verwirrung zu beobachten, und er drohte zunächst einen Fluchtversuch zu unternehmen, und als er die Unmöglichkeit eines solchen Vorhabens eingesehen hatte, drohte er mit Selbstmord. Es war eine große Erleichterung, als ich ihm mitteilen konnte, dass seine Familie nach Neustadt bei Coburg gebracht worden sei. Der Empfang dieser Nachricht bewegte ihn derart, dass er mich bat, in die Kirche begleitet zu werden, obwohl er einräumte, keiner Religion anzugehören und seit vielen Jahren in keiner Kirche gewesen zu sein. Am folgenden Sonntag begleitete ich ihn zur Messe in die Dorfkirche, wo sein Aufzug großes Aufsehen erregte.

10. Juni 1945.

Lieutenant Toepel traf ein und übernahm das Kommando. Dieser Offizier war ein Alsos-Mann und war in Hechingen und Tailfingen dabei gewesen,

118 Große Teile von Nord- und Mitteldeutschland waren von amerikanischen Truppen befreit worden. Im Zusammenhang mit der Potsdamer Konferenz und der Aufteilung Berlins unter den Allierten fand im Juli 1945 ein Gebietsaustausch statt, so dass ganz Thüringen und damit auch Stadtilm von sowjetischen Truppen besetzt wurde.

als die Professoren in Gewahrsam genommen wurden.[119] Er kannte diejenigen, die von dort kamen, und auch sie erkannten ihn wieder.

Lieutenant Toepel wurde mit einer schwierigen Situation sehr gut fertig, indem er in jeder Beziehung mit mir zusammenarbeitete und bei meinem „Fraternisieren" ein Auge zudrückte, während er seine Stellung als kommandierender Offizier seiner Soldaten zu behaupten wusste.

14. Juni 1945.

Aus Paris kam Prof. Gerlach zu unserer Gruppe. Die Professoren waren hocherfreut, als sie ihren alten Kollegen wiedersahen.[120]

15. Juni 1945.

Inzwischen wurden die Professoren wieder einmal sehr unruhig und deuteten mir an, dass bald der Zeitpunkt kommen könnte, wo sie verzweifelte Maßnahmen ergreifen würden, um die Welt auf ihre Situation aufmerksam zu machen. Sie erwähnten allerdings nicht, an welche Schritte sie dabei dachten, meinten aber, sie würden mir rechtzeitig Bescheid sagen. Mir persönlich gegenüber legten sie eine gewisse Loyalität an den Tag, da sie das, was ich für sie hatte tun können, zu schätzen wussten. Sie versicherten, dass sie nicht ihr Ehrenwort brechen würden, ohne es vorher zu widerrufen. Ich hatte ein langes Gespräch mit Prof. Heisenberg, der von allen am vernünftigsten ist. Er erzählte mir, die Hauptsorge resultiere daraus, dass sie keine Nachricht von ihren Familien hätten. Er sagte ferner, sie vermuteten, dass ihr potentieller Wert nach den in ihren jeweiligen Instituten vorgefundenen Dokumenten beurteilt werde. Diese Dokumente vermittelten keine wahre Vorstellung von dem Umfang ihrer Versuche,

119 In den südwürttembergischen Städten Hechingen und Tailfingen, seit Sommer 1943 die Evakuierungsorte mehrerer Berliner Kaiser-Wilhelm-Institute, hatte die ALSOS-Mission am 23. April 1945 die Mehrheit der internierten deutschen Atomforscher gefangengenommen.

120 Walther Gerlach, seit 1. Januar 1944 Bevollmächtigter des Reichsmarschalls Hermann Göring für Kernphysik und damit der administrative Leiter des deutschen Uranprojektes, war Anfang Mai 1945 von der ALSOS-Mission in München festgesetzt und zunächst ebenfalls zum Verhör nach Heidelberg, aber dann in das Lager Dustbin (Château Le Grand Chesnay) gebracht worden, wo er über einen Monat interniert blieb. Vgl. den Bericht Gerlachs im Dokumentenanhang S. 433 ff. Mit Gerlach war die Gruppe vollständig.

die schon viel weiter gediehen seien als aus diesen Dokumenten hervorgehe, ja er behauptete, dass sie noch weiter vorangekommen seien, weil sie seit ihrer Internierung Einzelinformationen und -ergebnisse miteinander kombiniert hätten. Er bat um eine Gelegenheit, die ganze Sache mit britischen und amerikanischen Wissenschaftlern zu erörtern, um sie mit den jüngsten Theorien der Deutschen bekannt zu machen und einen Plan für die künftige Zusammenarbeit auszuarbeiten. Prof. Heisenberg und Dr. Harteck schlugen vor, Prof. Bonhoeffer aus Leipzig,[121] dessen Aufenthalt sie in Friedrichsbrunn im Ostharz vermuteten, zu ihnen zu bringen. Sie sagten, er sei ein aktiver Nazigegner, der mit ihnen zusammengearbeitet habe, und es wäre doch unklug, ihn in die Hände der Russen fallen zu lassen. Die obigen Informationen wurden telegrafisch an das Hauptquartier weitergegeben.

Wieder baten die Professoren um die Erlaubnis, an ihre Familien zu schreiben, und ich sagte, ich würde versuchen, dafür zu sorgen, dass die Briefe auch befördert werden. Die Briefe wurden geschrieben und im Anschluss an die Zensur, die umfangreiche Neuformulierungen erforderlich machte, von mir an Lieutenant Commander Welsh in London weitergeleitet.

Lieutenant Commander Welsh teilte mir am Telefon mit, dass die Genehmigung erteilt worden sei, die Professoren nach England zu bringen. Er bat mich, so bald wie möglich zu einer Inspektion von Farm Hall nach England zu kommen.

16. Juni 1945.

Da wir zusätzliches Personal benötigten, ließ ich mir zwei weitere Kriegsgefangene aus dem Lager in Namur kommen, einen zweiten Koch und einen Mann, der von Beruf Friseur war. Dadurch waren wir von auswärtigen Haushaltshilfen mehr oder weniger unabhängig. Die Wäsche wurde im Haus gewaschen. Mr. Oates machte ein Gruppenfoto. (Das Negativ und sämtliche Abzüge von diesem Foto sind in meinem Besitz.)

---

121 Karl-Friedrich Bonhoeffer war Physiko-Chemiker und wirkte wie Heisenberg als Professor an der Universität Leipzig, zusammen mit Paul Harteck hat er über die Herstellung von schwerem Wasser gearbeitet. Sein Bruder, der Theologe Dietrich Bonhoeffer, wurde im April 1945 im KZ Flossenbürg auf Befehl Hitlers ermordet.

17. Juni 1945.

Um einen Flug nach England zu bekommen, musste ich mich zeitweilig einer in Brüssel stationierten britischen Einheit zuweisen lassen und wurde entsprechend der 21. Heeresgruppe[122] zugeteilt; ich bekam von ihnen eine Genehmigung und flog nach London.

Lieutenant Commander Welsh und ich begaben uns nach Farm Hall, wo bereits Vorbereitungen für den Einbau von Mikrofonen getroffen worden waren. Ich hatte von dem Tage an, als ich die Professoren übernahm, diesen Einbau gefordert. Wir vereinbarten mit Colonel Kendrick, die zum Betrieb der Anlage erforderliche Zahl von Technikern von CSDIC (U. K.)[123] hierher zu versetzen. Zudem hatten wir das Glück, auch die Dienste von Captain Brodie vom CSDIC (U. K.) in Anspruch nehmen zu können, der als Verwaltungsoffizier fungierte.

26. Juni 1945.

Ich kehrte nach Belgien zurück und überließ es Captain Brodie, die in Farm Hall laufenden Vorbereitungen zum Abschluss zu bringen.

Bei der Ankunft auf dem Brüsseler Flugplatz wurde mir mitgeteilt, dass Lieutenant Colonel Watkins am Nachmittag das Château Le Facqueval inspizieren werde. Ihm war lediglich gestattet, die amerikanischen Truppen und ihre Unterkünfte zu inspizieren. Die Professoren durften während seines Besuchs das Haus nicht verlassen.

Die Professoren nahmen die Nachricht von ihrer bevorstehenden Verlegung nach England mit gemischten Gefühlen auf. Einerseits betrachteten sie ihren Umzug als einen Schritt vorwärts, weil sie ihre britischen Kollegen zu treffen hofften, doch andererseits schien England doch viel weiter von der Heimat entfernt zu sein als Belgien.

Einige Schwierigkeiten gab es noch, was den Flug der Professoren nach England betraf, als nämlich Lieutenant Colonel Watkins sich nachdrücklich auf Befehle berief, die ihn anwiesen, die Professoren aus amerikanischem Gewahrsam zu entlassen. Schließlich wurden Anweisungen in

122 „21 Army Group", ein Großverband aus britischen und kanadischen Verbänden unter britischem Oberkommando in Nordfrankreich und den Benelux-Staaten.

123 „Combined Services Detailed Interrogation Centre", 1942 – 1947 eine britische Zentrale für Verhöre von Häftlingen, Überläufern und Kriegsgefangenen.

Château Le Facqueval, Zeichnung von Walther Gerlach vom 30. Juni 1945.

Paris eingeholt, die ihn ermächtigten, sämtliche im Special Detention Centre festgehaltenen Personen auf dem Lütticher Flughafen mir persönlich beziehungsweise meinem Stellvertreter zu übergeben.

30. Juni 1945.

Ich übertrug Lieutenant Toepel das Kommando und begab mich nach England. Alle Professoren gaben mir ihr Wort, sämtlichen Weisungen von Lieutenant Toepel nachzukommen, und so wurden sie auf dem Lütticher Flughafen am 3. Juli Mr. Oates übergeben, den ich für die Aufgabe bestimmt hatte, und mit einem Sonderflugzeug nach Tempsford[124] geflogen.

Lieutenant Colonel Page und seine Mitarbeiter haben sich während meines ganzen Aufenthalts in Belgien als äußerst hilfreich erwiesen.

---

124 Flugbase der RAF, etwa 30 km westlich von Cambridge bzw. südwestlich von Farm Hall gelegen.

VI. Zusammenfassung

Die Operation ist bis jetzt erfolgreich verlaufen, denn

1. wurden die Professoren über einen Zeitraum von mehr als zehn Wochen festgehalten, ohne dass eine unbefugte Person von ihrer Identität oder dem Ort ihrer Internierung Kenntnis erlangt hätte, und
2. konnten sie unter erheblichen Schwierigkeiten bei guter Verfassung gehalten werden.

Nachfolgend kurze Charakterskizzen der Professoren:[125]

Von Laue: Ein schüchterner, sanfter Mensch. Er kann nicht verstehen, warum er interniert ist. Er war äußerst freundlich und ist England und Amerika gegenüber wohlgesinnt.

Hahn: Ein Mann von Welt. Er hat sich von allen Professoren als am hilfsbereitesten erwiesen, und sein Humor und gesunder Menschenverstand haben bei zahlreichen Gelegenheiten die Situation gerettet. Gegenüber England und Amerika ist er entschieden freundlich eingestellt.

Heisenberg: Er ist sehr freundlich und hilfsbereit und, wie ich glaube, ehrlich bemüht, mit den englischen und amerikanischen Wissenschaftlern zusammenzuarbeiten, obwohl er auch davon gesprochen hat, zu den Russen zu gehen.

Gerlach: Hat eine sehr heitere Wesensart und man kann leicht mit ihm umgehen. Er scheint einen aufrichtig kooperativen Eindruck zu machen.

Harteck: Eine charmante Persönlichkeit, die nie Schwierigkeiten gemacht hat. Sein einziger Wunsch ist, mit seiner Arbeit voranzukommen. Da er Junggeselle ist, bereiten ihm die Verhältnisse in Deutschland weniger Sorgen als den anderen.

---

125 Der Report wurde am 14.7.1945 von Major Rittner abgezeichnet, die Wissenschaftler wurden jedoch bereits am 3.7.1945 nach Farm Hall gebracht. Die Charakterskizzen, die sich auch auf S. 64–83 finden, geben vermutlich die Einschätzung am 14.7.1945 wieder, als die Wissenschaftler bereits seit 11 Tagen in Farm Hall waren.

DIEBNER: Nach außen sehr freundlich, hat aber eine unangenehme Persönlichkeit, der man nicht trauen kann. Alle außer Bagge mögen ihn nicht.

VON WEIZSÄCKER: Ein Diplomat. Hat sich stets sehr freundlich und kooperativ gezeigt und ist, wie ich glaube, aufrichtig bereit, mit England und Amerika zusammenzuarbeiten, aber er ist ein guter Deutscher.

WIRTZ: Ein Egoist. Oberflächlich sehr freundlich, aber man kann ihm nicht trauen. Ich bezweifle, ob er kooperationsbereit ist, wenn es sich für ihn nicht lohnt.

BAGGE: Ein ernster und hart arbeitender junger Mann. Er ist durch und durch deutsch, und es ist unwahrscheinlich, dass er kooperiert. Seine Freundschaft mit Diebner macht ihn verdächtig.

KORSCHING: Ein völliges Rätsel. Er macht einen verdrießlichen und mürrischen Eindruck. Er macht nur selten den Mund auf. Seit der Ankunft in England ist er jedoch menschlicher geworden.

14. Juli 1945

(Gez. T. H. Rittner)
Major

TOP SECRET. TO: M.W. Perrin, Esq.

14

COPY NO 2.

Ref. FH1.

To: Mr. M. Perrin and Lt. Comdr. Welsh.
From: Major T.H. Rittner.

Erster Bericht
3. – 18. Juli 1945

I. Allgemeines

1. Ein Bericht, der die Operation auf dem Kontinent vom 2. Mai bis zum 2. Juli 1945 umfasst, ist bereits vorgelegt worden.

2. Die Überführung der Gruppe nach England erfolgte plangemäß; die folgenden Personen landeten am Nachmittag des 3. Juli in Tempsford und wurden im Auto nach Farm Hall gebracht:

Professor von Laue
Professor Hahn
Professor Heisenberg
Professor Gerlach
Doktor Harteck
Doktor von Weizsäcker[126]
Doktor Wirtz
Doktor Diebner
Doktor Bagge
Doktor Korsching

126 Paul Harteck und Carl Friedrich von Weizsäcker waren ebenfalls Professoren, gehörten jedoch mit ihren Geburtsjahrgängen 1902 bzw. 1912 einer anderen Alterskohorte an als die arrivierten Internierten, weshalb ihnen hier wohl der Titel vorenthalten wurde.

Dieter Hoffmann (Hrsg.): Operation Epsilon.
© 2023 GNT-Verlag GmbH, Berlin, Germany. DOI: <https://doi.org/10.47261/1508>.

zusammen mit vier kriegsgefangenen Ordonnanzen. Inzwischen wurde der Gruppe ein weiterer Kriegsgefangener zur Bedienung zugeteilt.[127]

3. Sämtliche Professoren haben mir für den Bereich von Farm Hall erneut schriftlich ihr Ehrenwort gegeben, und ich habe sie entsprechend darauf hingewiesen, dass jeder Fluchtversuch eines Wissenschaftlers oder einer Ordonnanz oder jeder Versuch, mit irgend jemandem Kontakt aufzunehmen, für alle Internierten eine erhebliche Freiheitsbeschränkung zur Folge hat.

4. Die Professoren, die Offiziere und die Wachmannschaften erhalten gewöhnliche Armeerationen, die von den kriegsgefangenen Köchen zubereitet werden.

5. In sämtlichen von den Professoren benutzten Schlaf- und Wohnzimmern sind Mikrofone eingebaut worden. Diese Anlage hat sich als von unschätzbarem Wert erwiesen, da wir so verfolgen konnten, in welcher Richtung sich ihre Gedanken bewegten.

In dem folgenden Gespräch erörterten Diebner und Heisenberg die Frage, ob im Hause möglicherweise Mikrofone eingebaut seien. Das Gespräch fand am 6. Juli in Anwesenheit mehrerer ihrer Kollegen statt:

DIEBNER: Ich frage mich, ob hier Mikrofone eingebaut sind.

HEISENBERG: Mikrofone eingebaut? (Lachend) O nein, so gerissen sind die nicht. Ich glaube nicht, dass sie die richtigen Gestapomethoden kennen; in dieser Hinsicht sind sie ein bisschen altmodisch.

II. Stimmung

1. Die Gruppe hat sich in Farm Hall gut eingelebt, doch die Professoren werden immer nervöser. Das Problem ihrer Familienangehörigen macht ihnen am meisten Sorgen, und ich glaube, wenn es möglich wäre, mit ihren Familienangehörigen Nachrichten auszutauschen, hätte dies unmittelbare Auswirkungen auf die allgemeine Stimmung.

---

127 Es handelte sich um Harry Kramer, der die Wissenschaftlergruppe dann ebenfalls bis zum Ende der Internierung in Alswede begleitete, siehe auch O. Hahns Tagebucheintrag auf S. 453. Die anderen vier Ordonnanzen waren am 5. Mai und 16. Juni hinzugestoßen, vgl. S. 89 und S. 106.

2. Die meisten der mitgeschnittenen Gespräche sind allgemeiner Natur und zeigen, dass sie mit der Behandlung, die ihnen zuteil wird, zufrieden sind, aber hinsichtlich ihrer Zukunft völlig im Dunkeln tappen.

3. Lieutenant Commander Welsh besuchte am 7. Juli Farm Hall. Die Atmosphäre war etwas gespannt, wie aus den folgenden Gesprächen ersichtlich ist:

(a) Gespräch zwischen Heisenberg, Harteck, Wirtz, Diebner und Korsching, nachdem der Besuch von Lieutenant Commander Welsh angekündigt wurde:

HEISENBERG: Ich sehe den Zeitpunkt kommen, dass wir mit dem Commander ein sehr ernstes Wort reden müssen. So können die Dinge nicht weitergehen.

HARTECK: Das genügt nicht. Wir haben keine Rechtsposition, da sie uns versteckt halten müssen.

HEISENBERG: Anscheinend fühlen sie sich schuldig wegen ihrer eigenen Wissenschaftler, sonst kann man es nicht verstehen. Ich sage Ihnen mal, was wir tun werden: Eines Abends machen wir ihn betrunken, und dann wird er reden. Wir werden Bridge spielen und dann von ein Uhr an ernsthaft mit ihm reden.

WIRTZ: Ich meine, Sie sollten mit dem Commander sprechen und ihm sagen, dass wir sehr unzufrieden sind, und dann können wir ihn eines Abends betrunken machen.

HEISENBERG: Ja, das ist die richtige Reihenfolge. Zuerst werden wir ihn uns eines Nachmittags vorknöpfen und ihn zermürben. An einem Abend machen wir es dann wieder gut.

HARTECK: Ja, und sagen Sie ihm klar und deutlich, dass wir ungerecht behandelt werden.

HEISENBERG: Ja, natürlich.

DIEBNER: Sie scheinen einen gewissen Einfluss auf ihn zu haben, und ich glaube, Sie könnten bei ihm etwas erreichen.

HEISENBERG: Nun, ich denke, ich bin bei ihm mehr oder weniger gut angeschrieben. Ich werde ihm klarmachen, dass er Stark und Lenard[128]

128 Philipp Lenard und Johannes Stark waren die führenden Repräsentanten der sogenannten „Deutschen Physik“ und frühe Anhänger des Nationalsozialismus .

in Deutschland glücklich und zufrieden weiter wohnen lässt, während wir armen Schlucker unsere Frauen und Kinder am Hungertuch nagen lassen müssen.

HARTECK: Inzwischen plündern die britischen und amerikanischen Soldaten zu Hause alles aus.

WIRTZ: Das ist ihm ganz egal.

HEISENBERG: Das glaube ich nicht.

DIEBNER: Wenn man es ein bisschen schlau anstellt, können wir dabei etwas für uns rausholen. Zuallererst halten sie diese ganze Sache hier geheim, und zweitens scheint der Zweck der Sache zu sein, freundlich mit uns umzugehen.

HEISENBERG: Die Sache ist doch die, dass sie noch nicht wissen, was sie wollen. Das ist der ganze Haken dabei. Sie wollen nicht, dass wir uns an irgendwelchen Diskussionen über unsere Zukunft beteiligen, weil sie uns dabei nicht mitreden lassen wollen. Sie wollen überlegen, was zu tun ist, und haben sich untereinander noch nicht geeinigt.

HARTECK: Aber sie können doch nicht zu einem sagen: „Ihr müsst hierbleiben." Sie können doch nur fragen: „Wollt ihr unter diesen Bedingungen hierbleiben?" Oder können sie sagen: „Ihr müsst hier bleiben"?

HEISENBERG: Natürlich können sie, wenn sie wollen. Natürlich ist es möglich, dass sie sich darauf verständigen und uns fragen, ob wir in England bleiben oder nach Amerika gehen wollen, aber dass wir nicht in Deutschland bleiben können.

DIEBNER: Wenn der Commander kommt, bringt er sicher ein paar Briefe oder ein paar gute Nachrichten mit. Sobald er kommt, wird er uns mit allen möglichen Ausreden zu beschwichtigen versuchen.

KORSCHING: Dann wird er stundenlang reden und hinterher bei sich denken: Na also, jetzt habe ich sie ein bisschen beruhigt.

(b) Gespräch zwischen Weizsäcker, Hahn, Heisenberg und Wirtz, nachdem Lieutenant Commander Welsh sich mit ihnen unterhalten hatte.

WEIZSÄCKER: Ich war über die Art, wie das Gespräch begann, sehr verärgert. Das war, als Sie mit den Briefen anfingen. Als er sagte: „Ja, die sind abgeschickt worden, aber es liegen noch keine Antworten vor." Es ist alles sehr mysteriös.

HAHN: Nein, er sagte, dass sie noch nicht abgeschickt worden sind. Das hat er gesagt.

WEIZSÄCKER: Das kam nach und nach heraus, nachdem wir ihn regelrecht verhört hatten. Und dann die Bemerkungen über „Missgeschicke" usw. Es ist natürlich leicht, solche Dinge zur Sprache zu bringen, und ich kann verstehen, dass ein Engländer verärgert ist, wenn wir so was zur Sprache bringen, aber es gehörte sich einfach nicht, so auf unsere Fragen zu antworten. Ich wollte mir all das nicht anhören, und ich wollte auch nicht den Eindruck erwecken, dass ich anderer Meinung war, als der Mann solche Dinge sagte. Deshalb habe ich das Zimmer verlassen, auch natürlich, um es für Sie leichter zu machen.

HAHN: Es würde mich freuen, Herr Heisenberg, wenn Sie mit ihm reden. Die Einzelheiten meiner Unterredung mit ihm brauchen Sie nicht zu kennen.

HEISENBERG: Er fing beim Essen von sich aus damit an. Ich hatte den Eindruck, dass er über die ganze Situation hier ziemlich deprimiert war und auch über den etwas feindseligen Empfang.

WIRTZ: Hahn hat ihm erzählt, dass wir hier wie Fürsten leben, doch was nützt uns das, wenn wir keine Nachricht von unseren Familienangehörigen haben, keine Ahnung haben, was mit uns geschehen soll, und wir den Kontakt zu unserer Arbeit verlieren. Obwohl wir gut behandelt werden, sind wir trotzdem Gefangene.

HEISENBERG: Es hat sicherlich Eindruck auf ihn gemacht, und er wollte mit mir darüber beim Mittagessen reden, aber ich lehnte ab und sagte: „Wir werden uns nachher privat darüber unterhalten."

WEIZSÄCKER: Wir sollten uns unsere Chancen bei diesem Mann nicht verderben, da er vielleicht derjenige ist, der uns gegen andere, die uns gegenüber noch feindseliger eingestellt sind, helfen kann. Wahrscheinlich ist er in der Erwartung hergekommen, dass wir fröhlich und vergnügt sind und ihn ebenso gut empfangen würden wie das letzte Mal in Le Vésinet. Er spürte sofort, dass das nicht der Fall war, und zeigte sich natürlich verärgert.

4. In welcher Richtung die Gedanken der Professoren sich im allgemeinen bewegten, geht aus den folgenden Gesprächen hervor.

(a) Gespräch zwischen Diebner, Heisenberg, Harteck, Wirtz und Korsching am 6. Juli.

DIEBNER: Mal angenommen, Sie würden in Richtung Cambridge abhauen wollen; Sie haben doch eine Menge Freunde dort. Das würde eine tolle Sensation verursachen. Die ganze Sache würde bekannt werden. Sicher würden Sie das machen, wenn man Sie hier ein Jahr lang festhält.

HEISENBERG: Wenn jetzt nichts geschieht, werde ich sicherlich in verhältnismäßig kurzer Zeit zum Major (Rittner) gehen und ihm sagen: „Ich bitte um die Erlaubnis, mein Ehrenwort zu brechen." Dann ist er in der peinlichen Lage, vor meiner Tür einen bewaffneten Wachposten aufzustellen. Das würde dann höheren Orts zu Problemen führen.

DIEBNER: Das würde auf jeden Fall dazu führen, dass etwas unternommen wird. Was kann Ihnen schon passieren? Wenn Sie abhauen und wirklich versuchen, nach Cambridge zu kommen, können die gar nichts machen. Man könnte sie durch die Polizei zurückbringen lassen, aber der Schaden wäre nunmal da.

HARTECK: Die scheinen Angst davor zu haben, dass man gegen England sich feindselig verhalten könnte, verstecken uns aber vor ihren eigenen Landsleuten, und das ist das Erstaunliche. Wenn es andersherum gewesen wäre – wir haben in Deutschland einen ausländischen Wissenschaftler nie versteckt, die anderen Wissenschaftler wussten alle darüber Bescheid.

DIEBNER: Das Schlimme bei den Engländern ist, dass es eine Ewigkeit dauert, bevor sie sich entschließen, etwas zu unternehmen.

WIRTZ: Das Empire ist im Laufe von Jahrhunderten errichtet worden: Sie haben hier viel Zeit. Sie können nicht verstehen, wenn es jemand eilig hat.

HEISENBERG: Man kann sagen, dass sie manches besser machen als andere, weil sie sich Zeit lassen.

DIEBNER: Sie haben Geld und folglich haben sie Zeit.

Harteck: Je länger man hier ist, desto mehr liegt einem daran, nach Hause zu kommen. Außerdem ist es ärgerlich, wenn man im Ungewissen gelassen wird. Es macht einen so verbittert.

Diebner: Genau das ist es – verbittert.

Heisenberg: Es kann ja sein, dass die britische Regierung vor den kommunistischen Professoren[129] Angst hat, Dirac und so weiter. Sie sagen sich: Wenn wir Dirac oder Blackett ihren Aufenthaltsort mitteilen, melden sie ihn sofort an ihre russischen Freunde, Kapitza[130] weiter, und Genosse Stalin kommt und sagt: „Was ist mit den Professoren von der Berliner Universität? Sie gehören nach Berlin."

Diebner: Es ist durchaus möglich, dass sie sich überhaupt nicht äußern wollen.

Korsching: Dann müssen sie natürlich warten, bis alles von den Großen Drei geregelt worden ist.

Diebner: In dem Fall wäre es, glaub ich, richtig, wenn die Engländer uns irgendeinen versteckten Hinweis geben würden. Vielleicht können sie sich wegen des Genossen Stalin nicht offen äußern.

Heisenberg: Es ist möglich, dass die Großen Drei in Potsdam[131] darüber beschließen und dass Churchill zurückkommt und sagt: „Verschwindet, die ganze Gruppe geht nach Berlin zurück", und dann sitzen wir in der Patsche.

---

129 In England existierte seit Mitte der dreißiger Jahre eine Gruppe marxistisch bzw. linksorientierter Intellektueller (John Desmond Bernal, John Haldane, Charles Percy Snow). Obwohl Paul Dirac Sympathien für die Sowjetunion zeigte, war er weder Marxist noch Kommunist und unterhielt auch keinerlei Kontakte zu der obigen Gruppe (vgl. Kragh, S. 160); auch Blackett war kein Kommunist, sondern Mitglied der Labour Party und Wissenschaftsberater von Premier C. Attlee (vgl. Nye 2004 sowie S. 51 f. im vorliegenden Buch).

130 Pjotr L. Kapitza war ein russischer Physiker der von 1921 bis 1934 in Cambridge geforscht und gelehrt hatte. Vgl. Boag 1990.

131 Gemeint ist die Potsdamer Konferenz (17.7 – 2.8.1945), auf der die Siegermächte des Zweiten Weltkriegs (Großbritannien, UdSSR, USA) über die Zukunft Deutschlands berieten.

(b) Gespräch zwischen Wirtz und von Weizsäcker am 7. Juli:

WEIZSÄCKER: Diese Leute haben uns „in Gewahrsam" genommen, zunächst weil sie uns für gefährlich halten, weil wir wirklich eine Menge mit Uran gemacht haben. Zweitens gab es wichtige Leute, die sich für uns aussprachen und uns gut behandeln wollten. Diese beiden Tatsachen gerieten durcheinander. Jetzt stecken sie in diesen schrecklichen politischen Schwierigkeiten. Anständig wäre es von ihnen, wenn sie uns sagen würden: „Es ist nicht möglich, so rasch eine Entscheidung zu fällen. Was sollen wir tun? Möchten Sie fürs erste bei Ihren Familien bleiben oder –?" Aber gerade das tun sie nicht, sie legen uns lieber auf Eis. Das ist nicht schön von ihnen. Ich glaube ihnen sogar, wenn sie behaupten, es hat mit der Wahl und allen möglichen politischen Schwierigkeiten zu tun. Ich halte es nicht einmal für böse Absicht, dass sie in unserer Sache nichts unternehmen, es ist lediglich, dass sie über uns zu keiner Entscheidung kommen können.

WIRTZ: Ja, ich könnte das durchaus verstehen, aber sie könnten sagen: „Wir werden jetzt eine Regelung über die Familienangehörigen treffen." Was soll denn die ganze Sache?

WEIZSÄCKER: Ja, aber das ist natürlich schwierig – die französische Besatzungszone. Doch das Verflixte daran ist, dass sie einen nicht mitreden lassen wollen, wenn es darum geht, was mit einem geschehen soll oder mit der Familie, oder einen Hinweis darauf geben, was geschehen soll.

(c) Gespräch zwischen Wirtz, Hahn und Diebner am 16. Juli, nachdem sie in der Zeitung gelesen hatten, dass Lord Cherwell[132] an der Potsdamer Konferenz teilnehmen werde:

WIRTZ: Das ist der Mann, der uns hat festnehmen lassen.

HAHN: Wenn Cherwell wüsste, dass wir hier festgehalten werden, würde etwas geschehen. Er weiß es aber nicht; er würde sicherlich mit einem sprechen und erörtern, was er tun sollte oder könnte.

---

132 Frederick A. Lindemann (Lord Cherwell) war ein englischer Physiker, dessen Eltern aus Deutschland stammten und der vor dem Ersten Weltkrieg bei Walther Nernst in Berlin promoviert wurde. Seine guten Beziehungen zu Winston Churchill machten ihn zum einflussreichen wissenschaftlichen Berater des Premierministers und der britischen Regierung während des Zweiten Weltkriegs.

DIEBNER: Solche Dinge werden sicherlich besprochen werden. Ich nehme an, dass sie auf der Konferenz der Großen Drei entscheiden werden, welche Wissenschaftler nach Russland gehen sollen.

HAHN: Wie sollte Cherwell etwas wissen? Er weiß nichts von uns; das ist das Dumme daran. Aber vielleicht weiß er doch was.

III. Einstellung zu Briten und Amerikanern

1. Einige interessante Aufschlüsse über die Einstellung einiger Professoren gegenüber Großbritannien und Amerika ergeben sich aus den folgenden Gesprächen zwischen Bagge und Korsching.

(a) 8. Juli

KORSCHING: Es macht mich rasend, wenn Leute so kindisch anglophil sind. Es war genau das Gleiche in Hechingen.[133]

BAGGE: Wie meinen Sie das?

KORSCHING: Man hat ihnen das schwere Wasser auf einem Tablett serviert, ebenso das Uran und alle Instrumente und die Geheimakten in doppelter Ausfertigung und – ich weiß nicht genau – 20 g Radium. Das ist entsetzlich.

BAGGE: Wirtz und Bopp haben 2 (10?) g Radium vergraben, die sie später privat verkaufen wollen.

KORSCHING: Weizsäcker, obwohl er schlau ist, nimmt an, dass er mit ihnen hinsichtlich der Übergabe des schweren Wassers verhandeln kann und zu welchen Bedingungen. Sie haben darüber mit dem Commander gesprochen. Zunächst wollten sie sagen: „Wir verraten es Ihnen nur unter der Bedingung, dass Sie uns weiter daran arbeiten lassen." Sie bildeten sich ein, sie könnten damit davonkommen. Er braucht doch nur mit Brot und Wasser zu drohen, und schon geben sie nach.

(b) 11. Juli

BAGGE: Falls wir an unserem Thema weiterarbeiten wollen, müssen wir sicher mit den Anglo-Amerikanern zusammenarbeiten. In Deutschland hat doch niemand Geld.

133 Die Bemerkung von Korsching bezieht sich auf das Verhalten von Weizsäcker und Wirtz, die seiner Meinung nach der Alsos-Mission allzu bereitwillig die zuvor versteckten Materialien und Unterlagen offenbart hatten.

Korsching: Wenn man überzeugt ist, dass Deutschland für lange Zeit von den Russen besetzt wird, und man an der Produktion von Waffen für die Engländer arbeitet, wird das Endresultat sein, dass man Deutschland zum (künftigen) Schlachtfeld macht. Die Engländer sind natürlich in Wirklichkeit viel zu vorsichtig, um an einen Krieg gegen Russland zu denken. Natürlich würde ich keine Gewissensbisse haben, Neutronenquellen für die Amerikaner zu machen. Natürlich könnten wir mit den existierenden Trennanlagen für sie kein Uran abtrennen. Ich wäre durchaus bereit, damit weiterzuarbeiten, da es ganz ungefährlich ist (lacht). Nach allem, was ich von den Anglo-Amerikanern weiß, bin ich nicht gerade davon begeistert, dass sie uns so einfach übernehmen. Die Folge ist doch wohl, dass all die gute Arbeit, die wir in unserem Leben leisten, so könnte man fast sagen, den anglo-amerikanischen Wissenschaftlern zugute kommen wird. Man kann doch nicht annehmen, dass Weizsäcker und Wirtz etwas anderes tun, als für den Rest ihres Lebens in Deutschland zu bleiben.

Bagge: Was meinen Sie damit? Das erste, was Wirtz tat, war doch, zu fragen: „Werden wir die britische Staatsbürgerschaft erhalten?"

Korsching: Er hatte zuvor alle möglichen anderen Gespräche geführt. Glauben Sie ja nicht, es war seine Idee. Ich sprach einmal mit Wirtz und Heisenberg und sagte: „Es wäre für jemanden, der sich mit dem Gedanken trägt, in England zu arbeiten, sicherlich ein kluger Schachzug, die britische Staatsbürgerschaft zu erwerben, da er sonst erschossen würde, wenn er den Russen in die Hände fiele." Sie gaben beide zu, dass man so werde vorgehen müssen. Wenn man nach England gebracht werde, müsse man unter Umständen hierbleiben.

Ich möchte lieber die schwedische Staatsbürgerschaft annehmen, als in Deutschland bleiben und auf den nächsten Krieg warten. Andererseits würde ich mich nicht darum bemühen, Engländer zu werden. Wenn aus Deutschland nichts mehr zu machen ist, sollte man auf jeden Fall von Russland wegkommen. Von Weizsäcker hat sich schon mehr oder weniger mit der Vorstellung abgefunden, eines Tages Russe zu werden. Mal angenommen, die Engländer würden kommen und sagen: „Sie können Ihre Arbeit fortsetzen, ja Sie sollen sogar am Uran weiterarbeiten. Wir werden alles nach Hechingen zurückbringen, aber Sie müssen ein Papier unterschreiben." Dann würde man vermutlich unterschreiben müssen, um hier wegzukommen. Was würden Sie tun?

BAGGE: Ich würde sagen, dass ich selbst während des Krieges meine wissenschaftliche Arbeit ungehindert fortsetzen konnte, und ich würde fragen, ob ich jetzt weitermachen kann.

KORSCHING: Ich würde natürlich das Gleiche sagen. Wenn die aber nein sagen, würde ich dennoch unterschreiben und es trotzdem tun. Andererseits werden sie uns natürlich nicht mehr das schwere Wasser zurückgeben. Sie können sagen: „Geht zurück und arbeitet, aber nicht an der Uranmaschine." Sie wissen, dass wir uns nicht heimlich zwei Tonnen Uran beschaffen können. Und dann können sie natürlich auch sagen: „Die Uranmaschinenleute sollen zurück gehen, aber die Isotopentrenner müssen unter amerikanischer Kontrolle an der Trennung von Isotopen weiterarbeiten."

BAGGE: Männer wie Wirtz werden auch etwas machen wollen. Wirtz kann dann wieder seine komische Maschine bauen.

KORSCHING: Er wird nicht 1 Milligramm von irgend etwas trennen können. Wirtz hat das gleiche Problem wie ich mit meiner Anlage. Es geht um die Löslichkeit. Solange er Flüssigkeiten verwendet, die nicht Quecksilber sind, erzielt er den gleichen Löslichkeitseffekt wie ich. Der Unterschied zwischen seiner Anlage und meiner ist der, dass seine Trennstufen einfach und meine kompakter sind. Aber er wird naturlich damit herumzuspielen versuchen, selbst wenn es keinen Sinn hat. Ich glaube allerdings, dass die Engländer allein damit zufrieden sein können, dass sie die Anlage haben. Ich nehme jedoch an, dass wir eine Sache zu unterschreiben haben werden: dass wir Stillschweigen bewahren müssen über alle Apparate, die man uns weggenommen hat. Ich glaube nicht, dass man uns gehen lässt; wir könnten ja dann die Theorie beider Anlagen veröffentlichen. Wir werden sicherlich eine Erklärung unterschreiben müssen, dass wir nichts veröffentlichen. Man muss sehr vorsichtig sein, dass wir uns auf nichts einlassen.

2. Diebner und Bagge brachten in dem folgenden Gespräch am 17. Juli etwas überraschend den Wunsch zum Ausdruck, die britische Staatsbürgerschaft zu erwerben:

DIEBNER: Ich wäre froh, Bagge, wenn ich hierbleiben könnte.

BAGGE: Es wäre wundervoll, wenn wir Engländer werden könnten.

DIEBNER: Und dann nichts mehr mit der Partei zu tun haben. Ich würde freiwillig einen Eid leisten, nie wieder etwas mit der Partei zu tun zu haben.

IV. Fachliches

1. Die zweimal in der Woche stattfindenden Vorträge werden fortgesetzt. Bei schönem Wetter finden sie im Freien statt.

2. Die folgenden Bemerkungen wurden am 9. Juli von Bagge im Gespräch mit Korsching gemacht:

BAGGE: Ich habe jetzt die Wellengleichung gelöst. Nun muss ich noch aus der Wellenfunktion die richtige Ladungsverteilung und daraus deren Quadrupolmoment berechnen. Das ist, was ich jetzt gerade mache. Zunächst ist bekannt, dass das Deuteron annähernd sphärisch ist, daher kann man die zwischen Proton und Neutron wirkenden Kräfte aus der inneren Energie des Deuterons erhalten, das heißt, man kann eine Kraft finden, die die richtige Masse des Deuterons liefert. Diese Kraft entspricht natürlich einer bestimmten relativen Richtung zum Spin der Teilchen. Doch im Deuteron ist eine eindeutige Spinposition verwirklicht, der Spin von Proton und Neutron ist parallel, und für diese relative Position der Spins lässt sich die Kraft berechnen. A priori wissen wir nichts über die Spinposition, aber etwas kann aus Streuexperimenten berechnet werden. Wenn nämlich die Spins antiparallel sind, ist die Kraft (nur) halb so groß. Man kann eine Funktion finden, die die Kraft als Funktion der Spins angibt, die eben diese Eigenschaft hat. Heisenberg hat darauf hingewiesen. Wenn man mit Heisenberg annimmt, dass die Kraft auf diese Weise vom Spin abhängt, sind die Kräfte in jener Position zweimal so groß im Vergleich zu dieser Position, und die sphärische Symmetrie der Deuteronen bleibt erhalten. Jetzt haben wir die Heisenbergsche Funktion und die Größe der Kräfte, und wir können nun die Streuexperimente korrekt berücksichtigen. Mit anderen Worten, mit Hilfe von Heisenbergs Funktionen können wir die experimentell ermittelten Streuresultate und die innere Energie widerspruchsfrei erklären.

Bethe hat gezeigt, dass man im Rahmen der Yukawa-Theorie Annahmen machen kann, die Heisenbergs Funktion der Spins ergeben. Um die Rechnung relativistisch invariant zu machen, muss man zusätzliche Terme einführen, die ebenfalls von der Spinrichtung abhängen und die das Quadrupolmoment des Deuterons erklären können. Bethe hat solche Kräfte angenommen, die 1. mit den Ergebnissen der Streuexperimente übereinstimmen, 2. die korrekte Masse des Deuterons angeben und 3. das Quadrupolmoment des Deuterons korrekt ergeben. Das ist alles korrekt, aber es ist nur richtig, weil er für jeden Effekt, den er erklären will, einen neuen Ausdruck einführt. Der Ausgangspunkt war die Masse des Deuterons, die mit einem < > erhalten wird. Dann kommen die Streuexperimente, die den Heisenberg-Term erfordern. Um das Quadrupolmoment richtig zu erhalten, benötigt man den von Bethe benutzten Yukawa-Term. Jeder Ausdruck wird für einen speziellen Zweck eingeführt. Natürlich, das ist eine mögliche Theorie. Man steckt soviel < > hinein, wie man für die Erklärung neuer (experimenteller) Resultate benötigt.

HAHN: Wir kennen nicht die Eigenschaften von Uran 94, wohl aber die von 93.[134]

BAGGE: Warten Sie, bis das 93 völlig zerfallen ist, und Sie haben dann wirklich reines 94.

---

134 Gemeint sind die Elemente Neptunium mit der Ordnungszahl 93 und Plutonium mit der Ordnungszahl 94. Hahn spricht von dem in seinem Institut gründlich untersuchten „2,3-Tage-Körper" oder „-Element", das durch Neutroneneinfang von U-238 entsteht. Es handelt sich um das „Element 93" Neptunium-239, das mit einer Halbwertszeit von 2,3 Tagen in das spaltbare „Element 94" Plutonium-239 übergeht. Dieses Grundprinzip des Natururan-Schwerwasserreaktors, der Plutonium „erbrütet", verfolgte Heisenbergs Gruppe in deren Reaktorversuchen. Von Weizsäcker unterrichtete das HWA bereits 1940 über diese Möglichkeit und reichte 1941 u. a. mit Wirtz ein Patent auf die „Technische Energiegewinnung, Neutronenerzeugung und Herstellung neuer Elemente durch Spaltung von Uran oder verwandten schweren Elementen" ein. Vgl. Karlsch 2005, S. 73 f., sowie den Bericht C. F. von Weizsäcker: Eine Möglichkeit der Energiegewinnung aus ^{238}U, 17.7.1940, Deutsches Museum, FA 002/501, online verfügbar unter <https://digital.deutsches-museum.de/item/FA-002-501/>.

HAHN: Das ist bei weitem zu wenig, man kann damit nichts anfangen. Man erhält nichts aus einem Element mit einer Halbwertszeit von 10.000 Jahren durch den Zerfall eines 2,3-Tage-Elements.

BAGGE: Warum? Sie haben das Element 93 mit einer Halbwertszeit von 2,3 Tagen, und nun warten Sie 20 Tage. Dann wird nichts mehr übrig sein von dem Element 93, da es sich vollständig in das Element 94 umgewandelt hat.

LAUE: Das ist zu wenig.

HAHN: Es sind ebenso viele Atome vorhanden, wie dem 93 entsprechen. Doch man kann (das Vorhandensein von) 93 aus dem einfachen Grunde nachweisen, weil es in 2,3 Tagen zerfällt – das heißt praktisch, (in) Sekunden um ein Fünftausendstel.

BAGGE: Nun macht Korsching Folgendes: Er nimmt Ihre winzige Menge des 93er-Elements, die Sie konzentriert haben.

HAHN: Alle zehn Jahre wird ein Alphastrahl emittiert. Wie können Sie das nachweisen?[135]

BAGGE: Wenn Sie bisher durch Alphazählmethoden 10.000 Jahre nachweisen, d.h. 10.000 Jahre als untere Grenze bestätigen konnten, dann sollten Sie dies auch noch um annähernd weitere 1.000 durch die Anwendung einer Plattenmethode, wie sie Korsching angegeben hat, verbessern können; allerdings wird der Nulleffekt[136] die Messungen beeinträchtigen.

V. Finanzen

Vor einiger Zeit teilten mir die Professoren mit, dass sie deutsches Geld bei sich hätten, das sie gern an ihre Familien zurücksenden möchten. Daher bat ich sie am 7. Juli, mir anzugeben, wie viel jeder Einzelne besaß. Das folgende Gespräch fand zwischen Diebner und Gerlach statt.

---

135 Hahn, der nahezu täglich mit der radiochemischen Isotopenanalyse beschäftigte war, ging von geringsten Spuren des 2,3-Tage-Elements aus, die zu geringsten Mengen von langlebigen Nukliden führen. Deren Zerfall jenseits von 10.000 Jahren ließ sich kaum nachweisen. Das in der Literatur geäußerte Unverständnis Hahns Argumentation gegenüber stammt aus einer heutigen Sicht der technischen Möglichkeiten, vgl. dazu z.B. Bernstein 2001, S. 85, Anm. 37.

136 Der Nulleffekt bezeichnet in der Radioaktivitätsforschung bzw. Kernphysik den Wert, der bei einer Messanordnung auch ohne die zu messende Strahlung gemessen wird.

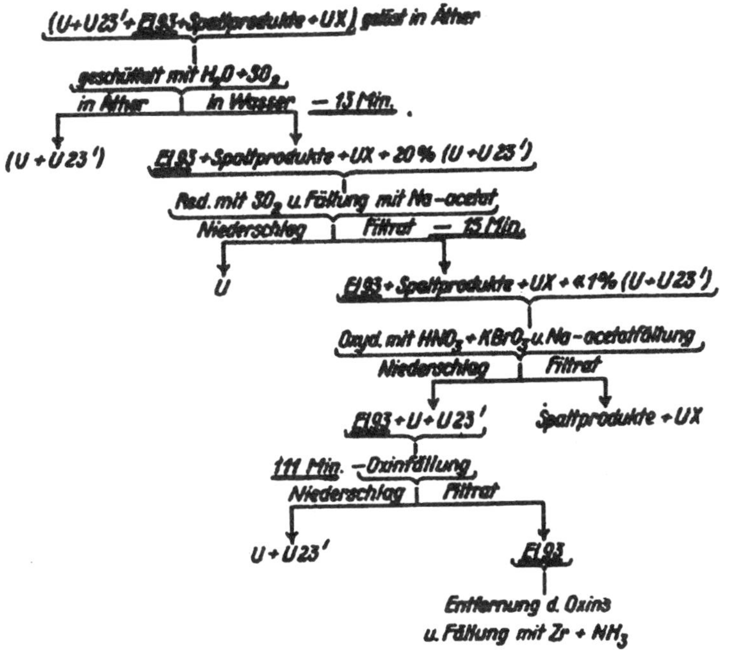

Otto Hahn und Fritz Straßmann skizzierten den komplizierten Arbeitsgang zur Reindarstellung des „Elements 93" auf einer Arbeitstagung im Februar 1942.

DIEBNER: Ich wollte aufschreiben, dass ich eine bestimmte Summe bei mir trage.

GERLACH: Ich würde lediglich schreiben: „Ich habe so und so viele tausend Mark; es war Geld zur Bezahlung –"

DIEBNER: Gelder des Reichsforschungsrates.[137]

---

137 Der 1937 gegründete und 1942 reorganisierte Reichsforschungsrat sollte die forschungspolitische Umsetzung der nationalsozialistischen Agressions- und Autarkiepolitik befördern. Die eingesetzten Fachspartenleiter besaßen große Macht- und Finanzmöglichkeiten, um bestimmte Forschungsgebiete und Vorhaben zu priorisieren. Mit der Herauslösung des Uranprojekts aus der Zuständigkeit des Heereswaffenamtes im Jahre 1942 war der Reichsforschungsrat auch für die deutschen Uranarbeiten zuständig. Walther Gerlach war im Dezember 1943 von Hermann Göring zum Leiter der Fachsparte Physik und Bevollmächtigteten des Reichsmarschalls für Kernphysik ernannt worden.

GERLACH: Nein, nicht des Reichsforschungsrates, sondern der Forschungsgesellschaft.

DIEBNER: Ja.

GERLACH: Zur Bezahlung der Gehälter von Assistenten und technischem Personal. Das Geld war bei mir zu Hause, und ich nahm es mit; ich hatte keine Möglichkeit, es zur Bank zu bringen.

DIEBNER: Ich habe es eben gezählt. Ich hätte 95.000 Reichsmark bei mir haben sollen, aber es sind nur 79.000 Reichsmark und ein bisschen. Ich habe einiges davon Kremer (?) gegeben.[138] Ich hätte 35.000 Mark von meinem eigenen Geld haben müssen und 60.000 Mark, die dem Forschungsrat gehören. Aber ich habe insgesamt nur 79.000 Mark. Vielleicht habe ich etwas meiner Frau gegeben.

Anschließend wurde mir die folgende Liste der Geldbeträge übergeben, die jeder einzelne mit sich führte:

von Laue	RM	201
Hahn		785
Heisenberg		1.809
Harteck		10.400
Gerlach		400
von Weizsäcker		550
Wirtz		726
Diebner		79.246
Bagge		1.238
Korsching		1.034
RM	RM	96.389

138 Höchstwahrscheinlich handelt es sich um Dr. Richard Cremer, Leiter des Hochspannungslabors der AEG im Transformatorenwerk Oberschöneweide, der an einer Apparatur für das Heereswaffenamt arbeitete.

VI. Persönlichkeiten

1. Die Professoren

(a) von Laue

Scheint, abgehörten Gesprächen zufolge, bei seinen Kollegen nicht beliebt zu sein.

(b) Hahn

Unbeliebt bei den jüngeren Mitgliedern der Gruppe, die ihn für diktatorisch halten.

(c) Heisenberg

Wurde von jüngeren Mitgliedern der Gruppe beschuldigt, er habe versucht, Informationen über seine Experimente für sich zu behalten.

(d) von Weizsäcker

Erzählte Wirtz, er habe nichts dagegen, mit freundlichen Engländern zu fraternisieren, empfinde jedoch „in diesem Jahr, wo so viele unserer Frauen und Kinder getötet wurden", noch einen gewissen Widerwillen dabei.

(e) Diebner

Ist sehr besorgt um seine Zukunft und hat Bagge erzählt, dass er ein formales Gesuch einreichen wolle mit der Bitte, wieder als Beamter eingestellt zu werden. Er hofft, wir würden vergessen, dass er ein Mitglied der Nazipartei war. Er sei nur deshalb in der Partei geblieben, weil bei einem deutschen Sieg nur Parteimitglieder Aussicht auf gute Arbeitsplätze gehabt hätten.

2. Andere

(a) Bothe[139]

Es gab zahlreiche Vermutungen, warum Prof. Bothe nicht, wie erwartet, zur Gruppe gekommen ist. Man nimmt an, dass er schlau genug war, um in Deutschland bleiben und seine Arbeit fortsetzen zu können.

(b) Ewald

Soll nach Aussage von Gerlach einen hervorragenden Massenspektrographen besessen haben, der eine ungewöhnlich starke Linienauflösung hatte.

(c) Maurer

Einer der Professoren sagte im Gespräch mit Gerlach, er habe Angst vor einem Physiker namens Maurer, der ein begeisterter Nazi, aber ein jämmerlicher Forscher war. Maurer arbeitete mit Straßmann über den Zerfall von Molybdän und Uran.

(d) Meyer

Ein Physiker, Leiter der Entwicklungsabteilung der Torpedo-Versuchsstation. Er ist Mitte Dreißig und Absolvent der Universität Karlsruhe. Er ist ein glühender Nazi.

(e) Strassmann

Arbeitete mit Maurer über den Zerfall von Molybdän und Uran (siehe oben).

Farm Hall, (Gez. Rittner)
19. Juli 1945 Major.

139 Bis heute halten die Spekulationen darüber an, warum Walther Bothe, unzweifelhaft einer der profiliertesten deutschen Kernphysiker (vgl. Hoffmann et al. 1995), nicht auch in Farm Hall interniert wurde. Ein wichtiger Grund bestand wohl darin, dass die Alliierten vor allem an Spezialwissen und hier vor allem zur Isotopentrennung interessiert waren, über das Bothe nicht in gewünschtem Maße verfügte; auch war Bothes nachrichtendienstliche Überwachung leicht zu organisieren, da er ja in Heidelberg forschte und lebte, wo sich das deutsche Hauptquartier der ALSOS-Mission wie der amerikanischen Besatzungsmacht überhaupt befand.

TOP SECRET

COPY NO. 4

Ref. FH2

26

Mr. M. Perrin

Zweiter Bericht
18. – 31. Juli 1945

I. Allgemeines

Die Lage in Farm Hall hat sich seit dem letzten Besuch sehr wenig verändert. Nach außen hin sind die Gäste heiter und gelassen, aber offensichtlich wächst ihre Unruhe. Es wurden Vorschläge gemacht, dass einer der Gäste versuchen solle, einen Brief nach Cambridge zu bringen. Es wurden Schritte unternommen, dies zu verhindern.

II. Stimmung

Die folgenden Gespräche spiegeln die allgemeine Stimmung wider.

1. Gespräch zwischen Heisenberg, von Weizsäcker, Wirtz, Harteck und Diebner am 18. Juli:

Weizsäcker: Ich würde sagen, wir müssen auf die Großen Drei warten.[140] Alles hängt damit zusammen.

Wirtz: So ist es. Warum wollen sie keine Briefe absenden? Nicht, weil es keine Post gibt; das ist alles Quatsch; natürlich könnten sie einen Brief absenden. Aus dem einen oder anderen Grunde darf niemand wissen, dass Prof. Heisenberg und andere hier sind. Das ist es. Sobald jemand, selbst die eigene Ehefrau, erfährt, „Prof. Heisenberg geht es gut", begreifen sie, dass er noch in Gefangenschaft ist.

Heisenberg: Jeder in Hechingen weiß, dass ich verhaftet worden bin, doch sobald eine Nachricht durchkommt, wissen sie: ja! Sie leben noch.

Weizsäcker: Sie wissen das sowieso.

Heisenberg: Ich könnte mir auch vorstellen, dass sie Angst vor Folgendem haben: Nehmen wir mal an, es wird bekannt, dass wir hier

140 Gemeint ist die anstehende Konferenz der drei alliierten Siegermächte Großbritannien, Sowjetunion und USA in Potsdam.

Dieter Hoffmann (Hrsg.): Operation Epsilon.
 DOI: <https://doi.org/10.47261/1508>.

sind; irgendein cleverer Journalist würde auftauchen und würde natürlich nicht hereingelassen. Er würde sich den Ort von außen ansehen, würde uns im Garten allerlei Spiele spielen sehen, uns beim Sonnenbaden beobachten usw. Am nächsten Tag würde ein riesiger Artikel in der Zeitung stehen, so wie es bei Göring der Fall war: „Deutsche Naziwissenschaftler genießen das Leben in England. Zum Mittag bekommen sie –" Er könnte so einen wundervollen Artikel schreiben, was natürlich für alle Beteiligten äußerst peinlich wäre. Ich kann durchaus verstehen, dass dies der Grund für die Geheimhaltung hier ist. Wenn natürlich unsere Kollegen, die von der Sache wissen – Goudsmit zum Beispiel – klug wären, würden Sie einen anderen Artikel über Nazigegner in die Zeitung setzen. Beginnen könnte er mit Pastor Niemöller und Bischof Galen.

WIRTZ: Ein Mann wie Goudsmit will uns gar nicht richtig helfen, der hat ja seine Eltern verloren.[141]

HARTECK: Ja, also natürlich, ganz kann der Goudsmit nicht davon absehen, dass wir seine Eltern umgebracht haben. Das ist ja auch wahr, ich meine, das ist nicht so ganz leicht für ihn.

DIEBNER: Ich könnte mir vorstellen, dass uns mehr Freiheit eingeräumt wird, sobald die Russen sagen: „Einverstanden, ihr übernehmt die Wissenschaftler." Sie verhandeln gerade mit den Russen, wer an Russland übergeben werden soll und wer nicht. Vermutlich wird darüber jetzt in Berlin diskutiert.

---

141 Die Eltern von Samuel Goudsmit waren im Frühjahr 1943 nach Auschwitz deportiert und dort umgebracht worden. Hierüber waren Heisenberg und andere deutsche Physiker informiert, denn der niederländische Physiker Dirk Coster hatte sich deswegen mit ihnen in Verbindung gesetzt. Ein Versuch Heisenbergs, zu intervenieren, scheiterte. Wie aus einer Anlage der Farm-Hall-Protokolle vom 1.9.1945 hervorgeht, wurde das deutsche Originaltonbandprotokoll dieses Gespräches aus Washington angefordert – vermutlich im Auftrag von Goudsmit. Daher sind die Sätze von Wirtz und der folgende von Harteck im Original überliefert: Major Calvert beantwortete am 1.9.1945 die Anfrage von Major Smith nach diesem Auszug des Reports mit dem deutschen Wortlaut, „wherein Harteck mentioned Goudsmit's parents and made the statement, ‚Of course we murdered them.'" Er ergänzte: „The word ‚umgebracht' is probably best translated to mean ‚killed' rather than ‚murdered.'" (Zit. n. Bernstein 2001, S. 90, Anm. 5). Vgl. auch Calmthout 2018, S. 26, sowie S. 95 im vorliegenden Buch.

Wirtz: Dem Major muss doch sicher aufgefallen sein, dass unsere Stimmung gesunken ist.

Harteck: Na klar hat er was gemerkt.

Wirtz: Eine andere Frage ist, ob unsere Einstellung sich gegen ihn persönlich richtet.

Heisenberg: Nein, er weiß, dass sie nicht gegen ihn persönlich gerichtet ist.

Wirtz: Man kann das an dem Fall William Joyce[142] sehen, der bis zum 11. September verschoben worden ist. Die Engländer sind nun mal so.

Harteck: Stimmt. Sie haben viel Zeit.

Wirtz: Falls ich jemals mit Luftlandetruppen in England landen sollte, würde ich alle Männer sofort verhaften lassen und zwei Jahre lang von ihren Frauen trennen, um ihnen zu zeigen, wie so was ist.

Heisenberg: Ich glaube, wir haben eine 90-prozentige Chance, nach Deutschland zurückzukommen.

Harteck: Ja. Ich halte das auch für sehr wahrscheinlich. Zuerst dachte ich, die wären wirklich mehr daran interessiert, Informationen aus uns herauszuholen. Aber das tun sie nicht.

Heisenberg: Vielleicht werden sie es auch nicht tun.

Harteck: Anscheinend nicht. Sie werden warten, bis sie es selber besser machen können. Dann werden wir schwören müssen, nicht über die Sache zu reden usw., und vielleicht zahlen sie dann jedem von uns £ 500.

Wirtz: Nie im Leben! Wir werden dafür, dass wir hier waren, noch bezahlen müssen.

2. Gespräch zwischen Wirtz, Harteck und Heisenberg am 21. Juli:

Wirtz: Ich glaube, es besteht eine sehr gute Aussicht, nach Deutschland zurückzukommen, und es besteht eine 25-prozentige Chance, dass wir noch vor dem 1. Dezember zurückkommen. Die Aussicht, zwischen dem 1. Dezember und Ende nächsten Jahres zurückzukommen, möchte

142 William Joyce war ein irisch-amerikanischer Naziaktivist, der kurz vor Kriegsausbruch nach Berlin übersiedelte und für den deutschen Auslandsfunk Propaganda in englischer Sprache betrieb, wofür er den Spitznamen „Lord Haw-Haw" erhielt. Im Herbst 1945 wurde er in seiner Heimat wegen Hochverrats zum Tode verurteilt.

ich mit 70 % angeben. Und zu 40 % besteht die Aussicht, dass wir überhaupt nie wieder zurückkommen. Natürlich ergeben die Prozentzahlen keine 100. Meines Erachtens besteht eine 15-prozentige Aussicht, dass wir unsere Frauen nie wiedersehen werden.

HEISENBERG: Das ist alles viel zu pessimistisch. Ich meine, es besteht eine 35-prozentige Aussicht, dass wir vor dem 1. Dezember zurückkommen. Die Aussicht, dass wir innerhalb einer angemessenen Frist nach diesem Datum zurückkommen, möchte ich mit 50 % veranschlagen. Die Aussicht, dass wir nie zurückkommen, ausgenommen vielleicht unter völlig anderen Umständen nach vielen, vielen Jahren, würde ich mit 14 % angeben. Und nur eine einprozentige Aussicht besteht, dass wir unsere Frauen nie wiedersehen werden. Ich vermag keinen Grund zu der Annahme erkennen, dass sie uns schlecht behandeln wollen, wohl aber einen Grund zu der Annahme, dass sie uns nicht in Deutschland haben wollen, weil sie nicht wollen, dass wir unser Wissen an andere Leute weitergeben.

HARTECK: Das ist eine Sache. Aber vielleicht werden wir auch erschossen, nicht von den Engländern, sondern von den Leuten daheim. Wenn einer von uns an die Universität Hamburg ginge, könnte irgendein verrückter Student kommen und einen erschießen.

HEISENBERG: Ich bin nach wie vor der Meinung, dass man in unserem Fall eine Ausnahme macht, indem man uns besser behandelt als die meisten anderen, und daher würde ich sagen, dass wir unsere Frauen wiedersehen, selbst wenn wir nicht nach Deutschland zurückkehren. Das würde nur verhindert werden, wenn etwas Unvorhergesehenes passiert. Man weiß natürlich nie, etwas Überraschendes kann ganz plötzlich kommen.

WIRTZ: Das meine ich auch. Ich denke, da besteht eine 15-prozentige Chance.

3. Was den Gästen mehr als alles andere Sorgen bereitet, ist die Tatsache, dass sie ihren Familien weder Nachrichten zukommen lassen noch von diesen welche empfangen können. Das folgende Gespräch zwischen Wirtz, Korsching und Heisenberg fand statt, kurz nachdem ich dieses Problem am 26. Juli mit Heisenberg erörtert hatte.

WIRTZ: Das verstehe ich nicht. Meine Frau erzählt jedem Franzosen, dass die Engländer mich abgeholt haben.

KORSCHING: Ich glaube nicht, dass dies der wahre Grund ist.

HEISENBERG: Was ist dann Ihrer Meinung nach der wahre Grund?

KORSCHING: Man will uns so lange wie möglich daran hindern, Kontakt zu jemandem aufzunehmen.

WIRTZ: Ich verstehe das nicht ganz, denn wenn das wirklich der Fall wäre, hätten sie auch unsere Frauen mitnehmen müssen. Jeder in Hechingen weiß sowieso, dass wir abgeholt wurden. Ich kann es nicht verstehen.

HEISENBERG: Die ganze Haltung gegenüber Russland hängt vom Ergebnis dieser Wahl ab. Es ist ganz klar, dass, wenn Attlee Premierminister wird –[143]

KORSCHING: – wir an Russland ausgeliefert werden. Genau das ist es.

HEISENBERG: Das würde die gesamte politische Situation ändern.

WIRTZ: Dadurch, dass sie uns hier festhalten, haben sie sich ins Unrecht gesetzt, und jetzt können sie da nicht mehr raus. Es ist unangenehm für sie. Ich seh schon, einer von uns wird sich eines Tages auf den Weg nach Cambridge machen müssen.

HEISENBERG: Ja, unter gewissen Umständen.

WIRTZ: Wir müssen das arrangieren oder einen Brief nach Cambridge schicken. Das sollte doch möglich sein.

KORSCHING: Natürlich, ich werde ihn in den Briefkasten werfen.

HEISENBERG: Das ist alles schön und gut, aber bisher waren Sie dazu gar nicht in der Lage, weil Sie Ihr Ehrenwort gegeben haben.

KORSCHING: Deshalb habe ich immer gesagt, wir wollten es nur für eine begrenzte Zeit geben.

WIRTZ: Wir sagen einfach: „Wir nehmen unser Ehrenwort zurück", und dann eines Tages –

HEISENBERG: Als erstes werden sie eine Wache mit einer Maschinenpistole aufstellen.

KORSCHING: So schnell geht das nicht; wenn wir es geschickt anstellen, kann man es um 10 Uhr abends machen (Gelächter).

---

143 Am 5. Juli fanden die ersten Nachkriegswahlen zum britischen Unterhaus statt, bei denen die Labour Party siegte. Mit der Bildung der Regierung Clement Attlee wurde am 26. Juli 1945 Winston Churchill als Premierminister abgelöst.

HEISENBERG: Wir könnten den Brief auch bloß aus dem Fenster über die Mauer werfen. Sie können das auf jeden Fall tun, aber wir wollen damit noch etwas warten.

4. Vermutungen über den Grund ihrer Internierung sind noch immer ein beliebtes Gesprächsthema, wie aus der folgenden Unterhaltung zwischen Heisenberg, Harteck und Gerlach am 26. Juli ersichtlich ist:

HEISENBERG: Es sieht so aus, als fürchteten die Amerikaner nichts so sehr wie die Möglichkeit, dass die Franzosen von der Uransache Wind bekommen – sehr merkwürdig. Die Amerikaner wissen, dass Joliot an der Sache interessiert ist, und sie haben Angst, dass Joliot, der Kommunist ist, etwas mit den Russen macht. Jedenfalls wenn Joliot davon erfährt, können die Amerikaner nicht verhindern, dass die Russen alles darüber herausfinden. Wenn man uns verbietet, Briefe zu schreiben, nur um uns zu ärgern, dann besteht kein Grund, uns hier so gut zu behandeln; und sie haben unsere Familien stets gut behandelt.

HARTECK: Sie haben wahrscheinlich nicht wirklich Angst vor den Franzosen, sondern nur vor den Russen.

GERLACH: Sicher.

HEISENBERG: Die Russen sind mit der Trennung des Urans bestimmt zwei Jahre hinter uns zurück, doch wenn sie Leute wie Iwanenko[144] und Landau usw. daransetzen, wird es ihnen sicher gelingen.

HARTECK: Ist das der Landau aus Göttingen?

HEISENBERG: Nein, das ist der Mann, der oft in Kopenhagen war. Er arbeitete über –

GERLACH: Erdmagnetismus.

HEISENBERG: Er hat mit mir in Leipzig gearbeitet. Er ist ein sehr kluger russischer Jude.

HARTECK: Hat nicht Joffe was damit zu tun?

---

144 Bei den in den Protokollen genannten und mit Fragezeichen versehen „Lemko“ dürfte es sich um den sowjetischen Physiker Dmitri Iwanenko handeln, der nach der Entdeckung des Neutrons (1932) unabhängig von Heisenberg das Neutron als elementaren Baustein des Atomkerns vorgeschlagen hatte (vgl. Frenkel, Hoffmann 1995). Im Übrigen waren weder Iwanenko und auch nicht der ebenfalls von Heisenberg erwähnte Lew Landau direkt in das sowjetische Atombombenprogramm involviert, das von Igor Kurtschatow geleitet wurde.

HEISENBERG: Er kümmert sich um die politische Seite. Iwanenko ist ebenfalls ein guter Mann.

GERLACH (?): Die ganze Sache ist doch, soweit sie uns betrifft, in Wirklichkeit ein politisches Problem. An uns als Physikern ist man nicht interessiert.

GERLACH: Laue hat von der Uranmaschine erst gehört, seit wir hier interniert sind.[145]

HARTECK: Er wusste absolut nichts.

5. Das folgende Gespräch zwischen Bagge und Diebner am 26. Juli zeigt ihre jeweilige Einstellung:

DIEBNER: Glauben Sie, dass Gerlach hier fünf Jahre lang bleiben will?

BAGGE: Wir wollen die Lage klarstellen.

DIEBNER: Glauben Sie, Weizsäcker will hier fünf Jahre bleiben?

BAGGE: O ja, er möchte hierbleiben. Ihm gefällt es hier. Er sagt jeden Tag, dass er noch nie eine so gute Gelegenheit zum Nachdenken und Arbeiten gehabt hat wie hier.

Sie müssen doch einsehen, dass die Situation sich verschlechtert. Bis jetzt habe ich immer gehofft, dass die Sache auf vernünftige Art zu Ende gehen könnte, aber ich habe die Hoffnung aufgegeben, das ist das Tragische. Wenn ich sehe, wie langsam alles geht, wie alles mehr und mehr geheimgehalten wird, die Tatsache, dass sie selbst hier in England uns vor ihren eigenen Leuten verstecken müssen, vor ihrem Lord Cherwell, vor Churchill, vor jedermann, das ist, was ich nicht begreifen kann.

DIEBNER: Die können das doch nicht ewig so machen. Sie müssen doch einsehen, dass etwas passieren wird, wenn wir uns nicht fügen.

BAGGE: Ich habe Angst. Ich bin am Ende meiner Kräfte (halb schluchzend).

DIEBNER: Wegen Ihrer Familie?

---

145 Max von Laue, obwohl stellvertretender Direktor des Kaiser-Wilhelm-Instituts für Physik, war an den Uranarbeiten des Instituts nicht beteiligt, sondern hatte sich mit der Theorie der Röntgenstrahlbeugung und Supraleitung beschäftigt; auch gehörte er zu den erklärten Gegnern der NS-Herrschaft, der sich z. B. gegen die Wahl des Nazi-Aktivisten Johannes Stark zum Vorsitzenden der Deutschen Physikalischen Gesellschaft und in die Preußische Akademie der Wissenschaften ausgesprochen hatte.

BAGGE: Ja, natürlich, das ist ein Grund.

DIEBNER: Wenn ich hier ein Jahr lang bleiben muss und dann nach Deutschland zurückgehe, dann werde ich, auf welche Weise auch immer, die Unterstützung dieser Leute haben.

BAGGE: Und inzwischen ist meine Familie tot. Schließlich fühle ich mich für meine Familie verantwortlich. Ich habe es mit eigenen Augen gesehen. Am ersten Tag trafen die Franzosen in Hechingen ein und vergewaltigten die Frauen eine nach der anderen, und ein paar Tage später haben sie mich abgeholt. An dem Tag, als ich weg musste, wurden drei Marokkaner im Haus einquartiert – das geht nun schon drei Monate so, und ich soll hier ein glückliches Gesicht machen. Ich werde noch wahnsinnig. Ich kann das nicht mehr aushalten.[146]

DIEBNER: Sie müssen da durch.

BAGGE: Ich werde mich weigern, nach unten zu gehen. Ich werde nichts essen. Ich werde in den Hungerstreik treten. (Anmerkung [von Rittner]: Bagge ist viel zu dick und ein Gang mit Brot und Wasser würde seiner Gesundheit guttun.)

DIEBNER: Bagge, Sie müssen nicht denken, dass wir alle ausgemachte Dummköpfe sind. Heisenberg ist kein Dummkopf. Glauben Sie denn, dass Männer, die die ganze Zeit über die Dinge zu ihrem eigenen Vorteil gedeichselt haben, sich zum Narren halten lassen?

BAGGE: Sie müssen auch begreifen, dass, wenn wir während des Krieges Menschen in Konzentrationslager (steckten) – ich hab das nicht getan, ich wusste nichts davon, und ich habe das immer verurteilt, wenn ich davon hörte –, wenn Hitler während der letzten paar Jahre einige Gräueltaten in Konzentrationslagern befahl, dass man immer sagen kann, dass dies unter der Belastung des Krieges geschah, doch jetzt haben wir Frieden, und Deutschland hat bedingungslos kapituliert, und man kann jetzt nicht das Gleiche mit uns machen.

---

146 Beim Einmarsch der alliierten Truppen in Deutschland waren neben den Soldaten der Roten Armee die französisch-marokkanischen Truppen wegen ihrer Übergriffe bei der deutschen Zivilbevölkerung besonders gefürchtet. Vgl. z. B. Naimark 1995, S. 103 ff.

6. Hahn und Diebner führten am 30. Juli ein langes Gespräch, von dem ein Teil an anderer Stelle in diesem Bericht wiedergegeben ist.[147] Der folgende Auszug zeigt ihre Einstellung zum Briefproblem und Hahns philosophische Hinnahme der Situation:

HAHN: Ich habe in der „Picture Post" einen Artikel über die Uranbombe gelesen; es hieß da, die Zeitungen hätten erwähnt, dass eine solche Bombe in Deutschland hergestellt würde. Jetzt können Sie verstehen, dass wir „festgehalten" werden, weil wir solche Leute sind. Man wird uns nicht eher gehen lassen, bis man absolut sicher ist, dass nichts Schlimmes passieren kann oder dass wir nicht in die Hände der Russen fallen oder irgend sowas. Meines Erachtens ist es ein Fehler, überhaupt etwas zu unternehmen. All meine Hoffnungen und Bemühungen sind jetzt darauf gerichtet, mit meiner Familie in Kontakt zu kommen. Natürlich denke ich auch an mein Institut, da ich tatsächlich das einzige Mitglied der Kaiser-Wilhelm-Gesellschaft bin, das bereits bei der Gründung dabei war. Natürlich ist man traurig, wenn man sieht, wie alles verlorengeht, aber ich kann daran nichts ändern. Hier muss man Fatalist sein. Je länger man hier „detained" ist und nichts erfährt, desto mehr gelangt man in einen Zustand, wo man sich den Kopf zerbricht, um herauszufinden, was geschehen soll. Ich kämpfe dagegen an und mache Witze. Auch nehme ich das Leben nicht allzu ernst, denn ich bin stets zuversichtlich und sehe alles von der Sonnenseite.

DIEBNER: In Deutschland wäre ich genauso gewesen. Am Tage, bevor ich wegfuhr, sagte ich zu meiner Frau: „Ich schlage vor, wir begehen Selbstmord." Ich hatte damals dieses Stadium erreicht.

HAHN: Meine Frau war manchmal auch so, und deshalb mache ich mir Sorgen, ob sie ohne Nachricht von mir durchhalten wird. Was hat Laue alles gegen den Nationalsozialismus unternommen, und auch ich glaube, dagegen gekämpft zu haben. Wir sind beide unschuldig, aber ich darf nicht an meine Frau schreiben. Ich habe dem Major gesagt: „Wenn meine amerikanischen und englischen Freunde wüssten, wie ich für all meine Arbeit seit 1933 entschädigt werde, dass ich nicht einmal an meine Frau schreiben darf, würden sie sehr überrascht sein."

147 Siehe Teil III.2 in diesem Bericht, S. 142.

Wir werden hier gut behandelt, jeder noch so geringe Wunsch wird uns, wenn möglich, erfüllt, alles, nur Briefe dürfen wir nicht schreiben.

DIEBNER: Es ist die Zukunft, die mir Sorgen macht.

HAHN: Die Zukunftsaussichten sind für uns alle düster. Ich habe keine lange Zukunft, auf die ich mich freuen könnte. Angenommen, Sie wollen später mit Gerlach arbeiten; glauben Sie, er wird an der Uranmaschine arbeiten? Die Menschen sind keine Idealisten, und nicht jeder wird bereit sein, an einer so gefährlichen Sache zu arbeiten. Jedes Land wird daran im Geheimen arbeiten. Besonders da sie annehmen, dass sie als Kriegswaffe eingesetzt werden kann.
Wir haben jetzt keine Kontakte zum Ausland. Kein Ausländer kann herausfinden, wo wir sind, und sie werden sich zu fragen beginnen. Meine schwedischen Freunde, mit denen ich zu korrespondieren pflegte, werden sich fragen, was geschehen ist, und annehmen, dass ich tot bin.

DIEBNER: Ich bin immer mehr für die Engländer. Sie machen alles sehr anständig. Der Major gibt sich große Mühe.

HAHN: Er gibt sich große Mühe, und er würde uns wahrscheinlich für sehr undankbar halten, wenn wir plötzlich alles sabotierten. Das können wir nicht machen.

DIEBNER: Nein, nein, das kommt nicht in Frage.

III. Die Nazipartei

Einige der Gäste sind offenbar beunruhigt wegen ihrer Zugehörigkeit zur Nazipartei und der Auswirkungen auf ihre Zukunft. Die folgenden Gespräche zeigen ihre Befürchtungen.

1. Gespräch zwischen Bagge und Gerlach am 30. Juli:

BAGGE: All die jungen Assistenten, die ich kannte, mussten in die Partei eintreten, auch die aus München, Renninger[148] und Welker.[149]

GERLACH: Nicht alle taten es.

---

148 Mit dem im Protokoll vermerkten „Renner (?)“ könnte der theoretischer Physiker Mauritius Renninger gemeint sein, der in München studierte und 1932 promovierte, bevor er erst als Assistent zu Heinz Ewald nach Stuttgart und aus politischen Gründen schließlich in die Industrie wechselte.

149 Heinrich Welker war Doktorand und Assistent bei A. Sommerfeld und ab 1942 bei K. Clusius an der Münchener Universität.

BAGGE: Diejenigen, die an die Universität gehen wollten, mussten in die Partei eintreten.

GERLACH: Aber nicht Kappler und Bühl,[150] die an meinem Institut waren.

BAGGE: Kennen Sie Euler,[151] der einer von Heisenbergs Assistenten war? Er bekam in Leipzig keine Arbeit, weil er kein Parteimitglied war. Der Kampf dauerte 18 Monate, und Heisenberg und Hund und Gott weiß wer noch schafften es nicht.

GERLACH: Ich schaffte es, Blumenthal war nicht in der Partei. Er musste 1937 gehen, weil man behauptete, seine Frau sei teilweise jüdischer Abstammung. Er wurde Geschäftsmann. Auch Grimm war nicht in der Partei.

BAGGE: Meyer (?)?[152]

GERLACH: Meyer (?) war in der Partei. Er war einmal ein großes Tier in der SS, hatte aber später die Nase voll davon. Wir kurierten ihn. Ich weiß nicht, ob Duhm[153] drin war oder nicht.

BAGGE: Ich war nicht in der Partei. 1933 wurde ich von den Leuten der Hochschul-SA übernommen und in die SA gedrängt genau wie all die anderen jungen Assistenten, die ich kenne. Zum Beispiel Wirtz[154] – über von Weizsäcker weiß ich nichts – und Bopp[155], sie alle waren in der SA. Es war Pflicht, und man konnte nichts dagegen unternehmen.

---

150 Gemeint sind die Experimentalphysiker Eugen Kappler, der bei Gerlach promoviert hatte, sowie Otto Bühl.

151 Hans Euler hatte 1935 bei Heisenberg promoviert und war anschließend dessen Assistent geworden. Nach Ausbruch des Zweiten Weltkriegs schlug er das Angebot seines Lehrers aus, im Uranverein tätig zu werden und meldete sich freiwillig zur Luftwaffe, wo er als Meteorologe bei Aufklärungsflügen eingesetzt wurde. Während der ersten Tage des Überfalls auf die Sowjetunion wurde sein Flugzeug abgeschossen und Euler galt seitdem als verschollen. Vgl. Hoffmann 1989.

152 Bernstein mutmaßt den Physiker und Akustikexperten Erwin Meyer, sehr viel wahrscheinlicher dürfte der im letzten Bericht explizit erwähnte „glühende Nazi" und Leiter der Entwicklungsabteilung der Torpedo-Versuchsstation gemeint sein (S. 128).

153 Bernhard Duhm war Gerlachs Assistent an der Universität München.

154 Karl Wirtz war weder in der SA noch in der NSDAP, lediglich in einigen nachgeordneten NS-Massenorganisationen wie dem NS-Dozentenbund oder dem NS-Lehrerbund.

155 Fritz Bopp war im Juli 1933 der SA beigetreten, aber kein NSDAP-Mitglied.

GERLACH: Ich bin dem Lehrerbund nicht beigetreten.

BAGGE: In unserem Institut mussten alle Assistenten dem Dozentenbund beitreten.

GERLACH: Rüchardt[156] trat nicht bei. Sie versuchten uns zu zwingen, und wir bekamen Briefe, und sie machten Schwierigkeiten. Wir haben alles in den Papierkorb geworfen und ließen alles unbeantwortet.

BAGGE: Das ist eine Möglichkeit.

GERLACH: Ich behaupte, dass es nicht richtig ist zu sagen, dass man eintreten *musste*. Ich habe nie etwas schriftlich festgehalten. Dr. Barth war kein Parteimitglied. Er war drei Jahre lang Assistent in Russland gewesen und war im Institut ein regulärer Assistent. Schütz[157] war Parteimitglied, ohne es zu wissen.

BAGGE: Das ist auch mir passiert. Im Herbst 1936 schrieb mir meine Mutter nach Leipzig und fragte an, ob ich in die Partei eintreten wolle. Irgend jemand hatte danach gefragt. Meine Mutter hielt das nun für eine gute Sache und meldete mich an. Ein paar Monate später erhielt ich mein Parteibuch; darin stand, dass ich der Partei bereits seit dem 1. Mai 1935 angehörte. Das Datum des Eintritts war um zwölf Monate zurückdatiert worden. Es hieß darin auch, ich hätte im Mai 1935 einen Eid auf den Führer geleistet. Nichts davon ist wahr.

---

156 Eduard Rüchardt war Doktorand von W. Wien, mit dem er 1920 an die Universität München wechselte, sich dort 1922 habilitierte und bis zu seiner Emeritierung im Jahre 1956 wirkte; seit 1926 als a. o. Professor. Vgl. Gerlach 1963.

157 Wilhelm Schütz hatte 1923 bei Gerlach in Frankfurt/M. promoviert und seinen Lehrer dann als Mitarbeiter nach Tübingen und München begleitet, bis er 1937 Professor in Königsberg wurde. Zusammen mit anderen jüngeren Physikern versuchte er Ende der dreißiger Jahre, die Physikalische Gesellschaft im Sinne der NS-Wissenschaftspolitik auszurichten, was Gerlachs Behauptung, dass er von seiner Parteimitgliedschaft nichts wusste, ad absurdum führt. Vgl. Hoffmann, Walker 2006, S. 173.

GERLACH: Ich glaube nicht, dass Hilsch[158] Parteimitglied war und auch nicht Meissner[159], aber ich bin nicht sicher. Nur einige der Münchner Leute waren Parteimitglieder. Sie beschwerten sich ständig und hielten ihre albernen Reden. Ich ließ sie reden, und nur gelegentlich war ich wirklich grob, so zum Beispiel, als ich einmal in der Fakultät sagte: „Es kümmert mich einen Dreck, was die Reichskanzlei sagt."

DIEBNER: Den Weg des geringsten Widerstandes zu gehen, wie es viele taten, war natürlich nicht der richtige Weg.

GERLACH: Ich hatte einen Halbjuden als Assistenten bis zum Herbst 1944. Ich sagte immer: „Es ist unmöglich, diesen Mann zu entfernen, da so viel von ihm abhängt." Es gab ein Mädchen, das später in Schwierigkeiten geriet.[160] Wir verloren den Assistenten Neumann[161], der später Kaufmann wurde. Niemand von den weiblichen Mitarbeitern, die ich hatte, war Parteimitglied. Ich hatte kein Hitler-Bild im Institut. Ich sagte immer: „Nein, ich hab schon eines." Ich hatte ein sehr kleines Bild, das ich für fünf Pfennig erstanden hatte. Die Nazis haben mich schlecht behandelt. Sie kürzten mein Gehalt und strichen mir meine Zulagen.

BAGGE: Passierte das nicht auch anderen Leuten?

GERLACH: Nein. Dann strengten sie gegen mich einen Prozess an, und ich ging daraufhin nicht mehr ins Institut. Ich sagte: „Ich werde erst dann wieder ins Institut zurückgehen, wenn Sie die Klage zurückziehen." Das war meine Trumpfkarte.

BAGGE: Mit welcher Begründung hat man Ihnen ihr Gehalt gekürzt? Sie hatten doch einen Vertrag.

---

158 Rudolf Hilsch hatte 1927 an der Universität Göttingen bei Robert Pohl promoviert, dessen engster Mitarbeiter er in den folgenden Jahren wurde; 1941 wurde er Professor für Physik an der Universität Erlangen.

159 Walther Meissner, Tieftemperaturphysiker, der 1907 bei Max Planck an der Berliner Universität promoviert und von 1908 bis 1934 an der Physikalisch-Technischen Reichsanstalt gewirkt hatte. Ab 1934 wirkte er als Professor für Technische Physik an der TH München; nach 1945 galt er als politisch unbelastet.

160 Die Identität des „Halbjuden" und „Mädchen" ist unklar.

161 Vermutlich H. Neumann, Assistent am physikalischen Institut in München, der nur in zeitgenössischen Vorlesungsverzeichnissen aufscheint.

GERLACH: Ich bekam ein Schreiben; darin hieß es: „Der zwischen dem bayrischen Staat und Ihnen geschlossene Vertrag wird widerrufen; von jetzt an beträgt Ihr Gehalt …" – und das war's denn auch schon.

(Gerlach verlässt den Raum.)

BAGGE: Sie konnten gegen ihn nichts unternehmen. Er kannte Göring persönlich. Sein Bruder war in der SS, und so gelang es ihm, weiter im Amt zu bleiben.*) Gerlach bereitet es ein gewisses persönliches Vergnügen, Leute zu ärgern. Es waren nicht nur seine Überzeugungen.

DIEBNER: Er hat mit jedem Streit.

BAGGE: Da steckt etwas dahinter. Warum reden sie ständig mit uns über die Partei? Heisenberg fing damit an, und jetzt hat Gerlach das Thema zur Sprache gebracht.

*) In einem Gespräch mit Hahn äußerte Gerlach, dass sein Bruder in gewisse große Geldgeschäfte mit der SS verwickelt gewesen sei. Er war dahintergekommen, als eine Geldsumme einmal auf sein Berliner Konto statt auf das seines Bruders überwiesen worden war. Hahn gegenüber brachte er zum Ausdruck, dass er die Zusammenarbeit seines Bruders mit der SS missbilligt habe.[162]

2. Teil eines Gesprächs zwischen Diebner und Hahn am 30. Juli:

DIEBNER: Ich wollte Ihnen erzählen, wie es zu meinem Eintritt in die Partei kam und wie ich unter den Nazis gelitten habe. 1933 wurde ich Freimaurer aus Opposition gegen den Nationalsozialismus. Ich bin nie für Hitler gewesen. Das wurde in Halle bekannt, und die Folge war, dass ich am Institut in Schwierigkeiten geriet. Dann ging ich zum Waffenamt und hätte Beamter werden können, wurde es aber nicht. Schumann leitete meinen Antrag nicht weiter. Er sagte, das könne er nicht, weil ich Freimaurer sei. Schumann tat sein Möglichstes für mich

162 Werner Gerlach war Mediziner und ranghoes Mitglied der SS, u.a. gehörte er dem persönlichen Stab des Reichsführers SS Heinrich Himmler an. Als Professor in Basel (1930 – 1933) gehörte er zu den Aktivisten, die eine „Einverleibung der deutschen Schweiz in das Reich" propagierten. Als Pathologe in Jena war er auch für das KZ Buchenwald zuständig. Während des Zweiten Weltkrieges war er in politischen Missionen in Reykjavyk, Prag und Paris tätig.

und schickte mich zu einem Mann in München, und nach einem Jahr ging die Sache durch, und ich wurde Beamter, ein Regierungsrat.

HAHN: Die Tatsache, Parteimitglied gewesen zu sein, spricht nicht unbedingt gegen einen Mann. Die Zeitungen behaupten das.

DIEBNER: Jeder kennt meine Ansichten. Gerlach kennt sie; ich war nie Nationalsozialist und habe mich nie an der Politik beteiligt. Wirtz kennt meine Anschauungen. Ich hab ihm gesagt: „Ich bin Parteimitglied. Wir werden sehen, was passiert. Wenn die Nazis gewinnen, werde ich noch immer Parteimitglied sein, und das wird uns helfen, und wenn die Dinge anders laufen, werden Sie mir helfen müssen." Das haben wir damals vereinbart. Jetzt fühle ich mich hier ziemlich isoliert.

HAHN: Glauben Sie denn, dass Sie hier anders behandelt werden als die anderen?

DIEBNER: Das ist es ja gerade. Wirtz weiß, dass Heisenberg ihm helfen wird, egal, was passiert. Ich bin sicher, Gerlach würde mir helfen, er ist immer sehr anständig zu mir gewesen.

HAHN: Die Tatsache, dass Sie in der Partei waren, hat Ihnen ja bisher eigentlich nicht geschadet.

DIEBNER: Wenn ich aber jetzt nach Deutschland zurückkomme, werden alle sagen: „Parteibonze, Parteibonze!"

HAHN: Keiner von uns weiß, was mit uns passieren wird. Meiner Meinung nach hat es keinen Sinn, sich allzu viel um die Zukunft Sorgen zu machen, da wir keine Ahnung haben, was mit uns geschehen wird. Sie sind doch ganz gut mit Joliot[163] ausgekommen, nicht wahr?

DIEBNER: Ich habe so vielen Menschen geholfen. Ich habe Schumann dazu überredet, dass Prof. Pieńkowski[164] Gelegenheit gegeben wird, nach Deutschland zu gehen, ehe die SS kam. Ich habe Joliot oft gegenüber der Gestapo geholfen.

---

163 Bezieht sich auf die Besetzung des Joliotschen Instituts und die Nutzung des Pariser Zyklotron durch das Heereswaffenamt bzw. den Uranverein während der deutschen Okkupation.

164 Stefan Pieńkowski hatte nach dem Physikstudium in Liège und Heidelberg dort 1911 bei Philipp Lenard promoviert und bis 1919 am Lenardschen Institut als Assistent gearbeitet. 1919 folgte er einem Ruf an die Universität Warschau, wo er bis zu seinem Tod im Jahre 1953 gewirkt hat; während der deutschen Besatzung als Professor der illegalen Untergrund-Universität.

HAHN: Was ist aus dem Polen geworden?

DIEBNER: Ich weiß nicht. Er kam nicht. In Kopenhagen wollte Schumann das Zyklotron abbauen.[165] Ich verhinderte, dass Kopenhagen auch nur angerührt wurde. Ich habe *so viel* gegen diese Leute getan. So verhinderten wir beispielsweise, dass Menschen in Norwegen verhaftet wurden.

HAHN: Dann verstehe ich nicht, warum Sie sich Sorgen machen. Wir können nur hoffen, dass wir Briefe nach Hause schicken dürfen, aber ich glaube nicht, dass wir im Augenblick sonst noch etwas erwarten können.

3. Im Folgenden Gespräch am 18. Juli berichtet Heisenberg, wie er einigen seiner Kollegen zu helfen versuchte, und Wirtz gibt deutsche Gräueltaten zu.

HEISENBERG: Während des Krieges erhielt ich fünf Hilferufe in Fällen, wo Menschen durch unsere Leute ermordet wurden. Einer war Solomon, Langevins Schwiegersohn.[166] Ich konnte in seinem Fall nichts tun, da er bereits umgebracht worden war, als ich den Brief erhielt. Der zweite war Cosyns[167], der belgische Experte für kosmische Strahlung; er verschwand in einem Gestapolager, und ich konnte nicht einmal über Himmlers Mitarbeiter herausfinden, ob er lebte oder tot war. Ich vermute, auch er ist tot. Dann war da der Mathematiker Cavaillès;[168] ich versuchte, etwas für ihn über Sethel (?) zu tun, aber es nützte nichts, und er wurde erschossen. Dann gab es unter den polnischen Profes-

---

165 Während der deutschen Okkupation Dänemarks (April 1940) und insbesondere nach der Flucht Niels Bohrs (1943) gab es Überlegungen, das Bohrsche Institut zu schließen und insbesondere das dortige Zyklotron zu demontieren und nach Deutschland zu schaffen, um es für die deutsche Forschung einzusetzen. Bemühungen von Heisenberg, Weizsäcker und anderen konnten dies vereiteln. Vgl. Schwarz 2011, S. 417 ff.

166 Gemeint ist der französische Physiker Jacques Solomon, der aber keineswegs – wie das ursprüngliche Protokoll mit Fragezeichen vermerkt – der Schwiegersohn des Hallenser / Leipziger Kernphysikers Gerhard Hoffmann war, jedoch der von Paul Langevin. Solomon wurde im Mai 1942 als kommunistischen Widerstandskämpfer von den deutschen Besatzern hingerichtet.

167 Gemeint ist der belgische Physiker Max Cosyns, der Mitglied der Résistance war und das KZ Dachau überlebte .

168 Gemeint ist der französische Philosoph, Mathematiker und Mitglied der Résistance Jean Cavaillès, der 1944 von der Gestapo verhaftet, gefoltert und schließlich erschossen wurde. Vgl. Gatti 1999.

soren einen Logiker mit einem jüdischen Namen – und dann geschah mit den anderen Polen das Folgende; sein Name war Schauder,[169] ein Mathematiker. Er hatte mir geschrieben, und ich hatte Fühler ausgestreckt, um zu sehen, was sich machen ließ. Ich schrieb an Scholz,[170] der etwas mit Polen zu tun hatte. Dann schrieb mir Scherrer[171] den folgenden lächerlichen Brief, in dem er mir mitteilte, er habe ebenfalls etwas mit dem Fall zu tun. Er schrieb: „Lieber Heisenberg, ich habe gerade gehört, dass der Mathematiker Schauder in großer Gefahr ist. Er wohnt jetzt in der kleinen polnischen Stadt soundso unter dem Falschnamen soundso." Das stand in einem Brief, der an der Grenze natürlich geöffnet wurde. Es war unglaublich, wie jemand so was aus der Schweiz schreiben kann. Ich habe von Schauder nichts mehr gehört, und jetzt erhielt ich die Nachricht, dass er ermordet wurde.

WIRTZ: Wir haben Dinge getan, die einzig auf der Welt sind. Wir gingen nach Polen und ermordeten nicht nur die Juden in Polen, sondern die SS fuhr beispielsweise auch vor einer Mädchenschule vor, holte die gesamte oberste Klasse heraus und erschoss sie, nur weil die Mädchen Schülerinnen einer Oberschule waren und die Intelligenz ausgerottet werden sollte. Stellen Sie sich mal vor, die wären nach Hechingen gekommen, wären vor der Mädchenschule vorgefahren und hätten alle Mädchen erschossen! Das haben wir getan.

---

169 Gemeint ist der polnische Mathematiker Juliusz Schauder, der 1932/33 als Rockefeller-Stipendiat an der Universität Leipzig forschte und ab 1935 an der Universität Lwów als Professor wirkte; 1943 wurde er dort von der Gestapo ermordet.

170 Heinrich Scholz, Mathematiker und Logiker, der an der Universität Münster lehrte und enge Beziehungen zur Lemberg-Warschauer Schule der mathematischen Logik unterhielt; u. a. holte er während des Zweiten Weltkriegs den Warschauer Logiker Jan Łukasiewicz nach Münster und bewahrte ihn so vor der Deportation. Vgl. Schmidt am Busch, Kai F. Wehmeier 2005.

171 Paul Scherrer, Schweizer Physiker, der seit 1920 als Professor für Experimentalphysik an der ETH Zürich wirkte. Während des Zweiten Weltkriegs lud er wiederholt Heisenberg zu Vorträgen in die Schweiz ein und lieferte Informationen über das deutsche Uranprojekt an den amerikanischen Geheimdienst OSS. Vgl. Powers 1992, S. 378 ff.

IV. Die Zukunft

Vermutungen der Gäste über die Zukunft im allgemeinen wurden bereits unter der Überschrift „Stimmung" behandelt, aber das folgende Gespräch zwischen Diebner, Korsching und Bagge am 21. Juli geht noch darüber hinaus:

Bagge: Des Geldes halber würde ich gern an der Uranmaschine arbeiten; andererseits möchte ich gern über kosmische Strahlung arbeiten. Ich bin darin der gleichen Meinung wie Diebner.

Korsching: Würden Sie beide gern eine Uranmaschine konstruieren?

Diebner: Es ist *die* Chance, sich seinen Lebensunterhalt zu verdienen.

Korsching: Jeder Laie kann erkennen, dass diese Ideen von größter Bedeutung sind. Also wird man damit kein Geld machen. Geld kann man nur mit Ideen machen, die der allgemeinen Öffentlichkeit entgangen sind. Wenn Sie etwas erfinden wie künstliche Steine für die Uhrenindustrie, werden Sie damit mehr Geld verdienen als mit der Uranmaschine. Nun, Diebner, wir werden beide nach Argentinien gehen.

Diebner: Ich komme mit.

Korsching: Ich kenn dort Mercader.[172] Ich könnte ihm schreiben. Natürlich darf der Brief unterwegs nicht geöffnet werden.

Bagge: Wer ist das, ein Physiker?

Korsching: Ja, er hat bei Schüler[173] gearbeitet. Er kam herüber, um sich ein bisschen umzusehen. Er kam von der Universität in La Plata; nicht dumm, aber natürlich konnte er es mit Schüler nicht aufnehmen. Eine eigene Uranmaschine kann man nur in Argentinien bauen.

Diebner: Das stimmt, da liegen Vorteile drin.

Bagge: Wir sollten uns, glaub ich, an den argentinischen Botschafter wenden.

Korsching: Der Mann sollte etwas von Physik verstehen, und das ist immer schwierig, da solche Leute keine Ahnung davon haben.

---

172 Gemeint ist der argentinische Physiker Alberto Mercader.

173 Hermann Schüler war einer der profiliertesten deutschen Spektroskopiker, der zunächst an der Sternwarte Babelsberg und ab 1937 am KWI für Physik in Berlin-Dahlem wirkte.

BAGGE: Er versteht zwar nichts davon, aber der argentinische Botschafter wird wissen, dass da etwas dran ist, dass es sich lohnt.

KORSCHING: Man muss allerdings berücksichtigen, dass der argentinische Botschafter aufpassen muss, dass die Engländer und Amerikaner ihn nicht irgendwie reinlegen. Sie lassen beispielsweise einen ihrer Agenten sich an die Arbeit machen; wenn Sie mit dem argentinischen Botschafter in Madrid oder so sprechen, könnten Sie vielleicht Erfolg haben, aber, wie ich meine, nicht hier in England.

BAGGE: Aber wenn Sie Ihre Identität offenbaren und ihm die ganze Situation erklären?

KORSCHING: Ja, aber dann sind Sie in keiner sehr starken Position.

BAGGE: Dann gehe ich nach La Plata, und wenn ich, sagen wir mal, den Job als Assistent bekomme, dann wäre das gar nicht schlecht. (Pause.)

KORSCHING: Irgendwie halte ich es vielleicht für sehr typisch, aber durchaus möglich, dass Heisenberg an der Uranmaschine wirklich weiterarbeitet, am Ende haben allerlei Leute einige wirklich produktive Ideen beigesteuert, doch schließlich heißt es dann: „Es war Heisenbergs Arbeit." – Gibt es in Argentinien überhaupt Uranerz?

DIEBNER: Ich glaube nicht.

KORSCHING: Das macht die Sache wiederum schwierig, wenn sie das Uran – zehn Tonnen Uran! – importieren müssen.

BAGGE: Das können Sie überhaupt nicht bekommen; nur von den Russen vielleicht, und die wollen sich davon auch nicht trennen.

KORSCHING: Trotzdem möchte ich noch einmal nach Hechingen, um den Rest meiner Sachen zu holen. Schließlich habe ich dort noch meine Bücher und das Fernrohr – wenn ich es auch wohlgemerkt vor den Franzosen versteckt habe. Natürlich habe ich das nicht ausgehändigt. Ich habe alle meine Glasprismen, Linsen usw. behalten. Ich habe ein Fußbodenbrett hochgehoben, das Zeug darunter versteckt und das Brett wieder festgenagelt.

BAGGE: Im Institut?

KORSCHING: In meiner Privatwohnung.

(Diebner verlässt den Raum).

Wenn Sie mit Heisenberg an einer Uranmaschine zusammenarbeiten, können Sie Ihren Anteil abschreiben. Wenn Sie an einer Uranmaschine arbeiten wollen, dann müssen Sie es irgendwo anders machen. Natürlich wäre es keine schlechte Idee, mit zwei Leuten nach Argentinien zu gehen und zu sagen: „Da sind wir, wir wissen, wie man dies und jenes macht; wir besitzen ein gutes Verfahren zur Isotopentrennung, wir brauchen kein schweres Wasser zu erzeugen." Irgendwie auf diese Art müssen wir es machen. Es würde zu nichts führen, wenn Sie zusammen mit Heisenberg an einer Uranmaschine arbeiteten. Man hat ja nicht einmal die ‚kleinen Leute' hierher gebracht; so beurteilen Außenstehende die Arbeit. Die schaffen es und lesen all die Geheimberichte[174], ehe sie die Leute von dort wegbringen.

BAGGE: Wie lange vorher hatten sie die Geheimberichte?

KORSCHING: Zwei oder drei Tage vorher. Die Hauptfrage, die mir Goudsmit stellte, war: „Ist das Ihre Idee? Ist das schon veröffentlicht worden? Ist das irgend etwas Neues?" Das ist alles, was er wissen wollte. Und Bopp und Fischer, die nehmen einfach keine Notiz von einem und sagen: „Nun, die haben bloß ein paar Berechnungen für Heisenberg durchgeführt." Mal abgesehen davon, der Bestellung von Apparaturen bei den Firmen und all den anderen Dingen, die wir erledigt haben, hat Wirtz ihm (Goudsmit) einfach gesagt: „Ich hab das gemacht." Glauben Sie etwa, Wirtz würde vor Mr. Goudsmit bescheiden auftreten? Nein, er sagt: „Ich habe dies hier gebaut, ich habe die Verhandlungen mit den Firmen geführt, ich habe das dort bauen lassen, und ich habe die experimentelle Arbeit geleitet, und was die Zählungen betrifft – jeder weiß nur zu gut, wie leicht es ist, Elementarteilchen zu zählen –, so haben das die Herren Bopp und Fischer gemacht." Und so hat Wirtz sie ausgeschlossen. Goudsmit glaubt das unbesehen. Bopp war ganz empört und erstaunt, dass er plötzlich auf diese Weise fallengelassen wurde. Und so ist es auf der ganzen Welt. Ein Wissenschaftler wird gefragt: „Was haben Sie sich ausgedacht, wo ist Ihre Idee?" Wenn man dann den strategischen Fehler begeht, sich im Schatten eines Mannes zu bewegen, der bereits weltberühmt ist, dann ist man für den Rest

174 Gemeint sind die Geheimberichte des Uranvereins, die sich heute zu großen Teilen im Archiv des Deutschen Museums München befinden.

seines Lebens aus dem Rampenlicht der Öffentlichkeit, und wenn man dann dagegen seine Stimme erhebt, wird man obendrein noch als Unruhestifter beschimpft.

BAGGE: Haben Sie bemerkt, wie Heisenberg mit Weizsäcker Schlitten gefahren ist?

KORSCHING: Und wie! Ich habe mir vor Freude die Hände gerieben. Es ist natürlich sehr erniedrigend, dass er (Weizsäcker) nicht einmal ein paar simple Berechnungen durchführen kann.

BAGGE: Heisenberg kann sich jetzt natürlich wieder mit ihm vertragen, wenn er später die Sache zusammen mit Weizsäcker veröffentlicht.[175]

KORSCHING: Soweit ich Heisenberg kenne, wird er das nicht tun.

BAGGE: Das glaub ich auch nicht.

KORSCHING: Er veröffentlicht die Sache und erwähnt Weizsäcker usw., und am Ende war die ganze Anstrengung Weizsäckers umsonst, weil es heißen wird: „Dahinter steckt Heisenberg."

BAGGE: Denn was am Ende übrigbleibt, ist die mathematische Struktur. Das bisschen Nachdenken drum herum, das Weizsäcker beigesteuert hat, gerät dabei in Vergessenheit.

KORSCHING: Wenn Weizsäcker sich jetzt nicht mächtig anstrengt und ein paar weitere Formeln hinschreibt, dann ist nichts mehr zu holen. Ich glaube, das geschieht ihm recht, denn Weizsäcker ist grenzenlos ehrgeizig.

(Pause.)

Das wirklich Positive am Chef (Heisenberg) ist nun Folgendes: Wenn man eine eigene Arbeit vorweist, die er für brauchbar und lohnend erachtet, dann steht es einem frei, daran weiterzuarbeiten. In Weizsäckers Institut wird man zu einem Sklaven – „Jetzt machen Sie dies; was Sie da machen, ist doch geradezu lächerlich, usw." Weizsäcker würde seine Leute in seinem Institut nie so arbeiten lassen wie der Chef.

175 Gemeint sind wohl die Arbeiten von Heisenberg und Weizsäcker zur Turbulenztheorie, die in Farm Hall von beiden betrieben wurden. Vgl. Dokumentenanhang S. 471, sowie Eckert 2014.

BAGGE: Das kann man bei Höcker[176] sehen.

KORSCHING: Höcker ist schlau genug, um sich in der Regel herauszuwinden. Doch wie wir schon gesagt haben, wenn man an einer Uranmaschine arbeiten will, ist es offensichtlich völlig zwecklos, daran *mit* dem Chef zu arbeiten.

BAGGE: Wenn Sie heute ein Flugzeug bauen wollen, dann müssen Sie zunächst Ihre eigenen Interessen zurückstellen, weil der Staat daran zu sehr interessiert ist, als dass er Ihnen die Freiheit zugesteht, daran nach Belieben zu arbeiten. Ich würde sagen, das Flugzeug ist heute mit der Uranmaschine vergleichbar. Deshalb sollte man sich, wenn man rein wissenschaftliche Interessen hat, langsam davon zurückziehen.

KORSCHING: Andererseits wird Heisenberg sagen, wenn wir ohnehin kein Zyklotron[177] bauen können – und es liegt auf der Hand, dass wir keins in Deutschland mit dem amerikanischen < > bauen können –, dann müssen wir als Neutronenquelle wenigstens einen Neutronengenerator für die Erzeugung künstlicher radioaktiver Elemente usw. zurückbehalten.

BAGGE: Warum können wir kein Zyklotron bauen?

KORSCHING: Weil wir kein Geld haben. Es dauert zu lange – drüben in Amerika haben sie sie fertig, und wenn wir keine Fortschritte in der Kernphysik machen, dann wird Deutschland seine Stellung, was die Kernphysik betrifft, so langsam verlieren. Ein 2,50-m-Zyklotron – selbst wenn man damit < > beginnen könnte, würde < > erst fertig sein, wenn die Amerikaner ihre gesamten Arbeiten am 2,50er abgeschlossen

176 Karl-Heinz Höcker hatte bei Carl Friedrich Weizsäcker 1940 in Berlin promovierte, wo er seit 1939 am KWI für Physik zur Reaktortheorie forschte. 1942 folgte er Weizsäcker als Assistent an die Universität Straßburg und Ende 1944 ans KWI für Physik nach Hechingen; 1948–1980 Prof. Universität Stuttgart.

177 Das Zyklotron hatte sich seit Mitte der dreißiger Jahre zu einem der wichtigsten Forschungsinstrumente der Kernphysik entwickelt; mit ihnen konnten u.a. neue Elemente entdeckt (z.B. das Plutonium durch Glenn Theodore Seaborg in Berkeley 1941) und deren physikalische Eigenschaften analysiert werden. Deutschland war auf diesem Gebiet hoffnungslos in Rückstand geraten; waren in den USA 1938 bereits 9 Zyklotrone in Betrieb und weitere 27 im Bau gewesen, so schaffte es Bothe in Heidelberg erst im Dezember 1943, ein Zyklotron probeweise in Betrieb zu nehmen. Vgl. Schmidt-Rohr 2003, S. 84ff.

hätten. Man kann natürlich immer noch ein kleines Zyklotron bauen, 1 m oder 80 cm. Es ist klar, dass man mit der Maschine eine Menge Dinge machen kann, enorme Mengen, enorme Konzentrationen von Neutronen, es gibt da jede Menge Möglichkeiten. Ich glaube, der Chef hat die richtige Idee, sich so langsam die Genehmigung zu verschaffen, seine eigene Uranmaschine für wissenschaftliche Zwecke zu betreiben. Wahrscheinlich bekommt er sie auch, wenn die anderen in der Zwischenzeit nicht das schwere Wasser untersuchen.

BAGGE: Ich bin überzeugt, sie (die Angloamerikaner) haben diese letzten drei Monate hauptsächlich dazu verwendet, unsere Versuche nachzumachen.

KORSCHING: Nicht einmal das. Sie haben sie dazu verwendet, mit ihren Fachleuten ihre Möglichkeiten zu erörtern und die Geheimdokumente zu studieren. Wahrscheinlich haben sie ein paar von unseren Uranblöcken untersucht. Aus diesen Proben können sie beispielsweise ersehen, ob die Maschine bereits gelaufen ist. Sie könnte schon gelaufen sein; in den Blöcken muss eine innere chemische Veränderung vor sich gegangen sein.

BAGGE: Aber sie wissen doch bereits, dass die Maschine nicht gelaufen ist; man hat es ihnen gesagt.

KORSCHING: Das ist es ja eben. Man hat ihnen praktisch alles erzählt, fast bis zur letzten Messreihe. Es ist ihnen ganz gleich, ob es jemals zu einer Neutronenvermehrung von 5 oder 50 kam. Das Problem muss ihnen ganz klar sein.

BAGGE: Aber sie werden doch sicher den Ehrgeiz haben, unseren Versuch so bald wie möglich nachzumachen, und zu diesem Zweck brauchen sie das D_2O [schweres Wasser]. Sobald sie mal damit gearbeitet haben – (wird unterbrochen.)

KORSCHING: – werden sie es bestimmt nie wieder aus der Hand geben. Wenn dem so ist, kann eine Uranmaschine in Deutschland nur ohne die Produktion von schwerem Wasser betrieben werden – was nach Dr. Hartecks Ansicht so furchtbar einfach, aber mit großen Kosten verbunden ist; der Betrieb kann allerdings nur mit einem wirksamen Verfahren zur Isotopentrennung erfolgen, was technisch mit gewöhnlichem Wasser machbar ist.

BAGGE: Genau. Aber mit gewöhnlichem Wasser benötigt man 15 t Uran selbst bei einer Zunahme der Konzentration von 5 %.

KORSCHING: Nein, überlegen Sie doch mal, Sie können die Urankonzentration von 0,7 % auf 1 oder 2 % steigern. Wenn man uns nicht über Uran arbeiten lässt und wir das folgende Protokoll unterschreiben müssen: „Ich verpflichte mich, für niemanden irgendwo auf der Welt eine Uranmaschine zu betreiben", dann müssen Sie es unterschreiben.

BAGGE: Ich würde das nur unter einer Bedingung unterschreiben: dass man mir genügend Geld bewilligt, damit ich die Möglichkeit habe, meine Experimente fortzusetzen.

KORSCHING: Natürlich können wir das sagen. Aber dann werden die sagen: „Dann werden wir etwas zu Ihren Mitteln beisteuern."

BAGGE: Das müsste ein Betrag von 100.000 Reichsmark im Jahr sein.

KORSCHING: Die kriegen wir nie, vielleicht aber 30.000 Mark im Jahr. Die wollen Deutschland ja nicht zerstören, die Engländer wollen Deutschland nur schwächen, sonst werden sie nie die Vorherrschaft in Europa erreichen können, wenn sie sich für uns gleich wieder stark machen und uns unterstützen.

BAGGE: Sie scheinen jetzt so etwas wie die „Vereinigten Staaten von Europa" zu planen.

KORSCHING: Ja, falls Russland sich nicht dauernd einmischt. Die wissen ganz genau, dass, wenn sie uns nach Deutschland zurückgehen lassen, sie nur noch eine 50-prozentige Kontrolle über uns haben. Man kann jemanden in mein Zimmer setzen, und ich garantiere Ihnen, dass ich ein Experiment durchführen kann, ohne dass der Bursche etwas davon merkt. Ich weiß eben, dass er sich am Samstag mit seiner Freundin trifft, und so arbeite ich eben samstags abends. Es ist durchaus möglich, dass sie selber bereits über große Mengen schweres Wasser und Uran verfügen.

BAGGE: Das glaub ich nicht.

KORSCHING: Es gibt allerdings zahlreiche Militärs in England, die sagen: „Sobald wir diese Schweine zurückgehen lassen, konstruieren sie die Uranmaschine und sprengen sie am Ende in die Luft." Sie könnten aber auch sagen: „Diese Leute sind so gerissen, dass unsere Wachmannschaften dabei mit in die Luft fliegen, nicht aber sie selbst." Es gibt aber auch viele Leute in England, die sagen: „Unter keinen Umständen dürfen diese Leute großzügig behandelt werden; man muss sie ständig unter Maschinengewehrbewachung arbeiten lassen.“ Ich glaube nicht, dass der Commander so viel erreichen wird, dass er sagen kann: „Hier ist euer schweres Wasser, hier ist euer Uran, und nun arbeitet man schön weiter.“

BAGGE: Da ist auch noch die Frage, ob der Commander das überhaupt will.

KORSCHING: Ganz recht, wenn der Mann sagt: „Ich versichere Ihnen bei meinem Ehrenwort.“ Was heißt das? Er hat es uns ja nicht schriftlich gegeben. Auch hat er nie gesagt: „Ich werde dafür sorgen, dass Ihre Position als Wissenschaftler gewährleistet ist.“ Er hat nicht einmal das getan, sondern alles, was er gesagt hat, war: „Ich versichere Ihnen bei meinem Ehrenwort, dass ich –“ (wird unterbrochen.)

BAGGE: Das haben Sie selbst gehört?

KORSCHING: Nein, nicht das „Ehrenwort“, sondern das Wort „versichern“. Natürlich wird er uns nicht köpfen, das ist ganz klar. Schließlich ist er uns mehr oder weniger günstig gesinnt. Ich bin sicher, es gibt aber auch Leute, die sagen: „Kopf ab!“ Da muss man froh sein, dass es einen solchen Mann wie den Commander gibt. Wenn man Ihnen ein Papier vorlegt und sagt: „Bitte hier unterschreiben“, dann bleibt Ihnen nichts anderes übrig, als zu unterschreiben. Sie können nicht schreiben: „Ich verpflichte mich, in keinem Staat mit Ausnahme Argentiniens an der Uranmaschine zu arbeiten.“ In diesem Fall würden Sie für die nächsten hundert Jahre im Gefängnis landen (lacht). Ich glaube nicht, dass man uns ohne unsere Unterschriften oder irgendwelche Zusicherungen wegschickt. Argentinien wäre als eine Art gewagtes Abenteuer vielleicht ganz nett; wie ich schon gesagt habe, wenn man mit der Isotopentrennung bereits so weit wäre, dass man sicher wüsste, man kann die Urankonzentration mit einem gewissen kleinen Energieaufwand um 1 % erhöhen, dann würde die Sache sinnvoll sein, aber sonst dasselbe alles noch einmal zu machen würde natürlich nicht viel Sinn ergeben.

Ich werde froh sein, wenn ich mich wieder frei bewegen und auf der Straße spazieren gehen und ein wissenschaftliches Buch kaufen kann, wenn ich überhaupt alles tun und Briefe an Freunde schreiben kann, die den Krieg überlebt haben.

BAGGE: Ich kam mit der Uranmaschine überhaupt nur durch den Krieg in Berührung, und ich habe mich stets als Außenseiter gefühlt, und für mich würde es einen Schritt bedeuten, den ich überhaupt nicht gehen will, denn wenn es mein Bestreben gewesen wäre, eine Menge Geld zu verdienen, hätte ich zu Hause bei meinen Eltern bleiben können. Wahrscheinlich wäre ich ebenso leicht um den Krieg herumgekommen. Wäre ich in das Geschäft meines Vaters[178] eingetreten, möchte ich gar nicht daran denken, wie viel Geld wir hätten verdienen können.

KORSCHING: Das können Sie auch mit der Uranmaschine, wenn Sie wirklich eine Uranmaschine vor die Argentinier hinstellen; dann können Sie sagen: „Ich bin ein Wissenschaftler, ich will mir nur ein Labor für mich selber aufbauen; zahlt mir bitte 500.000 Peseten, aber sonst lasst mich in Ruhe.“ Dann können Sie an der Universität von La Plata natürlich über kosmische Strahlung arbeiten, soviel Sie wollen, und obendrein haben Sie noch die 500.000 Peseten. Die würden Sie bekommen, wenn Sie es verstehen, bei den richtigen Professoren und Politikern gut angeschrieben zu sein.

BAGGE: Aber es könnte da drüben doch sein, dass es auch eine Menge Intrigen gibt. Vielleicht gibt es da eine Menge Leute wie Wirtz.

KORSCHING: Natürlich werden Sie nicht den Betrag an Peseten erhalten, den Sie dem Wert des Unternehmens entsprechend eigentlich erhalten müssten, aber selbst wenn Sie nur 3 % bekommen, würde das schon ein Vermögen sein.

BAGGE: Im Moment haben Sie von Ihrem Patent[179] auch keinen Nutzen.

KORSCHING: Ich habe denen ja überhaupt nicht gesagt, dass es sich um ein Patent handelt. Das hätte ich zwar tun können, aber dann hätte ich alles verloren. Jetzt steht die Sache so, wenn ich eine dritte Person in Schweden finde – wenn ich sage: „Das ist der Stand der Dinge, ich habe das Patent, die wissen nichts davon, lassen Sie die Sache in Schweden patentieren; alles, was ich für mich selber will, sind 5 % von dem, was Sie von irgendeiner Firma bekommen können.“ Dann, wenn die Amerikaner plötzlich merken, dass darauf ein Patent genommen

---

178 Bagges Vater betrieb in Coburg eine Schlosserei.

179 Es geht um ein Patent im Bereich der Isotopentrennung, doch ist Näheres dazu nicht bekannt.

worden ist, können sie nichts machen. Vielleicht wird es schon in einem Jahr oder so überflüssig sein. Deshalb habe ich es ihnen nicht gegeben. Ich gebe zu, es liegt immer noch bei dem Patentanwalt in Zehlendorf. Zum Glück ist nichts im Institut; dort habe ich natürlich alles versteckt. In Zehlendorf befindet es sich Gott sei Dank in seiner Privatwohnung. Wenn die Russen also dort nicht alles geplündert haben – es kann sein, dass es verbrannt ist, dann ist es sowieso verloren – und wenn die Engländer jetzt nicht jedes Privathaus in Zehlendorf durchsuchen, dann werden sie es überhaupt nicht finden. Was nun diese 20 g Radium betrifft, von denen Diebner gesprochen hat und die anscheinend dem Deutschen Radiuminstitut[180] gehören – ich frage mich, warum machen diese Leute das? Wenn ich dagewesen wäre, hätte ich gesagt: „Wissen Sie, ob ich überhaupt Radium habe?" Dann: „Wissen Sie die genaue Menge?" Dann hätte ich wenigstens 1 oder 2 g irgendwo verstecken können.

BAGGE: Wirtz hat 2 g versteckt. Nur Wirtz weiß, wo diese 2 g sind, und dann hat Diebner ebenfalls noch etwas.

KORSCHING: Aber selbst dann ist es zu viel, dass ihnen immerhin noch 20 g in die Hände fielen. Man hätte es so überall machen können. Ich habe selbst gesehen, wie sie dort einige Messapparaturen geklaut haben. Die beiden Apparaturen, die ich mitnahm, die konnten sie nicht klauen. Andererseits dürfen sie es natürlich nicht merken, weil sie dann sagen: „Na gut, dann verhungert doch in Deutschland, von uns werdet ihr kein Geld kriegen." Unsere beiden Maschinen hätten sie allerdings nicht zu bekommen brauchen. Das Kindische dabei ist, wir hätten sie nur hinten auf den Rasen zu stellen brauchen, und es wäre in Ordnung gewesen. Die haben ja nicht einmal auf dem < > Boden nachgesehen. Ich hab da oben zig Dinge gelagert. Sie haben ja nicht einmal die Apparatur bemerkt, die in dieser Kiste im Chemiesaal drin war – die Kiste war zwei Meter lang.

180 Gemeint ist wahrscheinlich die Reichsstelle für Chemie, die für die Kontrolle, Leitung und Verteilung von Rohstoffen in Deutschland verantwortlich war.

V. Fachliches

Die üblichen, zweimal in der Woche stattfindenden Vorträge wurden gehalten. Sie beschränkten sich auf allgemeine Themen.

Farm Hall,
1. August 1945

(Gez. Rittner)
Major.

Farm Hall, Zeichnung von Walther Gerlach vom 14. Juli 1945, siehe auch S. 408.

TOP SECRET Copy No. 4. 44

Ref. FH3.

Mr. M. Perrin.

To: Mr. M. PERRIN and Lt. Cdr. WELSH.

From: Major T.H. RITTNER.

Dritter Bericht
1. – 6. August 1945

I. Allgemeines

Dieser Bericht umfasst den Zeitraum seit meinem letzten Bericht bis zum Abend des 6. August, als der Einsatz der Atombombe bekannt gegeben wurde.

Die Wirkung dieser Nachricht auf die Gäste und deren anschließende Reaktionen bilden das Thema eines gesonderten Berichts mit Ref. FH4.

II. Stimmung

Im Gespräch mit einem britischen Offizier über die Aussichten auf eine Kontaktaufnahme zu den Familien brach Hahn völlig zusammen. Bagge war ebenfalls den Tränen nahe, als er das Schicksal schilderte, das seiner Frau und den Kindern von Seiten der marokkanischen Truppen widerfahre; das sei schlimmer als der Tod.

Die allgemeine Stimmung hat sich jedoch verbessert, seitdem ich den Gästen mitteilen konnte, dass ihnen die Erlaubnis erteilt worden sei, Briefe an ihre Familien zu schreiben, und dass man auch Antworten zu erhalten hoffe. Diese Erlaubnis war in einem Telegramm von Lieutenant Commander Welsh an Mr. Perrin vom 1. August enthalten.

Briefe wurden geschrieben, und es war fast mitleiderregend zu erleben, wie die Gäste sich mühten, verschlüsselt mitzuteilen, dass sie sich in England befanden. Als sie aufgefordert wurden, bestimmte Sätze zu streichen, malte sich Enttäuschung auf ihren Gesichtern, und aus den folgenden abgehörten Gesprächen ging eindeutig hervor, dass die von mir gestrichenen Sätze genau die waren, mit denen diese Information übermittelt werden sollte. Die Briefe wurden alle noch einmal geschrieben, und ich versuche, über Captain Davis zu veranlassen, dass sie auch befördert werden.

Dieter Hoffmann (Hrsg.): Operation Epsilon.
 DOI: <https://doi.org/10.47261/1508>.

III. Die Gäste und die Nazis

Die Gäste waren sehr bemüht, sich von jeder Unterstellung reinzuwaschen, sie hätten irgendwelche Verbindungen zu den Nazis unterhalten. Insbesondere Gerlach hat sein Möglichstes getan, um dies seinen Kollegen klarzumachen, und man fragt sich, ob dies nicht vielleicht auf sein eigenes schlechtes Gewissen zurückzuführen ist. In diesem Zusammenhang hatte Gerlach mit mir ein langes Gespräch, in dessen Verlauf ich andeutete, in ihren Instituten müssten Gestapo-Agenten gearbeitet haben. Wir erörterten ferner die Frage, wie viel sie von der wissenschaftlichen Arbeit gewusst hätten, die in anderen Ländern durchgeführt wurde. Dieses Gespräch hatte die gewünschte Wirkung, und Gerlach setzte die Diskussion über diese Punkte mit anderen Gästen fort. Es schlossen sich die folgenden Gespräche an:

1. Gespräch zwischen Gerlach, Hahn und Heisenberg am 4. August:

Gerlach: Der Major hat mich gefragt, was wir über die wissenschaftliche Arbeit in den Feindländern gewusst hätten, vor allem über Uran. Ich sagte: „Absolut nichts. Alle Informationen, die wir erhielten, waren einfach absurd."

Heisenberg: Diesbezüglich sollte man nie irgendwelche Namen erwähnen, selbst wenn man von einem Deutschen wusste, der irgend etwas damit zu tun hatte.

Gerlach: Ich habe zum Beispiel nie den Namen dieses Mannes Albers (?) erwähnt.[181] Die Secret-Service-Leute haben mich ständig gefragt: „Von wem haben Sie Informationen erhalten?" Und ich antwortete stets: „Da war ein Beamter in Speers Ministerium und im Luftfahrtministerium, der sie amtlich bekanntgab." Ich habe nicht gesagt, dass es Albers (?) war, der das machte.

Heisenberg: Ich hatte einen Spezialisten, der mir ganz erstaunliche Informationen aus der Schweiz sandte. Das war eine Sonderdienststelle. Natürlich habe ich die ganze Korrespondenz verbrannt, und ich habe seinen Namen vergessen.

---

181 Gerlach spricht möglicherweise vom Chemiker Henry Albers, 1937 a. o. Professur an der TH Hannover, 1941 Professur an der TH Danzig, der über organische Uranverbindungen forschte, die das aggressive Uranhexafluorid hätten ersetzen können. Siehe auch S. 262, Anm. 296.

HAHN: Haben Sie von ihm tatsächlich irgendwelche neuen Informationen erhalten?

HEISENBERG: Damals wusste ich immer genau, was in Scherrers Institut[182] gerade über Uran diskutiert wurde. Anscheinend war er oft zugegen, wenn Scherrer Vorlesungen hielt, und wusste, worüber gesprochen wurde. Es war nichts sehr Aufregendes, aber einmal berichtete er beispielsweise, dass die Amerikaner soeben eine neue Schwerwasseranlage errichtet hätten, und dergleichen.

2. Das folgende Gespräch fand zwischen Gerlach und Heisenberg am 5. August statt:

GERLACH: Ich habe gerade mit Diebner darüber gesprochen, ob unter unseren Kollegen möglicherweise ein SS-Mann gewesen ist. Da war diese Sache mit Dr. Grünzig (?); er war irgend so ein Patentmensch, der einmal ein HJ-Führer gewesen war.

HEISENBERG: Ich erinnere mich. Er war in Hechingen.

GERLACH: Ja, er war in Hechingen, und wir versuchten immer, ihn loszuwerden. Rosenberg (?)[183] hatte ihn zu uns geschickt.

HEISENBERG: O ja. Stimmt. Aber das war unmittelbar gegen Ende des Krieges, während der letzten sechs Monate vielleicht.

GERLACH: Also die Grünzig (?)-Sache war im Sommer 1944.[184] Zuerst wollte er, dass ich ihn nach München schickte. Ich traute ihm nicht und gewährte ihm keinerlei Einblicke, und mit viel Mühe wurden wir ihn los. Ich sagte immer: „Der Mann ist zu wertvoll, um im Büro eingesetzt zu werden.“ Wollte Grünzig (?) nicht einmal jemanden in Ihr Institut setzen? Wir haben damals mit Ihnen darüber diskutiert und Sie gewarnt.

(Pause.)

182 Gemeint ist das Physikinstitut von Paul Scherrer an der ETH in Zürich, zu dem Heisenberg seit langem engen persönlichen Kontakt hielt und auch während des Krieges wiederholt zu Vorträgen besucht hat; der letzte fand im Dezember 1944 statt.

183 Sicherlich nicht der NS-Parteiideologe Alfred Rosenberg, wie Bernstein 2001, S. 112, vermutet.

184 Unklar, um wen und worum es sich hier handelt.

Dann erzählte mir Diebner, er habe immer befürchtet, dass jemand vom britischen Secret Service bei Bothe gewesen sei, ein gewisser Dr. Gehlen.[185] Haben Sie ihn gekannt?

HEISENBERG: Ja, ich habe Gehlen gekannt. Ich muss sagen, ich kann Ihren Argwohn gegen Gehlen verstehen. Ich kannte Gehlen in Leipzig, er arbeitete dort mit Döpel, und ich konnte aus ihm nicht ganz schlau werden. Er wurde mir von seinem Vetter, dem Philosophieprofessor [Arnold] Gehlen empfohlen, der in Leipzig lehrte und dann nach Königsberg zog. Seine Frau war Schwedin, und ich weiß, dass er Kontakte ins Ausland hatte.

GERLACH: Er war vorher bei einer englischen Bank.

HEISENBERG: Was ich an dem Mann nicht mochte, war die Tatsache, dass er eine so bewegte Laufbahn hinter sich hatte. Er war ein Mann von 36 oder 37; er hatte in einer Bank in Italien und dann in einer englischen Bank gearbeitet; dann hatte er irgendeinen technischen Job in Schweden und alle möglichen anderen Jobs. Er hat sein Studium nie wirklich abgeschlossen. Döpel stellte ihn ein, weil er einen ganz guten Eindruck machte. Ich habe die Angelegenheit oft mit Döpel erörtert, und wir waren uns einig, dass Gehlen keinesfalls über die Uransache informiert werden sollte. Später ging er dann zu Bothe. Wir wurden aus ihm nicht schlau, und ich nehme an, er hat mit Bothe darüber gesprochen und ihm erzählt, dass ich bei ihm nicht ganz sicher war. Andererseits gab es da eine Sache, wo er bei der Gestapo in Leipzig denunziert worden war. Er soll Kontakte ins Ausland gehabt haben, die Sache wurde untersucht, und er wurde freigesprochen. Ich kann mich nicht mehr genau erinnern, was damals geschah. Ich würde die Grünzig (?)-Sache gegenüber dem Major nicht erwähnen, da sie ihn (Grünzig (?)) das Leben kosten könnte.

---

185 Johannes Gehlen, Cousin des Leipziger Philosophen Arnold Gehlen, hatte ab 1935 an der Leipziger Universität Physik studiert und 1942 bei R. Döpel promoviert. Bereits 1931 war er mit einer wirtschaftswissenschaftlichen Arbeit in Rom promoviert worden und anschließend im Bankgewerbe tätig gewesen. Nach seiner Promotion ging er zu Bothe an das KWI für medizinische Forschung Heidelberg und nach dem Krieg soll er in Rom Resident der Organisation Gehlen, des späteren BND gewesen sein, dessen Präsident sein Halbbruder Reinhard Gehlen war.

GERLACH: Nein, würd' ich auch nicht. Wie gesagt, ich habe ja auch nicht Albers (?) erwähnt, auch nichts über ihn in Paris.

HEISENBERG: Ich hatte zwei Personen im Verdacht, dem ausländischen Geheimdienst anzugehören. Der erste ist Dällenbach[186], und bei ihm bin ich mir ziemlich sicher, und der zweite ist Gehlen, bei dem ich mir allerdings nicht sicher bin.

GERLACH: Bei Dällenbach bin ich mir ganz sicher. Sie wissen, wie er seine Stelle bekommen hat?

HEISENBERG: Ich vermute, durch seine Beziehungen zu Bormanns Vetter.[187] Ich habe einmal mit Vögler darüber gesprochen.

GERLACH: Ich habe ebenfalls mit Vögler über Dällenbach gesprochen und auch mit Speers Mitarbeiter Goerner. Dann war da diese unangenehme Sache mit Dällenbach und dem Schweizer Telegramm über die Uranmaschine, das von unserem Geheimdienst abgefangen wurde. Alles schien auf Dällenbach hinzudeuten. Es waren aber noch zwei andere Leute darin verwickelt, ein Ingenieur und ein Professor. Er (Dällenbach) wollte mir seinen Namen nicht nennen, aber ich hörte hinterher, dass er eine sehr merkwürdige Stellung bekleidete und sich ständig im Hauptquartier (Hitlers) aufhielt. Sein Name soll Schmitt sein. Er war einer dieser mysteriösen Leute, und Hitler machte ihn während des Krieges zum Professor. Später kam dieser SD-Mann Pohl (?) zu mir und erzählte mir, dass die ganze Sache aufgeklärt worden sei und dass es sich um den Racheakt eines Mannes gehandelt habe, der behauptete, Dällenbach habe es getan, um ihm zu schaden. Den anderen Mann haben sie nicht zu fassen bekommen, da er sich in der Zwischenzeit in die Schweiz begeben hatte.

HEISENBERG: Ich würde gern mit Vögler darüber sprechen, da ich seinerzeit so viele Einwände dagegen erhoben hatte, Dällenbach in mein

186 Walter Dällenbach war ein Schweizer Ingenieur, der während des Zweiten Weltkriegs in Deutschland die „Forschungsstelle D" zur Entwicklung eines Super-Zyklotrons betrieb. Vgl. Weiss 1996.

187 Otto Bormann, Verwaltungsjurist, der nach dem Ersten Weltkrieg Vorstand in diversen mittelständischen Industriebetrieben war, vgl. Weiss 1996, S. 40.

Institut zu nehmen und Vögler[188] und ich darüber fast in Streit gerieten. Sonst ist Vögler so ein vernünftiger Mann, er muss wohl seine Gründe gehabt haben.

IV. Die Potsdamer Konferenz

Die Bekanntgabe des Kommuniqués am Ende der Potsdamer Konferenz löste unter den Gästen eine gewisse Unruhe und Niedergeschlagenheit aus. Besonders aufgebracht waren sie über die Bestimmungen, die sich auf die wahrscheinliche Abtretung ostdeutscher Gebiete an Polen bezogen. Sie nahmen den Hinweis auf die deutsche Wissenschaft zur Kenntnis,[189] äußerten sich dazu aber nur sehr wenig. Heisenbergs Bemerkung zu den anderen lautete: „Jedenfalls wäre es unendlich viel schlimmer gewesen, wenn wir den Krieg gewonnen hätten."

V. Professor Bothe[190]

1. Heisenberg und Gerlach sprachen im Laufe ihrer Unterhaltung über Gestapo- und andere Agenten auch über Bothe. Es folgt der Wortlaut ihres Gesprächs:

---

188 Albert Vögler war als Direktor der Vereinigten Stahlwerke einer der mächtigsten und einflussreichsten Industriellen im NS-Deutschland und von 1941 bis 1945 Präsident der Kaiser-Wilhelm-Gesellschaft, damit auch für das KWI für Physik und den Uranverein zuständig. Vgl. Kohl 2002, S. 169 ff.

189 Das Potsdamer Abkommen verfügte eine „alliierte Kontrolle … zur Überwachung aller deutschen öffentlichen oder privaten wissenschaftlichen Forschungs- oder Versuchsanstalten, Laboratorien usw., die mit einer Wirtschaftstätigkeit verbunden sind", vgl. Mitteilung über die Dreimächtekonferenz von Berlin vom 2. August 1945, Nr. I. B. 15. (e), Deuerlein, S. 358. <https://de.wikisource.org/wiki/Mitteilung_%C3%BCber_die_Dreim%C3%A4chtekonferenz_von_Berlin>. Das Gesetz Nr. 25 des Alliierten Kontrollrats führte diese allgemeine Bestimmung näher aus und verbot die Forschung in diversen militärtechnisch relevanten Bereichen, namentlich der Kernphysik. Vgl. Kontrollratsgesetz Nr. 25 vom 29. April 1946 <http://www.verfassungen.de/de45-49/kr-gesetz25.htm>.

190 Heidelberg war Mitte März 1945 die erste Station der Alsos-Mission jenseits des Rheins, wo sich in Bothes KWI für medizinische Forschung das einzige funktionsfähige Zyklotron befand. Bothe, sein Mitarbeiter Wolfgang Gentner, der Leiter der Chemischen Abteilung Richard Kuhn und der Leiter des radiologischen „Philipp-Lenard-Instituts" der Universität, August Becker, wurden dort vorübergehend interniert und von Goudsmit befragt.

Gerlach: Die Sache mit Bothe ist sehr merkwürdig.

Heisenberg: Ich denke, das Folgende könnte die Lösung sein. Bothe war viel bei Joliot.[191] Als Bothe krank wurde und dadurch der Festnahme entging, gelang es Fleischmann, sich mit Joliot in Verbindung zu setzen; er schlug ihm vor, ein Wort für Bothe einzulegen. Das hätte Joliot auch gern getan, teils wegen des Urans und teils auch Bothe zuliebe. Die anderen [die Alliierten] waren dann vielleicht nicht imstande, Bothes wieder habhaft zu werden. Inzwischen hatte Joliot sie vielleicht glauben gemacht, dass Bothe der einzige war, der in dieser Richtung wirklich etwas tun konnte. Offensichtlich stand Bothe mit Joliot in Verbindung, und sicher hat er ihn während des Krieges gut behandelt – so wird es wohl gewesen sein. Aber ich frage mich, ob es Bothe am Ende etwas nützen wird, da ich nicht annehme, dass die Amerikaner Joliot viel Freiheit lassen werden.

2. Bagge und Diebner sprachen am selben Tag ebenfalls über Bothe:

Diebner: Es sieht nicht so aus, als ob Bothe uns Gesellschaft leisten wird.

Bagge: Ich glaube, Gehlen steckt dahinter. Es sieht so aus, als ob Gehlen so anständig war, Bothe über die Ereignisse auf dem Laufenden zu halten, so dass Bothe, soweit es diese Leute betrifft, seine Pläne machen und entsprechend handeln konnte.

3. Ein weiterer Hinweis auf Bothe und Gehlen findet sich in Abschnitt III dieses Berichts [S. 160].

VI. Fachliches

1. Die üblichen Vorträge über allgemeine wissenschaftliche Themen fanden zweimal in der Woche statt.
2. Das folgende Gespräch zwischen Diebner und Bagge fand am 5. August statt:

191 Nach der deutschen Besetzung Frankreichs war W. Bothe im Sommer 1940 die Aufsicht über das Joliotsche Institut und insbesondere das dortige Zyklotron übertragen worden. Vgl. Hoffmann 2006, S. 19.

DIEBNER: Am Ende hatten wir wirklich kein Radium mehr. Es gab einen fürchterlichen Streit, als jemand welches wollte. Im letzten Augenblick holte ich weitere 3 g.

BAGGE: Hatten denn Firmen wie die Braunschweigische Chemiefabrik[192] keins mehr?

DIEBNER: Ich weiß nicht. Vielleicht hatten sie noch 1 g; der ganze Rest war vom Staat beschlagnahmt worden. Ich habe meins aus dem Harz besorgt, ich habe extra einen Wagen hingeschickt.

BAGGE: War das die Reichsstelle für Radium?

DIEBNER: Ja. Die Reichsstelle für Chemie[193] hatte das Radium – 25 (?) Pfund (sic).[194]

BAGGE: Schade, dass sie von den 24 Gramm nicht 10 Gramm versteckt haben.

DIEBNER: Ich war nicht da. Wenn ich dagewesen wäre, hätte ich das Radium nicht übergeben. Die Wagen fuhren vor, und es verschwand einfach. Schade, ich war fest entschlossen, das Radium nicht auszuhändigen.

(Gez. Rittner)
Major.

Farm Hall,
Godmanchester,
8. August 1945.

---

192 Es geht um die Firma Buchler in Braunschweig, die sich nach der Entdeckung des Radiums auf die Herstellung radioaktiver Präparate spezialisiert hatte.

193 Die 1934 gegründete Reichsstelle für Chemie diente der Überwachung des Warenverkehrs auf dem inneren Markt sowie der Kontrolle, Lenkung und Verteilung der Rohstoffgütereinfuhr. Das Radium stand nicht im Mittelpunkt ihrer Tätigkeit, doch war es von großer strategischer Bedeutung.

194 Im Protokoll steht wörtlich: „25(?) lb. (sic)". Die im Folgenden genannten Gramm-Angaben wurden nachträglich eingesetzt, das Protokoll hatte dort zunächst eine Lücke gelassen.

TOP SECRET

Copy No. 4
Mr. Perrin. 49

Ref. F.H.4.

To: Mr. M. PERRIN and Lt. Cdr. WELSH.
From: Major T.H. RITTNER.

Vierter Bericht
6. – 7. August 1945

I. Vorbemerkung

1. Dieser Bericht umfasst die ersten Reaktionen der Gäste auf die Nachricht, dass die Alliierten eine Atombombe[195] konstruiert und bereits zum Einsatz gebracht hätten.

2. Die Gäste waren über die Nachricht äußerst verblüfft. Zuerst wollten sie sie nicht glauben und waren der Meinung, es handle sich um einen Bluff unsererseits, um die Japaner zur Kapitulation zu bewegen. Nachdem sie die offizielle Bekanntgabe gehört hatten, wurde ihnen bewusst, dass es sich um eine Tatsache handelte. Ihre erste und, wie ich glaube, aufrichtige Reaktion waren Äußerungen des Entsetzens darüber, dass wir diese Erfindung zum Zwecke der Zerstörung eingesetzt hatten.

3. Diesem Bericht sind als Anhang beigefügt:[196]

1. eine von allen Gästen unterzeichnete Erklärung, in der sie Einzelheiten der Arbeit darlegen, mit der sie in Deutschland beschäftigt waren;
2. Fotografien der Gäste mit jeweils kurzen Charakterskizzen.

II. 6. August 1945

1. Kurz vor dem Abendessen am 6. August informierte ich Prof. Hahn über eine Meldung der BBC,[197] dass eine Atombombe abgeworfen worden

195 Dabei handelte es sich um eine Uran-Bombe, deren Kern-Sprengstoff aus angereichertem Uran-235 bestand.

196 Siehe S. 202 ff. sowie S. 205 ff. im vorliegenden Buch.

197 BBC News Report, London, 6.8.1945 21 Uhr, Transkript in: Bernstein 2001, S. 357–361. Vgl. auch den Bericht von Hahn auf S. 442 und Laue S. 479.

Dieter Hoffmann (Hrsg.): Operation Epsilon.
 DOI: <https://doi.org/10.47261/1508>.

sei. Hahn war von dieser Nachricht wie vernichtet und sagte, er persönlich fühle sich verantwortlich für den Tod von Hunderttausenden, weil es seine Entdeckung gewesen sei, die die Atombombe möglich gemacht habe. Er sagte mir, dass er sich, als er die schreckliche Tragweite seiner Entdeckung erkannt habe, ursprünglich mit Selbstmordgedanken getragen habe und dass jetzt, wo die Möglichkeit Wirklichkeit geworden sei, ihn die volle Schuld treffe. Mit Hilfe einer nicht unbeträchtlichen Menge Alkohol beruhigte er sich, und wir gingen hinunter zum Abendessen, wo er die Nachricht den versammelten Gästen bekanntgab.

2. Wie zu erwarten war, wurde die Nachricht mit Skepsis aufgenommen. Im Folgenden sind die Gespräche während des Abendessens wiedergegeben.

HAHN: Sie können das nur gemacht haben, wenn sie die Uranisotopentrennung haben.

WIRTZ: Die haben sie auch.

HAHN: Ich erinnere mich an die Arbeiten von Segrè, Dunning und die meines Assistenten Grosse[198]; sie hatten vor dem Krieg den Bruchteil eines Milligramms abgetrennt.

LAUE: [Uran] 235?

HAHN: Ja, 235.

HARTECK: Das ist nicht unbedingt erforderlich. Wenn sie eine Uranmaschine laufen lassen, trennen sie 93 ab.[199]

HAHN: Dafür müssen sie eine Maschine[200] haben, die genügend wägbare Mengen 93 herstellen kann.

---

198 Aristid von Grosse war bis zu seiner Emigration in die USA 1930 Assistent von Otto Hahn am KWI für Chemie in Berlin gewesen.

199 Die Zahl 93 steht für ein Transuran der Ordnungszahl 93. Weizsäcker und auch Houtermans hatten bereits 1940 herausgefunden, dass eine in Betrieb befindliche Uranmaschine das instabile Uranisotop mit der Massenzahl 239 und vor allem dessen transuranische Zerfallsprodukte produzieren würde, wobei das Element mit der Ordnungszahl 94 (Plutonium) ein nutzbarer Kernbrennstoff sein sollte. Allerdings war den deutschen Atomforschern nicht klar, ob der Zerfall des Uranisotops beim Element 93 oder 94 oder noch später sein Ende finden würde.

200 „Maschine" bzw. „Uranbrenner" war der damalige Terminus technicus für einen Kernreaktor.

GERLACH: Wenn sie die bekommen wollen, müssen sie eine ganze Tonne einsetzen.

HAHN: Eine äußerst komplizierte Sache; für 93 müssen sie eine Maschine haben, die lange läuft. Wenn die Amerikaner eine Uranbombe haben, dann sind Sie alle zweitklassig. Armer Heisenberg!

LAUE: Der Ahnungslose!

HEISENBERG: Haben Sie im Zusammenhang mit dieser Atombombe das Wort Uran gebraucht?

ALLE: Nein.

HEISENBERG: Dann hat sie nichts mit Atomen zu tun, aber das Äquivalent von 20.000 Tonnen hochexplosivem Sprengstoff ist ungeheuer.

WEIZSÄCKER: Es entspricht genau dem Faktor 10^4.

GERLACH: Wäre es möglich, dass sie eine ziemlich gut laufende Maschine haben und zwar lange genug, um 93 abzutrennen?

HAHN: Das glaub ich nicht.

HEISENBERG: Ich kann mir nur denken, dass irgendein Dilettant in Amerika, der sehr wenig davon versteht, ihnen eingeredet hat: „Wenn ihr die abwerft, hat sie das Äquivalent von 20.000 Tonnen hochexplosivem Sprengstoff", und in Wirklichkeit funktioniert sie überhaupt nicht.

HAHN: Auf jeden Fall, Heisenberg, sind Sie eben zweitklassig, und Sie können einpacken.

HEISENBERG: Ganz Ihrer Meinung.

HAHN: Die sind fünfzig Jahre weiter als wir.

HEISENBERG: Ich glaube kein Wort von der ganze Sache. Sie müssen ihre ganzen 500.000.000 Pfund Sterling für die Isotopentrennung ausgegeben haben, dann ist es möglich.[201]

WEIZSÄCKER: Wenn es leicht ist und die Alliierten wissen, dass es leicht ist, dann wissen sie auch, dass wir es bald herausfinden werden, wie es gemacht wird, wenn wir weiterarbeiten.

HAHN: Ich hätte nicht gedacht, dass es in den nächsten zwanzig Jahren möglich sein würde.

WEIZSÄCKER: Ich glaube nicht, dass es was mit Uran zu tun hat.

HAHN: Es muss eine verhältnismäßig kleine Atombombe gewesen sein – eine Handbombe.

---

201 Das war das in der BBC-Meldung genannte Budget (Bernstein 2001, S. 394).

HEISENBERG: Ich bin bereit zu glauben, dass es eine Hochdruckbombe ist, aber ich glaube nicht, dass sie etwas mit Uran zu tun hat, sondern dass es ein chemisches Zeug ist, wodurch sie die Reaktionsgeschwindigkeit und die ganze Explosion ungeheuer beschleunigten.

GERLACH: Sie haben 93 und haben es seit zwei Jahren getrennt, haben es bei tiefer Temperatur irgendwie stabilisiert und 93 kontinuierlich getrennt.

HAHN: Aber dazu braucht man die Maschine.

DIEBNER: Wir haben immer geglaubt, wir würden zwei Jahre für eine Bombe brauchen.

HAHN: Wenn sie sie wirklich haben, dann waren sie sehr geschickt, es geheimzuhalten.

WIRTZ: Ich bin froh, dass wir sie nicht hatten.

WEIZSÄCKER: Das ist eine andere Sache. Wie überrascht wäre Dänzer[202] gewesen! Sie betrachteten sie stets als ein Zauberkunststück.

WIRTZ: Döpel, Dänzer und Co.

HAHN: Döpel war der Erste, der die Neutronenvermehrung entdeckte.[203]

HARTECK: Wer ist schuld?

(?) STIMME: Hahn ist schuld.

WEIZSÄCKER: Ich meine, es ist schrecklich von den Amerikanern, das getan zu haben. Ich meine, es ist Wahnsinn.

---

202 „Benzer (?)" im Protokoll, wahrscheinlich Hermann Dänzer, der als Mitarbeiter von W. Bothe zum Uranverein gehörte und als Hochfrequenz-Spezialist das Pariser Zyklotron betriebsbereit machen sollte, Hoffmann 2006, S. 19 f.

203 Der Leipziger Physiker Robert Döpel und seine Frau Klara konnten im Frühjahr 1942 in einem von Heisenberg angeregten Experiment den Nachweis erbringen, dass in einer Modellmaschine mit einer Schichtenanordnung von Uranmetall und schwerem Wasser mehr Neutronen erzeugt als absorbiert wurden. Eine solche Neutronenvermehrung ist die unabdingbare Voraussetzung für eine sich selbst erhaltende Kettenreaktion bei der Urankernspaltung und damit für die Verwirklichung einer energieerzeugenden Uranmaschine. Vgl. Geheimbericht „G-138": R. u. K. Döpel, W. Heisenberg, Der experimentelle Nachweis der effektiven Neutronenvermehrung in einem Kugel-Schichten-System aus D_2O und Uran-Metall (1942), Deutsches Museum FA 002/588, <https://digital.deutsches-museum.de/item/FA-002-588/>.

HEISENBERG: Das kann man nicht sagen. Ebenso gut könnte man sagen: Es ist der schnellste Weg, den Krieg zu beenden.

HAHN: Das ist es, was mich tröstet.

HEISENBERG: Ich glaube noch immer kein Wort von der Bombe, aber ich kann mich irren. Ich halte es für durchaus möglich, dass sie etwa 10 t angereichertes Uran haben, aber nicht, dass sie 10 t reines U-235 haben können.

HAHN: Ich dachte, dass man nur sehr wenig U-235 braucht.

HEISENBERG: Wenn sie es nur geringfügig anreichern, können sie eine Maschine bauen, die geht, aber damit können sie keinen Sprengstoff herstellen, der –

HAHN: Aber wenn sie, sagen wir mal, 30 kg reines 235 haben, könnten sie damit nicht eine Bombe herstellen?

HEISENBERG: Sie würde aber trotzdem nicht losgehen, da die mittlere freie Weglänge noch zu groß ist.

HAHN: Warum haben Sie mir eigentlich immer erzählt, dass man 50 kg 235 braucht, um etwas zu machen? Jetzt sagen Sie, man benötigt 2 t.[204]

HEISENBERG: Ich möchte mich da im Augenblick nicht festlegen, aber es ist sicherlich eine Tatsache, dass die mittleren freien Weglängen ziemlich groß sind.

HARTECK: Wollen Sie 4 oder 5 cm – dann würde sie beim ersten oder zweiten Zusammenstoß zerbersten.

HEISENBERG: Sie braucht ja aber nicht den Durchmesser von nur 4 oder 5 cm zu haben.

HAHN: Ich halte es für absolut unmöglich, eine Tonne Uran-235 durch Isotopentrennung herzustellen.

WEIZSÄCKER: Was ist eigentlich mit diesen Zentrifugen?

HARTECK: Man kann mit dieser Zentrifuge nie reines 235 erhalten. Ich glaube ohnehin nicht, dass man es mit der Zentrifuge machen kann.[205]

---

204 Diese Bemerkung wie die gesamte Diskussion zeigt, dass auch die Gruppe um Heisenberg und nicht allein Diebner oder andere deutsche Physiker sehr wohl Überlegungen für eine (deutsche) Atombombe angestellt hatten, die indes noch sehr weit von einer praktischen Realisierung entfernt waren.

205 Zentrifugen bzw. Ultra-Zentrifugen sind im Übrigen heute der Königsweg für die Herstellung spaltbarer Kernsprengstoffe.

WIRTZ: Nein, sicher nicht.

HAHN: Ja, aber sie könnten es auch mit den Massenspektrographen machen. Ewald[206] hat da ein Patent drauf.

DIEBNER: Es gibt auch ein fotochemisches Verfahren.

HEISENBERG: Da gibt es so viele Möglichkeiten, aber keine, die wir kennen. Das ist sicher.

WIRTZ: Keine, die wir ausprobiert haben.

HAHN: Es tröstet mich, als – ich glaube, es war Weizsäcker, der sagte, dass es jetzt dieses 23-Minuten-Uran gab,[207] das ich auch in meinem Institut fand; dieser Absorptionskörper, der die Sache unmöglich machte, tröstete mich, weil ich, als sie damals sagten, man könne Bomben herstellen, völlig erschüttert war.

WEIZSÄCKER: Ich meine, dass wir es in dem Tempo, das wir damals vorlegten, während dieses Krieges nie geschafft hätten.

HAHN: Ja.

WEIZSÄCKER: Es ist ein sehr schwacher Trost, wenn man sich vorstellt, dass man persönlich in der Lage ist, etwas zu machen, was andere Leute eines Tages sowieso machen.

HAHN: Einmal wollte ich sogar den Vorschlag machen, das gesamte Uran auf den Grund des Meeres zu versenken. Ich habe immer geglaubt, man könne nur eine Bombe von solcher Größe machen, dass eine ganze Provinz in die Luft fliegen würde.

HEISENBERG: Wenn es mit Uran-235 gemacht worden ist, dann sollten wir imstande sein, es richtig herauszubekommen. Es hängt lediglich davon ab, ob es mit 50, 500 oder 5.000 kg gemacht wird, und wir wissen die Größenordnung nicht. Wir können davon ausgehen, dass sie über eine Methode zur Trennung von Isotopen verfügen, von der wir keine Ahnung haben.

---

206 Heinz Ewald war Mitarbeiter von Otto Hahn am KWI für Chemie und beschäftigte sich dort mit hochauflösender Massenspektroskopie zur Bestimmung von Kernbindungsenergien.

207 Die „23-Minuten" geben die Halbwertszeit des jeweiligen radioaktiven Isotops an. Hier ist U-239 gemeint, das nach Absorption eines Neutrons durch U-238 entsteht und über Beta-Zerfallsprozesse in Neptunium-239 und schließlich in das spaltbare Plutonium-239 zerfällt.

WIRTZ: Ich möchte wetten, dass es sich um eine Trennung durch Diffusion mit erneutem Umlauf handelt.

HEISENBERG: Ja, aber es ist sicher, dass keine derartige Vorrichtung jemals zuvor Isotope getrennt hat. Korsching hätte mit seiner Vorrichtung vielleicht ein paar mehr Isotope trennen können.

WIRTZ: Wir hatten nur einen Mann, der daran arbeitete, und die haben vielleicht zehntausend gehabt.

WEIZSÄCKER: Halten Sie es für unmöglich, dass sie das Element 93 oder 94 aus einer oder mehreren laufenden Maschinen gewinnen konnten?

WIRTZ: Ich halte das für nicht sehr wahrscheinlich.

WEIZSÄCKER: Ich halte die Isotopentrennung für wahrscheinlicher wegen des Interesses, das sie uns gegenüber daran bekundeten, und wegen des geringen Interesses, das sie an den anderen Sachen hatten.

HAHN: Schön, ich glaube, wir setzen auf Heisenbergs Meinung, dass es ein Schwindel ist.

HEISENBERG: Zwischen Entdeckungen und Erfindungen besteht ein himmelweiter Unterschied. Bei Entdeckungen kann man immer skeptisch sein, und es kann viele Überraschungen geben. Von Erfindungen aber können nur Leute wirklich überrascht werden, die damit nichts zu tun gehabt haben. Die Sache ist doch ein bisschen seltsam, nachdem wir fünf Jahre daran gearbeitet haben.

WEIZSÄCKER: Nimm das Clusiussche Trennverfahren.[208] Viele Leute haben an der Isotopentrennung gearbeitet, und eines schönen Tages fand Clusius heraus, wie es gemacht werden muss. Es war gerade das Problem der Isotopentrennung, das wir teils wissentlich, teils unwissentlich völlig vernachlässigten, von den Zentrifugen einmal abgesehen.

HEISENBERG: Ja, aber nur weil es keine vernünftige Methode gab. Das Problem, 234 von 238 oder 235 von 238 zu trennen, ist eine so extrem schwierige Sache.

---

208 Der Münchener Physikochemiker Klaus Clusius und sein Kollege Gerhard Dickel hatten 1938 ein sehr wirksames Verfahren zur Trennung von Gas-Isotopen entwickelt, das auf dem Prinzip der Thermodiffusion beruhte: In einem hohen Rohr mit axial angeordnetem Heizdraht sammeln sich oben die leichten und unten die schweren Isotope. Dieses Verfahren wurde während der ersten Jahre des deutschen Uranprojekts für die Isotopentrennung des Urans favorisiert.

HARTECK: Man hätte einen umfangreichen Mitarbeiterstab haben müssen, auch standen uns nur unzureichende Mittel zur Verfügung. Man hätte Hunderte von organischen Uranverbindungen herstellen, sie dann von Laborassistenten systematisch analysieren und schließlich chemisch untersuchen lassen müssen. Es gab niemanden, der das hätte machen können. Aber es war uns natürlich klar, wie es gemacht werden musste. Doch das würde die Einstellung von hundert Leuten bedeutet haben, und das war unmöglich.

HAHN: Aus den vielen wissenschaftlichen Dingen, die mir meine zwei amerikanischen Mitarbeiter bis 1940 schickten, konnte ich ersehen, dass die Amerikaner an der Sache interessiert waren.

WEIZSÄCKER: Van der Grinten schrieb mir 1940, dass er bei General Electric mit Isotopentrennung beschäftigt sei.

HARTECK: War van der Grinten[209] ein guter Mann?

WEIZSÄCKER: Er war eigentlich nicht sehr gut, aber die Tatsache, dass er gebraucht wurde, zeigte, dass man daran arbeitete.

HAHN: Dieser niederträchtige Bomke[210] war in meinem Institut.

HARTECK: Mir ist noch nie ein so fantastischer Lügner begegnet.

HAHN: Dieser Mann kam 1938 zu mir, als das nichtarische Fräulein Meitner noch da war – es war nicht leicht, sie in meinem Institut zu behalten. Ich werde nie vergessen, wie Bomke zu uns kam und mir erzählte, er werde vom Staat verfolgt, weil er kein Nazi sei. Wir stellten ihn ein, und dann entpuppte er sich als alter Kämpfer.

WEIZSÄCKER: Dann könnten wir also von unseren Bomke-geschädigten Instituten sprechen (Gelächter).

---

209 Wilhelm van Grinten war Mitarbeiter Peter Debyes am KWI für Physik in Berlin-Dahlem und stand dem Hochspannungslabor mit dem Kaskadengenerator vor; als 1940 das KWI dem Heereswaffenamt unterstellt wurde, ging er, wie auch Debye in die USA, da beide als niederländische Staatsbürger den militärischen Sicherheitsvorschriften nicht genügten. Vgl. Hoffmann, Walker 2010, S. 88 ff.

210 Hans Bomke war von 1933 bis 1938 Mitarbeiter der Physikalisch-Technischen Reichsanstalt, anschließend bis 1941 am Hahnschen Kaiser-Wilhelm-Institut für Chemie und danach im Forschungsinstitut der Deutschen Post. Im Zentrum seiner Forschungen standen atomphysikalischen Probleme bzw. Spektroskopie sowie elektrische Isolierstoffe.

3. Alle Gäste versammelten sich, um die offizielle Meldung in den 21-Uhr-Nachrichten zu hören.[211] Sie waren wie erschlagen, als sie erkannten, dass Hahns Mitteilung den Tatsachen entsprach. Sie wurden allein gelassen in der Annahme, sie würden jetzt über die Lage sprechen. Es fielen die folgenden Äußerungen:

HARTECK: Sie haben es entweder mit Massenspektrographen in großem Maßstab geschafft, oder es ist ihnen mit einem fotochemischen Verfahren gelungen.

WIRTZ: Also ich würde sagen: Fotochemie oder Diffusion. Gewöhnlich Diffusion. Sie bestrahlen es mit einer bestimmten Wellenlänge –

(alle reden durcheinander.)

HARTECK: Oder sie setzen Massenspektrographen in ungeheuren Mengen ein. Es ist vielleicht möglich, dass ein Massenspektrograph an einem Tag ein Milligramm – sagen wir 235 – erzeugt. Sie könnten einen ganz billigen Massenspektrographen herstellen, der in großen Stückzahlen vielleicht hundert Dollar kostet. Dann könnte man es mit hunderttausend Massenspektrographen machen.

HEISENBERG: Ja, natürlich, wenn man es so macht, und sie scheinen ja tatsächlich in diesem Maßstab gearbeitet zu haben. 180.000 Leute haben daran gearbeitet.

HARTECK: Was hundertmal mehr ist, als wir hatten.

BAGGE: Goudsmit hat uns hinters Licht gefuhrt.

HEISENBERG: Ja, und er hat das sehr geschickt gemacht.[212]

HAHN: Chadwick und Cockcroft.[213]

---

211 Es handelte sich um die Abendnachrichten der BBC mit der Erklärung von Premier C. Attlee über den Atombombenabwurf auf Hiroshima, die auch den Beitrag Großbritanniens an der Entwicklung der Atombombe herausstellte. Vgl. Bernstein 2001, S. 393 ff.

212 Bezieht sich auf die Tatsache, dass Goudsmit in den Verhören in Heidelberg keinerlei Andeutungen gemacht hatte, dass man in den USA mit Hochdruck an der Entwicklung einer Atombombe arbeitete; insbesondere Heisenberg fühlte sich davon getäuscht.

213 In den BBC-Nachrichten war auch ein Bericht des aus dem Amt geschiedenen Premierministers W. Churchill verlesen worden, der über die bereits zu Kriegsbeginn erfolgte Einrichtung eines wissenschaftlichen Beraterstabs zur Atombombenentwicklung berichtete, dem die erwähnten Physiker angehörten. Vgl. Bernstein 2001, S. 127.

HARTECK: Und auch Simon. Er ist der Tieftemperaturmann.

KORSCHING: Das beweist jedenfalls, dass die Amerikaner zu wirklicher Zusammenarbeit in ungeheurem Ausmaß fähig sind. In Deutschland wäre das unmöglich gewesen. Jeder behauptete, der andere sei inkompetent.

GERLACH: Sie können das wirklich so nicht sagen, was die Urangruppe betrifft. Sie können sich keine größere Zusammenarbeit, kein größeres Vertrauen vorstellen, als es in dieser Gruppe herrschte. Man kann einfach nicht sagen, dass einer von ihnen behauptet hätte, der andere sei inkompetent.

KORSCHING: Nicht offiziell natürlich.

GERLACH (BRÜLLEND): Auch nicht inoffiziell. Widersprechen Sie mir nicht. Es gibt zu viele Leute hier, die Bescheid wissen.

HAHN: Wir konnten natürlich nicht in diesem Maßstab arbeiten.

HEISENBERG: Man kann sagen, dass in Deutschland größere Mittel zum ersten Mal im Frühjahr 1942 zur Verfügung gestellt wurden, nach der Sitzung mit Rust,[214] als wir ihn überzeugten, dass wir den absolut sicheren Beweis dafür hätten, dass die Sache machbar sei.

BAGGE: Es war auch hier [bei den Alliierten] nicht viel früher.

HARTECK: Wir wussten tatsächlich schon vorher, dass die Sache machbar war, wenn wir genügend Material bekommen konnten. Nehmen Sie das schwere Wasser. Es gab drei Verfahren, von denen das teuerste 2 Mark pro Gramm und das billigste vielleicht 50 Pfennig kostete. Und dann haben sie dauernd darum gestritten, was zu tun sei, weil niemand bereit war, 10 Millionen auszugeben, wenn man es für drei Millionen machen konnte.

HEISENBERG: Andererseits kann die ganze Sache mit dem schweren Wasser, die ich, soweit es mir möglich war, unterstützt habe, keinen Sprengstoff erzeugen.

HARTECK: Erst wenn die Maschine läuft.

---

214 Die Kernenergiekonferenzen vom Februar 1942, organisiert von Heereswaffenamt und Reichsforschungsrat, hatten zwar gezeigt, dass Kernsprengstoffe in absehbarer Zeit nicht herstellbar waren, doch die Entwicklung eines energieproduzierenden Uranbrenners schien durchaus realistisch. Nicht zuletzt auf Initiative Albert Speers, in dessen Verantwortungsbereich die Uranarbeiten bald wechselten, wurde nun in das Projekt sehr viel mehr investiert als in den Jahren zuvor, allerdings um Größenordnungen weniger als im amerikanischen Manhattan-Projekt.

HAHN: Die scheinen einen Sprengstoff gemacht zu haben, bevor sie die Maschine machten, und jetzt sagen sie: „In Zukunft werden wir Maschinen bauen."

HARTECK: Wenn es stimmt, dass ein Sprengstoff mittels des Massenspektrographen hergestellt werden kann, hätten wir das nie gemacht, da wir nie 56.000 Arbeiter hätten beschäftigen können. Als wir uns beispielsweise die Clusius-Linde-Sache in Verbindung mit unserem Austauschzyklus überlegten,[215] hätten wir ständig 50 Arbeiter beschäftigen müssen, um im Jahr 2 t zu produzieren. Hätten wir 10 t herstellen wollen, dann hätten wir 250 Männer beschäftigen müssen. Das konnten wir nicht machen.

WEIZSÄCKER: Wie viel Leute haben an der V 1 und V 2 gearbeitet?

DIEBNER: Tausende haben daran gearbeitet.

HEISENBERG: Wir hätten gar nicht den moralischen Mut aufgebracht, im Frühjahr 1942 der Regierung zu empfehlen, 100.000 Mann einzustellen, nur um die Sache aufzubauen.

WEIZSÄCKER: Ich glaube, es ist uns nicht gelungen, weil alle Physiker im Grunde gar nicht wollten, dass es gelang. Wenn wir alle gewollt hätten, dass Deutschland den Krieg gewinnt, hätte es uns gelingen können.[216]

HAHN: Das glaube ich nicht, aber ich bin dankbar, dass es uns nicht gelungen ist.

HARTECK: In Anbetracht der genannten Zahlen müssen es meines Erachtens Massenspektrographen gewesen sein. Hätten sie ein anderes brauchbares Verfahren gehabt, hätten sie nicht soviel auszugeben und nicht so viele Leute zu beschäftigen brauchen.

---

215 Das Clusius-Linde-Verfahren war eine im Rahmen des deutschen Uranprojekts entwickelte Methode zur Anreicherung von schwerem Wasser durch fraktionierte Destillation von flüssigem Wasserstoff, das Deutschland vom norwegischen Monopol bei der Herstellung von schwerem Wasser unabhängig machen sollte. Vgl. den Reisebericht von Clusius und Harteck bei Firma Linde in München vom 9.5.1944: Erwägungen und zu diskutierende Gesichtspunkte für eine SH 200-Produktion nach dem Clusius-Linde-Verfahren, das gekoppelt ist an einen Wasserstoffregenerator nach Harteck und Suess. Deutsches Museum, FA 002/681. Online verfügbar unter <https://digital.deutsches-museum.de/item/FA-002-681/>.

216 Das ist die Geburtsstunde des „Mythos von der deutschen Atombombe": Dass wir es gekonnt hätten, aber nicht wollten. Vgl. auch die Äußerung Weizsäckers auf S. 197 sowie Walker 1993.

WIRTZ: Angenommen, es war das Clusius-Verfahren, dann wären sie nie imstande gewesen, etwas mit Gas bei hohen Temperaturen zu machen.

HARTECK: Wenn man sich überlegt, wie lange es gedauert hat, bis wir das Nickeltrennrohr bekamen! Ich glaube, es waren neun Monate.

KORSCHING: Es wurde nie und nimmer mit [Massen]spektrographen gemacht.

HEISENBERG: Ich muss sagen, ich glaube, dass Ihre Theorie stimmt und dass es Spektrographen gewesen sind.

WIRTZ: Ich möchte wetten, es waren keine.

HEISENBERG: Wozu sollte man sonst 60.000 Menschen benötigen?

KORSCHING: Versuchen Sie mal, 1 t Uran zu verdampfen.[217]

HARTECK: Dazu brauchen Sie lediglich zehn Leute. Ich war erstaunt über das, was ich bei IG-Farben gesehen habe.

HEISENBERG: Es ist möglich, dass der Krieg morgen vorbei ist.

HARTECK: Am Tag darauf gehen wir nach Hause.

KORSCHING: Wir werden nie wieder nach Hause gehen.

HARTECK: Wenn wir weitergekommen wären, hätte uns der Secret Service umgebracht. Wir sollten froh sein, dass wir noch leben. Lasst uns den Abend in diesem Geiste feiern.

DIEBNER: Prof. Gerlach wäre SS-Obergruppenführer[218] geworden und säße jetzt in Luxemburg als Kriegsverbrecher.

KORSCHING: Wenn man nicht den Mut hat, ist es besser, sofort aufzugeben.

GERLACH: Machen Sie doch nicht immer so aggressive Bemerkungen.

KORSCHING: Die Amerikaner konnten es eben besser als wir, das ist mal klar.

(Gerlach verlässt den Raum.)

HEISENBERG: Die Beziehungen zwischen Wissenschaftler und Staat waren in Deutschland derart, dass wir einerseits nicht hundertprozentig dazu entschlossen waren und dass andererseits der Staat uns so wenig Vertrauen entgegenbrachte. Selbst wenn wir gewollt hätten, wäre es nicht leicht gewesen, die Sache durchzukriegen.

---

217 Bei den angewandten Verfahren zur Isotopentrennung des Urans mussten gasförmige Uranverbindungen genutzt werden.

218 Hoher Dienstrang der SS.

DIEBNER: Weil die offiziellen Leute nur an Sofortergebnissen interessiert waren. Sie wollten nicht auf einer langfristigen Basis arbeiten, wie es Amerika gemacht hat.

WEIZSÄCKER: Selbst wenn wir alles bekommen hätten, was wir wollten, ist es keinesfalls sicher, ob wir so weit gekommen wären, wie die Amerikaner und die Engländer jetzt gekommen sind. Es geht nicht darum, dass wir fast so weit wie sie waren, vielmehr ist es eine Tatsache, dass wir alle davon überzeugt waren, dass die Sache während des Krieges nicht zu Ende gebracht werden konnte.

HEISENBERG: Nun, das stimmt nicht ganz. Ich würde sagen, ich war absolut von der Möglichkeit überzeugt, dass wir eine Uranmaschine machen, aber ich habe nie gedacht, dass wir eine Bombe machen würden, und im Grunde meines Herzens war ich wirklich froh, dass es eine Maschine sein sollte und nicht eine Bombe. Das muss ich zugeben.

WEIZSÄCKER: Wenn dein Ziel wirklich eine Bombe gewesen wäre, hätten wir uns wahrscheinlich mehr auf die Isotopentrennung beim Uran konzentriert und weniger auf das schwere Wasser.

(Hahn verlässt den Raum.)

WEIZSÄCKER: Wenn wir die Sache rechtzeitig genug angefangen hätten, hätten wir es irgendwie schaffen können. Wenn die die Sache im Sommer 1945 zum Abschluss bringen konnten, hätten wir vielleicht das Glück gehabt, damit schon im Winter 1944/45 fertig zu werden.

WIRTZ: Die Folge wäre gewesen, dass wir London ausgelöscht, aber noch immer nicht die Welt erobert hätten, und dann hätten sie die Dinger auf uns abgeworfen.

WEIZSÄCKER: Ich meine, wir sollten uns jetzt nicht in Rechtfertigungen ergehen, weil es uns nicht gelungen ist, vielmehr müssen wir zugeben, dass wir gar nicht wollten, dass die Sache gelingt. Auch wenn wir die gleiche Energie hineingesteckt hätten wie die Amerikaner und es wirklich gewollt hätten wie sie, wäre es uns mit Sicherheit nicht gelungen, weil sie unsere Fabriken in Trümmer gelegt hätten.

DIEBNER: Natürlich haben sie uns die ganze Zeit über beobachtet.

WEIZSÄCKER: Man kann sagen, es wäre für die Welt ein viel größeres Unglück gewesen, wenn Deutschland die Uranbombe gehabt hätte. Stellen Sie sich mal vor, wenn wir London mit Uranbomben zerstört hätten, würde das den Krieg noch nicht beendet haben, und wenn der Krieg dann wirklich zu Ende gewesen wäre, ist es immer noch zweifelhaft, ob das eine gute Sache gewesen wäre.

WIRTZ: Wir hatten nicht genug Uran.

WEIZSÄCKER: Wir hätten Langstreckenflugzeuge mit Uranmaschinen ausrüsten müssen, um Luftlandeoperationen im Kongo oder in Nordwestkanada durchzuführen.[219] Wir hätten diese Gebiete durch Einsatz von Militär einnehmen und halten und das Zeug aus den Uranbergwerken gewinnen müssen. Das wäre unmöglich gewesen.

HARTECK: Der Urangehalt im Gestein in den Radiumminen bei Gastein soll so groß sein, dass die Frage des Preises keine Rolle spielt.

BAGGE: Riesige Mengen muss es in Oberschlesien geben. Bergbaufachleute haben mir das erzählt.

DIEBNER: Es handelt sich da nur um ganz geringe Mengen.

HARTECK: Wenn sie es mit Massenspektrographen gemacht haben, kann man uns keinen Vorwurf machen. Wir konnten das nicht. Aber wenn sie einen Trick gefunden haben, das würde mich ärgern.

HEISENBERG: Ich meine, wir sollten vermeiden, uns über eine verlorene Sache zu streiten. Außerdem dürfen wir Hahn die Dinge nicht zu schwer machen.

HARTECK: Wir haben uns wahrscheinlich eine Menge Dinge überlegt, die die anderen nicht machen, aber gebrauchen könnten.

WEIZSÄCKER: Es ist eine schreckliche Lage für Hahn. Er hat es ja wirklich gemacht.[220]

HEISENBERG: Ja. (Pause.) Vor etwa einem Jahr hörte ich von Segner (?)[221] vom Auswärtigen Amt, dass die Amerikaner mit dem Abwurf einer Uranbombe auf Dresden gedroht hätten, wenn wir nicht bald kapitulierten. Damals wurde ich gefragt, ob ich dies für möglich hielte, und ich antwortete in voller Überzeugung: nein.

219 Im Kongo und in Nordwestkanada befanden sich die damals ergiebigsten Uranvorkommen der Welt. Die beträchtlichen Vorkommen im Erzgebirge wurden erst nach Kriegsende entdeckt und extensiv von der Sowjetunion für den Bau ihrer Atombomben genutzt. Vgl. Karlsch 2007, S. 35 ff.

220 Gemeint ist die Entdeckung der Urankernspaltung im Winter 1938/39.

221 Nach Meinung von Bernstein 2001, S. 98, handelt es sich möglicherweise um den Mitarbeiter des Auswärtigen Amtes Sethke.

WIRTZ: Ich halte es für typisch, dass die Deutschen die Entdeckung gemacht und sie nicht eingesetzt haben, während die Amerikaner sie zum Einsatz brachten. Ich muss sagen, ich dachte nicht, dass die Amerikaner es wagen würden, sie einzusetzen.

4. Hahn und Laue erörterten gemeinsam die Lage. Hahn bezeichnete die Nachricht als eine gewaltige Leistung, die in der Geschichte ohnegleichen sei, und Laue brachte angesichts dieser neuen Ereignisse die Hoffnung auf eine rasche Haftentlassung zum Ausdruck.

5. Nachdem Gerlach den Raum verlassen hatte, ging er sofort in sein Schlafzimmer, wo man ihn schluchzen hörte. Von Laue und Harteck gingen nach oben, um nach ihm zu sehen, und versuchten ihn zu trösten. Er schien sich in der Lage eines besiegten Generals zu sehen, dem nur noch die Wahl blieb, sich zu erschießen. Zum Glück hatte er keine Waffe, und schließlich gelang es seinen Kollegen, ihn einigermaßen zu beruhigen. Im Laufe des Gesprächs mit von Laue und Harteck äußerte er sich wie folgt:

GERLACH: Als ich diese Sache übernahm,[222] sprach ich darüber mit Heisenberg und Hahn, und ich sagte zu meiner Frau: „Der Krieg ist verloren, und die Folge wird sein, dass, sobald der Feind in das Land vordringt, ich verhaftet und weggebracht werde." Ich habe das nur getan, weil ich mir sagte, das ist eine deutsche Angelegenheit, und wir *müssen* zusehen, dass die deutsche Physik erhalten bleibt. Keinen Augenblick dachte ich an eine Bombe, aber ich habe mir gesagt: „Wenn Hahn diese Entdeckung gemacht hat, dann wollen wir wenigstens die ersten sein, die von ihr Gebrauch machen." Wenn wir nach Deutschland zurückkommen, wird es uns schlimm ergehen. Man wird uns als diejenigen ansehen, die alles sabotiert haben. Wir werden dort nicht lange am Leben bleiben. Sie können sicher sein, dass es viele Leute in Deutschland gibt, die sagen, dass es unsere Schuld ist. Lassen Sie mich bitte allein.

222 Gerlach hatte im Herbst 1943 Abraham Esau als Leiter der Fachsparte Physik des Reichsforschungsrates abgelöst und war zum 1. Januar 1944 zugleich zum Bevollmächtigten des Reichsmarschalls für Kernphysik und damit zum administrativen Leiter des Uranvereins ernannt worden. Zu seinen Motiven vgl. auch den Briefwechsel mit seiner Frau im Dokumentenanhang S. 423 ff.

6. Etwas später ging Hahn nach oben, um Gerlach zu beruhigen; dabei entwickelte sich das folgende Gespräch:

HAHN: Sind Sie außer sich, weil wir die Uranbombe nicht gebaut haben? Ich danke Gott auf den Knien, dass wir keine Uranbombe gebaut haben. Oder sind Sie deprimiert, weil die Amerikaner besser waren?

GERLACH: Ja.

HAHN: Sie sind doch mit Sicherheit nicht für eine so unmenschliche Waffe wie die Uranbombe?

GERLACH: Nein. Wir haben nie an der Bombe gearbeitet. Ich habe nicht geglaubt, dass es so schnell gehen würde. Aber ich war allerdings der Meinung, dass wir *alles* unternehmen sollten, um die Energiequellen verfügbar zu machen und deren Möglichkeiten für die Zukunft zu nutzen. Als das erste Ergebnis vorlag und sich heraus stellte, dass die Konzentration durch die Würfelmethode[223] stark anstieg, sprach ich zuerst mit Speers rechter Hand, da Speer damals nicht zu erreichen war, einem Oberst Geist, und später fragte mich Sauckel in Weimar: „Was wollen Sie mit diesen Dingern anfangen?“ Ich antwortete: „Meiner Meinung nach kann ein Politiker, der im Besitz einer solchen Maschine ist, alles erreichen, was er will.“ Etwa zehn oder vierzehn Tage vor der Kapitulation erwiderte Geist: „Leider haben wir keinen solchen Politiker.“

HAHN: Ich bin dankbar, dass wir nicht die ersten waren, die die Uranbombe abwarfen.

GERLACH: Sie können ihre Entwicklung nicht verhindern. Ich hatte Angst, an die Bombe zu denken, aber ich habe sie mir als eine Sache der Zukunft vorgestellt; derjenige, der mit dem Einsatz der Bombe drohen konnte, würde alles erreichen können. Genau das habe ich Geist, Sauckel und Murr mitgeteilt. Heisenberg war damals in Stuttgart.

(Harteck kommt herein.)

---

223 Im Gegensatz zu Heisenberg, der bei den Entwicklungsarbeiten zur Uranmaschine lange Zeit eine Schichtenanordnung von Uran und schwerem Wasser favorisierte, experimentierte die Gruppe um Diebner vom Heereswaffenamt mit in Paraffin eingebetteten Uranwürfeln. Diese Würfelanordnung wurde später, 1944, auch von Heisenberg übernommen, weil sie deutlich höhere Neutronenausbeuten aufwies.

Gerlach: Sagen Sie, Harteck, ist es nicht schade, dass es die anderen geschafft haben?

Hahn: Darüber bin ich froh.

Gerlach: Ja, aber wofür haben wir dann gearbeitet?

Hahn: Um eine Maschine zu bauen, um Elemente herzustellen, Atomgewichte zu bestimmen, einen Massenspektrographen zu haben und radioaktive Elemente, die die Stelle des Radiums einnehmen.

Harteck: Die Bombe hätten wir nicht herstellen können, wohl aber eine Maschine, und das tut mir leid. Wenn Sie, Gerlach, ein Jahr eher gekommen wären, hätten wir es schaffen können. Wenn nicht mit schwerem Wasser, dann mit tiefen Temperaturen. Doch als Sie kamen, war es bereits zu spät. Die Luftüberlegenheit des Feindes war zu groß, und wir konnten nichts machen.

Hahn, Gerlach und Harteck erörtern desweiteren, wie ihre Lage sein wird, wenn sie nach Deutschland zurückkehren. Gerlach ist der Ansicht, sie müssten noch zwei Jahre hierbleiben, weil sie in Gefahr wären. Hahn ist überzeugt, dass er ohne Gefahr für sich nach Deutschland zurückkehren könnte. Gerlach erklärt, die Nazipartei scheine geglaubt zu haben, dass die deutschen Physiker an einer Atombombe arbeiteten, und berichtet, wie Parteigenossen in München am 27. oder 28. April von Haus zu Haus gegangen seien und jedem erzählt hätten, dass am nächsten Tag die Atombombe eingesetzt würde. Gerlach fährt fort:

Gerlach: Ein halbes Jahr lang habe ich gegen Esau und Beuthe gekämpft,[224] weil sie das gesamte schwere Wasser und das Uran übernahmen und die Maschine in der Reichsanstalt entwickeln lassen wollten. Esau sagte mir mehr als einmal: „Das Würfelexperiment ist mein Experiment, und ich werde es zu Ende bringen und mir alles nehmen." Und als ich stur blieb und mich weigerte nachzugeben, schickte Beuthe durch den SD diesen Brief über meine politische Haltung an Himmler. Ich weiß alles darüber, und Sie machen sich keine Vorstellung von den Schwierigkeiten, die ich mit Esau hatte, und in welcher Situation ich mich

224 Hermann Beuthe war ab 1940 nicht nur Leiter der Abteilung Atomphysik der PTR, sondern seit 1933 als „ältester Nationalsozialist" (Eintritt in die NSDAP 1930) der Reichsanstalt auch der „nationalsozialistische Vertrauensmann" des Präsidenten, siehe Hoffmann 2022.

aufgrund von Beuthes Anschuldigungen im Februar und März letzten Jahres befand. Ich hätte damals nicht viel auf mein Leben gesetzt. Das ging so weiter bis September oder Oktober, bis Esau schließlich seinen Anspruch auf das Uran und das schwere Wasser offiziell aufgab.

HARTECK: Natürlich haben wir die Sache eigentlich nicht richtig angefangen. Die Theorie wurde als das Wichtigste betrachtet und die Experimente als Nebensache, und dann wurden fast unverständliche Formeln hingeschrieben. Wir haben Experimente nicht mit genügendem Nachdruck betrieben. Angenommen, ein Mann wie Hertz[225] hätte die Versuche durchgeführt, der hätte es ganz anders gemacht.

GERLACH: Sie führten ja Experimente durch. Sie haben die Wärmeemission des Urans gemessen.

HARTECK: Zum Beispiel wenn man die Wärmeemission misst und gleichzeitig den 23-Minuten-Körper[226] herstellt.

GERLACH: Was Schütze[227] später machen sollte?

HARTECK: Warum wurde das nicht gemacht?

GERLACH: Vielleicht wurde es gemacht.

HARTECK: Man hätte das Metall vielleicht kochen können, um so eine große Oberfläche zu erzielen, die sich gegenüber Neutronen wie bei Sterns Experimenten[228] verhalten würde. Dann würde man sehen, dass es in dem einen Fall um ein paar Prozent besser und in einem anderen Fall schlechter ausfiel. Solche Experimente wurden jedoch nicht durchgeführt, oder vielmehr wollte man sie Ihnen ausreden.

HAHN: Hertz hat das gemacht.

GERLACH: Ja. Er hatte alles Material, das er finden konnte.

HAHN: Wann war das – 1944?

---

225 Gemeint ist Gustav Hertz, Nobelpreisträger des Jahres 1925, der zu den Pionieren der Trennung von Isotopengemischen gehörte. Die von ihm entwickelten Diffusionstrennverfahren für Edelgase und leichte Isotope waren die Grundlage für die kerntechnischen Verfahren zur Trennung der Uranisotope. Die nationalsozialistischen Rassengesetze ließen Hertz seine Professur an der TU Berlin niederlegen und in die Industrie wechseln, was auch dazu führte, dass er nicht Mitglied des Uranvereins wurde.

226 Gemeint ist U-239.

227 Werner Schütze war ein Mitarbeiter von Gustav Hertz.

228 Gemeint sind wohl die Experimente von Otto Stern mit Atomstrahlen.

GERLACH: Ja, Ende 1944. Aber er hatte die Wärmeemission schon zwei Jahre vorher gemessen. Ich ging einfach zu Hertz und sagte: „Hören Sie, Hertz, lassen Sie uns doch mal über die Uransache sprechen." Er sagte: „Ich weiß davon nichts", und so habe ich ihm alles darüber mitgeteilt. Dann erzählte er mir, dass Schütze derartige Wärmeexperimente bereits gemacht habe, und dann diskutierten wir darüber und kamen zu dem Schluss, dass das wirklich die beste Sache war.

HAHN: Er (verwendete) also ein kleines Radiumpräparat und ein Berylliumpräparat …

GERLACH: 25 mg und etwa 100 g Uranpulver (?). Er verwendete nur Pulver. Als ich davon hörte, sagte ich sofort, dies sei die richtige Methode, kleine Körper zu untersuchen.

HARTECK: Wir hatten 27 g Radium. Wenn wir, sagen wir, 5 g Radium als Neutronenquelle genutzt hätten, hätten wir leicht mit Körpern besserer Geometrie messen können.

GERLACH: Wir dürfen vor diesen zwei Engländern[229] nicht sagen, dass wir in dieser Sache mehr hätten tun sollen. Wirtz sagte, dass wir mehr an der Isotopentrennung hätten arbeiten sollen. Es ist etwas anderes, wenn man sagt, dass wir nicht genügend Mittel hatten, aber man kann vor einem Engländer nicht sagen, dass wir uns nicht genügend Mühe gegeben hätten. Sie waren unsere Feinde, obwohl wir den Krieg sabotierten. Es gibt einige Dinge, die man weiß und über die man gemeinsam diskutieren kann, aber die man nicht in Gegenwart von Engländern erörtern kann.

HAHN: Ich muss ehrlich sagen, dass ich den Krieg sabotiert hätte, wenn ich dazu in der Lage gewesen wäre.

7. Hahn und Heisenberg setzten die Diskussion allein fort. Hahn erklärte Heisenberg, dass die ganze Sache ihn sehr mitgenommen habe. Er sagte, er könne wirklich nicht verstehen, warum Gerlach sich so aufgeregt habe. Heisenberg erwiderte, er könne das schon verstehen, denn Gerlach sei der einzige unter ihnen, der einen deutschen Sieg wirklich gewollt habe. Obwohl er die Verbrechen der Nazis einsehe und sie missbillige, habe er sich nicht der Tatsache verschließen können, dass er für Deutschland arbeite.

229 Gemeint sind englischen Geheimdienstoffiziere T. H. Rittner und P. L. C. Brodie, die für die Betreuung der Internierten in Farm Hall zuständig waren.

Hahn erwiderte, dass auch er sein Land liebe und dass er, so seltsam es erscheinen mag, gerade aus diesem Grunde dessen Niederlage erhofft habe. Heisenberg fuhr fort und meinte, er glaube, der Besitz der Uranbombe werde die Position der Amerikaner gegenüber den Russen stärken. Sie setzten ihre Diskussion über dasselbe Thema wie zuvor fort, dass sie nie an einer Bombe hätten arbeiten wollen und dass sie froh gewesen seien, als die Entscheidung fiel, alle Anstrengungen auf den Bau der Maschine zu richten. Die Menschen in Deutschland, so Heisenberg, könnten jedoch sagen, die Physiker hätten die Behörden zwingen sollen, ihnen die nötigen Mittel zur Verfügung zu stellen und 100.000 Mann freizusetzen, um die Bombe herzustellen; er selber sei der Meinung, dass sie moralisch in der gleichen Lage gewesen seien wie die Amerikaner, und wenn sie sich gesagt hätten, dass es nur darauf ankomme, dass Hitler den Krieg gewinnt, dann hätte es gelingen können, während sie in Wirklichkeit gar nicht gewollt hätten, dass er gewinnt. Hahn räumte allerdings ein, er habe nie geglaubt, dass eine deutsche Niederlage eine so schreckliche Tragödie für sein Land bedeuten würde. Sie sprachen dann über die Gefühle und Ansichten der britischen und amerikanischen Wissenschaftler, die die Bombe hergestellt hatten, und Heisenberg sagte, er glaube, in ihrem Fall liege die Sache anders, da sie Hitler als Verbrecher betrachteten. Sie beide hofften, dass die neue Entdeckung der Menschheit letztlich zum Nutzen gereichen werde. Heisenberg stellte weiterhin Vermutungen darüber an, auf welche Weise Amerika die neue Entdeckung wohl anwenden werde, und fragte sich, ob die Amerikaner sie benutzen würden, um Kontrolle über Russland zu erlangen, oder eher warten wollten, bis Stalin sie nachgebaut habe. Dann stellten sie Überlegungen an, wie viele Bomben wohl existierten. Im Folgenden ist der Wortlaut dieses Gesprächs teilweise wiedergegeben:

HAHN: Sie können doch eine solche Bombe nicht jede Woche herstellen.

HEISENBERG: Nein. Ich glaube eher, dass Harteck recht hat und dass sie eben hunderttausend Massenspektrographen oder etwas Derartiges aufgestellt haben. Wenn jeder Massenspektrograph pro Tag 1 mg herstellen kann, dann ergibt das 100 g am Tag.

HAHN: 1939 hatte man erst den Bruchteil eines Milligramms gewonnen. Man hat das 235 dann aufgrund seiner Radioaktivität identifiziert.

HEISENBERG: Das würde 30 kg im Jahr ausmachen.

HAHN: Glauben Sie, dass man so viel benötigt?

HEISENBERG: Ich denke schon, aber ich habe das, um ganz ehrlich zu sein, nie ausgerechnet, da ich nie annahm, man könne reines [U-]235 herstellen. Ich habe immer gewusst, dass man es mit 235 mit schnellen Neutronen machen kann. Deshalb kann man 235 nur als Sprengstoff verwenden. Man kann keinen Sprengstoff mit langsamen Neutronen herstellen, nicht einmal mit der Schwerwassermaschine, da dann die Neutronen nur thermische Geschwindigkeit haben; das Ergebnis wäre, dass die Reaktion so langsam abläuft, dass das Ding explodiert, ehe die Reaktion abgeschlossen ist. Es verdampft bei 5.000 °, und dann ist die Reaktion bereits –

HAHN: Wie explodiert denn nun die Bombe?

HEISENBERG: Bei der Bombe geht das nur mit sehr schnellen Neutronen. Die schnellen Neutronen in 235 erzeugen sofort andere Neutronen, so dass die sehr schnellen Neutronen, die eine Geschwindigkeit von – sagen wir – 1 / 30 der Lichtgeschwindigkeit haben, die ganze Reaktion ausmachen. Dann erfolgt die Reaktion natürlich viel schneller, so dass man in der Praxis diese gewaltigen Energien freisetzen kann. In gewöhnlichem Uran trifft ein schnelles Neutron fast immer auf 238, und das ergibt keine Spaltung.

HAHN: Verstehe. Während die schnellen Neutronen in 235 dasselbe machen wie das 238, doch 130-mal mehr.[230]

HEISENBERG: Ja. Wenn ich unter 600.000 [Elektronen-]Volt gehe, kann ich mit 238 keine Spaltung mehr erzielen, doch ich kann immer das 235 spalten, egal, was passiert. Wenn ich reines 235 habe, erzeugt jedes Neutron sofort zwei Kinder, und dann muss eine Kettenreaktion erfolgen, die sehr schnell abläuft. Dann kann man folgendermaßen rechnen. Ein Neutron erzeugt in reinem 235 immer zwei andere. Das heißt, dass ich, um 10^{24} Neutronen zu erzeugen, 80 Reaktionen nach einander benötige. Daher brauche ich 80 Zusammenstöße, und die mittlere freie Weglänge beträgt etwa 6 cm. Um 80 Zusammenstöße zu erhalten, muss ich eine Masse mit einem Radius von circa 54 cm haben, und die wäre etwa 1 t schwer.

HAHN: Wäre diese Tonne nicht stärker als 20.000 t Sprengstoff?

230 Gemeint ist, der Wirkungsquerschnitt schneller Neutronen sei für U-238 130 Mal kleiner als für U-235.

HEISENBERG: Etwa dasselbe. Es ist denkbar, dass sie es auf folgende Weise auch mit weniger machen könnten. Sie nehmen nur ein Viertel der Menge und umgeben sie mit einem Reflektor, der die schnellen Neutronen zurückstreut. Beispielsweise Blei oder Kohlenstoff, und auf diese Weise könnten sie die entweichenden Neutronen veranlassen, wieder umzukehren. Es könnte so gemacht werden. Möglich, dass sie es auch so machen.

HAHN: Wie können sie die Bombe in einem Flugzeug transportieren und sicher sein, dass sie zum richtigen Zeitpunkt explodiert?

HEISENBERG: Eine Möglichkeit wäre, die Bombe in zwei Hälften herzustellen, von denen jede einzelne wegen der mittleren freien Weglänge zu klein ist, um die Explosion auszulösen. Im Augenblick des Abwurfs werden die beiden Hälften zusammengebracht, wenn die Reaktion beginnen soll. Wahrscheinlich haben sie etwas in der Art gemacht.

Heisenberg beklagte sich bitter, dass Goudsmit sie alle sehr geschickt belogen habe, und ist der Meinung, er hätte doch wenigstens ihm mitteilen können, dass ihre Experimente in Amerika schon weiter gediehen seien.[231] Die Gäste waren sich darin einig, dass die Geheimhaltung hervorragend funktioniert habe. Hahn äußerte sich zu der Tatsache, dass seit Januar 1940 in amerikanischen wissenschaftlichen Zeitschriften keine Arbeit zur Uranspaltung veröffentlicht worden sei, aber seines Erachtens sei ein Artikel über die spontane Spaltung von Uran mit Deuteronen in Russland erschienen.[232] Heisenberg wiederholte noch einmal alle seine Argumente, dass sie sich auf die Uranmaschine konzentriert, nie eine Bombe herzustellen versucht und nichts auf dem Gebiet der Isotopentrennung gemacht hätten, weil sie dafür nicht die erforderlichen Mittel bekommen konnten. Er wiederholte seine Geschichte von der angeblichen Drohung der Amerikaner, eine Uranbombe auf Dresden zu werfen, und sagte, er sei über diese Möglichkeit von Geheimrat Segner (?)[233] vom Auswärtigen Amt befragt worden. Das Gespräch endete wie folgt:

---

231 Siehe auch E. Heisenberg 1983, S. 134 f.

232 Die Bemerkung bezieht sich auf die Arbeiten des russischen Physikers G. N. Flerow, der zusammen mit K. A. Petrschak im Jahre 1940 die sogenannte spontane Kernspaltung entdeckte, d. h. die Spaltung eines Atomkerns, ohne dass ein Neutron oder ein anderes Elementarteilchen von außen in den Kern eindringt.

233 Siehe S. 178, Anm. 221.

HEISENBERG: Vielleicht haben sie nichts weiter gemacht als [U-]235 produziert und damit eine Bombe gemacht. Dann muss es jede Menge wissenschaftliche Dinge geben, über die zu arbeiten interessant wäre.

HAHN: Ja, aber sie müssen verhindern, dass die Russen es machen.

HEISENBERG: Ich möchte wissen, was Stalin heute Abend denkt. Natürlich haben sie gute Leute wie Landau, und die können es auch schaffen. Da ist nicht viel dran, wenn man über die Spaltung Bescheid weiß. Das Ganze ist eine Frage der Isotopentrennung.

HAHN: Nein, in dieser Hinsicht sind ihnen die Amerikaner und überhaupt alle Angelsachsen weit überlegen. Ich habe das Gefühl, dass der Krieg gegen Japan in den nächsten Tagen zu Ende ist und wir dann wahrscheinlich ziemlich bald nach Hause geschickt werden und alles viel leichter sein wird als zuvor. Wer weiß, ob das am Ende vielleicht ein Segen ist?

8. Die Gäste beschlossen, ihre Besorgnis nach außen nicht zu zeigen. Folglich bestanden sie darauf, wie gewöhnlich bis nach Mitternacht Karten zu spielen. Von Weizsäcker, Wirtz, Harteck und Bagge blieben noch zusammen, nachdem die anderen zu Bett gegangen waren. Es fand das folgende Gespräch statt:

BAGGE: Wir müssen vor diesen Leuten den Hut ziehen, weil sie den Mut hatten, so viele Millionen zu riskieren.

HARTECK: Es hätte uns gelingen können, wenn die obersten Behörden gesagt hätten: „Wir sind bereit, alles zu opfern."

WEIZSÄCKER: In unserem Fall haben selbst die Wissenschaftler gesagt, dass die Sache nicht zu schaffen sei.

BAGGE: Das stimmt nicht. Sie waren selber auf dieser Konferenz in Berlin. Ich glaube, es war am 8. September, dass jeder gefragt wurde – Geiger, Bothe und Sie, Harteck, waren auch da –, und jeder sagte, es müsse sofort gemacht werden.[234] Jemand sagte: „Es ist natürlich eine offene Frage, ob man so etwas überhaupt machen sollte." Daraufhin stand Bothe auf und sagte: „Meine Herren, es muss gemacht werden." Dann stand Geiger auf und sagte: „Wenn auch nur die geringste Aussicht besteht, dass es möglich ist – dann muss es gemacht werden." Das war am 8. September 1939.

---

234 Die Konferenz fand am 16. September 1939 im Heereswaffenamt in Berlin statt, vgl. S. 16 ff. im vorliegenden Buch.

WEIZSÄCKER: Ich weiß nicht, wie Sie so was sagen können. 50 Prozent der Leute waren dagegen.

HARTECK: All die Wissenschaftler, die nichts davon verstanden, sprachen sich dagegen aus, und von denen, die nun wirklich was davon verstanden, sprach sich ein Drittel dagegen aus. Da 90 Prozent nichts davon verstanden, sprachen sich 90 Prozent dagegen aus. Wir wussten, dass die Sache im Prinzip zu machen war, aber auf der anderen Seite erkannten wir auch, dass es sich um eine furchtbar gefährliche Sache handelte.

BAGGE: Wenn die Deutschen 10 Milliarden Mark dafür aufgewendet hätten und die Sache wäre nicht gelungen, hätte man allen Physikern den Kopf abgeschlagen.

WIRTZ: Die Sache ist doch die, dass in Deutschland nur sehr wenige Leute daran glaubten. Und selbst diejenigen, die von der Machbarkeit überzeugt waren, haben nicht alle daran gearbeitet.

HARTECK: Als wir beispielsweise die Sache mit dem schweren Wasser anfingen, war das Clusius-Verfahren anscheinend zu teuer, aber ich sagte zu Esau, dass wir verschiedene Verfahren gleichzeitig anwenden sollten; es gab die Anlage in Norwegen,[235] und wir hätten eine Clusius-Anlage haben sollen, um jährlich 200 bis 300 l zu erzeugen – das ist eine kleine Anlage –, und dann noch eine nach dem Thermodiffusionsprinzip. Soweit ich sehe, hätten wir nie eine Bombe herstellen können, doch mit Sicherheit hätten wir eine Maschine zum Laufen bringen können.

WIRTZ: Korsching hatte wirklich recht, als er sagte, es habe in der Urangruppe keine sehr gute Zusammenarbeit gegeben, wie Gerlach behauptet hat. Gerlach hat eigentlich gegen uns gearbeitet. Er und Diebner haben die ganze Zeit gegen uns gearbeitet. Schließlich versuchten sie sogar,

235 Deutschland bezog das für die Entwicklung einer Uranmaschine notwendige schwere Wasser von der norwegischen Norsk Hydro in Vemork bei Rjukan, der einzigen großtechnischen Produktionsstätte in Europa. Nach wiederholten Sabotageakten und alliierten Luftangriffen musste die dortige Schwerwasserproduktion Ende 1943 eingestellt werden. Dem deutschen Uranprojekt wurde damit ein empfindlicher Schlag versetzt, da der Aufbau alternativer Produktionsstätten in Deutschland im Versuchsstadium stecken geblieben war.

uns die Maschine wegzunehmen. Wenn ein deutsches Gericht die ganze Frage untersuchen sollte, warum es in Deutschland nicht geklappt hat, wäre das eine sehr, sehr gefährliche Sache. Wenn wir 1939 richtig angefangen und uns tüchtig ins Zeug gelegt hätten, wäre alles in Ordnung gewesen.

HARTECK: Dann wären wir alle vom britischen Geheimdienst umgebracht worden.

WIRTZ: Ich bin froh, dass es nicht so war, sonst wären wir alle tot.

(Pause.)

BAGGE: Es muss doch möglich sein, herauszubekommen, bei welcher Temperatur das Ding explodiert.

HARTECK: Der Vermehrungsfaktor bei 235 beträgt 2,8, und sobald eins mit dem anderen zusammenstößt – wie lang ist der Weg, bis das Ereignis eintritt? Vier Zentimeter. R_x ist der Radius. Dann müssen Sie das mit der mittleren freien Weglänge multiplizieren und es durch die Quadratwurzel des Vermehrungsfaktors dividieren. Das müsste 3,2 ergeben. R ist etwa 14 cm, das Gewicht beträgt 200 kg, und dann explodiert das Ding.

9. Gerlach und Heisenberg hatten in Gerlachs Zimmer ein langes Gespräch, das sich die halbe Nacht hinzog. Im Laufe dieses Gesprächs wiederholten sie die meisten der Behauptungen, die während der allgemeinen Unterhaltung unten formuliert worden waren und über die bereits berichtet wurde. Im Folgenden sind Auszüge aus dem Gespräch wiedergegeben:

GERLACH: Ich habe nie an die Bombe gedacht, ich wollte lediglich, dass wir alles Mögliche unternehmen, um Hahns Entdeckung für unser Land weiterzuentwickeln.

Heisenberg betonte weiterhin die Tatsache, dass sie sich auf die Entwicklung der Maschine konzentriert hätten, und meinte, dass, obwohl die Alliierten sich anscheinend auf die Bombe konzentriert hätten, sie jetzt vermutlich auch die Maschine herstellen könnten. Dass es den Deutschen nicht gelungen war, die Maschine zu vervollkommnen, schrieb er den Angriffen auf die Fabriken in Norwegen zu. Er gab Hitler die Schuld daran, dass – wie er sich ausdrückte – Hahns Erfindung jetzt Deutschland weggenommen worden ist. Er fuhr fort:

HEISENBERG: Ich bin noch immer überzeugt, dass unser Ziel wirklich richtig war und dass die Tatsache, dass wir uns auf das Uran konzentrierten, uns vielleicht die Chance einer Zusammenarbeit gibt. Ich glaube, diese Uransache wird den Angelsachsen eine so ungeheure Macht verschaffen, dass Europa zu einem Block unter angelsächsischer Vorherrschaft wird. Falls das zutrifft, wird es eine sehr gute Sache sein. Ich frage mich, ob Stalin sich gegen die anderen wird behaupten können, wie er es in der Vergangenheit getan hat.

GERLACH: Es stimmt nicht, dass wir die Isotopentrennung vernachlässigt haben – im Gegenteil, wir sprachen über die ganze Sache im Februar in Tübingen, und es gab eine Konferenz in München. Clusius, Harteck und ich traten dafür ein, die fotochemische Sache unbedingt zu machen. Es dauerte bis zum Jahresende, bevor die Leute, die es machen konnten, beisammen waren, der Spektrograph und Sonderunterkünfte beschafft waren, da das Litz (?) -Institut in Trümmern lag.[236]

HEISENBERG: Sie sollten Bemerkungen wie die von Korsching nicht allzu ernst nehmen. Er denkt jetzt, weil die Amerikaner es geschafft haben, hätte die Trennung von Isotopen auch ihm gelingen können, wenn er mehr Mittel zur Verfügung gehabt hätte. Das ist natürlich glatter und totaler Unsinn. Sein Experiment war interessant, deswegen haben wir es durchgeführt, ich bin allerdings davon überzeugt, dass die Amerikaner es nach völlig anderen Verfahren gemacht haben.

GERLACH: Wenn Deutschland eine Waffe besessen hätte, mit der der Krieg gewonnen worden wäre, dann wäre Deutschland im Recht und die anderen im Unrecht – und ob die Verhältnisse in Deutschland jetzt besser sind, als sie es nach einem Sieg Hitlers gewesen wären?

HEISENBERG: Ich glaube nicht. Andererseits sind die Tage der kleinen Länder vorbei. Angenommen, Hitler wäre es gelungen, sein Europa zu schaffen, und es hätte in Europa kein Uran gegeben.

GERLACH: Wenn wir wirklich eine Uranmaschine geplant hätten – im Sommer 1944 hätten wir eine Bombe noch nicht gehabt – und das wäre propagandistisch richtig ausgeschlachtet worden –

236 Unklar, welches Institut gemeint sein könnte.

HARTECK:[237] – dann hätte das eine Basis für Verhandlungen sein können. Es wäre eine Verhandlungsgrundlage für jede deutsche Regierung gewesen, aber nicht für Hitler.

GERLACH: Ich rannte mit offenen Augen in mein Verderben, aber ich glaubte die deutsche Physik und die deutschen Physiker retten zu können, und das ist mir ja auch gelungen.

HEISENBERG: Vielleicht kann die deutsche Physik als Teil in einer großen westlichen Gruppe mitarbeiten.

Gerlach wiederholte dann, wie Esau versucht habe, das gesamte schwere Wasser und das Uran an sich zu bringen, um die Experimente in der Reichsanstalt durchführen zu lassen. Heisenberg fuhr dann fort:

HEISENBERG: Jetzt, da die ganze Sache allgemein bekanntgemacht worden ist, nehme ich an, dass sie uns in verhältnismäßig kurzer Zeit mitteilen werden, was mit uns geschehen soll, da ich keinen Sinn darin sehe, uns hier weiter festzuhalten, da sie offensichtlich *viel* weiter sind als wir. Es mag noch ein paar Einzelheiten geben, bei denen wir ihnen helfen könnten, da sie auf dem Gebiet des schweren Wassers anscheinend sehr wenig gemacht haben.

GERLACH: Das Einzige, was wir jetzt tun können, wäre zu sagen: Wir bringen die Uranleute zusammen, Chadwick, Fermi usw., und lassen sie darüber diskutieren.

HEISENBERG: Ich wäre nicht überrascht, wenn wir in verhältnismäßig kurzer Zeit mit ein paar dieser Leute zusammentreffen, und vielleicht kommt etwas dabei heraus. Mir scheint es am Vernünftigsten zu sein, dass wir versuchen, mit den Angelsachsen zusammenzuarbeiten. Wir können das jetzt mit einem besseren Gewissen tun, weil man sieht, dass sie wahrscheinlich Europa beherrschen werden. Es ist klar, dass Leute wie Chadwick und Cherwell beträchtlichen Einfluss haben.

(Pause.)

GERLACH: Ich möchte wirklich gerne wissen, wie die es geschafft haben.

237 Wahrscheinlich ein Transkriptionsfehler und es sollte Heisenberg statt Harteck heißen, siehe auch Bernstein 2001, S. 134.

Heisenberg: Mir scheint es ganz klar zu sein, dass es dabei um die Isotopentrennung geht. Obwohl es natürlich, wie Harteck sagt, auch möglich ist, dass sie es mit hunderttausend Massenspektrographen geschafft haben.

Gerlach: Ich bin nicht sicher, ob vielleicht das Bagge-Verfahren[238] –

Heisenberg: Das würde nie reines 235 ergeben. Das Bagge-Verfahren ist nicht schlecht zur Anreicherung, aber die Zentrifuge ist dafür ebenfalls geeignet.

Gerlach: Das Bagge-Verfahren reichert mehr an.

Heisenberg: Stimmt. Eine Riesenmenge reines 235 ist ja wohl dennoch nicht zu erwarten.

Gerlach: Wie rein muss es denn sein?

Heisenberg: Ich würde sagen: 80 Prozent 235 und 20 Prozent 238 wären in Ordnung, 50 / 50 würden noch gehen, aber es darf nicht viel mehr 238 als 235 vorhanden sein.

10. Wirtz und Weizsäcker diskutierten in ihrem Zimmer gemeinsam über die Situation. Von Weizsäcker drückte dabei die Meinung aus, dass keiner von ihnen wirklich am Uran gearbeitet habe, mit Ausnahme von Wirtz und Harteck. Ferner beschuldigte er Gerlach und Diebner der Sabotage.[239] Wirtz drückte Entsetzen darüber aus, dass die Alliierten die neue Waffe eingesetzt hatten. Sie sprachen des weiteren über die Möglichkeit, dass die Russen das Geheimnis entdecken könnten, und kamen zu dem Schluss, dass es ihnen nicht vor Ablauf von zehn Jahren gelingen würde.[240] Das Gespräch nahm dann wie folgt seinen Fortgang:

Wirtz: Mir scheint, dass die politische Situation sich für Stalin jetzt völlig geändert hat.

---

238 Erich Bagge hatte ein spezielles Verfahren zur Isotopentrennung entwickelt, bei dem aus einem molekularen Uranstrahl mittels einer rotierenden Lochblende die Uranisotope aussortiert bzw. separiert wurden. Vgl. Schaaf 2018, S. 140 f.

239 Gemeint ist wohl, dass Gerlach als administrativer Leiter des Uranprojekts neben Heisenberg auch die Gruppe um Diebner gefördert und so eine Zersplitterung der raren materiellen Ressourcen an Uran und Schwerwasser zugelassen hatte.

240 Das war eine Fehleinschätzung, denn die erste sowjetische Atombombe wurde schon vier Jahre nach Hiroshima, am 29.8.1949, in der kasachischen Steppe gezündet. Vgl. Holloway 1994, S. 196 ff.

WEIZSÄCKER: Hoffentlich. Stalin hat sie gewiss noch nicht. Wären die Amerikaner und die Briten wirkliche Imperialisten, würden sie morgen mit dem Ding Stalin angreifen. Sie werden das aber nicht tun, weil sie die Bombe als politische Waffe benutzen. Das ist natürlich gut so, doch wird das Ergebnis ein Friede sein, der so lange hält, bis die Russen sie auch haben, und dann wird es sicher Krieg geben.

In diesem Augenblick trat Heisenberg zu Wirtz und Weizsäcker. Es fielen die folgenden Äußerungen:

WIRTZ: Diese Burschen haben es tatsächlich fertiggebracht, Isotope zu trennen. Was bleibt da noch für uns übrig?

HEISENBERG: Ich bin überzeugt, dass in den nächsten paar Tagen oder Wochen etwas mit uns geschieht. Ich kann mir vorstellen, dass wir ihnen nicht länger als gefährliche Feinde erscheinen.

WEIZSÄCKER: Das nicht, aber sobald wir nicht mehr gefährlich sind, sind wir auch nicht mehr interessant. Es hat den Anschein, dass sie ganz gut alleine zurechtkommen.

HEISENBERG: Vielleicht können sie von uns noch etwas über das schwere Wasser lernen. Viel kann es allerdings nicht sein – sie wissen einfach alles.

WEIZSÄCKER: Unsere Stärke ist jetzt die Tatsache, dass wir „Nicht-Nazis"[241] sind.

HEISENBERG: Ja, und außerdem wurde das Uran von Hahn entdeckt und nicht von den Amerikanern.

WEIZSÄCKER: Ich gebe zu, dass ich nach dieser Sache eher bereit bin, nach Deutschland zurückzugehen, trotz des Vordringens der Russen.

WIRTZ: Meine schlimmsten Befürchtungen hinsichtlich der Komplikationen, die sich unseretwegen jetzt ergeben werden, sind Wirklichkeit geworden.

HEISENBERG: Ich glaube, wir sind jetzt weit mehr an die Angelsachsen gebunden als zuvor, da wir keine Möglichkeit haben, zu den Russen überzuwechseln, selbst wenn wir wollten.

WIRTZ: Die würden uns auch nicht lassen.

---

241 Im englischen Abhörprotokoll: „un-Nazi", was wohl eine gewisse Differenzierung zum „Anti-Nazi" ausdrücken soll. Siehe auch Bernstein 2001, S. 136, Anm. 130.

HEISENBERG: Andererseits können wir es mit gutem Gewissen tun, weil wir sehen können, dass Deutschland in nächster Zukunft unter angelsächsischem Einfluss stehen wird.

WIRTZ: Das ist eine opportunistische Einstellung.

HEISENBERG: Im Moment ist es aber sehr schwierig, anders zu denken, weil man nicht weiß, was besser ist.

WEIZSÄCKER: Wenn ich mich frage, für welche Seite ich lieber arbeiten würde, würde ich natürlich sagen: für keine von beiden.

11. Diebner und Bagge sprachen ebenfalls allein über die Situation:

BAGGE: Was, glauben Sie, wird jetzt mit uns geschehen?

DIEBNER: Die lassen uns nicht nach Deutschland zurückgehen. Sonst würden uns die Russen nehmen. Es ist doch ganz klar, wie die es geschafft haben, sie haben bloß ein anderes System als wir. Wenn ein Mann wie Gerlach früher dagewesen wäre, hätten sich die Dinge anders entwickelt.

BAGGE: Gerlach ist nicht verantwortlich, er übernahm die Sache zu spät. Andererseits ist es ganz klar, dass Heisenberg nicht der richtige Mann dafür war. Das Tragische daran ist, dass Korsching mit dem, was er zu Gerlach äußerte, recht hat. Ich meine, es ist absurd von Weizsäcker zu sagen, wir hätten gar nicht gewollt, dass die Sache gelingt. Das mag für ihn zutreffen, aber nicht für uns alle. Auch Weizsäcker war nicht der richtige Mann, der es hätte schaffen können. Heisenberg konnte niemanden überzeugen, dass die ganze Sache von der Isotopentrennung abhing. Die ganze Isotopentrennung wurde als Nebensache betrachtet. Wenn ich an meine eigene Vorrichtung denke – sie entstand gegen Heisenbergs Wunsch.

DIEBNER: Jetzt werden sich die anderen an den Major heranzumachen versuchen und sich verkaufen. Natürlich können sie mit uns machen, was sie wollen, sie brauchen uns ja nicht mehr.

BAGGE: Ich werde es nicht tun. Ich werde über kosmische Strahlung arbeiten. Erinnern Sie sich, wie von Weizsäcker in Belgien sagte: Wenn die zu uns kommen, sagen wir bloß, dass der einzige auf der Welt, der es schaffen kann, Heisenberg ist. Von Weizsäcker ist über die ganze Sache sehr bestürzt.

(Pause.)

BAGGE: Man kann Speer nicht dafür verantwortlich machen, da keiner der Wissenschaftler hier die Sache durchgezogen hat. Es war unmöglich, da wir in Deutschland niemand hatten, der tatsächlich schon Uran getrennt hatte. Es gab in Deutschland keine Massenspektrographen.

DIEBNER: Sie haben alle versagt. Walcher und Herzog wollten einen bauen, aber es ist ihnen nicht gelungen.

12. Obwohl die Gäste gegen 1.30 Uhr zu Bett gingen, verbrachten die meisten von ihnen anscheinend eine recht unruhige Nacht, nach den tiefen Seufzern und den gelegentlichen Rufen zu urteilen, die im Laufe der Nacht zu hören waren. Auch war auf den Korridoren ein beträchtliches Kommen und Gehen zu vernehmen.[242]

III. 7. August

1. Am Morgen des 7. August verschlangen unsere Gäste förmlich die neuesten Zeitungen. Der größte Teil des Vormittags wurde mit deren Lektüre zugebracht.[243]

2. In einem Gespräch mit Diebner äußerte Bagge, er sei überzeugt, dass man es mit Massenspektrographen gemacht habe.

3. Hahn, Heisenberg und Harteck erörterten die Angelegenheit in dem folgenden Gespräch:

HAHN: Was, glauben Sie, passiert, wenn eine Atombombe explodiert? Beträgt die Uranspaltung 1 ‰, 1 %, 10 % oder 100 %?

HEISENBERG: Wenn es 235 ist, dann ist es in der Praxis die gesamte Menge, weil dann die Reaktion viel schneller erfolgt als die Verdampfung, da sie in der Praxis mit Lichtgeschwindigkeit vor sich geht. Um in 10^{25} Atomen eine Spaltung hervorzurufen, benötigen Sie 80 Schritte in der Kette, so dass die ganze Reaktion in 10^{-8} Sekunden abgeschlossen ist. Dann erzeugt jedes Neutron, das aus einem Atom

242 Vgl. auch den Tagebucheintrag von E. Bagge vom 7.8.1945 (Dokumentenanhang S. 416) und den brieflichen Bericht Max von Laues an seinen Sohn: „Viel geschlafen hat in der letzten Nacht wohl keiner von uns“ (ebd., S. 476).

243 Beispielsweise gab es einen ausführlichen Bericht der Times vom 7.8.1945, die sogar mit dem Titel „The First Atomic Bomb“ aufmachte, sowie des Daily Telegraph (vgl. Faksimile S. 196).

The Daily Telegraph

No 28.124 LONDON TUESDAY, AUGUST 7, 1945 and Morning Post Printed in LONDON and MANCHESTER PRICE 1½d.

ALLIES INVENT ATOMIC BOMB: FIRST DROPPED ON JAPAN

2,000 TIMES THE BLAST-POWER OF R.A.F. 11-TONNER

ENEMY THREATENED WITH "RAIN OF RUIN" FROM THE AIR

The Allies have made the greatest scientific discovery in history: the way to use atomic energy. The first atomic bomb has been dropped on Japan. It had:

Over 2,000 times the blast power of the largest bomb ever before used, which was the British "Grand Slam," weighing about 11 tons; and

More power than 20,000 tons of T.N.T.

Yet the explosive charge is officially described as "exceedingly small." A spokesman at the Ministry of Aircraft Production said last night that the bomb was one-tenth the size of a "block buster," yet its effect would be "like that of a severe earthquake."

The first atomic bomb, a single one, was dropped on Hiroshima, a town of 12 square miles, on the Japanese main island of Honshu. Tokyo radio said that the raid was at 8.20 a.m. yesterday, Japanese time, and that the extent of the damage was being investigated.

The official announcement yesterday of the existence of the bomb was made 16 hours after its first use. Late

TEST FLASH WAS SEEN 350 MILES AWAY

Impact Vapourised Steel Tower

WASHINGTON, Monday.

'THIS TERRIBLE MEANS OF MAINTAINING LAW'

MR. CHURCHILL'S WARNING TO JAPAN

The following statement was issued by the Prime Minister, Mr Attlee, from No. 10 Downing-street, last night:

Everybody will have seen the important statements which have been made by President Truman and by Mr Stimson, the United States Secretary for War, about the atomic bomb.

The problems of the release of energy by atomic fission have been solved and an atomic bomb has been dropped on Japan by the United States Army Air Force.

STATEMENT BY MR. CHURCHILL

'INVENTION MAY REVOLUTIONISE INDUSTRY'

RESEARCH PROBLEMS

GERMANS' NORWAY PLANT WRECKED

BLOW TO 'HEAVY WATER' OUTPUT

ATOM-SPLITTING MEDIUM

Auszug aus der Titelseite Daily Telegraph *vom 7. August 1945.*

fliegt, zwei weitere Neutronen, wenn es auf ein anderes Uran 235 trifft. Jetzt brauche ich aber 10^{25} Neutronen, und das ist 2^{80}. Ich brauche 80 Schritte in der Kette, und dann habe ich 2^{80} Neutronen erzeugt. Ein Schritt in der Kette braucht dieselbe Zeit wie ein Neutron, um 5 cm zu durchlaufen, das heißt 10^{-9} Sekunden, so dass ich etwa 10^{-8} Sekunden brauche, damit die ganze Reaktion in etwa 10^{-8} Sekunden abläuft. Wahrscheinlich explodiert das ganze Ding in dieser Zeit.

(Pause.)

HEISENBERG: Die haben den ersten Test offenbar erst am 16. Juli gemacht.[244]

HAHN: Aber sie müssen dann mehr Material gehabt haben. Sie konnten doch nicht alle vierzehn Tage 100 kg neues Uran 235 herstellen.

HEISENBERG: Sie scheinen zwei Bomben gehabt zu haben, eine für den Test und die andere für –

HARTECK: Jedenfalls wird die nächste in ein paar Monaten fertig sein. Stalins Siegeshoffnungen dürften etwas gedämpft worden sein.

244 Die erste (und einzige) Testexplosion hatte am 11. Juli 1945 in der Wüste von New Mexico stattgefunden.

HAHN: Das ist es, was einen an der ganzen Sache erfreut. Falls allerdings Niels Bohr mitgeholfen hat, dann, muss ich sagen, ist er in meiner Achtung gesunken.

4. Gerlach und von Laue sprachen über die Position von Niels Bohr und die Rolle, die er gespielt hatte.[245] Gerlach sagte, er sei darüber sehr bestürzt gewesen, da er sich bei der deutschen Regierung persönlich für Bohr verbürgt habe. Von Laue meinte, man dürfe nicht alles glauben, was in den Zeitungen steht.

5. In einem Gespräch mit von Laue meinte von Weizsäcker, es werde nicht mehr lange dauern, bis die Namen der deutschen Wissenschaftler in den Zeitungen erscheinen, während es noch geraume Zeit dauern werde, bevor sie sich in den Augen ihrer eigenen Landsleute rein waschen könnten. Dann zitierte er aus der Zeitung, dass wir noch nicht imstande seien, die Energie zu kontrollieren, woraus er den Schluss zog, dass wir nicht im Besitz einer Uranmaschine seien, so dass ihre Arbeit noch von beträchtlichem Wert sein würde. Schließlich sagte er:

WEIZSÄCKER: Die Geschichte wird festhalten, dass die Amerikaner und die Engländer eine Bombe bauten und dass zur selben Zeit die Deutschen unter dem Hitler-Regime eine funktionsfähige Maschine herstellten. Mit anderen Worten, die friedliche Entwicklung der Uranmaschine fand in

245 Der dänische Physiker Niels Bohr galt aufgrund seiner fundamentalen Arbeiten zur Quantentheorie als Autorität der internationalen Physikergemeinschaft. Er war das Haupt der wohl bedeutendsten Physikerschule und seine Persönlichkeit machte ihn zudem zu einer moralischen Instanz. Die Bemerkung Gerlachs und Laues bezieht sich auf Zeitungsmeldungen, in denen erstmals die Rolle Bohrs im amerikanischen Atombombenprojekt erwähnt wurde. Nach seiner Flucht aus dem besetzten Dänemark im September 1943 hatte er am Manhattan Project als Berater mitgewirkt. Zu seinem Engagement bei der Atombombenentwicklung hat eventuell auch der missglückte Besuch von Heisenberg und Weizsäcker im September 1941 beigetragen, bei dem diese Bohr auf die Möglichkeiten einer Massenvernichtungswaffe hinweisen und eine interne Übereinkunft der internationalen Physikergemeinschaft vorschlagen wollten, solche Waffen nicht zu entwickeln, was aber von Bohr missverstanden wurde (vgl. Frayn 2003). Aus Anlass des 60. Geburtstags von Bohr am 7. Oktober 1945 versuchten Heisenberg und Weizsäcker Kontakt zu ihrem Lehrer aufzunehmen und sandten ihm Glückwunschbriefe nebst Manuskripte jüngster Forschungen über Supraleitung und Kosmogonie. (Vgl. S. 499 im Dokumentenanhang).

Deutschland unter dem Hitler-Regime statt, während die Amerikaner und die Engländer diese grässliche Kriegswaffe entwickelten.[246]

6. Gerlach beklagte sich bei Diebner auch weiterhin über Korschings Verhalten am Abend zuvor. Sie diskutierten darüber, auf welche Weise Informationen, die ihre Arbeit betrafen, nach draußen durchgesickert sein mochten. Sie erinnerten sich, dass Heisenberg und von Weizsäcker einmal vier Wochen in der Schweiz verbrachten und dort Diskussionen mit Scherrer führten.[247] Gerlach und Diebner sprachen ferner über die politischen Aspekte des Besitzes der Atombombe und drückten ihre Befriedigung darüber aus, dass die Russen allem Anschein nach das Geheimnis nicht kennen.

7. In einem Gespräch zwischen Wirtz, von Weizsäcker und Heisenberg wiederholte Heisenberg, dass im Juli 1944 ein höherer SS-Offizier ihn aufgesucht und gefragt habe, ob er ernsthaft glaube, dass die Amerikaner eine Atombombe herstellen könnten. Heisenberg habe ihm daraufhin gesagt, dass dies seiner Meinung nach durchaus möglich sei, da die Amerikaner viel besser und schneller als die Deutschen arbeiten könnten. Von Weizsäcker drückte erneut Entsetzen über den Einsatz der Waffe aus, und Heisenberg erwiderte, dass, wenn sie eine solche Bombe hergestellt und abgeworfen hätten, sie mit Sicherheit als Kriegsverbrecher, die die „denkbar teuflischste Sache" hergestellt hätten, hingerichtet worden wären.

8. Um 18.00 Uhr hörten alle Gäste die Rundfunkansprache von Sir John Anderson.[248] Die anschließende Diskussion stellte lediglich eine Wieder-

---

246 Hier formuliert Weizsäcker erneut die in Farm Hall entwickelte Lesart zur Entwicklung der Atombombe und den Mythos von der vermeintlich friedlichen Entwicklung einer Uranmaschine in Deutschland. Siehe auch das Interview mit C. F. v. Weizsäcker, S. 543 ff.

247 Heisenberg und Weizsäcker weilten im Dezember 1944 auf Einladung von Paul Scherrer zu Vorträgen in der Schweiz, wobei Weizsäcker die Gelegenheit nutzte, um seine Kinder zum Schwiegervater nach Feldmeilen zu bringen, wo sie die nächsten drei Jahre blieben. Siehe auch die Briefe im Anhang S. 485 ff.

248 John Anderson, Schatzkanzler im Kabinett Churchill und als solcher für das britische Atombombenprojekt verantwortlich, gab am Abend des 7. August in einer Rundfunkansprache den ersten offiziellen Bericht über den erfolgreichen Einsatz der amerikanischen Atombombe und den Beitrag, den englische Wissenschaftler im Rahmen des sogenannten Tube Alloys Programs dazu geleistet hatten.

holung früherer Gespräche dar; dabei drehte es sich hauptsächlich um etwas bissige Äußerungen zu der Anwendung, die die neue Entdeckung erfahren hatte. Heisenbergs abschließende Äußerung lautete:

HEISENBERG: Falls die Amerikaner mit der Maschine noch nicht so weit sind wie wir – und so sieht es doch allem Anschein nach aus –, dann haben wir Glück. Es besteht eine Möglichkeit, viel Geld zu verdienen.

9. Später führten Gerlach und Heisenberg ein langes Gespräch, in dem sie über die Zukunft diskutierten. Gerlach sagte, er hoffe, dass sie über die ganze Frage mit Leuten wie Chadwick sprechen könnten. Heisenberg meinte, er sei ganz sicher, dass etwas Derartiges unternommen werde, aber er meinte auch, man solle erst einmal die weiteren Ereignisse abwarten. Sie erörterten ferner Zeitungsmeldungen über ihre angebliche Arbeit an der Bombe in Deutschland und gaben der Hoffnung Ausdruck, dass es möglich sein werde, den Abdruck solcher Behauptungen in der Presse künftig zu unterbinden. Ihr Gespräch endete mit der Feststellung, sie seien überrascht gewesen, dass sie von den in Amerika getroffenen Vorbereitungen nichts erfahren hätten. Heisenberg sagte, jemand aus dem deutschen Auswärtigen Amt habe ihm mitgeteilt, dass 70 Prozent der Gestapoagenten in Spanien dort geblieben seien, um für die andere Seite zu arbeiten.

10. Heisenberg, von Weizsäcker, Wirtz und Harteck sprachen ebenfalls über die Zukunft und kamen zu der Überzeugung, dass man sie wahrscheinlich nach Hechingen zurückschicken und dort weiterarbeiten lassen werde. Ihnen war allerdings auch bewusst, wir könnten befürchten, sie würden den Russen zu viel erzählen. In diesem Zusammenhang erwähnten sie, dass Bopp, Jensen und Flügge,[249] wenn sie wollten, ihnen ebenfalls eine Menge erzählen könnten. Sie kamen zu dem Schluss, dass Groth[250] vermutlich in England war.

249 In Deutschland bzw. Hechingen verbliebene Physikerkollegen.
250 Mitarbeiter von Harteck.

IV. Das von den Gästen unterzeichnete Memorandum

Alle Gäste äußerten sich sehr besorgt über die Presseberichte, in denen es um ihre angebliche Arbeit an der Atombombe in Deutschland ging. Da sie so sehr darauf beharrten, dass keine derartigen Arbeiten durchgeführt worden waren, schlug ich ihnen vor, ein Memorandum aufzusetzen, in dem sie Einzelheiten über ihre Arbeit in Deutschland darlegen könnten, und es zu unterschreiben. Über den Wortlaut dieses Memorandums gab es erhebliche Diskussionen,[251] in deren Verlauf Diebner äußerte, dass er all seine Papiere vernichtet habe, dass er aber eine große Gefahr darin sehe, dass Schumann sich über alles Notizen gemacht habe. Gerlach fragte sich, ob Vögler sich ebenfalls Notizen gemacht habe. Aus der Unterhaltung ging allerdings eindeutig hervor, dass sie selber tatsächlich nicht an einer Bombe gearbeitet hatten, aber sie gaben an, dass die Deutsche Reichspost gleichfalls am Uranproblem gearbeitet und in Miersdorf [bei Zeuthen] ein Zyklotron errichtet habe.[252] Gerlach meinte, dass auch die Schwab-Gruppe[253] über etwas Uran verfügt habe, und erinnerte sich, dass die SS einmal zu ihm gekommen sei und versucht habe, sich große Mengen schweres Wasser zu verschaffen. Harteck erwähnte ebenfalls einen SS-Standartenführer, dessen Name ihm entfallen sei, der zuvor bei Merck gewesen sei und der sich für das Thema sehr interessiert habe. Wirtz meinte,

---

251 Vgl. dazu Otto Hahns Tagebucheintrag vom 8. August 1945 im Dokumentenanhang S. 446 f.

252 Neben den Gruppen um Heisenberg und Diebner, dem eigentlichen deutschen „Uranverein", gab es noch eine weitgehend unabhängig agierende Gruppe, die sich unter der Leitung des Berliner Erfinders und Unternehmers Manfred von Ardenne ebenfalls mit Kernenergie befasste und unter der Schirmherrschaft des Postministeriums stand. Zu dieser Gruppe gehörte zeitweilig auch Friedrich Houtermans, der 1941 ebenfalls auf das Transuran Plutonium als möglichen Kernbrenn- bzw. Kernsprengstoff aufmerksam gemacht hatte (vgl. Hoffmann 2014, S. 67). Das erwähnte Zyklotron, Teil des Ardenneschen Privatlaboratoriums, befand sich bei Kriegsende noch im Entwicklungsstadium (vgl. Stange 2000, S. 88).

253 Hierbei ist wohl das vom Himmler-Stellvertreter Otto Schwab geleitete Waffenamt der SS gemeint, das in Glau bei Trebbin südwestlich von Berlin eigene wehrtechnische Forschungen betrieb.

man dürfe nicht vergessen, dass es im Kaiser-Wilhelm-Institut für Physik ein Patent für die Herstellung einer solchen Bombe gebe. Dieses Patent sei 1941 erteilt worden.[254] Schließlich wurde ein Memorandum entworfen, von dem eine Fotokopie diesem Bericht beigefügt ist. Wirtz, Weizsäcker, Diebner, Bagge und Korsching wollten das Schriftstück zunächst nicht unterschreiben, wurden dann aber von Heisenberg dazu überredet.[255]

(Gez. Rittner)
Major.

Farm Hall,
Godmanchester,
11. August 1945.

---

254 Es gab am KWI für Physik zwei Patentanmeldungen für die technische Nutzung von Kernreaktionen – die eine stammte von K. Wirtz und die zweite von C. F. v. Weizsäcker, Vgl. Forstner 2018, S. 48 f., sowie Karlsch 2005, S. 73 – 78.

255 Hahn behauptet, im Wesentlichen haben Heisenberg und Weizsäcker das Dokument verfasst. Die Weigerungsgründe insbesondere von Wirtz und Diebner beschreibt Hahn in seinem Tagebucheintrag vom 8. August 1945. Vgl. Dokumentenanhang S. 447.

Anhang 1: Fotografien von Farm Hall und den hier festgehaltenen Gästen[256]

Professor Otto Hahn

Der freundlichste der internierten Professoren. Er besitzt einen ausgeprägten Humor und einen gesunden Menschenverstand. Gegenüber England und Amerika ist er entschieden freundlich eingestellt. Über die Nachricht vom Abwurf der Atombombe zeigte er sich sehr erschüttert, da er sich aufgrund seiner Entdeckung für den Tod so vieler Menschen verantwortlich fühlt. Dass seine Entdeckung in der Presse Prof. Lise Meitner zugeschrieben wurde,

256 Die Porträtfotografien sind im Kapitel „Porträts und Kurzbiografien der Internierten" S. 63 ff. größer abgebildet, dieses Bild von Farm Hall stammt aus dieser Akte.

hat er sehr gut aufgenommen, obwohl er darauf hinweist, dass sie in Wirklichkeit seine Assistentin war und zum Zeitpunkt der Entdeckung Berlin bereits verlassen hatte.

Professor Max von Laue

Ein scheuer, sanfter Mensch. Er kann nicht verstehen, warum er interniert ist; er erklärt, dass er mit Uran oder den Experimenten am Kaiser-Wilhelm-Institut nie etwas zu tun hatte. Er amüsiert sich über das Unbehagen der anderen, da er sich in keiner Weise daran beteiligt fühlt. Er ist außerordentlich freundlich und England und Amerika gegenüber sehr wohlgesinnt.

Professor Walther Gerlach

War stets sehr heiter und freundlich, doch durch die abgehörten Gespräche steht er im Verdacht, Verbindungen zur Gestapo unterhalten zu haben. Als der Mann, der von der deutschen Regierung dazu berufen wurde, die Forschungsarbeiten zum Uran zu organisieren, sieht er sich selbst in der Position eines geschlagenen Generals und schien sich mit Selbstmordgedanken zu tragen, als die Nachricht [vom Bombenabwurf] kam.

Professor W. Heisenberg

Ist während der ganzen Zeit seiner Internierung sehr freundlich und hilfsbereit gewesen. Er hat die Nachricht von der Atombombe wirklich sehr gut aufgenommen und ist ehrlich bestrebt, mit den britischen und amerikanischen Wissenschaftlern zusammenzuarbeiten.

Professor P. Harteck

Eine sehr charmante Persönlichkeit. Scheint nur an seiner Forschungsarbeit interessiert zu sein. Er hat die Nachricht von der Atombombe mit großer Gelassenheit aufgenommen und eine Reihe von Theorien aufgestellt, wie sie funktioniert haben könnte.

Professor C.-F. von Weizsäcker

Nach außen sehr freundlich und anscheinend ehrlich zur Zusammenarbeit bereit. Er hat behauptet, sowohl direkt als auch in abgehörten Gesprächen, dass er aufrichtig gegen das Naziregime gewesen sei und nicht an einer Atombombe habe arbeiten wollen. Als Sohn eines Diplomaten ist er selbst so etwas wie einer. Es ist schwer zu sagen, ob er wirklich bereit ist, mit England und Amerika zusammenzuarbeiten.

Doktor K. Wirtz

Ein cleverer Egoist. Sehr freundlich an der Oberfläche, aber man kann ihm nicht trauen. Er wird nur kooperativ, wenn es sich für ihn lohnt.

Doktor E. Bagge

Ein ernster und sehr hart arbeitender junger Mann. Er ist durch und durch deutsch und dürfte zur Zusammenarbeit wahrscheinlich nicht bereit sein.

Doktor H. Korsching

Ein völliges Rätsel. Auf die Nachricht vom Einsatz der Atombombe machte er Bemerkungen über den Mangel an Mut unter seinen Kollegen, was Gerlach fast in den Selbstmord trieb.

Doktor K. Diebner

Nach außen hin freundlich, hat aber aber eine unangenehme Persönlichkeit, der man nicht trauen kann.

Anhang 2: Memorandum

8. August 1945.

Da die Presseberichte der letzten Tage über die angeblichen Arbeiten an der Atombombe in Deutschland zum Teil unrichtige Angaben enthalten, möchten wir die Entwicklung der Arbeiten zum Uranproblem im Folgenden kurz beschreiben.

1. Die Atomkernspaltung beim Uran ist im Dezember 1938 von Hahn und Straßmann am Kaiser-Wilhelm-Institut für Chemie in Berlin entdeckt worden. Sie war die Frucht rein wissenschaftlicher Untersuchungen, die mit praktischen Zielen nichts zu tun hatten. Erst nach ihrer Veröffentlichung wurde ungefähr gleichzeitig in verschiedenen Ländern entdeckt, dass sie eine Kettenreaktion der Atomkerne und damit zum ersten Mal eine technische Ausnutzung der Kernenergien ermöglichen könnte.
2. Beim Beginn des Krieges wurde in Deutschland eine Gruppe von Forschern zusammengerufen, deren Aufgabe es war, die praktische Ausnutzbarkeit dieser Energien zu untersuchen. Die wissenschaftlichen Vorarbeiten hatten gegen Ende 1941 zu dem Ergebnis geführt, dass es möglich sein werde, die Kernenergien zur Wärmeerzeugung und damit zum Betrieb von Maschinen zu benutzen. Dagegen schienen die Voraussetzungen für die Herstellung einer Bombe im Rahmen der technischen Möglichkeiten, die Deutschland zur Verfügung standen, damals nicht gegeben zu sein. Die weiteren Arbeiten konzentrierten sich daher auf das Problem der Maschine, für die außer Uran schweres Wasser notwendig ist.
3. Für diesen Zweck wurden die Anlagen der Norsk Hydro in Rjukan zur Produktion von größeren Mengen von schwerem Wasser ausgebaut. Die Angriffe auf diese Anlagen, zuerst durch ein Sprengkommando, dann durch die R. A. F., haben diese Produktion gegen Ende 1943 zum Erliegen gebracht.
4. Gleichzeitig wurden in Freiburg, später in Celle Versuche angestellt, durch Anreicherung des seltenen Isotops 235 die Benutzung des schweren Wassers zu umgehen.
5. Mit den vorhandenen Mengen des schweren Wassers wurden zuerst in Berlin, später in Haigerloch (Württemberg) die Versuche über die

TOP SECRET

Copy No. 4.
Ref. FH4

8 August 1945 APPENDIX 2.

Da die Presseberichte der letzten Tage über die angeblichen Arbeiten an der Atombombe in Deutschland zum Teil unrichtige Angaben enthalten, möchten wir die Entwicklung der Arbeiten zum Uranproblem im Folgenden kurz beschreiben.

1)Die Atomkernspaltung beim Uran ist im Dezember 1938 von Hahn und Strassmann am Kaiser-Wilhelm-Institut für Chemie in Berlin entdeckt worden. Sie war die Frucht rein wissenschaftlicher Untersuchungen, die mit praktischen Zielen nichts zu tun hatten. Erst nach ihrer Veröffentlichung wurde ungefähr gleichzeitig in verschiedenen Ländern entdeckt, daß sie eine Kettenreaktion der Atomkerne und damit zum ersten Mal eine technische Ausnutzung der Kern-Energieen ermöglichen könnte.

2)Beim Beginn des Krieges wurde in Deutschland eine Gruppe von Forschern zusammengerufen, deren Aufgabe es war, die praktische Ausnutzbarkeit dieser Energieen zu untersuchen. Die wissenschaftlichen Vorarbeiten hatten gegen Ende 1941 zu dem Ergebnis geführt, daß es möglich sein werde, die Kern-Energieen zur Wärme-Erzeugung und damit zum Betrieb von Maschinen zu benutzen. Dagegen schienen die Voraussetzungen für die Herstellung einer Bombe im Rahmen der technischen Möglichkeiten, die Deutschland zur Verfügung standen, damals nicht gegeben zu sein. Die weiteren Arbeiten konzentrierten sich daher auf das Problem der Maschine, für die außer Uran "schweres" Wasser notwendig ist.

3)Für diesen Zweck wurden die Anlagen der Norsk Hydro in Rjukan zur Produktion von größeren Mengen von schwerem Wasser ausgebaut. Die Angriffe auf diese Anlagen, zuerst durch ein Sprengkommando, dann durch die R.A.F., haben diese Produktion gegen Ende 1943 zum Erliegen gebracht. ~~Gleichzeitig war~~

4)Gleichzeitig wurden in Freiburg, später in Celle, Versuche angestellt, durch Anreicherung des seltenen Isotops 235 die Benutzung des schweren Wassers zu umgehen.

5)Mit den vorhandenen Mengen des schweren Wassers wurden zuerst in Berlin, später in Haigerloch (Württemberg), die Versuche über die Energie-Gewinnung fortgeführt. Gegen Ende des Krieges waren diese Arbeiten so weit gediehen, daß die Aufstellung einer Energie liefernden Apparatur wohl nur noch kurze Zeit in Anspruch genommen hätte.

Energiegewinnung fortgeführt. Gegen Ende des Krieges waren diese Arbeiten soweit gediehen, dass die Aufstellung einer energieliefernden Apparatur wohl nur noch kurze Zeit in Anspruch genommen hätte.

Anmerkungen

Zu 1) Die Hahnsche Entdeckung ist kurz nach ihrer Veröffentlichung in vielen Laboratorien, insbesondere in den Vereinigten Staaten, nachgeprüft worden. Auf die großen Energien, die bei der Uranspaltung frei werden, wurde von verschiedenen Forschern, zuerst wohl von Meitner und Frisch, hingewiesen. Dagegen hatte Professor Meitner bereits ein halbes Jahr vor der Entdeckung Berlin verlassen und war an der Entdeckung selbst nicht beteiligt.

Zu 2) Die rein chemischen Arbeiten des Kaiser-Wilhelm-Institutes für Chemie über die Folgeprodukte der Uranspaltung sind im Kriege ungestört fortgeführt und veröffentlicht worden. Die unter 2) genannten wissenschaftlichen Vorarbeiten über die Energiegewinnung umfassten Untersuchungen von folgender Art: theoretische Abschätzung über den Ablauf der Reaktionen in Gemischen aus Uran und schwerem Wasser. Messungen des Absorptionsvermögens von schwerem Wasser für Neutronen. Untersuchungen über die bei der Spaltung frei werdenden Neutronen. Untersuchungen über die Neutronenvermehrung in kleinen Anordnungen aus Uran und schwerem Wasser. Zur Frage der Atombombe sei noch festgestellt, dass den Unterzeichneten keine ernstzunehmenden Untersuchungen etwa an derer Gruppen in Deutschland über das Uranproblem bekannt geworden sind.

Zu 3) Die Schwerwasser-Produktion in Rjukan wurde zunächst durch den konsequenten Ausbau der schon vorhandenen Anlage und dann durch den Einbau von in Deutschland entwickelten katalytischen Austauschöfen auf etwa 220 Liter pro Monat gesteigert. Die Stickstoffproduktion des Werkes wurde hierdurch nur unwesentlich vermindert. Mit Uran und Radium ist in Rjukan nie gearbeitet worden.

Zu 4) Zur Isotopentrennung wurden verschiedene Verfahren angewandt. Das Clusiussche Trennrohr erwies sich als ungeeignet. Die Ultrazentrifuge ergab eine geringe Anreicherung des Isotops 235. Die anderen

Verfahren hatten bis zum Ende des Krieges noch keine sicheren positiven Ergebnisse geliefert. Eine Isotopentrennung in großem Maßstab ist nicht in Angriff genommen worden.

Zu 5) Ferner wurde eine energieliefernde Apparatur vorbereitet, die zwar ohne schweres Wasser, jedoch bei sehr tiefer Temperatur künstlich-radioaktive Substanzen in großer Menge erzeugen sollte.

Zu 3) – 5) Im Ganzen sind von deutschen Behörden (zuerst Heereswaffenamt, später Reichsforschungsrat) für das Uranvorhaben Mittel bereitgestellt worden, die gegenüber den von den Alliierten eingesetzten Mitteln verschwindend gering sind. Die Anzahl der Menschen, die an der Entwicklung beteiligt waren (Wissenschaftler und Hilfskräfte in Instituten und Industrie), hat wohl in keiner Phase einige hundert überschritten.

(Otto Hahn) (M.v.Laue)*

(Walther Gerlach) (W.Heisenberg)

(P.Harteck) (C.F.v.Weizsäcker)

(K.Wirtz) (E.Bagge)

(H.Korsching) (K.Diebner)

*Meine Unterschrift bedeutet, daß ich mich für die Richtigkeit der obigen Darstellung mit- verbürge, nicht aber, daß ich an den darin erwähnten Arbeiten irgend welchen Anteil gehabt habe.

M.v.Laue.

TOP SECRET

Copy No. 4.
Mr. Perrin.

Fünfter Bericht
8. – 22. August 1945

I. Allgemeines

1. Die Gäste haben sich inzwischen vom ersten Schock erholt, den sie nach Bekanntgabe des Atombombenabwurfs erlitten hatten. Sie ergehen sich noch immer in Vermutungen, welches Verfahren zur Herstellung der Bombe wohl angewendet wurde; ihre diesbezüglichen Gespräche sowie ein Vortrag Heisenbergs werden im weiteren Verlauf dieses Berichts erwähnt. Die Übersetzung des schwierigen fachspezifischen Textes besorgte freundlicherweise ein Mitarbeiter des D. S. I. R.[257] Der deutsche Originaltext von Heisenbergs Vortrag ist als Anhang diesem Bericht beigefügt.

2. Es herrscht allgemeine Aufbruchsstimmung, da die Gäste jetzt der Meinung sind, dass es nicht mehr nötig sei, sie noch länger festzuhalten, und sie davon ausgehen, dass man sie binnen Kurzem informieren werde, welche Pläne für ihre Zukunft gefasst worden sind, und dass sie bald wieder bei ihren Familien sind. Sie erwarten voll Ungeduld Antwort auf ihre Briefe, die jetzt abgeschickt worden sind.[258]

3. Die Kapitulationserklärung Japans wurde eher mit Erleichterung als mit Begeisterung begrüßt. Die Gäste hörten mit großem Interesse die Rundfunkansprache des Königs am „VJ“-Day[259] und nahmen, während die Nationalhymne erklang, Haltung an.

257 Department of Scientific and Industrial Research.

258 Siehe z. B. Brief von Max von Laue an seinen Sohn vom 7. August 1945 im Dokumentenanhang S. 473 ff.

259 „Victory in Japan“ am 15. August 1945, Tag des Sieges über Japan. Der regierende Monarch war Georg VI.

4. Sir Charles Darwin stattete Farm Hall am 18. August einen Besuch ab. Dies war das erste Mal, dass die Gäste seit ihrer Internierung Kontakt mit einem Wissenschaftler hatten, und sie freuten sich darüber, dass ihnen dazu Gelegenheit geboten wurde. Die Gespräche während des Besuchs und die anschließenden Reaktionen darauf werden an anderer Stelle dieses Berichts behandelt.

II. Die Zukunft

1. Mehrere Gäste haben über ihre Einstellung zur Zusammenarbeit mit den Alliierten diskutiert. Das folgende Gespräch fand am 10. August zwischen Heisenberg, von Weizsäcker und Gerlach statt.

Gerlach: Wenn Sie die Gelegenheit einer Zusammenarbeit bekämen, um die Bombe für die Menschheit nützlich zu machen, würden Sie es tun?

Heisenberg: Es ist unwahrscheinlich, dass sich eine solche Gelegenheit in dieser Form ergibt, da es nicht machbar ist. Nützlich für die Menschheit bedeutet doch nur, dass die Russen sie nicht bekommen, aber das lässt sich nicht verhindern, da die Russen die Atombombe mit Sicherheit in fünf Jahren haben werden, möglicherweise schon in einem Jahr. Nach dem, was Chadwick in diesem Interview gesagt hat, nehme ich an, dass die Alliierten versuchen werden, eine Kontrollkommission zusammen mit den Russen zu bilden, die die Herstellung von Uran-235 und die entsprechenden Möglichkeiten der Nutzbarmachung überwacht. Sie werden versuchen, mit den Russen auf irgendeine Weise zu einer friedlichen Vereinbarung zu gelangen. Ich hätte nichts dagegen, wenn man in eine solche Organisation aufgenommen werden könnte, damit wir uns auf irgendeine Weise an der Kontrolle für Deutschland beteiligen. Ich stelle mir vor, dass es eine Art Organisation geben wird, in der alle Kernphysiker der Welt zusammengeschlossen sind.

Weizsäcker: Was halten Sie davon?

Gerlach: Ich würde mitmachen.

2. Hahn und von Weizsäcker unterhielten sich am 11. August im folgenden Gespräch über ihre Zukunft.

Hahn: Ich habe schon darüber nachgedacht, und es ist durchaus möglich, dass man uns nicht nach Deutschland zurückschickt, sofern wir uns nicht verpflichten, eine ganz andere Arbeit zu machen, und man wird sagen: Bleibt hier, wenn ihr wollt, wir werden eure Frauen rüberkommen lassen, aber ihr müsst ein ganzes Stück weg von Russland sein.

WEIZSÄCKER: Wäre ich vor die Alternative gestellt, in England oder Amerika über Uran zu arbeiten oder in Deutschland nicht über Uran zu arbeiten, würde ich mich sehr rasch dafür entscheiden, in Deutschland nicht über Uran zu arbeiten.

HAHN: Das will ich meinen.

WEIZSÄCKER: Ich glaube, ich würde sogar sagen: Selbst wenn ihr mich hierbehaltet, würde ich im Augenblick lieber doch nicht über Uran arbeiten. Ich möchte noch ein bisschen warten und sehen, ob ich die Abneigung, die ich gegen die Bombe habe, überwinden kann.

HAHN: Ich bin wirklich zu dem Schluss gekommen, so traurig es ist, dass ich, was mich betrifft, wahrscheinlich nichts mehr machen werde. Ich hätte ja noch was machen können, wenn man mich mit meiner harmlosen Chemie hätte weitermachen lassen; angenommen, mir wären 10 g von diesem Zeug geschickt worden, das auf irgendeine Weise etwas ausgestrahlt hätte, ohne zu explodieren, dann könnte man dieses Zeug haben und es in der Chemie oder sogar in der Biologie als Indikator verwenden; das würde mir Freude machen, und vielleicht könnte ich dann ein wenig helfen, aber ich sehe da nichts mehr für mich.[260]

WEIZSÄCKER: Am liebsten sahe ich, wenn man zu mir einfach sagen würde: Sie brauchen kein Papier zu unterschreiben, Sie können einfach so nach Deutschland zurück.

HAHN: Das werden die bestimmt nicht tun. Wenn man Sie nach Deutschland zurückgehen lässt, werden Sie zuvor eine eidesstattliche Verpflichtung abgeben müssen, nicht über Uran zu arbeiten.

WEIZSÄCKER: Das könnte man machen. Wenn ich in Deutschland wäre, glaube ich nicht, dass ich dort weiter gegen die Angelsachsen opponieren würde. Opposition wird es ohnehin genug geben. Im Gegenteil, ich würde mehr dazu neigen, Menschen zu überreden, mit ihnen zu einem

260 Hahn ist nach der Rückkehr nach Deutschland dieser Selbsteinschätzung gefolgt und hat sich fast ausschließlich wissenschaftspolitisch und -organisatorisch betätigt, vor allem als Präsident der Max-Planck-Gesellschaft, der er von 1946 / 1948 bis 1960 vorstand.

vernünftigen Einvernehmen zu kommen. Wenn ich in dieser Beziehung, soweit es die Deutschen betrifft, etwas dazu beitragen kann, dann bin ich meines Erachtens in einer viel stärkeren Position, wenn ich also sagen kann, dass ich ihnen in nichts verpflichtet bin. Wenn ich sagen muss, ich arbeite für ihre Streitkräfte, hätte ich keine moralische Autorität, und die halte ich in Deutschland für wichtiger als meine Weiterarbeit am Uranproblem.

HAHN: Wenn ich auswählen könnte, obwohl die Dinge in Deutschland schlimm aussehen, möchte ich lieber nach Deutschland zurückgehen als hierbleiben, vorausgesetzt, dass ich mir meinen Lebensunterhalt verdienen kann.

WEIZSÄCKER: Natürlich.

3. Heisenberg und von Weizsäcker sprachen ebenfalls über die künftige internationale wissenschaftliche Zusammenarbeit. Der erste Teil des Gesprächs konnte nicht aufgezeichnet werden, aber allem Anschein nach würden sie in eine Zusammenarbeit nur einwilligen, wenn sie persönlich als ebenbürtige Partner behandelt werden. Sie scheinen die internationale Physik fast als gleichbedeutend mit der Arbeit unter der Führung von Niels Bohr zu erachten.[261] Das Gespräch nahm dann wie folgt seinen Fortgang:

HEISENBERG: Ich meine, jeder von uns muss darauf achten, dass er an die richtige Stelle kommt.

WEIZSÄCKER: Das war unter den Nazis nicht möglich. Die richtige Stelle wäre eigentlich in einem Konzentrationslager gewesen, und es gibt Menschen, die sich dafür entschieden. Natürlich geht es darum, wie man bei dem gegenwärtigen Regime in die richtige Position kommt, aber man kann es ja mal versuchen.

HEISENBERG: Es wird mit Sicherheit leichter, als es vorher war, daran gibt es keinen Zweifel.

WEIZSÄCKER: Ich habe eine Menge mit den Angelsachsen gemein, aber nicht mit ihren Regierungen.

---

261 Das Bohrsche Institut in Kopenhagen galt in den zwanziger und dreißiger Jahren als Modelfall für die internationale wissenschaftliche Zusammenarbeit, insbesondere für die moderne Physik. Vgl. Robertson 1979.

HEISENBERG: Ich glaube, dass Bohr und seine Freunde, insbesondere die Politiker, was dich betrifft, gewisse Bedenken haben könnten, teils wegen deines Vaters und möglicherweise noch mehr wegen Straßburg.[262]

(Pause.)

HEISENBERG: Es besteht ferner der Unterschied zwischen dir und mir, dass ein Mann meines Alters in einer derartigen Organisation drin sein musste, ob er will oder nicht.

WEIZSÄCKER: Wenn du in Deutschland bist, wird ein Großteil der Verantwortung für den Fortbestand der Physik in Deutschland auf dir lasten.

(Pause.)

WEIZSÄCKER: Wirtz ist nicht mehr erpicht darauf, über Uran zu arbeiten.

HEISENBERG: Ich halte es für wahrscheinlicher, dass er nicht mehr daran interessiert ist, weil er einsieht, dass die anderen es besser machten als wir.

WEIZSÄCKER: Ich meine, es ist mehr als das. Ich glaube, dass er und ich darüber größtenteils dasselbe denken.

4. Von Weizsäcker sprach auch mit Wirtz über die Zukunft und wiederholte dabei seine zuvor geäußerten Ansichten. Das Gespräch nahm dann seinen Fortgang:

WIRTZ: Du willst also in Deutschland nicht unter alliierter Kontrolle über Uran arbeiten.

WEIZSÄCKER: Im Augenblick nicht. Ich möchte nicht weniger frei sein als andere Deutsche, aber ich möchte nicht für die Regierungen der Alliierten über etwas arbeiten, was so eng mit den Mitteln verbunden ist, mit denen sie den Krieg gegen Japan beendeten. Ich würde gern an einer deutschen Universität Vorlesungen über Physik halten und mich mit Kosmologie und Philosophie beschäftigen. Was ich nicht möchte, ist,

---

262 Ernst von Weizsäcker, der Vater von Carl Friedrich, war als Staatssekretär im Auswärtigen Amt einer der führenden Diplomaten des Dritten Reiches. Carl Friedrich von Weizsäcker hatte 1942 einen Ruf an die sog. Reichsuniversität Straßburg angenommen, die nicht zuletzt wegen ihrer Lage im okkupierten Elsass gemeinhin als nationalsozialistische Musteruniversität galt, siehe Baechler et. al. 2005.

dass wir alle, einschließlich Heisenberg, nach Deutschland zurückgehen und keiner von uns sich in dieser Sache auf dem Laufenden hält. Ich habe so ein Gefühl, dass Heisenberg ganz andere Vorstellungen hat als ich und dass er am liebsten die Arbeit an der Uranmaschine fortsetzen würde. Persönlich würde ich es begrüßen, wenn Heisenberg in Deutschland an der Maschine arbeiten könnte und mit den Engländern und Amerikanern in persönlicher Verbindung bleibt, und dass ich Kontakt zu Heisenberg halte, aber nicht selber an der Maschine mitarbeite. Nach meiner Überzeugung wird es vermutlich eine lange Friedenszeit geben, während der die Angelsachsen das stärkste Volk der Welt sein werden. Sie werden zwar nicht über die Russen herfallen, aber diese werden ihre expansionistische Politik in Europa wegen der Bombe wahrscheinlich zurücknehmen müssen. Die einzige Alternative ist ein baldiger Krieg zwischen Russen und Angelsachsen, bei dem ich allerdings den Russen ebenso wenig zu helfen bereit bin wie den Angelsachsen.

5. Diebner und Bagge führten am 12. August das folgende aufschlussreiche Gespräch:

DIEBNER: Wenn ich etwas wüsste, würde ich nicht hier sein.

BAGGE: Wenn Sie weglaufen oder wenn Sie ausbrechen, werden Sie erschossen. Sie müssen doch einsehen, dass diese Leute nicht an Herrn Diebners Leben interessiert sind, wenn sie die Gefahr bedenken, die entstehen könnte, falls Herr Diebner nach Russland entkommt.

DIEBNER: Es gibt keine Gefahr, weil ich nichts weiß. Ich weiß zum Beispiel nicht, warum es leichter ist, das Element 94 zu spalten. Ich hab das alles nicht gewusst. Es steht in keinem Buch.

BAGGE: Leute wie Döpel[263] sind bestimmt schon in Russland und arbeiten dort. Wenn Leute wie Döpel und Pose[264] erkennen, dass sie dadurch nicht nur ihr Leben retten, sondern auch ihre Position verbessern können, bin

263 Robert Döpel, Leipziger Kollege Heisenbergs, der maßgeblich die Reaktorversuche durchgeführt hatte, hatte sich tatsächlich der Sowjetunion zur Verfügung gestellt und dort bis 1957 u.a. kernphysikalische Forschung betrieben (Kleint 1995). Woher man in Farm Hall über Döpels und Poses Schicksal wusste, ist unklar.

264 Heinz Pose, Physikerkollege von Diebner, der von 1946–1955 als „Spezialist" für das sowjetische Atombombenprogramm tätig war.

ich sicher, dass sie da drüben arbeiten werden. Ich werde Ihnen mal was sagen, Diebner, während des Krieges (halfen) Sie Pose und jetzt, wenn sie die Atombombe für die Russen bauen und sich selbst eine gute –

DIEBNER: Sie werden mich nicht vergessen.

BAGGE: Genau das mein ich.

DIEBNER: Ich habe dort gute Beziehungen.

BAGGE: Schließlich haben Sie ja das Menschenmögliche für sie getan.

6. Die Ansichten der Gäste über eine Zusammenarbeit lassen sich wie folgt zusammenfassen:

(A) BAGGE:
In früheren Berichten hat sich Bagge als durch und durch deutsch erwiesen und eine tiefe Abneigung gegen die Alliierten bekundet. Er hat leicht prorussische Gefühle gezeigt. Er hat Diebner vorgeschlagen, dass einige seiner (Diebners) Freunde, die möglicherweise für die Russen arbeiten, ihm vielleicht behilflich sein könnten.

(B) DIEBNER:
Hat in früheren Berichten zu verstehen gegeben, dass er in England bleiben möchte, hat sich aber nicht zum Thema einer Zusammenarbeit mit den Alliierten geäußert. Er begrüßte Korschings Anregung, in Argentinien am Uranproblem zu arbeiten. In einem Gespräch mit Bagge gab Diebner zu, dass einige seiner Freunde, die möglicherweise für die Russen arbeiten, ihm vielleicht behilflich sein könnten.

(C) GERLACH:
Hat Heisenberg erzählt, dass er bereit sein würde, einem internationalen Physikergremium beizutreten.

(D) HAHN:
Hat sich bisher noch nicht zur Zusammenarbeit mit den Alliierten geäußert. Im Gespräch mit Weizsäcker sagte er, dass er für sich keine Zukunft sehe und dass er unter allen Umständen nach Deutschland zurückgehen wolle.

(E) HARTECK:
Hat sich zum Thema Zusammenarbeit bisher noch nicht geäußert.

(F) Heisenberg:

In früheren Berichten hat Heisenberg die Hoffnung geäußert, seine Arbeit als Teil einer internationalen Physikergruppe fortsetzen zu können.

Er hat diese Hoffnung im Gespräch mit Gerlach wiederholt und geäußert, er würde als Teil eines internationalen Gremiums gern für die Arbeit in Deutschland verantwortlich sein.

(G) Korsching:

Hat oft seine Verärgerung über betont englandfreundliches Verhalten einiger seiner Kollegen bekundet. Er ist offensichtlich nicht bereit, für die Alliierten zu arbeiten, und hat angedeutet, dass er nach Argentinien gehen werde.

(H) Laue:

Hat sich zum Thema Zusammenarbeit nicht geäußert.

(I) Wirtz:

In einem früheren Bericht sagte Wirtz, dass er es für zwecklos halte, in Deutschland weiterhin über Kernphysik zu arbeiten.

(J) Von Weizsäcker:

In früheren Berichten hat Weizsäcker gezeigt, dass er über die Aussicht, so kurze Zeit nach dem Krieg mit den Alliierten zusammenzuarbeiten, etwas schockiert gewesen sei. Er hat eine Kontrolle der Wissenschaft durch den Staat befürwortet.

Im Gespräch mit Wirtz sagte er, dass er nach Deutschland zurückgehen wolle und bereit sei, eine Verpflichtung zu unterschreiben, nicht am Uranproblem zu arbeiten und auch niemandem etwas über eine solche Arbeit mitzuteilen. Er will nicht für die Alliierten arbeiten, weder in Deutschland noch anderswo, sagt aber, dass er auch nicht beabsichtige, für die Russen zu arbeiten. Er möchte an einer deutschen Universität Vorlesungen über Physik halten und sich mit Kosmologie und Philosophie beschäftigen.

III. Fachliches

1. Über die technischen Aspekte der Atombombe gab es zahlreiche Diskussionen. Schließlich wurde Heisenberg gebeten, darüber einen Vortrag zu halten, der am 14. August stattfand.[265]

2. Das folgende Gespräch fand zwischen Diebner, Harteck und Bagge statt.

Diebner: Wir mussten das schwere Wasser aus Norwegen holen.

Harteck: Denken Sie bloß mal an das Heiß- und Kaltrohrverfahren, das hätte 15 Millionen RM gekostet, für die die IG-Farben 5 t pro Jahr garantierte, obwohl wir vielleicht auch 6 t bekommen hätten. Dann sagten sie, sie könnten die Anlage nicht bauen und in ihrem Fall betrage das Ganze ohnehin nur einige Tausendstel ihres Jahresumsatzes. Das war in der Tat das erste bis zur großtechnischen Entwicklung ausgereifte Verfahren, wenn auch vielleicht nicht das billigste. IG-Farben baute dann die kleine Anlage für rund 50 l[266] pro Jahr, und die kostete 300.000 RM. Davon waren 100.000 RM für Messinstrumente und 200.000 RM für die Anlage. Für eine hundertmal so große Anlage, wie sie industriell benötigt wurde, wären diese 200.000 RM auf 2,5 Millionen erhöht worden, und wir hätten die 5 t bekommen. Plötzlich sagten sie, dass es sich um einen Fehler handle und dass für die hundertfache Größe die Kosten auch das Hundertfache betragen würden. Sie sagten immer: Wir bauen sie nach dem Krieg. Als ich zuerst mit Herrn Basche sprach, wollte ich Tramm[267] hinzuziehen, aber offenbar durfte er nicht teilnehmen, weil er Vierteljude war. Er verließ die Ruhrchemie, weil er einen Streit hatte – der gesamte leitende Mitarbeiterstab wurde ausgewechselt[268] –, und dabei gehörte er zu denen, die die ganze Konstruktion bis zum Ende durchgezogen hatten. Stellen Sie sich mal vor, wenn

265 Siehe S. 234 ff.

266 „50 litres" wurden nachträglich ins Protokoll eingefügt.

267 Im Protokoll als „Dramm" aufgeführt: Heinrich Tramm, 1928 – 1944 Vorstandsmitglied und Leiter des Hauptstabes Stickstoffanlage der Ruhrchemie AG in Oberhausen, musste als sogenannter „Halbjude" 1944 nach rassistischen Denunziationen der NS-Betriebsgruppe das Unternehmen verlassen. Siehe Rasch 2018, S. 282 f.

268 In diesem Einschub standen weitere, nachträglich durchgestriche Informationen.

wir den gehabt hätten! Er hätte uns das Ding gebaut, mit ihm hätten wir es bauen können.

DIEBNER: IG-Farben hatte Esau auf dem Gewissen.

HARTECK: Praktisch bin ich der Dumme gewesen; ich habe fast sechs Jahre lang allein an diesem Ding gearbeitet, und jetzt sind die Leute, die andere Dinge gemacht haben, plötzlich die Glücklichen.
Es scheint mir klar, dass, wenn wir eine Maschine für 10 oder 12 Tonnen gehabt hätten, eine Mischung mit Paraffin bei einer Kühlung durch flüssige Luft in jedem Fall günstig gewesen wären. Wenn man ein Teil Uran und ein Teil Wasserstoff hat, sie homogen durchmischt und dann das Ganze auf die Temperatur flüssiger Luft abkühlt, dann wird es [das Volumen] um die Hälfte reduziert, und die Absorption wird sehr stark [vermindert] und sinkt unter Umständen auf 20 % ab. Da es so viel Uran gibt, ist der 2n-Prozess sehr wahrscheinlich, andererseits ist die Absorption durch Wasser, wenn es homogen ist, fast Null, nur 2 oder 3 %. Schweres Wasser absorbiert überhaupt nichts, vielleicht 1 %, aber Paraffin absorbiert 2 %. In unserer Maschine betrug die Absorption in der Resonanzlage etwa 10 bis 12 %, bei niedrigeren Energien betrug sie mit schwerem Wasser 15 oder 16 %. Die 2n-Vermehrung betrug vielleicht 12 bis 14 %, ich kann mich nicht mehr erinnern. In der Maschine war sie stärker. Alles in allem gibt es sicherlich Bereiche, wo der Vermehrungsfaktor größer ist als in der Uranmaschine. Es scheint außer Frage zu stehen, dass das funktioniert.

BAGGE: Das würde bedeuten, dass bei diesen Temperaturen die Anlage laufen würde.

HARTECK: Dann könnten wir sie ganz einfach zum Laufen bringen denn wir brauchen nur das Metall und dieses große Fass, man tut oben lediglich flüssige Luft hinein und pumpt es aus – dann läuft die Maschine an.

BAGGE: Ja, dann erzeugt sie lediglich Neutronen, heizt sich auf und bleibt wieder stehen.

HARTECK: Ja, ganz recht. Man lässt die Maschine eine Weile laufen, denn man kann mit einer gewissen Menge von Kilowatt kühlen, und wenn das eine gewisse Zeit gelaufen ist, sind die anderen [Transurane] angereichert, und dann nimmt man sie heraus. Das ist eine spezielle Möglichkeit, wie man die Sache machen könnte. Es würde nicht all die ganze Zeit laufen, aber man braucht alles zum Anlaufen, mit einem kolossalen Aufwand an Kälte. Die andere Methode ist die fotochemische – damit wurde immer und immer wieder probiert mit einem großen Stab von Mitarbeitern. Sobald das fotochemische Verfahren geht, ist es viel billiger als der Massenspektrograph, und in jedem Fall würde man für andere Zwecke natürlich die Isotopenschleuse und die Zentrifuge und ähnliche Verfahren ausprobieren, denn man sollte sich nicht nur auf eine Methode verlassen. Wenn man sich dieses ganze Arbeitsprogramm mit dem schweren Wasser und den tiefen Temperaturen und der Fotochemie betrachtet und alles, was damit zusammenhängt, bin ich mir nicht sicher, ob diese Burschen das alles schaffen können.

3. Das folgende Gespräch fand am 8. August 1945 zwischen Gerlach und Harteck statt.

HARTECK: Wir wollen in erster Linie eine Maschine haben, um sie zu erforschen.

GERLACH: Die technische Schwierigkeit bei der jetzigen Schwerwassermaschine ist die Aufbereitung des Urans und dann die ganze nachfolgende Verarbeitung, wie beispielsweise der Formguss. Deshalb wäre es besser, wenn man Pulver nähme.

HARTECK: Ich habe diese Idee schon vor zweieinhalb Jahren vorgeschlagen, weil ich dachte, man würde auch noch andere Experimente wegen der Stabilisierung ausführen müssen, und sie wurde Schritt für Schritt erprobt, und das war die einzige vernünftige Sache, die zu tun war.

4. Das folgende Gespräch fand am 11. August 1945 zwischen Hahn, Gerlach und Bagge statt:

HAHN: In Deutschland konnte man ein paar Gramm Ionium pro Jahr herstellen.[269]

GERLACH: Nein, wir haben 60 kg reines Ionium hergestellt.

HAHN: Ich glaube, dass das unmöglich ist. Soll das in Deutschland gemacht worden sein?

GERLACH: Nein, in Belgien. Ich weiß nicht, wo es gemacht wurde, aber ich weiß jedenfalls, dass es eine große Rolle bei irgendeiner Spionage-

269 „Ionium" ist eine alte Bezeichnung für das Thoriumisotop Th-230.

sache spielte. Stetter interessierte sich dafür, und da war noch eine SS-Sache, irgendein Agent – man weiß nicht, wer er war wurde zu mir geschickt, ich sollte mit ihm arbeiten, einem Inder. Es hieß, er sei ein japanischer Spion. Er sollte herausfinden, woher wir das Ionium bezogen. Das war 1944/45.

GERLACH [?]:[270] Hat Stetter mit der SS[271] über Ionium gearbeitet?

HAHN [?]: Nein. Die Spaltung von Ionium wurde im Wiener Radiuminstitut[272] experimentell nachgewiesen, doch dafür braucht man keine Maschine zu bauen – man kann aus Pechblende gewichtsmäßig fünfzigmal soviel Ionium wie Radium erhalten. Wenn man daher 1 g Radium aufbereitet, bereitet man auch 50 g Ionium auf. Das Ionium muss deshalb einer Produktion von 1 kg Radium entsprechen, wenn sie es quantitativ ausgeführt haben.

GERLACH [?]: Kann man damit eine Bombe machen?

HAHN [?]: Die Neutronenenergie im Ionium ist erst ungefähr berechnet worden. Man hatte kein reines Ionium, sondern man nahm in Wien diese Mischung aus Ionium und Thorium, die etwa 50 Prozent Ionium enthält, und damit glaubten sie, sie hätten die Spaltung bei einer geringeren Spannung als mit Thorium allein nachgewiesen. Jedenfalls liegt aus dem Wiener Radiuminstitut ein Bericht aus dem Jahre 1941 vor; wer ihn verfasste, weiß ich nicht, vermutlich Stetter.[273]

---

270 Bernstein 2001, S. 159f. weist wohl zu Recht darauf hin, dass in der folgenden Konservation bei der Transkription die Namen von Hahn und Gerlach vertauscht wurden, was in der vorliegenden Edition mit „[?]" markiert wird.

271 Weist darauf hin, dass sich auch die SS für das Uranprojekt interessiert und vielleicht sogar eigene Forschungen betrieben hat.

272 Am Wiener Institut für Radiumforschung, seit seiner Gründung im Jahre 1910 einer der führenden Orte der Radioaktivitätsforschung, hatte sich um Georg Stetter eine Forschungsgruppe gebildet, die mit dem Uranverein assoziiert war und sich insbesondere mit Neutronenphysik und der Bestimmung der physikalischen Eigenschaften von transuranischen Elementen beschäftigte; aber auch mit alternativen Reaktorkonzepten.

273 Es waren Willibald Jentschke, Friedrich Prankl und Friedrich Hernegger, Vgl. Nachweis der Kernspaltung des Ioniums unter Neutronenbestrahlung. Mitteilungen des Instituts für Radiumforschung. Wien, 27.6.1940, Zusammenfassung. Deutsches Museum, FA 002/747, Bl. 10. Online verfügbar unter <https://digital.deutsches-museum.de/item/FA-002-747/#0010>.

GERLACH [?]: Kann man aus 2 kg Ionium eine Bombe machen?

HAHN [?]: Das weiß ich nicht.

BAGGE: Kann man Ionium in großen Mengen herstellen?

HAHN: Ja, aber überhaupt nicht mit Thorium – 80 Prozent Thorium wäre nicht schlecht.

BAGGE: Sie erhalten so viel mehr Ionium als Radium?

HAHN: Ionium hat eine Halbwertszeit von 80.000 Jahren und Radium von nur 1.500, und da sie in der gleichen Reihe entstehen, verhalten sie sich proportional zu ihren Halbwertszeiten, doch in jeder Uranpechblende findet sich stets etwas Thorium, und man gewinnt dieses Thorium zusammen mit ihr. Thorium hat eine äußerst lange Halbwertszeit von 10^{10} Jahren. Thorium ist spaltbar, wir haben das im Januar 1939 gezeigt. Ionium ist ebenfalls spaltbar, aber es ist noch ungeklärt, mit welcher Art von Neutronen.

GERLACH: Das hängt hauptsächlich vom Wirkungsquerschnitt ab.

HAHN: Es hat die Ordnungszahl 90 und das Atomgewicht 232.

BAGGE: Daraus ersehen Sie, dass es sich nur schwer spalten lässt. Alle schweren Elemente mit geraden Zahlen lassen sich nur schwer spalten.

GERLACH: Wenn es nun aber eine sehr kurze mittlere freie Weglänge und einen sehr großen [Wirkungs]querschnitt hätte?

BAGGE: Die würde es nicht haben. Wenn es geradzahlig ist, dann lässt es sich durch thermische Neutronen nicht spalten, sondern nur mit energiereicheren Neutronen, und dann kann es nicht einen so großen Wirkungsquerschnitt haben, denn der Wirkungsquerschnitt muss von der Größenordnung des geometrischen Querschnitts des Kerns sein. Das ist etwa $2{,}5 \times 10^{-24}$ [cm^2]. Und $2{,}5 \times 10^{-24}$ [cm^2] ergibt, glaube ich, eine mittlere freie Weglänge von 6 cm.

HAHN: Ich weiß nicht, wie sie es gemacht haben, denn im Gegensatz zu uns hatten sie kein reines Radiothorium.

5. Nach der Lektüre der Zeitungen vom 8. August fielen folgende Äußerungen:

BAGGE: Es heißt in den Zeitungen, dass 236 zur Anwendung gelangt, das sich aus dem Beschuss von 235 ergibt. Dies nennen sie Pluto. Dabei könnte es sich um 93 handeln, aber dies würde bedeuten, dass sie eine laufstabilisierte Maschine hatten. Andererseits behaupten sie, dass sie keine haben. Deshalb ist es noch immer schwierig, der Sache Glauben zu schenken.[274]

(Pause.)

HEISENBERG: Aber wenn sie mit schwerem Wasser arbeiten, geht ihnen das Material verloren < > Hier haben sie jedoch ganz langsame Reaktionszeiten, da schweres Wasser thermische Neutronen bedeutet und thermische Neutronen auf Reaktionszeiten in der Größenordnung von 10^{-3} s oder so hindeuten.

WIRTZ: Sie brauchen das nur, um zusätzliche Neutronen zu erzeugen.

HEISENBERG: Ich verstehe, also lediglich zur Erhöhung der Energieerzeugung. Dem stimme ich zu. Aber ich sehe immer noch nicht, wie die Reaktion in 8 Pfund von etwas stattfinden kann, da die mittleren freien Weglängen ziemlich lang sind. Sie haben stets freie Weglängen von 4 cm. In 8 Pfund erhalten sie mit Sicherheit keine Kettenreaktion. Aber trotzdem, es muss ja nicht alles unbedingt stimmen, was in der Zeitung steht. Ich verstehe allerdings immer noch nicht, was sie eigentlich gemacht haben. Falls sie dieses Element 94 haben, dann könnte es sein, dass dieses 94 eine ganz kurze mittlere freie Weglänge hat. Wir haben auf dem Gebiet der abgeschlossenen Reaktionen mit schnellen Neutronen wenig Forschung getrieben, denn wir konnten nicht sehen, wie wir es schaffen sollten, weil wir dieses Element nicht hatten und keine Möglichkeit sahen, es zu beschaffen. Wie die [Amerikaner] dieses Element bekommen haben, ist mir noch immer ein Rätsel.

WIRTZ: Ja, aber ich glaube, dass sie es haben, und ich bin mir ziemlich sicher, dass die Bombe nicht groß ist.

HEISENBERG: Das heißt, sie könnte in der Größenordnung von 400 kg liegen.

---

274 Pluto war in den ersten Veröffentlichungen über die Bombe, die am 9. August auf die japanische Stadt Nagasaki abgeworfen wurde, die Tarnbezeichnung für das bei dieser Bombe verwendete Spaltmaterial, das Transuran Plutonium (Ordnungszahl 94), dessen Isotop 239 durch langsame Neutronen gut gespalten und zudem in Atomreaktoren aus dem Uranisotop U-238 relativ leicht in größeren Mengen hergestellt und separiert werden kann.

6. Am folgenden Tag erwähnten die Zeitungen, dass die Atombombe 200 kg[275] gewogen habe; zwischen Harteck und Heisenberg fand das folgende Gespräch statt:

HARTECK: Glauben Sie, dass das Gewicht der Bombe stimmt oder dass man nur die Russen bluffen will?

HEISENBERG: Das hat mir keine Ruhe gelassen, und deshalb habe ich heute Abend einige Berechnungen angestellt und gesehen, dass es wahrscheinlicher ist, als wir angenommen hatten, und zwar aufgrund der erheblichen Vermehrungsfaktoren, die man mit schnellen Neutronen haben kann. Wir haben immer mit einem Vermehrungsfaktor von 1,1 gerechnet, weil wir in der Praxis diesen Wert bei Uran gefunden hatten. Wenn die einen Vermehrungsfaktor von 3 oder 5 haben, dann liegt die Sache natürlich ganz anders. Wir haben gesagt, dass wir etwa 80 Einzelprozesse bei der Kettenreaktion benötigen; nun beträgt die mittlere freie Weglänge 4 cm. Daher müssen wir 80 lange Teilungen haben (das war der ungefähre Schätzwert), und das würde dann etwa 1 t bedeuten. Diese Rechnung stimmt, wenn der Vermehrungsfaktor 1,1 beträgt, weil wir selbst dann jedes Neutron, das „entkommt", zur Vermehrung verwenden. Wenn aber der Vermehrungsfaktor 3 beträgt, liegen die Dinge ganz anders. Dann kann ich sagen, wenn das ganze Ding nur so groß wie die mittlere freie Weglänge ist, dann trifft ein Neutron, das sich darin bewegt, auf ein anderes und erzeugt drei Neutronen. Von diesen drei Neutronen wird eines auf jeden Fall zurück kommen, die anderen beiden können entweichen; dasjenige, das zurückkommt, wird mit Sicherheit drei weitere Neutronen erzeugen. Praktisch brauche ich daher nur die mittlere freie Weglänge, damit die Sache funktioniert.

HARTECK: Wofür sind diese 100 bis 200 kg, die drumherum sind?

HEISENBERG: Das wird der Reflektor sein. Sie könnten beispielsweise Blei als Reflektor verwenden, und natürlich könnte ein Teil des Gewichts aus Geräten und Apparaturen bestehen; Sie dürfen nicht vergessen, dass es sich um eine gefährliche Sache handelt. Man muss das Ganze so anordnen, dass es zunächst in zwei Teile zerlegt wird, zwischen denen

275 Das Gewicht der Hiroshima-Bombe betrug tatsächlich ca. 4.000 kg bzw. 4 t.

ein Reflektor aus – sagen wir – Blei oder einem anderen Material angeordnet ist; dann wird das Blei im richtigen Augenblick herausgezogen und die Sache zusammengebracht.

(Pause.)

Schön und gut, aber wie haben sie es tatsächlich fertiggebracht? Ich finde, es ist eine Schande, dass wir, die Professoren, die daran gearbeitet haben, nicht wenigstens herausfinden können, wie sie es gemacht haben.

HARTECK: Ich meine, es wäre technisch möglich, 2 kg Protactinium herzustellen, obwohl natürlich eine enorme Materialmenge eingesetzt werden müsste. Für zehn solche Bomben würde das in drei Jahren 50 kg Radium bedeuten, was einfach unglaublich ist.

HEISENBERG: Trotzdem, sie haben offensichtlich in ganz fantastischen Ausmaßen gearbeitet.

HARTECK: Ich glaube eher an eine Maschine[276] als an die Erzeugung von soundso viel Kilogramm < >, weil man es noch nie auf der Welt gemacht hat. Man findet immer einen < > Ja, aber mit dieser Begründung < > konnten sie dies nicht produzieren. Sie hätten eine Milliarde Tonnen haben müssen, um genügend wägbares Material herauszuholen. Rutherford stellte es seinerzeit künstlich her, und auf dieser Grundlage haben sie ihre Berechnungen angestellt. Es gibt vielleicht 10^{-15} g [?] auf der Welt. Oder sie müssen unglaubliches Glück gehabt und dieses Element irgendwo gefunden haben, so wie plötzlich Cäsium in großen Mengen in Schweden gefunden wurde.

HEISENBERG: In den Zeitungen wird behauptet, dass das entscheidende Element 1941 entdeckt wurde.[277]

---

276 Ein Plutonium erzeugender / brütender Reaktor.

277 Mit Hilfe eines Zyklotrons hatte man bereits im Mai 1940 in der kernphysikalischen Forschungsgruppe von Ernest Orlando Lawrence in Berkeley ein echtes Transuran hergestellt, das kurzlebige Neptunium; etwa ein Jahr später konnte Glenn T. Seaborg wiederum mit Hilfe des Zyklotrons den Nachweis führen, dass dieses Neptunium in ein stabiles Element 94 zerfiel, das später die Bezeichnung Plutonium erhielt, das in den vorliegenden Protokollen auch „Pluto" genannt wird. Mit Hilfe der auf diesem Wege hergestellten winzigsten Mengen Plutonium war es möglich, die ersten kernphysikalischen und kernchemischen Untersuchungen des neuen Elementes durchzuführen. Diese ergaben, dass das Plutonium als Kernbrenn-

HARTECK: Dabei könnte es sich um das Zerfallsprodukt des Uranisotops mit einer Halbwertszeit von 23 Minuten handeln, aus dem sie 93 hergestellt haben.[278]

HEISENBERG: Da ist noch etwas. Wenn sie es mit einer Maschine gemacht haben, dann gibt es immer noch das enorm schwierige Problem, dass sie mit diesem unheimlich radioaktiven Material chemische Prozesse ausführen mussten.

HARTECK: Dann müssen sie es zunächst einmal 6 Monate lang haben abkühlen lassen.

HEISENBERG: Richtig. Sie haben eine Maschine gebaut, der sie zunächst eine große Energiemenge entnehmen mussten, damit die chemische Umwandlung stattfindet; deshalb müssen sie die Maschine bei konstanter Temperatur haben laufen lassen, so dass sie die gesamte Energie entnehmen konnten; in der Größenordnung entspricht das der Leistung eines zehn Jahre lang arbeitenden Kraftwerks.

HARTECK: Die Maschine braucht dabei nur langsam zu arbeiten.

HEISENBERG: Das tut sie ja auch.

HARTECK: Das ist ja wieder die Schwierigkeit. Ich meine, wenn eine einprozentige Umwandlung erfolgt ist, bleibt die Maschine stehen.

HEISENBERG: Wenn eine einprozentige Umwandlung erfolgt ist, dann müssen sie die Maschine auseinandernehmen.

HARTECK: Um sie zu erneuern?

HEISENBERG: Ja, und dabei werden sie natürlich auch 94 entnehmen können; dennoch könnte man sagen, wenn sie es mit einer Maschine von 1 t gemacht haben, können sie auch eine nicht unbeträchtliche Menge Material entnehmen. Wenn beispielsweise eine einprozentige

---

stoff geeignet war und sich zudem leichter separieren ließ als das Uran-235 (u. a. durch „Ausbrüten“ in einer Uranmaschine). Auch in Deutschland war etwa zur selben Zeit – durch theoretische Arbeiten von Weizsäcker und Houtermans – die Bedeutung der Transurane für die Kernenergiegewinnung erkannt worden, doch fehlten für entsprechende experimentelle Forschungen jegliche technische Voraussetzungen.

278 U-239, das durch Neutroneneinfang aus U-238 entsteht und mit einer Halbwertszeit von 23 Minuten in das transuranische Element Neptunium 239 zerfällt. Dieses wiederum wandelt sich mit der Halbwertszeit von 2,4 Tagen in das stabile und spaltbare Transuran Plutonum um.

Umwandlung stattgefunden hat, können sie der Maschine 1 Prozent, das heißt 10 kg 94 entnehmen.

HARTECK: Es ist natürlich nicht nur 94, das dabei entsteht.

HEISENBERG: Ich glaube nicht, dass die Amerikaner es auf diese Weise geschafft haben. Sie hätten eine Maschine, sagen wir, spätestens 1942 haben müssen,[279] und sie hätten sie wenigstens ein Jahr lang laufen lassen müssen, und dann wäre noch die ganze Chemie gewesen.

HARTECK: Höchst unwahrscheinlich.

HEISENBERG: Ich halte es beinahe für wahrscheinlicher, dass sie etwas ganz Eigenständiges gemacht haben, wie beispielsweise die Gewinnung von Protactinium in großem Maßstab aus riesigen Materialmengen.[280] Es heißt in der Zeitung, dass enorme Mengen Material weggingen und praktisch nichts dabei herauskam. Das scheint mir zu einem solchen chemischen Verfahren oder zur Isotopentrennung zu passen, doch man gewinnt aus den Zeitungen nicht den Eindruck, dass 235 dafür verwendet wurde. Wissen Sie noch, wann die Amerikaner die Arbeit gemacht haben, die zeigt, dass Protactinium bei 150.000 [Elektronen-] Volt aufgespalten werden kann?

HARTECK: Das war etwa 1940 – 1941, mit Sicherheit vor 1942.

---

279 Diese Vermutung stimmt gut mit der tatsächlichen historischen Entwicklung überein: Enrico Fermi konnte am 2. Dezember 1942 in seinem „Uranpile" in Chicago die erste sich selbst erhaltende und energieerzeugende Kettenreaktion nachweisen. In den sich darauf gründenden Reaktoren von Hanford wurde in den folgenden gut zwei Jahren das spaltbare Material (Plutonium) für die Testbombe und für die auf Nagasaki abgeworfene Bombe hergestellt; die Hiroshima-Bombe nutzte Uran-235 als Kernsprengstoff.

280 In Atombomben wird entweder das Uranisotop U-235 (Hiroshima-Bombe) oder das Plutoniumisotop Pu-239 (Nagasaki-Bombe) als Kernsprengstoff verwendet. Da die Deutschen aus ihren Forschungen wussten, welche offenbar unüberwindlichen Schwierigkeiten mit der Isotopentrennung des Urans verbunden sind, sie sich andererseits aber an die Hoffnung klammerten, dass die Amerikaner nur die Bombe, aber keinen Plutonium produzierenden Reaktor entwickelt hätten, diskutierten sie auch die Möglichkeit, dass reines Protactinium als Kernsprengstoff genutzt worden war. Das britische „Weißbuch" und der Besuch von Charles Darwin am 18. August (S. 257 ff.) machten den deutschen Atomforschern endgültig klar, dass die Amerikaner auch über eine „Maschine" verfügten und damit in jeder Hinsicht „die Nase vorn" gehabt hatten.

HEISENBERG: Vielleicht sind die Fakten so, dass sie dadurch das Element Pluto entdeckt haben. Pluto ist ein Codename. Protactinium beginnt auch mit „P". Vielleicht sagen sie sich einfach: Wenn wir jetzt das Protactinium herausholen, dann können wir die Sache schaffen.

HARTECK: Dann werden sie als Nebenprodukt rund 50 kg Radium erhalten. Sie werden sich daran schön die Füße wärmen können!

HEISENBERG: Ist Protactinium wirklich so aktiv?

HARTECK: Nein, nicht so aktiv wie das äquivalente Radium. Protactinium zeigt eine viel schwächere Aktivität. Sie liegt im Verhältnis 30.000 : 1.500, das heißt, sie ist 20-mal schwächer. Man hat die gleiche Menge Protactinium in Pechblende, auf der Basis des Äquivalentgewichts, obwohl sie 20-mal schwächer ist, weil nur 4 oder 5 Prozent aus der benachbarten Kette Uran-235 kommen. Angenommen, dass Protactinium eine Muttersubstanz hatte, so wie die Muttersubstanz von Radium gemischt im Verhältnis 1:1 vorhanden ist, dann würde auf der Basis des Äquivalentgewichts 20-mal soviel Protactinium in der Pechblende vorhanden sein wie im Radium, weil es eine 20-mal längere Halbwertszeit als Radium hat. Aus Uran entstehen beide gleichzeitig. Eines ist 235, das Protactinium erzeugt, das sich im Laufe des Uranzerfalls bis auf 4,6 Prozent vermehrt, so dass 50 kg Protactinium tatsächlich gewichtsmäßig auch 50 kg Radium ergeben, und diese 50 kg Radium haben die gleiche Aktivität wie 50 kg Uran, wogegen die 50 kg Protactinium nur die gleiche Aktivität haben wie 2,5 kg Radium.

HEISENBERG: Nun, ich sehe jetzt, dass es mit schnellen Neutronen möglich ist. Gerade eben haben wir über Protactinium gesprochen. Vielleicht haben die anderen Protactinium verwendet; das kann man sich fast leichter vorstellen als alle anderen Verfahren.

HARTECK: Wenn Grosse[281] ihnen half, der reines Protactinium hergestellt hat und ein sehr guter Chemiker ist, der an Protactinium sehr interessiert ist und etwas [davon] besessen hat, dann hat er es ihnen zur Verfügung gestellt, und dann haben sie versucht, es zu spalten, um herauszufinden, ob Protactinium spaltbar ist.

281 Verweis auf Aristid von Grosse, der bei Hahn u.a. über Protactinium gearbeitet hatte und 1930 in USA emigrierte, wo er nach 1940 für das Manhattan-Projekt arbeitete. Siehe auch S. 166.

HEISENBERG: Wir wussten, dass Protactinium bei etwa 50.000 oder 100.000 [Elektronen-]Volt spaltbar ist, viel niedriger als Thorium, und das bedeutet, wenn man reines Protactinium in beträchtlicher Menge hat, würde die ganze Sache in die Luft fliegen. Einmal haben wir darüber gesprochen, das weiß ich. Ich bin einmal zu Ihnen gekommen und habe Sie gefragt, wie viel Protactinium vorhanden sei.

HARTECK: Ich habe damals gesagt, dass vielleicht ein halbes Gramm vorhanden ist.

HEISENBERG: Dann habe ich gesagt: Nun, mit dieser Menge wird die Sache sicherlich nicht funktionieren. Vielleicht stellen sie das Zeug im Kilomaßstab her, und wenn sie dann noch einen guten Reflektor machen, dann können sie mit 1 oder 2 kg gut arbeiten.

HARTECK: Ich schätze mal, dass in den letzten ein oder zwei Jahren 1 bis 1,5 kg Radium in der Welt erzeugt worden sind. Natürlich könnte dieser Wert noch um einen Faktor von etwa 10 erhöht werden, und man würde dann in einem Jahr rund ein Kilo erhalten, aber die müssen mehr haben.

7. Später am selben Tag unterhielten sich die Gäste über die neue Bombe[282] im folgenden Gespräch:

WEIZSÄCKER: Ich finde im Hinblick auf die Russen, dass sie etwas zu viel über die Bombe reden.

GERLACH: Aber jedes Mal machen sie völlig verschiedene Angaben. Ich bin der Meinung, dass am einen ebenso wenig Wahres dran ist wie am anderen.

HEISENBERG: Es ist immer noch nicht klar, welches Verfahren sie eigentlich angewandt haben, Entweder haben sie reines Protactinium genommen, oder sie haben wirklich die [Uran-]Isotope getrennt, oder sie haben das Element 94 mit Maschinen hergestellt.

HARTECK: Hätte es sich so gefügt, dass wir in Russland wären und das erforderliche Material hätten und bei Null anfangen müssten, dann würden wir uns verpflichten, in neun Monaten eine funktionstüchtige Maschine zu bauen.

HAHN: Nein, nein, nein.

282 Gemeint ist die auf Nagasaki abgeworfene Plutonium-Bombe.

HEISENBERG: Falls man das notwendige Material hätte. Die Maschine ist jetzt kein Problem mehr.

WIRTZ: Wenn Sie kein schweres Wasser hätten oder wenn Sie zu wenig hätten, wie würden Sie es dann machen?

HARTECK: Die Produktion von schwerem Wasser würde innerhalb von sechs Monaten anlaufen, und zwar in einer entsprechend konstruierten chemischen Anlage.

HEISENBERG: Das ist die Frage: Ist der Spaltungsquerschnitt für schnelle Neutronen bei 238 und 235 wesentlich verschieden?

HARTECK: Was ist überhaupt der größte Spaltungsquerschnitt, den man nehmen kann?

HAHN: Hängt der nicht von der Ausbeute an 238 ab, auch zum Beispiel bei den japanischen Elementen,[283] für die er viel kleiner ist?

HEISENBERG: Für 235 ist er kleiner.

HAHN: Ja, 235 ist 0,7 Prozent von 238. 236 wird offenbar durch schnelle Neutronen exakt in zwei Hälften gespalten – *auch* in exakte Hälften, nicht *nur*. Aber diese Ausbeute in exakten Hälften ist erheblich kleiner als für die normalen Spaltungsprodukte mit schnellen Neutronen. In diesem Fall haben die Japaner einmal etwas Eigenständiges veröffentlicht; es hatte den Anschein, als würden dabei nur diese japanischen Elemente, wie wir sie genannt haben, herauskommen. Dies ist jedoch nicht der Fall. Sie [die Wirkungsquerschnitte] sind sehr viel geringer als die anderen.

HARTECK: Ich hatte nur überlegt, was die höchste [mittlere freie Weglänge] ist.

HEISENBERG: Wie groß war sie?

HAHN: Etwa 2,5 cm.

HEISENBERG: Nein, was nehmen Sie als Querschnitt?

HARTECK: Wie groß, was ist der geometrische Durchmesser?

HEISENBERG: Der Radius beträgt $0,8 \times 10^{-12}$ [cm^2].

(Diebner zieht ein Buch hervor.)

Ich will den Spaltungsquerschnitt für schnelle Neutronen haben.

DIEBNER: $0,5 \times 10^{-24}$ [cm^2].

283 Hierbei handelt es sich um verschiedene Thorium- und Uran-Isotope, die 1939/40 im Labor von Yoshio Nishina in Tokio hergestellt worden waren.

HAHN: Und welches ist der Querschnitt für langsame Neutronen?

DIEBNER: Für mittelschnelle beträgt er 0,1 und für langsame 1.000 [$\times 10^{-24} cm^2$] oder so.

HEISENBERG: Dann beträgt die mittlere freie Weglänge 8 cm. Wenn er 0,5 ist, dann ist er natürlich um den Faktor 4,5 größer.

HAHN: Das verstehe ich nicht. Wie kann denn $0{,}5 \times 10^{-24}$ [cm^2] – wie groß muss er denn für langsame sein? Offensichtlich viel größer.

HEISENBERG: Bei reinem 235 ein paar hundert.

HAHN: Ich verstehe, mal 10^{-24} [cm^2]?

HEISENBERG: Ja. In einem Gemisch von 238 plus 235 ist das Spaltungsquerschnitt-Verhältnis annähernd 3,3. Wenn ich noch einmal für 235 rechne, dann muss ich mit 100 oder 140 multiplizieren, und dann erhalte ich den Wert 400. Doch für schnelle Neutronen ist er ganz klein.

(Pause.)

Wenn man beispielsweise gewöhnliches Uran drumherum als Reflektor anordnet, dann liegen die Dinge ganz anders. Man kann bei der Herstellung von Element 94 auch Glück haben. Bei Uran beträgt die mittlere freie Weglänge fast 40 cm.

KORSCHING: Was würde passieren, wenn es ein Gemisch von 94 und – ist es einfach proportional dem Gemisch, oder würde es günstiger sein?

HEISENBERG: Ich würde sagen: proportional.

HARTECK: Es ist gewöhnlich immer schlechter, weil die mittlere freie Weglänge länger wird und das Gewicht in die dritte Potenz geht.

HEISENBERG: Die beste Anordnung ist, das reine Element, das ganz rein ist, in die Mitte zu bringen und drum herum den bestmöglichen Reflektor anzuordnen.

(Pause.)

Ich würde sagen, unter den günstigsten Umständen würde man einen geometrischen Querschnitt erhalten, der etwa 8 cm entspricht, und wenn man durch irgendein Verfahren daraus 5 [Spaltungs]neutronen erhielte, dann müsste der Radius nicht größer als eine mittlere freie Weglänge sein. Wenn er eine mittlere freie Weglänge beträgt, dann werden von den 5 Neutronen wenigstens ein oder zwei zurückkommen, und der Prozess wiederholt sich. Man kann sie mit einer mittleren freien Weglänge leicht zum Laufen bringen.

HARTECK: Gibt es eigentlich auch ein Metall, das grundsätzlich schnelle Neutronen zurückstreut? Im Augenblick gibt es keins, es herrscht stets eine Vorwärtspersistenz.

HEISENBERG: Ja, im Gegensatz dazu haben die schweren [Substanzen] die Neigung, unter kleinem Winkel zu streuen. Im Falle der leichten ist er ziemlich sphärisch-symmetrisch, doch bei den schweren findet eine elastische Streuung statt, die stark in Vorwärtsrichtung erfolgt, aber dann bewegen sie sich nicht.

(Pause.)

Ich möchte eher annehmen, wenn wir uns mit solch kleinen Mengen befassen, dass sie zwangsläufig so viele Neutronen erhalten werden.

HARTECK: Dies würde wiederum auf eine bereits arbeitende Maschine und Pluto hindeuten, für das schwere < >.

HEISENBERG: Für das 94, Ja. Ich weiß nicht, vielleicht kommen bei Protactinium ebenso viele heraus.

GERLACH: Wie steht es denn mit Ionium?

HEISENBERG: Das ist die Muttersubstanz von Radium. Das hat infolge der Spaltung keine Chancen. Die Spaltung würde höchstwahrscheinlich mit schnellen Neutronen erfolgen. Mit schnellen Neutronen könnte ich es für möglich halten.

(Pause.)

Nehmen wir mal an, dass sie es mit Protactinium gemacht haben, was mir im Augenblick am wahrscheinlichsten scheint. Protactinium lässt sich chemisch trennen, wenn man sich der erforderlichen Anstrengung zu unterziehen bereit ist. Diese Geschichten von Strahlungsschirmen passen dazu, obwohl Protactinium eine rund 20-mal schwächere Aktivität besitzt als Radium. Wenn sie es kiloweise herstellen, wird es schrecklich sein. Ich habe den Eindruck, dass sie für diesen Aufwand (500.000.000 Pfund Sterling)[284] diese Menge Protactinium hergestellt haben könnten.

---

284 Die genannte Summe ist der in der BBC-Meldung vom 6. August 1945 genannte Betrag für das amerikanische Atombombenprojekt; die Aufwendungen für das deutsche Uranprojekt fallen im Vergleich dazu nicht ins Gewicht und liegen mit ca. 15 Millionen RM bei weniger als 1 % des amerikanischen Budgets. Siehe auch Anm. 428 und 429 auf S. 414.

BAGGE: Wenn sie 20 kg Protactinium hergestellt hätten, wie viele Tonnen Uran hätten sie verarbeiten müssen?

HEISENBERG: Annähernd die gleiche Menge wie bei Radium.

BAGGE: Das heißt: aus 7 Tonnen entsteht 1 Gramm.

HEISENBERG: Sie hätten 140.000 t Material verarbeiten müssen.

BAGGE: Haben sie dieses Material?

HEISENBERG: Aber natürlich.

DIEBNER: Da liegen noch immer 10.000 t in Belgien.

HEISENBERG: Hat es jemals soviel Protactinium in Deutschland gegeben?

HARTECK: Nein, nein, ausgeschlossen.

HEISENBERG: Einmal habe ich mit Hahn gesprochen. Wir verwarfen das Protactiniumproblem als in der Praxis nicht durchführbar.

HARTECK: Welches ist die Zerfallskonstante von Protactinium?

HEISENBERG: Die Alpha-Zerfallskonstante beträgt $3{,}2 \times 10^4$ Jahre.

HARTECK: Und wie viele Neutronen < > Protactinium.

HEISENBERG: Es ist dasselbe wie bei [U-]235. Es kommt annähernd dasselbe heraus wie bei 235. Aber das Verhältnis von Neutronen zu Protonen ist bei Protactinium etwas höher. Bei Uran-235 entstehen pro Spaltung zwei Neutronen. Bei Protactinium sind es vielleicht 2 bis 5.

BAGGE: Andererseits passt es nicht ins Bild, dass das Element Pluto erst 1941 entdeckt wurde.

HEISENBERG: Ja, aber zunächst kann ja Pluto nur eine Codebezeichnung sein. Ende 1940 oder Anfang 1941 schien durch die Arbeit der Amerikaner bestätigt zu werden, dass Protactinium unterhalb von 50.000 [Elektronen-]Volt spaltbar war. Im Laufe der Entdeckung haben sie sich vielleicht auch gedacht, sie hätten entdeckt, dass es spontan spaltbar war.

BAGGE: Schon in der Arbeit von Bohr und < >[285] wurde behauptet, es sei spaltbar.

---

285 Gemeint ist das Tröpfchenmodell des Atomkerns, das ursprünglich 1936 Niels Bohr entwickelt wurde und das L. Meitner und O. R. Frisch zur Jahreswende 1938/39 zu einer ersten Erklärung der durch Hahn und Straßmann entdeckten Urankernspaltung genutzt hatten. Im Anschluss daran haben Bohr und Wheeler in der erwähnten Arbeit 1939 das Tröpfchenmodell als Grundmodell der Kernspaltung weiter ausgearbeitet. Vgl. Pais 1991, S. 45 ff.

HEISENBERG: Nein, in Wirklichkeit verhielt es sich doch so, dass bei Protactinium Bohr und < >, wie ich glaube, einen Rechenfehler gemacht hatten. Und als dann die amerikanische Arbeit erschien, kam von Bohr ein Memorandum, in dem er mitteilte, dass in seinen Formeln ein mathematischer Fehler stecke, und wenn man die Formel richtig aufstellte, würde aus Protactinium etwas herauskommen.

WIRTZ: Nun, ich bin bereit, jede Wette einzugehen, dass sie Isotope getrennt haben.

HEISENBERG: Ja, das will ich natürlich nicht bestreiten, aber es gibt jetzt drei ganz klare Möglichkeiten, wie sie es gemacht haben könnten, und nur diese drei: Isotopentrennung, Protactinium und eine Maschine mit D_2O und Element 94.[286]

WIRTZ: Meine Vermutung ist eine Maschine mit leichtem Wasser und der Abtrennung von Element 94. Ich glaube nicht, dass die so viel schweres Wasser zu ihrer Verfügung haben, dass sie wirklich viele arbeitende Uranmaschinen haben.

BAGGE: Wozu haben sie bisher das schwere Wasser verwendet?

HEISENBERG: Ja, das würde zu Wirtz' Hypothesen passen. Wenn man schweres Wasser für nur eine Maschine hat, dann kann man aus dieser einen Maschine im Laufe der Zeit eine ganze Menge 94 herausholen.

WIRTZ: Ja, und dann glaube ich, dass sie auch etwas schweres Wasser in die Bombe gefüllt haben, um den Faktor auf 2 zu erhöhen.

HEISENBERG: Das mag sein.

(Pause.)

Man gewinnt den Eindruck, dass die Engländer [?] es mit noch etwas anderem als mit dem Massenspektrographen gemacht haben müssen.

8. Am 13. August äußerten sich Hahn und Wirtz wie folgt:

HAHN: Element 93 zerfällt in 2 bis 3 Tagen in 94 – Sie haben natürlich 94. Dies ist offensichtlich Plutonium. Sie haben 93 als ein stabiles Umwandlungsprodukt, das aus dem Beschuss von Uran 237 mit schnellen Neutronen entsteht.

WIRTZ: Heute heißt es in der Zeitung, dass sie mit dem seltenen Element Plutonium nicht arbeiten, weil sie glaubten, es würde 70.000 Jahre

286 Mit schwerem Wasser und Plutonium.

dauern, bis sie genügend hätten, um eine Bombe herstellen zu können. Das bedeutet, dass sie bis jetzt keine funktionierende Maschine haben.

HAHN: 93 kann quantitativ von 92 getrennt werden. Straßmann und ich haben die quantitative Trennung ausgearbeitet.

9. Heisenberg hielt am 14. August den folgenden Vortrag, in dem er seine Vorstellungen, wie die Atombombe hergestellt wurde, entwickelte. Da es sich um einen technisch komplizierten Sachverhalt handelt, ist der vollständige deutsche Wortlaut des Vortrags im Anhang beigefügt.[287]

HEISENBERG: Ich möchte die U-235 Bombe nach den Methoden behandeln und besprechen, die wir bisher immer bei unserer Uran-Maschine angewendet haben. Da stellt sich dann in der Tat heraus, dass man alle Einzelheiten dieser Bombe wirklich sehr gut verstehen kann. Ich will damit anfangen, noch einmal die wichtigsten Daten vom U-235 zu rekapitulieren. Ich will vielleicht ganz kurz noch [ein]mal wiederholen, was passiert in dieser Bombe. Wenn im Uran-235 ein Neutron vorhanden ist, dann läuft dieses Neutron ein Stück weit und trifft dann auf einen 235-Kern. Dann kann es zwei Sachen machen. Entweder es wird elastisch gestreut, oder es spaltet. Wenn es gestreut wird, dann kann die Streuung elastisch oder unelastisch sein; dann fliegt das Neutron also mit derselben oder einer niedrigeren Geschwindigkeit weg. Das tut aber der Fähigkeit dieses Neutrons weiterzuspalten keinen Eintrag. Es ist also keine Wahrscheinlichkeit, dass Neutronen irgendwie verloren gehen. Der Vorgang geht natürlich so: es trifft also nach einiger Zeit auf ein [U-]235 und spaltet es. Bei der Spaltung kommen wieder einige Neutronen [he]raus. Diese Neutronen machen dasselbe, und so läuft die Kettenreaktion [an]. Wenn man beliebig viel Uran-235 hätte, dann würde die Kettenreaktion auf jeden Fall beliebig lange weiterlaufen, denn es würden immer aus einem Neutron 2 bis 3 bei der Spaltung entstehen. Diese 2 bis 3 würden wieder den Prozess machen, und so würde es weitergehen. Also würde die Gesamtmenge von den Neutronen exponentiell anwachsen.

---

287 Der folgende Vortrag Heisenbergs ist diesem Anhang entnommen. Eine erste Publikation erfolgte durch Rechenberg 1992.

Mit diesem Prozess der Vermehrung der Neutronen steht aber in Konkurrenz der Prozess, wo die Neutronen nach außen aus dem Stück weglaufen. Wenn man nämlich ein endliches Uran-Stück hat, dann werden die Neutronen, die an der Oberfläche sind und nach außen gerichtet sind, eben auslaufen ohne, dass sie weiter an der Spaltung teilnehmen können. Also es fragt sich, ob der Neutronenverlust dadurch, dass die Neutronen außen aus dem Stück [he]rauslaufen, größer oder kleiner ist als der Neutronengewinn, der durch die Vermehrung im Inneren [zustande] kommt. Wenn man das nun rechnen oder sich überlegen will, dann muss man zunächst mal die Wirkungsquerschnitte haben und die freien Weglängen haben.

Da[zu] habe ich zunächst einmal eine Faustformel hingeschrieben. Die heißt so: Die freie Weglänge für irgendeinen Prozess im Uran-235 ist gleich 22 cm / Wirkungsquerschnitt, und den Wirkungsquerschnitt diesmal gemessen in [Einheiten von] 10^{-24} [cm^2]. Das heißt also, wenn der Wirkungsquerschnitt [von Neutronen in Uran] z. B. für Spaltung 1×10^{-24} [cm^2] ist, dann ist die freie Weglänge für Spaltung 22 cm. Der Wirkungsquerschnitt für Streuung ist empirisch etwa 6×10^{-24} [cm^2], daher ist die freie Weglänge 3,7 cm.

Nun ist das Schwierigste [zu bestimmen] dabei der Wirkungsquerschnitt für Spaltung. Der Wirkungsquerschnitt für Spaltung hängt erstens natürlich sehr stark ab von der Geschwindigkeit [der Neutronen]. Bei thermischen Neutronen ist er, soviel wir wissen, in der Gegend, von etwa 300 bis 400×10^{-24} [cm^2], also sehr groß. Bei schnellen Neutronen ist mir die Zahl nicht mehr genau in Erinnerung. Eine Zahl, die in den Doerrigschen (?) Tabellen steht, die aber vielleicht für [U-]238 und nicht für [U-]235 gilt, die ist $0{,}5 \times 10^{-24}$ [cm^2]. Ich glaube auch, dass man nur diese Zahl für 238 wirklich gut wissen kann, weil ja bei schnellen Neutronen das 238 und das 235 gleichzeitig spaltet, und man also, wenn man Spaltungen misst, eben in den meisten Fällen die vom 238 misst, und ich nicht so recht sehe, wie man die beiden Spaltungen überhaupt unterscheiden kann.

HAHN: Weil das [d. h. der Anteil der Spaltungen von U-235] nur 0,7 % davon wären?

VON WEIZSÄCKER: Das wird man also [ohne Isotopentrennung] nie messen können. Ich wüsste gar nicht, wie.

HEISENBERG: Man könnte vielleicht Folgendes machen; man müsste Neutronen nehmen, die eine etwas kleinere Geschwindigkeit haben als die kritische Grenze beim [U-]238, aber nicht thermisch; also sagen wir, Neutronen von 105 [Elektronen-]Volt. Mit denen müsste man dann den Wirkungsquerschnitt messen und dann mit dem Verhältnis [d. h. U-238 zu U-235] umrechnen.

VON WEIZSÄCKER: Ja, aber da weiss man auch nicht genau, wie dann der Wirkungsquerschnitt weiter von der Energie abhängt.

HEISENBERG: Man könnte vielleicht sagen, so ungefähr wird der Wirkungsquerschnitt in diesen großen Energien doch vergleichbar sein mit der Kernoberfläche. Von der Energie wird es wohl nicht so toll abhängen. Die Bohrsche Theorie gibt sogar an, dass er eigentlich im ganzen Energiegebiet konstant sein soll.

HARTECK: Wenn die [Kernforscher] so einen guten Spektrographen haben in [den] U. S. A., dass sie es restlos trennen können, dann braucht man nichts anderes zu machen als so eine dünne Schicht [von U-235] zu haben und dann [das gemessene Ergebnis] entsprechend zu multiplizieren. Denn wenn ein Kern aufbricht, gibt es ja viel mehr als ein Alpha-Teilchen, die findet man immer mit dem Zählen [d. h. den Zählern], und dann gibt man das Verhältnis von thermischen zu schnellen [Neutronen an]. Da[mit] würde man es experimentell lösen. Die [Amerikaner] haben es sicherlich daher genau bestimmt.

HEISENBERG: Ja. Ich habe jetzt mal abgeschätzt[:] 0,5 bis 2,5 [$\times 10^{-24}$ cm^2] für den Wirkungsquerschnitt, indem ich mir gesagt habe, 0,5 ist der beim [U-]238, das wird ja die untere Grenze sein, denn [U-]235 wird leichter spalten. Und 2,5, das ist der Querschnitt des Kerns, der richtige [geometrische Stoßquerschnitt, und viel höher kann es auch nicht sein. Nun könnte es natürlich ein bisschen größer sein als πr^2, aber so in den Grenzen wird es liegen.

Wenn man also die Grenzen zwischen 0,5 and 2,5 annimmt, dann ist die zugehörige freie Weglänge für Spaltung 9 cm bis 44 cm. Bei der Streuung dagegen weiss man, dass der Streuquerschnitt bei all diesen schweren Elementen ungefähr 6 [$\times 10^{-24}$ cm^2] ist bei hoher Energie. Beim Uran kennen wir ihn ziemlich genau, da ist er, glaube ich, $6{,}2 \times 10^{-24}$ [cm^2] beim [U-]238. Beim Blei ist er ein bisschen niedriger, aber die sind alle ungefähr in der Gegend. Also kann man sagen, für Streuung ist der Wirkungsquerschnitt ziemlich sicher in der Gegend von 6×10^{-24} [cm^2] und daher die freie Weglänge etwa 3,7 cm.

Dann ist eine wichtige Größe, die man noch braucht, der Vermehrungsfaktor, also die Anzahl der Neutronen, die bei einem Stoß, bei einer Spaltung von [U-]235 herauskommen. Da kennen wir aus unseren Berliner Arbeiten sehr genau den Vermehrungsfaktor bei thermischen Neutronen, der aber nicht pro Spaltung, sondern pro thermische Absorption gerechnet wird. Nun ist im thermischen [Bereich] der Spaltungsquerschnitt etwa drei und der Absorptionsquerschnitt etwa 6,2 [$\times 10^{-24}\,cm^2$], d.h. wir kriegen eigentlich nur die Hälfte von dem wahren Vermehrungsfaktor, wenn wir unsere Zahl nehmen. Unsere Zahl ist 1,18, also kann man sagen, der Vermehrungsfaktor ist in Wirklichkeit $1{,}18\times 2$, wird also, grob gesprochen, zwischen 2 und 2,5 liegen.

VON LAUE: Ich habe das nicht verstanden.

HEISENBERG: Wir haben immer experimentiert mit gewöhnlichem Uran, wo also nur etwas weniger als 1 % [U-]235 drin ist und sonst [U-]238. In diesem gewöhnlichen Uran haben wir bei thermischen Neutronen folgende Verhältnisse: man hat einen Wirkungsquerschnitt von 6×10^{-24} [cm^2] dafür, dass ein thermisches Neutron verschwindet, und zwar entweder einfach [von U-238] wegabsorbiert wird und damit den [U-]239 Körper macht, der in 23 Minuten zerfällt,[288] oder dass es spaltet, und zwar das 235 –

(Unterbrechung)

HAHN: Ist das für thermische [Neutronen] jetzt gedacht?

HEISENBERG: Ich spreche im Moment nur über thermische [Neutronen]. In thermischen ist natürlich der Wirkungsquerschnitt für Spaltung für das [U-]235 furchtbar hoch, der ist in der Wirklichkeit in der Gegend von ein paar Hundert [$\times 10^{-24}\,cm^2$], aber weil es nur mit 1 % Häufigkeit vorkommt, spielt das dann im Ganzen doch nur eine geringe Rolle; das heißt, der Wirkungsquerschnitt umgerechnet auf

288 Heisenberg spricht vom „Brut"-Prozess im Natururan-Schwerwasserreaktor: U-239 zerfällt mit einer Halbwertszeit von 23 Minuten in Neptunium-239, das mit der ebenfalls kurzen Halbwertszeit von 2,4 Tagen in das langlebige spaltbare Plutonium-239 zerfällt, dem in den Gesprächen häufig erwähnten „Element 94".

[U-]238 ist dann auch nur etwa 3 $[\times 10^{-24}\,\mathrm{cm}^2]$. Diese Zahl 3 ist, glaube ich, von Droste mal bei Ihnen bestimmt worden.[289]

Hahn: Ja.

Heisenberg: Droste hat, glaube ich, eine Messung von 3,1 oder so etwas [he]rausgebracht. Wenn zwei Neutronen absorbiert werden, hat man nur in einem Falle eine Spaltung, denn der gesamte Absorptionsquerschnitt ist 6, Spaltungsquerschnitt ist 3 $[\times 10^{-24}\,\mathrm{cm}^2]$. D.h., wenn der Vermehrungsfaktor bei der Spaltung x ist, dann ist die effektive Vermehrung bloß ½ x, weil eben jedes zweite Neutron einfach vorher stirbt und eingefangen wird.

Harteck: Wenn man die Resonanz < > hat, da hat man doch am Schluss 1 / v für die geringen, und wenn das < > ist, gilt auch 1 / υ. Würden Sie glauben, das bei dieser Breit-Wigner-Formel das ganz genau 1 / υ gibt für die niederen Geschwindigkeiten, oder könnte es, wenn man zu tieferen Temperaturen [über]geht, ein kleiner Unterschied sein, wenn man die Breit-Wigner-Formel extrapoliert und die direkte Fission (?)? Verstehen Sie, dass es sich da um 10 % verschiebt relativ zueinander, oder ist da unten schon ganz haarscharf 1 / υ?

Heisenberg: Ich würde denken, dass es doch sehr genau 1 / υ ist.

Von Weizsäcker: Diese Formel bedeutet doch gar nichts anderes als dass die Wahrscheinlichkeit des Prozesses pro Zeiteinheit konstant ist.

Harteck: Das ist ganz klar, aber es ist ja noch die gewisse Einwirkung von der Resonanzstelle.

Heisenberg: Ja, aber die ist so weit weg.

Von Weizsäcker: Jedenfalls würde ich sagen, zu je kleinerem υ man geht, desto besser. –

(Unterbrechung)

Heisenberg: Also das spielt ja bei der Bombe gar keine Rolle, die ganzen Resonanzgeschichten. Ich wollte ja diese ganze kleine Abschweifung ins Gebiet der thermischen Neutronen nur machen, um zu sagen, dass wir auf Grund unserer Experimente schließen würden, dass der

289 Gottfried von Droste bestimmte 1941 den Wirkungsquerschnitt am Berliner KWI für Chemie experimentell mit $3{,}5 \times 10^{-24}\,\mathrm{cm}^2 \pm 0{,}13$. Vgl. Geheimbericht G-78, Über den Spaltprozess bei Präparat 38, Deutsches Museum FA 002/525, Bl. 3. Online verfügbar unter <https://digital.deutsches-museum.de/item/FA-002-525/#0003>.

Vermehrungsfaktor bei der Spaltung des [U-]235 etwa 2 bis 2,5 ist. Also genauer würden wir $2 \times 1{,}18$ sagen. D.h., wenn ein 235[-Kern] spaltet, dass dann 2 bis 2,5 Neutronen dabei [he]rauskommen. Es scheint mir, dass die Amerikaner oder die Engländer der Ansicht sind, dass die Zahl ein bisschen höher ist, denn in der Zeitung war so ein Bild von dem Uran-Prozess, und da waren bei einer Spaltung immer drei Neutronen gezeichnet, die [he]rauskamen. Also ich halte auch für durchaus denkbar, dass in Wirklichkeit die Zahl doch etwa 3 ist, und dass eben der Spaltungsquerschnitt, den Droste seinerzeit bestimmt hat, doch noch ein bisschen hoch ist, dass der in Wirklichkeit ein bisschen niedriger ist. Die Amerikaner haben tatsächlich früher mal für den Spaltungsquerschnitt $2\,[\times 10^{-24}\,\text{cm}^2]$ bestimmt, und dann käme genau die Zahl 3 [he]raus.

DIEBNER: Die Werte wurden ja auch immer höher, die [aus den Messdaten] berechneten Werte. Bei unseren letzten Versuchen waren sie doch etwas höher geworden.

HEISENBERG: Ja, da handelt es sich aber um 1 %, das schafft nicht viel. Ich habe also nachher gerechnet mit einem Vermehrungsfaktor, ich glaube 2,5. Damit haben wir also die wichtigsten Daten beieinander. Jetzt müssen wir fragen: Was passiert im Uran, wenn ein schnelles Neutron da auf die Reise geschickt wird. Dazu kann man nun folgendes sagen: Wenn wir ein beliebig großes Stück Uran-235 hätten und darin Neutronen, dann ist es ja klar, dass die Anzahl der Neutronen [zunächst] exponentiell anwächst, weil ja die Kettenreaktion einfach beliebig weitergeht. Jetzt muss man sich noch überlegen, wie es exponentiell zuwächst. Ich habe also da die Formel hingeschrieben, n ist proportional e^{vt}, wo eben v eine charakteristische reziproke Zeit ist für dieses exponentielle Anwachsen. Diese charakteristische Zeit, die man nachher als Reaktionszeit braucht, kann man einfach so abschätzen, dass man sagt, die Zeit, bis ein Neutron eine Spaltung macht, ist offenbar gegeben durch das Verhältnis der freien Weglänge für Spaltung [$\lambda_{\text{Spaltung}}$] geteilt durch die Geschwindigkeit [υ]. Also ein Neutron läuft etwa 9 cm bis zu der nächsten Spaltung. Nun muss ich einfach mir ausrechnen, wie lange läuft es, bis es eben die Strecke 9 cm zurückgelegt hat. Diese Zeit ist $\lambda_{\text{Spaltung}}/$Geschwindigkeit. In dieser Zeit ist die Vermehrung des

Neutrons gerade dieser Faktor x; d.h., statt eines Neutrons habe ich nachher x Neutronen. Also bekomme ich für die Bestimmung dieser Größe υ die Gleichung $e^{(\lambda_{Spaltung}/\upsilon)\cdot\nu} = x$ oder in anderen Worten, die charakteristische reziproke Zeit

$$\nu = (\upsilon / \lambda_{Spaltung}) \log x.$$

Die Geschwindigkeit kann man ungefähr gleich 1 / 20 Lichtgeschwindigkeit annehmen, denn es sind Neutronen von etwa 1.000.000 [Elektronen-]Volt, so ganz voll gesprochen.

Also jetzt wissen wir, wie eine Menge schneller Neutronen in einem beliebig großen Uran-Block sich vermehrt. Aber wenn die Verteilung der Neutronen ungleichförmig ist, und ich frage nicht, wie sich die gesamte Anzahl von Neutronen in einem bestimmten kleinen Volumen ändert, dann können natürlich aus diesem kleinen Volumen die Neutronen auch durch Diffusion wegkommen. Also muss ich so eine Diffusionsgleichung aufschreiben für die Neutronen und muss dazu die Diffusionskonstante der Neutronen wissen. Die Diffusionskonstante ist nach der kinetischen Gastheorie immer gleich der freien Weglänge für Streuung mal der Geschwindigkeit mal dem Faktor ⅓. Also die freie Weglänge für Streuung ist bekannt, die ist 3,7 cm. Die Geschwindigkeit ist auch bekannt, das ist 1 / 20 Lichtgeschwindigkeit. Daraus kriege ich [dann] die Diffusionskonstante.

Schließlich habe ich also für die zeitliche Veränderung der Neutronendichte an irgendeinem Punkt die Gleichung $\dot{\rho}$ (das ist die zeitliche Änderung der Dichte) = Diffusionskonstante [d] mal $\Delta\rho$ (Δ ist der Laplace Operator) + $\nu\rho$. Also man sieht ja, wenn das $\nu\rho$ nicht dastünde, also die Neutronenvermehrung, dann wäre das einfach die Wärmeleitungsgleichung die man ja kennt. Dieses [zusätzliche] Glied $\nu\rho$ bedeutet eben, dass die Neutronen sich außerdem noch vermehren. Man sieht auch dimensionsmäßig – das ist noch wichtig –, das Verhältnis d/ν ist offenbar das Quadrat einer Länge, denn wenn ich mit ν durchdividiere, dann habe ich eben als Faktor, vom Laplace Operator angewandt auf ρ, d/ν, und da muss [das gesamte Produkt] ja dieselbe Dimension haben wie ρ. Dieses d/ν nennt man seit den Fermischen Arbeiten das Quadrat der Diffusionlänge l^2. Dieses l kommt also jetzt hier numerisch [he]raus zu 6,2 cm geteilt durch Wurzel aus dem Spaltungsquerschnitt, wobei der letztere wieder in [Einheiten von] 10^{-24} [cm^2] gerechnet ist. Wenn der Spaltungsquerschnitt also gerade 1×10^{-24} [cm^2] ist, dann ist diese Diffusionslänge 6,2 cm.

Vielleicht kann man an dieser Stelle jetzt einen Moment [einmal] den Vergleich machen mit unseren [Uran-]Maschinen. Bei unserer Maschine war die Diffusionlänge immer viel größer. Ich habe die Zahlen jetzt nicht mehr genau im Kopf, ich glaube aber, mich erinnern zu können, dass die Diffusionslänge bei unserer besten Maschine, die wir zuletzt [in Haigerloch] gehabt haben, etwa 35 cm war. Deswegen werden ja auch die Maschinen immer so furchtbar groß. Das liegt an folgenden zwei Punkten: erstens ist der Vermehrungsfaktor viel kleiner. Also hier [bei der Bombe] ist [er] etwa 2,5, dort ist er nur 1,18, weil das 238 eben so viel wegnimmt. Zweitens – und dieser Einfluss ist noch wichtiger – läuft eben ein Neutron sehr weit von der Stelle, wo es ausgesendet wird, bis es thermisch wird und [dann] wieder absorbiert wird. Also in den Maschinen, mit denen wir zu tun haben, wird es durch D_2O [schweres Wasser] abgebremst und dann als thermisches Neutron [vom U-235] eingefangen. Es läuft eben immer schon ungefähr 20 cm weit, bis es schließlich eingefangen wird. Diese Länge addiert sich natürlich zu dem [oben genannten] l, sie wird in das l verarbeitet. Also hier [bei der Bombe] ist die Diffusionslänge eben nur etwa 6,2 cm, während sie dort [bei der Uranmaschine] in der Gegend von 35 cm war.

Jetzt haben wir also die Diffusionsgleichung, nach der die Neutronen sich ausbreiten. Jetzt will ich diese Gleichung lösen für eine Uran-Kugel von einem vorgegebenen Radius R, und ich will annehmen, dass diese Uran-Kugel R wieder umgeben ist von irgendeiner anderen Substanz. Was für eine Substanz, können wir uns nacher überlegen. Wir können natürlich auch Vakuum annehmen, aber jedenfalls nehmen wir eine Kugel an, dann kann man die Gleichung bequem lösen. Dann wird es sicher Lösungen geben, bei denen die Neutronendichte auch im Ganzen exponentiell zunimmt oder auch exponentiell abnimmt. Und zwar wird sich doch offenbar folgendes herausstellen: Wenn die Urankugel klein ist, laufen immer mehr Neutronen nach außen ab als innen produziert werden. Dann nimmt die Neutronendichte exponentiell ab. Wenn ich dagegen die Kugel hinreichend groß mache, dann kommt der Neutronenabfluss nach außen nicht auf gegen die Neutronenvermehrung im Inneren, und dann nimmt die Neutronendichte exponentiell zu. Ich setze also willkürlich an, dass die Neutronendichte gleich

$$\rho = \rho_0 e^{\mu t}$$

sein soll, und suche zu bestimmen diesen charakteristischen Faktor μ im Exponenten. Wenn das μ positiv ist, dann geht die Maschine, und die Bombe explodiert. Wenn μ negativ ist, dann heißt es, dass irgendwelche Neutronen, die in dem [Uran-]Stück sind, sofort herauslaufen und weiter nicht mehr interessant sind. Also wenn man das [d.h. den obigen Ansatz] einsetzt, $\rho = \rho_0 e^{\mu t}$, dann kommt die Gleichung [he]raus: Diffusionskonstante mal $\Delta\rho + \rho(\nu - \mu) = 0$. Diese Gleichung muss man lösen. Dazu führt man wieder zweckmässig eine charakteristische Länge ein, nämlich

$$d / (\nu - \mu) = l_1^2$$

Die Lösung dieser Gleichung kennt man. Das ist einfach die Gleichung von dem bekannten Typus

$$\Delta\varphi + x^2 \varphi = 0.$$

Die kugelsymmetrische Lösung lautet $(\sin x)/x$ (x ist also in dem Fall die Variable) oder r/l_1. Die Lösung im Inneren dieser Kugel [mit Radius r] heisst also $(1/r)\sin(r/l_1)$. Also die Neutronendichte muss sich im Inneren verteilen nach dieser Formel $(1/r)\sin(r/l_1)$. Und zwar muss das dann der Fall sein, wenn ich nicht annehme, dass innen irgendeine Neutronenquelle ist. Wenn ich innen eine Neutronenquelle hätte, dann könnte es natürlich sein, dass ich eine Lösung brauchen kann, die an der Stelle $r = 0$ z. B. singulär ist, weil dort eine Quelle liegt. Aber ich will annehmen, dass gar keine Quelle da ist, so dass die Neutronen sich alle irgendwie gleichmäßig über die Kugel verteilen, und das geht nur nach der Formel $(1/r)\sin(r/l_1)$.

VON LAUE: Ist das eine vom Uran unabhängige Quelle?

HEISENBERG: Ja. Also im Inneren der Kugel haben wir sicher diese Abhängigkeit $(1/r)\sin(r/l_1)$. Wie ist es [aber] außen? Da kann man Folgendes sagen: Wir haben es mit schnellen Neutronen zu tun, die werden in der äußeren umgebenden Substanz irgendwie gestreut und dabei verlangsamt. Das Verlangsamen aber schadet gar nichts, denn auch ein langsames Neutron kann spalten. Also kann ich so sagen: die Neutronenanzahl ändert sich außen überhaupt nicht. Also außen habe ich keinerlei Absorption, weder positive noch negative, und ich habe außen reine Diffusion von schnellen Neutronen. Ich kann also sagen, außen habe ich ein Medium, in dem die Neutronen nur diffundieren, aber nicht absorbiert oder vermehrt werden. In diesem Medium außen gilt also auch so eine Diffusionsgleichung, wie sie da oben steht, bloß mit der Vereinfachung, dass $\nu = 0$ ist, also keinerlei Vermehrung [oder Verminderung] stattfindet. Die Lösung dieser einfachsten Diffusionsgleichung heisst natürlich, ρ nimmt ab wie $1/r$. Also im Außenraum muss ρ, die Dichte, abnehmen wie $1/r$, weil es sich um gewöhnliche Diffusion handelt ohne zugehörige Absorption. Ich habe es mir da etwas erleichtert, indem ich das μ weggelassen habe, das μ ist doch gering gegen das ν.

HAHN: Die [Neutronen] kommen doch von außen wieder zurück, denke ich.

HEISENBERG: Ja. Ein erheblicher Teil der Neutronen fließt [zwar] nach außen ab, und ein Teil wird immer nur nach innen zurückgestreut. Also ich muss dann die Grenzbedingungen ansetzen. Die heißen so: An der Trennungsfläche zwischen Uran-Kugel und umgebendem Mantel muss die Dichte stetig übergehen, und muss der [Neutronen-]Strom stetig übergehen. Die Dichte innen habe ich schon hingeschrieben, die ist [proportional zu] $(1/r)\sin(r/l_1)$. Die Dichte außen α/r. Ich muss das α so wählen, dass für $r = R$ am Kugelrand die beiden Ausdrücke gleich sind.

VON LAUE: Warum soll die Dichte stetig übergehen?

HEISENBERG: Die Neutronendichte kann ja nicht springen. Die Neutronen bewegen sich ja doch sehr schnell [he]rüber und hinüber über die Grenzfläche. Also ich kann nicht einen Dichtesprung aufrecht erhalten. Also dann habe ich unter diese beiden Glieder mit der Dichte die Ströme geschrieben. Den Strom bekommt man ja einfach, indem man die Dichte nach r differenziert. Der Strom ist [daher] ja gegeben durch ein Gradienten der Dichte, multipliziert mit dem Diffusions-Koeffizienten. Also steht auf der linken Seite der Differential-Quotient nach r, multipliziert mit der Diffusions-Konstante d_i [d.h. $d_i \partial\rho / \partial r$], und zwar habe ich jetzt im Index „i" dazugeschrieben, weil es die Diffusionskonstante im Inneren bedeutet, und [auf der rechten Seite] außen steht der Differential-Quotient nach r von α / r, das ist $-\alpha / r^2$ multipliziert mit [der] Diffusions-Konstante außen [d.h. $\partial(\alpha / r) / \partial r = -d_a \alpha / r^2$]. Und schreibe ich einfach die Bedingung auf, dass die beiden gleich sein sollen, und das werden Sie mir glauben wenn man das also hinschreibt, dann fällt das heraus, das kann man eliminieren. Es bleibt stehen: das Verhältnis der beiden Diffusions-Konstanten d_a / d_i muss sein 1 – Kugelradius / l_1 mal ctg r / l_1.

BAGGE: Wenn außen freies Vakuum oder einfach Luft ist, wie [ist] es da?

HEISENBERG: Dann können Sie diese Formel auch anwenden, bloß müssen Sie dann d_a gleich unendlich setzen. Sie müssen sagen, dass jedes Neutron, was nach außen kommt, sofort abtransportiert wird. Das läuft darauf hinaus, dass am Kugelrand die Neutronendichte Null wird (sic!), weil sie außen mit beliebiger Geschwindigkeit abtransportiert wird.

Jetzt sieht man also, damit man zu einem klaren Resultat kommt, muss man kennen nicht nur die Diffusions-Konstante im Inneren, die kennen wir ja, sondern auch die Diffusions-Konstante außen. Das heißt, man muss nun irgend etwas annehmen über das Material, was man um die Uran-Kugel drumtut. Man sieht auch: Es ist offenbar zweckmäßig, um die Uran-Kugel etwas drumzutun, was möglichst viel Neutronen zurückstreut, also in anderen Worten, etwas drumzutun, was einen möglichst großen Streuquerschnitt hat. Andererseits handelt es sich hier um Streuung von schnellen Neutronen. Bei schnellen Neutronen hat man keine großen Variationen der Wirkungsquerschnitte. Man kann sagen, wenn ich etwas Blei drumtue oder Uran 238 oder so etwas, dann habe ich immer Streuquerschnitte von der Größenordnung 6×10^{-24} [cm^2]. Wenn ich Kohle drumtue, um ein ganz leichtes [Element] zu nehmen, dann habe ich etwa 4×10^{-24} [cm^2], dafür sind die Kohle-Atome etwas dichter gepackt als im Uran. Man kann es eigentlich machen wie man will, man kriegt immer freie Weglängen in der Gegend von 4 cm. Also ich glaube eigentlich nicht, dass man irgend etwas damit profitiert, wenn man sich da besonders raffinierte

Elemente [he]raussucht, sondern wahrscheinlich liegt es [d.h. die freie Weglänge] halt immer in der Gegend von 4 cm.

VON WEIZSÄCKER: Der Wortlaut der Meldung war, man mische das Uran mit Graphit, um die Neutronen zu verlangsamen.

HEISENBERG: Ich könnte mir denken, dass man dadurch, dass man es mit Graphit vermischt, den Streuquerschnitt noch heraufsetzt, das heißt also, das d_i verringert und dadurch die ganze Maschine noch ein bisschen enger kriegen kann. Aber viel profitiert man damit nicht, denn für schnelle Neutronen streut die Kohle eigentlich genau so gut wie 235 –

(Unterbrechung)

HARTECK: Das Volumen nimmt kubisch zu, das ist immer schlecht.

HEISENBERG: Sie müssen doch immer ein 235 [he]rausnehmen, um ein Kohle-Atom reinzustopfen.

VON WEIZSÄCKER: Ich kriege doch im Ganzen von einer Substanz mit derselben Streuweglänge mehr Material.

HARTECK: Aber es kommt uns doch nicht nur auf die Streuweglänge, sondern auch auf die Einfangweglänge an. Wenn ich, sagen wir, die Hälfte [an anderer Substanz] dazugebe, dann habe ich in der Volumeneinheit die halbe Menge an Uran; ich muss also einen doppelt so langen Weg zurücklegen bis zur Spaltung, und dadurch bekomme ich [insgesamt] die vierfache Menge an Uran. Ich gewinne zwar ein bissel etwas dadurch, dass ich mehr dann drin herumstreue. Es wird [aber eigentlich] immer schlechter.

VON WEIZSÄCKER: Aber dafür werden die Neutronen erheblich langsamer und haben dann einen wesentlich größeren Streuquerschnitt.

HEISENBERG: Das macht fast nichts aus. Das $1/v$-Glied geht ja erst viel tiefer los [d.h. bei viel tieferen Geschwindigkeiten]. Hier im Gegenteil ist doch der Wirkungsquerschnitt immer unabhängig von der Geschwindigkeit, einfach immer [gleich dem] Kernquerschnitt. Aber außenrum, wie gesagt, muss man was tun und zwar möglichst etwas, was keine kleine Streuweglänge hat, und ich habe jetzt mal versuchsweise angenommen, dass diese Streuweglänge außen genau so groß ist wie die innen. Also z.B. Kohle außen tut das schon ungefähr. Ich habe wegen der Ungenauigkeit, die hier hereinkommt, dann auch unterlassen, dieses μ-Glied außen noch zu berücksichtigen, denn es ist ja ganz willkürlich, ob ich außen d_a gleich 4 cm oder gleich 6 cm annehme.

GERLACH: Ob die [Amerikaner] den Kohlenstoff zugesetzt haben, um das Schmelzen zu sparen? Wenn man nämlich Uran-Karbid-Pulver nimmt und das reduziert, dann [gibt] das zusammen schon eine sehr hohe Dichte.

HEISENBERG: So [et]was könnte es sein, ja. Das könnte ich mir eher vorstellen, so eine technische Geschichte (?). Vielleicht können wir das nachher noch weiter besprechen.

Also wenn die Diffusionskoeffizienten außen und innen gleich sind, dann ist $d_a / d_i = 1$, dann muss also einfach der ctgs = 0 sein und der ctgs[290] ist null, wenn das Argument $\pi / 2$ ist, also muss dann der Radius gleich $\pi l_1 / 2$ sein. Man sieht auch, dass es ungünstiger wäre, etwa kein Streumaterial drumzutun, denn wenn ich etwa leeren Raum drum hätte um die Urankugel, dann wäre d_a gleich unendlich, d.h. der ctgs auf der rechten Seite müsste gleich minus unendlich sein, und das ist er dann, wenn das Argument π ist, und dann müsste also der Radius doppelt so gross sein. Also ganz grob kann man sagen, wenn ich gar nichts drumtue um die Urankugel, dann ist der kritische Radius, bei dem es losgeht, doppelt so groß als wenn ich die Urankugel mit Kohle oder Blei oder Uran 238 umgebe. Ich habe also jetzt angenommen, dass das Verhältnis der Streuquerschnitte innen und außen eins ist; dann ist Kugelradius $[R] / l_1 = \pi / 2$, und jetzt setze ich den Wert von l_1 aus der Gleichung ein und bekomme damit jetzt eine Gleichung für μ. Es kommt heraus

$$\mu = \nu - d\pi^2 / 4R^2 \text{ oder } \mu = \nu(1 - R_k^2 R^{-2})$$

wo R_k eine kritische Länge ist, $R_k = ½ \pi l$ und ungefähr R_k = 9,7 cm / Spaltungsquerschnitt [in 10^{-24} cm^2] hoch –½ [Also: $R_k = ½ \pi \sqrt{d / \nu}$]. Daraus sieht man, das μ ist tatsächlich negativ, wenn R sehr klein ist. Wenn ich also eine sehr kleine Kugel nehme, dann überwiegt das Glied $R_k^2 R^{-2}$ gegenüber der 1, und die Neutronendiche nimmt exponentiell ab. Wenn dagegen R größer ist als R_k, dann wird μ positiv, und dann nehmen die Neutronen exponentiell zu, d.h., die ganze Geschichte explodiert. Man sieht also, dieses R_k ist die kritische Größe, die die

290 Cotangens.

Uran-Kugel mindestens haben muss, damit die Sache explodiert. Die Explosion erfolgt dann exponentiell mit diesem Zeitfaktor μ. Nun sieht man, dieser kritische Radius hängt noch ziemlich empfindlich vom Spaltungsquerschnitt ab. Wenn ich den kleinsten Wert annehme, nämlich 0,5 [$\times 10^{-24}$ cm^2], dann bekomme ich einen kritischen Radius von 13,7 cm, und wenn ich den größten annehme, nämlich 2,5, dann komme ich auf 6,2 cm.

HARTECK: Ist das mit Rückstreumantel?

HEISENBERG: Mit einem Rückstreumantel, für den eben außen die freie Weglänge so groß ist wie innen. Nun sind diese 6 cm eigentlich noch erheblich größer als das, was die anderen [d. h. die Amerikaner] behaupten. Die anderen behaupten ja, dass die ganze Explosivmasse nur 4 kg gewogen habe, und diese Kugel von 6,2 cm wiegt ungefähr 16 kg. Nun gibt es zwei Möglichkeiten: eine ist, dass der Spaltungsquerschnitt in Wirklichkeit doch noch höher ist, und es ist ja nicht ganz undenkbar, dass er praktisch so groß ist wie der Streuquerschnitt, also etwa 6×10^{-24} [cm^2], und auch dann reicht es nicht ganz. Also ich weiß nicht, was noch viel geändert werden könnte in den [obigen] Daten. Sie [d. h. die Amerikaner] können also noch einen besseren Rückstreumantel haben, aber da können sie auch nicht viel dabei verdienen.

VON WEIZSÄCKER: Du hast vorhin gesagt, das 1/υ Glied fängt erst viel weiter unten an. Das fängt [aber] doch sofort dann an, wenn die Wellenlänge der Neutronen größer wird als der geometrische Kernquerschnitt.

HEISENBERG: Ja.

VON WEIZSÄCKER: Vielleicht haben sie eben doch deshalb Graphit dazugegeben, damit sie langsamere Neutronen haben und einen größeren Spaltungsquerschnitt [bekommen].

HEISENBERG: Aber erstens bremst doch Kohle furchtbar schlecht –

(Unterbrechung)

WIRTZ: Aber wenn sie etwas schweren Wasserstoff – nehmen wir an, so viele schwere Wasserstoff-Atome, sagen wir mal, in Form von schwerem Paraffin < > das zusammenzupressen, wie sie Uran-Atome haben.

HEISENBERG: Jedenfalls leichter [Wasserstoff] wäre noch besser als schwerer.

VON WEIZSÄCKER: Bei welcher Energie der Neutronen ist die Wellenlänge gleich dem Kernquerschnitt?

HEISENBERG: Bei 100.000 [Elektronen-]Volt ist sie 10^{-11} cm.

VON WEIZSÄCKER: Beim Kern darf man doch ansetzen etwa 10^{-12} cm Durchmesser; das heißt, bei einigen Millionen Volt sind die Kernquerschnitte [d. h. Durchmesser] und die Wellenlängen der Neutronen vergleichbar. Wenn es also nur gelingt, die Neutronen herunterzubringen auf, sagen wir, eine halbe Million [Elektronen-]Volt, dann wird sofort der Wirkungsquerschnitt um ein ganzes Stück größer sein.

HEISENBERG: Das glaube ich gar nicht, weil es ja nicht so ist, dass wir hier an der Resonanzstelle sind. Natürlich bei der Resonanzstelle kann der Wirkungsquerschnitt einfach Quadrat der Wellenlänge sein.

VON WEIZSÄCKER: Bei thermischen Neutronen ist dieser Querschnitt doch eben 50.000 [$\times 10^{-24}$ cm^2] oder so [et]was.

HEISENBERG: Wir wissen, dass in thermischen [Neutronen] der Spaltungsquerschnitt 400×10^{-24} [cm^2] ist; wenn du nun auf 100.000 [Elektronen-]Volt gehst, ist nach dem $1/\upsilon$-Gesetz, wenn es gilt, der Wirkungsquerschnitt bereits 0,4 [$\times 10^{-24}$ cm^2] geworden. Also kann man sagen, bei 100.000 Volt würde nach dem Gesetz schon etwas Kleineres [he]rauskommen als sicher da ist.

VON WEIZSÄCKER: Nun kommt die weitere Frage, wie stark werden die Neutronen gebremst, denn es ist ja so, dass praktisch jede Streuung unelastisch ist?

HEISENBERG: Ich würde sagen, nach drei bis vier Stößen wird es [das Neutron, dessen Energie] vielleicht schon so auf den 10ten Teil, vielleicht sogar auf weniger runtergegangen sein.

VON WEIZSÄCKER: Wenn man einfach so die Weisskopfsche Formel anwendet, dann wird man doch immer sagen, ein Neutron, das mit einer bestimmten Energie E in den Kern hineingeht, kommt mit einer Energie der Größenordnung E / 4 vielleicht wieder [he]raus.

HEISENBERG: Andererseits, wenn du einen Streuquerschnitt von 6 [$\times 10^{-24}$ cm^2] hast, dann sind mindestens 50 % dieses Streuquerschnitts rein elastische Streuung, die so da außen dran vorbeigeht und abgelenkt wird.

HAHN: Wenn man einen Uran-Mantel hat, dann gibt es ja doch noch das Auseinanderkrachen durch schnelle Neutronen; das gibt zwar nicht viel, aber doch eine kleine Vermehrung.

HEISENBERG: Also ich wollte überhaupt eigentlich folgende Deutung vorschlagen: ich würde glauben, dass das, was die [Amerikaner] im Zentrum [der Bombe] haben, eben eine Mischung aus [U-]238 und [U-]235 ist; etwa so, dass 50 % 235 und 50 % 238 ist, denn wahrscheinlich werden sie das 235 auch nicht gerade beliebig reingemacht haben. Von dieser Mischung, die sicher nicht viel schlechter ist als das reine 235, werden sie schon eine Kugel haben, die einen Radius von, sagen wir, 8 cm hat, aber in dieser Kugel von Radius 8 cm ist dann entsprechend wenig Uran-235 drin, und das haben sie angegeben als Gewicht.

HAHN: Die Lise Meitner sagt doch aber hier vom schweren Wasser etwas.

HEISENBERG: Die weiß ja sicher nichts. Schweres Wasser hat sicher überhaupt keinen Sinn, denn es handelt sich ja nur um Prozesse mit schnellen Neutronen, und für schnelle Neutronen ist leichtes Wasser genau so gut wie schweres.

HAHN: Wenn man ein schnelles Neutron hineinschießt in Uran-Metall, dann vermehrt sich das auf [das] 1,4 oder 1,35[-fache] bis es abgebremst ist.

HEISENBERG: Das hängt natürlich ganz von der Größe ab, also das ist auch wieder so ein Diffusionsprozess, aber als Günstigstes für eine unendlich große Kugel aus gutem 238 vermehrt es sich um 40 %. Wahrscheinlich könnte man schon eine Mischung verwenden, in der bloß, sagen wir, 10 % 235 und 90 % 238 sind. Das 238 hat immerhin doch den Vorteil, dass, wenn es mal spaltet, es dann gleich kolossal viele Neutronen abgibt, ungefähr 5 Stück. Es [d. h. die geringe Größe der Bombe] kann also, wie wir gerade festgestellt haben, sowohl am Spaltungsquerschnitt liegen als auch daran, dass die [Amerikaner] solche Mischungen verwenden. Jetzt muss man also fragen, wenn man nun wirklich eine solche Kugel hat, wie geht die Explosion vor sich? Da habe ich jetzt mal angenommen eine Kugel, deren Radius nur um 5 % größer ist als der kritische Radius. Ich muß dazu sagen, ich glaube nicht, dass sie viel mehr gemacht haben als etwa 5 % mehr, denn sie müssen ja sicher sein, dass die Hälfte der Kugel sicher unter der kritischen Grenze ist. Also sie setzen die Kugel zusammen aus zwei Halbkugeln offenbar.

KORSCHING: Können das nicht einfache Zylinder sein?

HEISENBERG: Das können auch Zylinder sein, aber ich würde sagen, Kugeln ist eigentlich immer der einfachste Fall, denn man will ja doch am Schluss die Neutronen mit einer kleinen Menge möglichst [eng] in einem Raum drinhalten.

KORSCHING: Halbkugeln kann man schlecht so aufeinander schieben.

HEISENBERG: Da ist ja sowieso ein Eisenzylinder dahinter und so [etwas]. Eine mögliche Konstruktion wäre, man hat die Halbkugeln an einen Eisenzylinder drangemacht, und dieser Eisenzylinder läuft in einem Kanonenrohr und wird in dieser Kanone auf die andere Halbkugel geschossen, die dann auch so gehalten wird. Wenn man annimmt, dass die Kugel, nachdem sie zusammengesetzt ist, einen um 5 % größeren Radius hat als den kritischen Radius, dann hätte die halbe Kugel, wenn ich das als Kugel betrachte – in Wirklichkeit hat sie eine andere Form – einen Radius von etwa 85 % des kritischen Radius. In anderen Worten, muss man schon auch mit den halben Kugeln ziemlich dicht rangehen, an die kritischen Daten, und das müssten die also sehr genau gemessen haben, dass ihnen da nichts passiert. Immerhin haben sie natürlich auch noch folgenden Sicherheitsfaktor: sie haben diese Halbkugel ja auf der einen Seite mit Luft umgeben, wenn sie leer noch da steht, und dadurch ist die Rückstreuung dort viel schlechter.

VON WEIZSÄCKER: Ich finde diese geometrische Form doch ungünstig. Eigentlich müsste man aus dieser Halbkugel eine kleinere Figur mit runden Ecken ausschneiden, die wirklich wirksam ist, denn das Zeug mit den spitzen Kanten hilft ja nichts.

HEISENBERG: Eben. Also eine mögliche Konstruktion wäre, sie haben immer diese Halbkugel in einem Eisenzylinder drin. Nun sagen wir, unten steht ein Eisenzylinder, die Halbkugel nach oben, nun kommt ein Kanonenrohr, und oben drüber ist wieder ein Eisenzylinder mit der Halbkugel nach unten, so dass sie flachen Seiten der Halbkugel sich zugewandt sind. Nun habe ich oben eine kleine Sprengladung, so dass zu einer bestimmten Zeit dieser obere Zylinder [he]runterstößt auf das

untere und das Ganze nun zu einer ganzen Kugel zusammengesetzt wird. Warum das so schnell gehen muss, will ich gleich sagen.
Der Prozess läuft nun ab nach der Gleichung $\rho = e^{\mu t}$, wo μ diese reziproke Zeit ist, die jetzt da oben in der Formel ausgerechnet ist. Wenn man mal annimmt, dass eben der Radius nur 5 % größer ist als der kritische Radius, dann kommt also [he]raus

$$\mu = 0{,}5 \times (10^7 \text{ Sekunden})^{-1}.$$

Also in 10^{-7} Sekunden nimmt die Intensität jeweils auf das e-fache zu. Das heisst in anderen Worten, die ganze Reaktion läuft ab in etwa 10^{-5} Sekunden.
Nun ist die Frage: erstens, warum muss man die beiden Halbkugeln so schnell aufeinander setzen? Könnte man nicht die ganz langsam aufeinander setzen und sagen: „Na gut, wenn ich sie eben langsam aufeinander setze, irgendwann mal geht eben dann die Geschichte [d.h. die Explosion] los, wenn ich sie nahe genug beieinander habe, und dann ist ja alles gut?" Das scheint mir aus folgendem Grund schlecht zu sein. Wenn ich es [d.h. die Halbkugeln] langsam zusammensetze, fängt die Sache an zu einem Zeitpunkt, wo ich nur viel weniger über dem kritischen Radius bin als diese 5 %, also sagen wir, bloß 1 / 10 Promille über dem kritischen Radius. Zu dieser Zeit ist der Zeitfaktor, mit dem die Geschichte geht [d.h. der Prozess abläuft], sehr viel langsamer, also nicht $(10^7$ Sekunden$)^{-1}$, sondern eben nur 10^{-4} oder so [et]was. Dann würde die ganze Explosion eben nicht 10^{-7} sondern 10^{-4} Sekunden brauchen. In dieser Zeit würde also die Sache sich so schnell so weit erwärmen, dass man auf 5.000 ° oder 10.000 ° oder 20.000 ° kommt. Sobald ich aber diese hohen Temperaturen habe, dann platzt die ganze Geschichte [d.h. Anordnung] ja auseinander. Dieses Auseinanderplatzen erfolgt dann auch in Zeiten vergleichbar mit 10^{-4} Sekunden. Das heißt, die Reaktion läuft gar nicht bis zu Ende ab, sondern sie läuft eben praktisch nur ab, bis sie etwa 10.000 ° erreicht hat, und dann ist sie schon zu Ende. Also ich muss die Zeit schon hinreichend kurz wählen, damit das nicht [schon] vorher auseinanderfliegt.
Das habe ich nun mal so überschlagen, und da kommt eben [he]raus, die Zeit[-konstante] darf eigentlich nicht länger als 10^{-6} Sekunden sein, vielleicht noch $\frac{1}{2} \times 10^{-6}$, aber das ist dann so etwa die Grenze. Das kann

man erreichen, wenn man die beiden Halbkugeln aufeinander schießt. Man kann es aber nicht erreichen, wenn man sie etwa bloß langsam aufeinander legt. Ich kann sagen, es gibt einen kritischen Abstand, sagen wir mal, 1 cm. Wenn ich sie mehr als 1 cm auseinander habe, passiert gar nichts, geht es überhaupt nicht los. Wenn ich sie näher als einen Zentimeter zusammen habe, dann geht die Sache explosiv los. Dieser letzte Zentimeter muss in 10^{-6} Sekunden zurückgelegt werden.

HARTECK: Das geht ja nicht, das wären ja 10.000 m pro Sekunde.

HEISENBERG: Na ja, 10^5 [m/s] (means [sic!] 10^{-5} Sekunden?) ist vielleicht gerade noch möglich. Darum werden sie [d. h. die Amerikaner] es [d. h. die Explosivkraft der Bombe] auch nicht ganz ausnutzen können.

HARTECK: Es genügt nicht nur „möglichst schnell" [d. h. 10^5 m/s zu erreichen], sondern es kommt sehr darauf an.

HEISENBERG: Es kommt *sehr* darauf an. Es gibt noch eine Möglichkeit, da anders zu agumentieren. Man könnte nämlich folgendes sagen: wenn man gar keine Neutronenquelle in die Nähe bringt und es sozusagen der Höhenstrahlung überlässt [die Reaktion auszulösen], dann könnte ich ja so sagen: „Ich bringe es verhältnismäßig langsam zusammen, dann wird zunächst gar kein Höhenstrahlungsneutron da sein." Aber das ist ein Spiel des Zufalls. Da kann es eben passieren, dass doch gerade in dem Moment, wo der kritische Radius überschritten ist, schon das Neutron da ist, und dann ist der Wirkungsgrad der Bombe viel schlechter.

VON WEIZSÄCKER: Wie oft entstehen in so einem kleinen Gebiet Höhenstrahlen-Neutronen?

HEISENBERG: Das ist jetzt die Frage der Zündung. Da habe ich folgendes abgeschätzt: Erstens kann die Zündung etwa durch die spontane Spaltung erfolgen. Das ist ja eine Möglichkeit. Da sieht man aber, das reicht nicht. Die Lebensdauer für spontane Spaltung ist etwa 10^{14} Jahre, wenn ich mich recht erinnere.

HARTECK: 10^{14} bis 10^{16}.

HAHN: Woher weiß man, dass 235 spontan spaltet?

HEISENBERG: Ach so, da ist 238 wahrscheinlich auch dabei. Die beiden sind auch ungefähr vergleichbar. Das wären also in Sekunden etwa 10^{22}

Sekunden, und wenn ich nun in 10^{-6} Sekunden ein Neutron haben will, dann müsste ich 10^{38} Atome haben; die habe ich natürlich nicht.[291]

VON WEIZSÄCKER: Man könnte natürlich umgekehrt sagen, wenn bestimmt kein andere Zündungsmechanismus da ist, dann führt man es [d. h. die Teile] ganz langsam zusammen, und dann geht es los.

HEISENBERG: Ja, ich weiß auch nicht. Vielleicht haben sie so einen Trick gemacht. Dann können sie natürlich Pech haben, sie müssen dann riskieren, dass ihnen die Bombe einen sehr schlechten Wirkungsgrad gibt.

VON WEIZSÄCKER: Wenn sie es dann noch relativ schnell zusammenführen, ist die Wahrscheinlichkeit, dass es schiefgeht, doch sehr gering.

HEISENBERG: Bloß wenn sie es da schnell aufeinanderschießen, müssen sie dafür sorgen, dass es nicht wieder durch Reflektion auseinandergeht.

HAHN: Was würde passieren, wenn die 1 / 1.000 mg Radium da reinnähmen?

HEISENBERG: Das würde sicher reichen.

GERLACH: Wenn die eine Hälfte so [etwa] 85 % von der kritischen Größe ist, wie lange lebt dann ein thermisches Neutron drin?

HEISENBERG: Sie meinen, wenn mal also die thermischen Neutronen von der Höhenstrahlung betrachtet?

GERLACH: Ja, denn die machen doch wieder neue Neutronen in der [einen oder anderen] Hälfte drin.

HEISENBERG: Das lebt [dort] nicht lange [genug].

HARTECK: Das hat doch die Geschwindigkeit von 10^5 cm[/s], ein thermisches [Neutron]. Und wenn wir reines [U-]235 haben, dann ist die freie Weglänge nur einige Hundertstel Zentimeter. Also wird die Größenordnung sein etwa 10^{-7} Sekunden.

HEISENBERG: Ja, stimmt, das ist viel zu klein.

GERLACH: Dafür ist aber wieder ein Neutron da.

HEISENBERG: Das läuft weg, das ist zu schnell.

GERLACH: (Für) solche Abfallszeiten war doch mal eine Formel angegeben.

VON WEIZSÄCKER: Hier ist es ja ausgerechnet. Ja, in unseren großen Maschinen sind die Abfallszeiten viel größer.

---

291 10^{38} Atome entsprechen $1{,}7 \times 10^{14}$ Mol oder 40 Milliarden Tonnen Uranmetall.

(Pause).

HEISENBERG: Kann ja sein, dass sie es doch so machen: sie führen die beiden Teile [der Bombe] möglichst schnell zusammen und sagen: „Wir hoffen eben, dass wir nicht das Pech haben, dass gerade, wenn die kritische Größe überschritten ist, schon das erste Neutron da ist."

KORSCHING: Wenn die Zerfallszeit so ungeheuer [von der Reaktionsmasse] abhängig ist, dann müsste man, wenn man ganz langsam mit einer Mikrometerschraube die Dinger zusammenschraubt, dann erreichen können, dass man die [Bombe] beliebig langsam abbrennen lassen kann.

HEISENBERG: Da kommen Schwankungserscheinungen. Natürlich, im Prinzip wäre das möglich. Dann habe ich also noch eine energetische Betrachtung drangefügt. Nehmen wir an, es sind 4 kg [U-]235 was wirklich „verbrennt". Dann werden dabei frei 3×10^{21} erg. Das ist ganz trivial. Pro Spaltung werden ungefähr 3×10^{-4} erg frei, das muss ich dann mit irgendwelchen Faktoren multiplizieren. Nun kann ich fragen, wie hoch wird die Temperatur in diesem Uran-Block? Da kann man nun einfach so rechnen, dass diese ganze Energie praktisch in Strahlung umgesetzt wird, denn die spezifische Wärme von dem Metall ist von T unabhängig, also die [Wärme-]Energie geht etwa [proportional] mit T.

VON LAUE: Es handelt sich um Uran-Gas.

HEISENBERG: Ja. Dagegen die Strahlung, die auch in diesem Raum gleichzeitig entsteht, die hat einen Energie-Inhalt, der nach dem Boltzmannschen Gesetz mit T^4 geht. Also bei hinreichend hoher Temperatur überwiegt immer die Strahlung über alles andere. Also praktisch wird die ganze Energie in Strahlung umgesetzt, und ich kann die Temperatur so ausrechnen, dass ich sage: die Temperatur wird ebenso wie die Neutronendichte exponentiell zunehmen, wieder nach einem Gesetz $e^{\mu t}$. Sie wird bis zu einem Maximum zunehmen, bis nämlich die gesamte Energie verbraucht ist. Die gesamte Energie muss bis zu diesem Zeitpunkt dann durch die Oberfläche auch abgeflossen sein, denn die Strahlung geht ja mit Lichtgeschwindigkeit, also praktisch braucht sie keine Zeit im Inneren des Urans. Nun geht durch eine Oberfläche nach dem Stephan-Boltzmannschen Gesetz pro cm^2 und Sekunde die Energie σ, wobei die Konstante ist: $-5{,}8 \times 10^{-5}$ erg pro Sekunde, cm^2 und $Grad^4$. Es muss also das Zeitintegral von Oberfläche F des Uranstücks mal σT^4 gleich der gesamten Energie sein, und dieses Zeitintegral ist bei exponentieller Zunahme einfach gleich

$$\frac{F \times \sigma \times (\text{Maximaltemperatur})^4}{4 \times \text{exponentielle[r] Zunahmefaktor}}$$

und wenn ich nun die Daten einsetze, die wir da oben angenommen haben, dann kommt man auf eine Maximaltemperatur von 3×10^7 Grad. Das ist etwas höher als die Zeitungen angeben; in den Zeitungen habe ich mal die Zahl $3{,}6 \times 10^6$ Grad gelesen. Es scheint, dass nicht die ganze Energie umgesetzt wird. Es kommt ja vielleicht auch nicht so auf die letzte Zehnerpotenz an, denn die Bedingungen kennen wir ja nicht genau von der Bombe, und es ist ja auch wieder die Frage, ob diese Zeitungszahl richtig ist. Wenn man wirklich die Kugel zusammen hat, bevor die Sache losgeht, dann dehnt sie sich in den Sekunden auch faktisch nicht aus. Ich habe ausgerechnet, um wieviel die Kugel sich ausdehnt, und da kommt man eben bei 10^{-7} Sekunden erst auf [eine] Ausdehnung von [der] Größenordnung von wenigen Millimetern.

VON LAUE: Vor allen Dingen kommt ja doch der Strahlungsdruck in Frage für den Streumantel.

HEISENBERG: Der Strahlungsdruck ist bei der Maximaltemperatur etwa 10^9 Atmosphären; das ist an sich irrsinnig viel, aber es reicht eben nicht, um in dieser ungeheuer kurzen Zeit schon merklich die Geschichte auszudehen.

HARTECK: Also wie ist die Temperatur ausgerechnet worden?

HEISENBERG: Also ich habe einfach so ausgerechnet: es soll praktisch bei Ende der Reaktion die gesamte Energie, die frei geworden, ist, durch Strahlung weggegangen sein. Das ist natürlich deswegen nicht ganz richtig, weil ja auch ein gewisser Bruchteil der Energie dazu verwendet wird, um wirklich die Teilchen zu beschleunigen, also die Moleküle zu bewegen. Aber praktisch spielt eben bei diesen ganz hohen Temperaturen eigentlich die Strahlung die Hauptrolle. Also das meiste von [der] Energie geht in Strahlung, und nur relativ wenig Energie geht in Bewegung von Teilchen. Diese Strahlungsenergie kommt mit Lichtgeschwindigkeit raus. Also habe ich gesagt, es muss bis zum Ende der Reaktion praktisch die gesamte Energie, die überhaupt frei wird, durch die Oberfläche nach außen abgeströmt sein. Die Strahlung von 3×10^7 Grad ist, weil sie Plancksche Strahlung ist, eine Röntgenstrahlung, deren Maximum bei etwa 1 Ångström Wellenlänge liegt, also die genauere Zahl ist 0,86 Ångström. Der Hauptanteil der Strahlung kommt [he]raus als Röntgenstrahlung, und wird nun in der umgebenden Luft absorbiert. Das erste, was dann passiert, wird sein, dass die ersten 10 m Luft zur Weißglut gebracht werden. Was man zu allererst sehen wird, wird ein glühender Ball von etwa 20 m Durchmesser sein, der weiß glüht infolge der absorbierten Röntgenstrahlung. Diese Strahlung wird natürlich wieder weitere Strahlungen nach außen schicken, und so wird sich die Geschichte allmählich ausbreiten.

Von Weizsäcker: Wobei dann allerdings wohl nur noch ein kleiner Teil Strahlung ist von der Energie, denn, sowie das Ding auf vernünftigere Temperaturen gekommen ist, dann ist der größere Teil des Drucks Gasdruck, und dann geht der Rest als Druckwelle weiter.

Heisenberg: Dann wird die Geschichte [d. h. die Erscheinung] am Anfang wunderbar kugelsymmetrisch sein, und dann allmählich erst kommen die Konvektionserscheinungen dazu, und dann wird es kompliziert.

Von Weizsäcker: Ich würde drei Phasen sagen: eine Strahlungsphase, dann eine Phase, wo zunächst einmal eine Druckwelle erzeugt wird, und nun dehnt es [d. h. das Reaktionsvolumen] sich mit dieser Druckwelle gleichzeitig aus, und dann wird eine Konvektion einsetzen und das Ganze nach oben getragen.

Von Laue: Wieviel Energie geht von vornherein als sichtbare Strahlung weg?

Heisenberg: Ich vergleiche etwa diese innere Uran-Kugel mit einem glühenden Körper, sagen wir einmal, auf 1.000°. Dann würde es [d. h. die zerstrahlende Urankugel] um 10^4 Mal mehr strahlen im Sichtbaren als dieser glühende Körper. Die Oberfläche dieser Uran-Kugel strahlt also um etwa 2.000 mal mehr als die Sonnenoberfläche.

Von Weizsäcker: D. h., wenn man es [d. h. die Explosion] aus einer Entfernung sieht, in der es so groß ist wie die Sonne, dann strahlt es eben 1.000 Mal mehr als die Sonne.

HEISENBERG: Es wäre interessant, ob z. B. Gegenstände von dem sichtbaren Strahlungsdruck schon umgeworfen werden können. Das ist durchaus denkbar.

(Pause)

Jedes Neutron hat in unserer Maschine die Chance 1 / 20, eingefangen zu werden im Resonanzkörper, also auf jede Spaltung ist praktisch 1 / 20 [Element] „94" gemacht.

HAHN: Das habe ich jetzt nicht verstanden.

HEISENBERG: In unsere Maschine ist es immer so eingerichtet gewesen, dass jedes Neutron mit der Chance 1 / 20 weggefangen wurde durch die Resonanzstellen, bevor es themisch geworden ist.

HAHN: Ach so.

IV. Besuch von Sir Charles Darwin[292]

1. Sir Charles Darwin traf in Begleitung von Lieutenant Commander Welsh am 28. August rechtzeitig zum Tee in Farm Hall ein. Nachdem ihm beim Tee die Gäste vorgestellt worden waren, führte er mit Hahn allein ein Gespräch, dem sich später Heisenberg anschloss. Beide Gäste äußerten sich anerkennend über die Behandlung, die ihnen hier zuteil wurde, und gaben an, ihre Hauptsorge sei, dass es keinerlei Nachrichten von ihren Familien gebe. Heisenberg vermittelte Sir Darwin einige Einzelheiten über die in seinem Institut durchgeführten Arbeiten. Es folgen Auszüge aus dem Gespräch, das in Englisch geführt wurde:

HEISENBERG: Wir haben versucht, eine Maschine zu machen, die aus gewöhnlichem Uran hergestellt werden kann.

DARWIN: Mit ein wenig Anreicherung?

HEISENBERG: Nein, überhaupt nicht.

DARWIN: Mit schwerem Wasser?

292 Charles Galton Darwin, Enkel des Biologen Charles Darwin, gehörte zu den bedeutendsten und einflussreichsten englischen Physikern seiner Zeit, der seit 1938 das National Physical Laboratory, britisches Pendant zur Physikalisch-Technischen Reichsanstalt, leitete und zu den Initiatoren des britischen Atombombenprojekts gehörte.

HEISENBERG: Ja. Das hat ganz gut geklappt, und deshalb haben wir uns dafür interessiert.

(Pause.)

Wenn wir nach unseren letzten Versuchen 500 l mehr schweres Wasser gehabt hätten, zweifle ich nicht, dass wir die Maschine zum Laufen gebracht hätten.

DARWIN: Welche Wärme hätten Sie gewinnen können?

HEISENBERG: Eine solche Anlage stabilisiert sich bei einer bestimmten Temperatur. Man kann die Temperatur einfach festlegen, in dem man eine bestimmte Menge schweres Wasser hinzunimmt. Wenn man genügend Uran hat, ergibt mehr schweres Wasser einen Temperaturanstieg. Wenn wir die Maschine zum Laufen gebracht hätten, hätten wir fast jede Intensität radioaktiver Isotope herstellen können. Denn durch genügende Entnahme von Energie kann man die Intensität so hoch steigern, wie man will.

DARWIN: Hatten Sie denn dazu genügend schweres Wasser?

HEISENBERG: Wir hatten in Deutschland 2 t schweres Wasser. Das hätte gereicht. Eigentlich hatten wir aber nur 1,5 t, und die restlichen 500 l schweres Wasser wiesen einige Verunreinigungen mit Leichtwasser auf. Und deshalb konnten wir sie nicht verwenden und beabsichtigten, sie wieder rein zu machen. Inzwischen war aber der Krieg vorbei.

DARWIN: Haben Sie mal in Erwägung gezogen, eine Maschine zu entwickeln, eine wirkliche Maschine?

HEISENBERG: Es gab Pläne, diese Wärme zu nutzen und eine Maschine herzustellen.

DARWIN: Hatten Sie irgendwelche Vorstellungen?

HEISENBERG: Ein Plan war, das Isotop 235 ein bisschen anzureichern, damit die Sache mit gewöhnlichem Wasser laufen würde, denn man kann das gewöhnliche Wasser einfach hindurchpumpen.

DARWIN: Sie dachten daran, etwa 400 Grad zu erreichen, so etwas in der Richtung?

HEISENBERG: Ja. Aber die Hauptschwierigkeit ist die Korrosion des Urans, die chemische Veränderung. Wir probierten ein paar Projekte aus, um die Sache zu perfektionieren.

DARWIN: Haben Sie einige wirklich *ausprobiert*, oder haben Sie nur darüber geredet?

HEISENBERG: Wir haben daran gearbeitet, aber die Sache war nicht sehr erfolgreich.

HAHN: Die Korrosionsschutzmaßnahmen waren noch nicht abgeschlossen. Harteck weiß darüber Bescheid und über das schwere Wasser.

HEISENBERG: Der andere Plan war, mit schwerem Wasser und gewöhnlichem Uran zu arbeiten, und dann kann man natürlich nur zu tiefen Temperaturen gehen. Dann sollte das Wasser hindurchgepumpt werden und die Wärme an das gewöhnliche Wasser abgeben, aber wir sind damit nicht sehr weit gekommen. Wir in unserem Institut waren nur daran interessiert, eine Maschine zu bauen, die uns hohe Neutronenintensitäten geben würde, mit denen wir zu spielen beabsichtigten.

DARWIN: Haben Sie viel über 94 nachgedacht?

HAHN: Man kann es nur herstellen, wenn man eine solche Maschine hat. Auch muss ein ziemlich stabiles 93 vorhanden sein. Aus dem 237 entsteht durch schnelle Neutronen ein 93, das in sieben Tagen zu diesem inaktiven 94 zerfällt. Sie sind wahrscheinlich mehr an der Sache mit den langsamen Neutronen interessiert. Bei gewöhnlichem Uran erhält man mit langsamen Neutronen ein aktives 93 und ein inaktives 94. Aber durch schnelle Neutronen entsteht ein 93 durch Zerfall von Uran mit dem Atomgewicht 237, nicht 239. Wenn ein Neutron auf ein (239?) trifft, werden zwei Neutronen abgegeben.

DARWIN: Es gibt ein 239, das zwei Neutronen abgibt und die beiden < > zwingt.

HAHN: Sie haben 238. Wenn dieses 238 von Neutronen getroffen wird, werden zwei Neutronen abgegeben. Deshalb erhält man 237. Und dieses Uran 237 zerfällt innerhalb von sieben Tagen zu – (wird unterbrochen.)

DARWIN: Erfolgt das auf einem sehr schmalen Absorptionsband oder dergleichen, so dass man nicht viel davon erhält?

HAHN: Darüber wissen wir nichts, weil es nicht aktiv (genug) ist.

HEISENBERG: Ich würde kein schmales Band erwarten. Ich würde sagen, dass jedes sehr schnelle Neutron es schafft, aber es muss ein sehr schnelles Neutron sein, weil es auch die Energie haben muss, ein anderes Neutron herauszuschlagen.

DARWIN: Ich verstehe, worauf Sie hinauswollen. Es ist nicht ein Resonanzniveau?

HAHN: Nein. In meinem Labor, wo ich überhaupt keine starke Substanz hatte, konnte ich dieses 237 herstellen, das in sieben Tagen zu einem inaktiven Element zerfällt.

DARWIN: War das beta-aktiv?

HAHN: 237 gibt Beta-Strahlen (ab).

DARWIN: Ist es anschließend stabil?

HAHN: Ziemlich stabil. Es können sogar 10.000 Jahre sein. Niemand weiß das – wir jedenfalls wissen es nicht.

DARWIN: Sie haben es mit Radium und / oder Beryllium gemacht?

HAHN: Ja. In Heisenbergs Laboratorium in Berlin hatten sie eine Hochspannungsanlage,[293] und dort erhielten wir ein paar stärkere Präparate.

DARWIN: Welche Art von Hochspannung war das?

HEISENBERG: Wir hatten etwa 10^6 Volt.

HAHN: In Berlin konnten wir diese Präparate haben. In Tailfingen hatten wir sie nicht mehr, und so versuchten wir, sie von der Reichspost[294] zu bekommen, die hatten auch etwas. Und wir hofften, etwas von Bothes Zyklotron zu bekommen.

2. Nach dem Abendessen fand eine allgemeine Diskussion statt. Sir Charles schnitt die Frage an, was sie, die Wissenschaftler, angesichts der Atombombe unternehmen wollten. Gerlach erwiderte, er glaube nicht, dass es in der Welt von jetzt an noch eine „freie Wissenschaft" geben werde. Gerlach, Hahn, Heisenberg und Harteck äußerten entschieden die Ansicht, dass Russland sich nie an die Spielregeln halten werde. Während Wissenschaftler in anderen Ländern ihre Arbeiten veröffentlichen würden, dürfte die russische Regierung wohl kaum gestatten, dass russische Forscher ihre

---

293 In dem von Heisenberg seit 1942 geleiteten Kaiser-Wilhelm-Institut für Physik in Berlin-Dahlem befand sich auch eine leistungsfähige Hochspannungsanlage, die bereits vom Gründungsdirektor Peter Debye installiert worden war und u. a. zur Beschleunigung atomarer Teilchen und damit zur Auslösung von Kernreaktionen diente. Diese Anlage stand aber in ihrer Leistungsfähigkeit weit hinter den Zyklotronen und anderen Beschleunigeranlagen zurück.

294 Dabei handelte es sich um die Gruppe um Manfred von Ardenne und sein Privatlaboratorium in Berlin-Lichterfelde. Siehe Anm. 252 auf S. 200.

wissenschaftlichen Arbeiten allgemein bekanntmachten. Von Weizsäcker stellte die Ansicht zur Debatte, dass entweder jeder Physiker in jedem Land sich weigert, das Geheimnis der Atomkraft irgendeiner Regierung preiszugeben – was nach einhelliger Meinung unmöglich ist –, oder Wissenschaftler müssen die Regierungen selber führen. Harteck stellte die Frage, ob Russland einer internationalen Kontrolle der Atombombe zustimmen werde, worauf Hahn und Gerlach vorschlugen, es sei vielleicht eine gute Sache, wenn jedes der großen Länder 500 solcher Bomben besitze. Dann würde jeder vor jedem anderen Angst haben. Heisenberg vertrat die Ansicht, dass, wenn zwei gleich starke Mächte existierten, es zwangsläufig zum Krieg kommen müsse, weil es immer Probleme geben werde, sobald eine Macht glaube, dass das Recht auf ihrer Seite sei und es keine andere Möglichkeit einer Lösung des Konflikts gebe als Krieg. Hahn unterstrich erneut, dass sie alle große Angst vor Russland hätten und Stalin zutiefst misstrauten. Wenn die Verhältnisse in Deutschland sich sehr verschlechtern sollten, würde auch das britisch und amerikanisch kontrollierte Deutschland Stalin in die Arme getrieben werden. Sie, die Wissenschaftler selber, würden es lieber sehen, wenn Deutschland sich an den Westen anlehne, und sie hofften, dass die westlichen Alliierten Deutschland mit Lebensmitteln usw. in dem Maße unterstützen, dass solche schlimmen Verhältnisse gar nicht erst entstehen. Schließlich stellte Heisenberg fest, dass im Augenblick sämtliche Wissenschaftler zu sehr von ihren Regierungen abhängig seien, und er vertrat die Ansicht, Wissenschaftler müssten versuchen, politischen Einfluss zu nehmen.

3. Im weiteren Verlauf des Abends fand das folgende Gespräch in Gegenwart von Lieutenant Commander Welsh statt, der den Gästen ein Exemplar des Weißbuches gezeigt hatte, das sich mit der Atombombe befasst:[295]

---

295 Her Majesty's Treasury: Statements Relating to the Atomic Bomb. London 1945. Es enthielt ein Statement von Churchill vom 6. August 1945 sowie der Leitung von „tube alloys" beim Department of Scientific and Industrial Research, also des britischen Atomprogramms, vom 12. August 1945. Der Herausgeber, HM Treasury, war das britische Finanz- und Wirtschaftsministerium. Das Churchill-Statement war auch in der BBC-Meldung über den ersten Einsatz der Atombombe am Abend des 6. August verlesen worden (siehe S. 165 f.) und ist bei Bernstein 2001, S. 357 ff. und Gowing 1974, S. 14 – 18 abgedruckt.

WEIZSÄCKER: Sie haben sich zur Gasdiffusion entschlossen.

HARTECK: Hertz hat das schon versucht, und selbst ihm ist es nicht gelungen. Ich überredete Albers,[296] der in Celle war, eine Verbindung herzustellen, die die gleiche Dampfspannung wie Quecksilber bei Zimmertemperatur haben sollte – eine solche Substanz ist geeignet zur (Prüfung) von Unterschieden in der Verdampfungsgeschwindigkeit. Wenn man 10.000 kg einer solchen Substanz herstellt, geht die ganze Sache automatisch; sie wird verdampft und kondensiert. Man kann 10.000 kg nacheinander herstellen, und dann müsste es funktionieren.

GERLACH: Wir hatten über eine Art laufendes Band gesprochen, es müsste im Hochvakuum gemacht werden. Das ist die Schwierigkeit. Diese Unterschiede in den Verdampfungsgeschwindigkeiten –

HARTECK: Man kann ausrechnen, wie es gehen würde, und Sie werden sehen, dass Sie ganz fantastische Ergebnisse (?) bekommen. Mit der Verdampfungsgeschwindigkeit muss es funktionieren. Wir wissen das von Hevesys Experimenten, das ist einfach kinetische Gastheorie.

GERLACH: Aber Hevesy erhielt nur Tausendstelbruchteile.

HARTECK: Das waren Tausendstelbruchteile in der Dicke. Wenn die Sache einen Nutzen haben soll, müsste man Tausende von ihnen hintereinander bauen.

GERLACH: Ich habe es nie ausgerechnet, aber ich weiß, dass die Schwierigkeit eben darin besteht, dass man nur sehr kleine Mengen erhalten kann. Ich würde es, wie ich Ihnen neulich erzählt habe, nach dieser Variante im Maxwellschen Gesetz machen. Ich meine, man sollte die Radiometermethode probieren. Man hat ein Radiometer, das von einer Seite beschossen wird, wodurch eine Strömung rund um das Radiometer von der warmen zur kalten Seite erzeugt wird. Man kann sie nun hintereinander anordnen, so dass man eine ganze Menge von Warm-kalt-Flächen erhalten würde, warm-kalt, warm-kalt.

HARTECK: Falls ich große Mittel zur Verfügung hätte und an diesem Problem mitarbeiten dürfte, würde ich mich für die Fotochemie einsetzen. Ich zweifle nicht, dass man es schaffen könnte.

---

296 Henry Albers befasste sich mit organischen Uranverbindungen, die alternativ zum extrem aggressiven Uranhexafluorid-Gas zur Isotopentrennung in Zentrifugen eingesetzt werden können. Siehe auch Anm. 181 auf S. 158.

4. Heisenberg und Korsching erörterten ihre Position in Anbetracht des Besuchs von Sir Charles Darwin in dem folgenden Gespräch:

HEISENBERG: Ich sehe nicht, wie sich ein Krieg zwischen Russland und Amerika verhindern lässt, da Russland entschlossen scheint, sich von der übrigen Welt abzusondern, weil die Russen eine andere Ideologie haben. Die Angloamerikaner wollen das Gleichgewicht der Kräfte in Eurasien. Das einzige Kräftegleichgewicht, das sie zurzeit erreichen können, ist: die Gesamtheit Europas gegen Russland. Uns bleibt nur die Wahl, diesem westeuropäischen Block beizutreten oder uns Russland anzuschließen. Mein Gefühl sagt mir, dass der westeuropäische Block besser ist, aber ich kann auch jemanden verstehen, der sagt, dass wir uns mit Russland zusammentun sollten. Das ist ein Standpunkt, der diskutiert werden könnte.

KORSCHING: Was mich so deprimiert, ist der Gedanke, dass die ganze Arbeit, die wir in Deutschland leisten können, anderen Leuten sozusagen in den Schoß fällt.

HEISENBERG: Diese Einstellung wäre nicht richtig, falls es zu einem vereinten Europa kommen sollte, da wir dann dazugehören würden. Ich meine, wenn die Vereinigten Staaten von Europa entstehen sollten, würde es in unserem Interesse liegen, dafür zu kämpfen, da alle unsere Traditionen in einem solchen vereinten Europa erhalten blieben. Sollten wir dagegen jetzt Teil des Sowjetimperiums werden, würde alles, was jemals in Deutschland existierte, verschwinden. Ich gebe zu, dass dann etwas zustande käme, was für künftige Jahrhunderte etwas Gutes verheißen mag, aber schließlich sind wir doch in einer anderen Tradition aufgewachsen.

KORSCHING: Es ärgert mich, dass Deutschland nicht geschickt genug ist, für England zu arbeiten, ohne dabei gewissermaßen seine Seele zu verlieren. Es ist nicht so sehr die Frage: „Sollen wir die Russen bis an den Rhein lassen?" – da sich offen gesagt niemand die Russen am Rhein wünschen kann –, als vielmehr: „Wird dieses Paneuropa letztlich vorwiegend deutsch oder englisch sein?" Das ist die Frage.

HEISENBERG: Daran besteht gar kein Zweifel, es wird überwiegend englisch sein. Wir können daran nichts ändern. Wenn Paneuropa dreihundert Jahre besteht, dann wird Deutschland meines Erachtens eine bedeutsame Rolle spielen, aber der Geist der ganzen Sache wird nach wie vor englisch sein.

5. Am nächsten Morgen führten Heisenberg und Bagge das folgende Gespräch:

HEISENBERG: Mein allgemeiner Eindruck ist, dass anscheinend viele Leute, die mit dieser Sache befasst sind, die Ansicht vertreten, wir sollten nach Deutschland zurückgehen und dort an dieser Uransache weiterarbeiten, da das wirklich nichts direkt mit der Bombe zu tun hat. Ich bin über das Ergebnis dieses Besuches eigentlich nicht sehr glücklich. Sie wollen uns nichts Endgültiges mitteilen, solange sie nicht zu einer endgültigen Entscheidung gekommen sind, und sie können zu keiner endgültigen Entscheidung kommen, weil alles völlig neu ist und sie nicht wissen, was sie tun sollen. Anscheinend besteht bei Leuten wie Darwin die Neigung, sich sehr sorgfältig einen langfristigen Plan zu überlegen, den Zustand Europas in vier Jahren in Betracht zu ziehen und zu fragen, wie man allmählich zu Friedensverhältnissen zurückkehrt. Sie sind nicht so sehr an den nächsten drei oder vier Jahren interessiert; die Hauptsache ist, innerhalb einiger Jahre allmählich zu einem stabilen Europa zu gelangen. Natürlich ist das in Ordnung, das ist schon wichtig. Aus diesem Grunde spielt es für sie auch keine Rolle, ob wir drei oder sechs Monate festgehalten werden. Sie sagen sich, ein paar Wochen so oder so spielen doch keine Rolle, da es um das Ganze geht. Sie beabsichtigen, uns dabei auf lange Sicht eine Rolle spielen zu lassen. Sie scheinen dabei an so etwas wie die Vereinigten Staaten von Europa zu denken und sagen sich: Die deutschen Wissenschaftler gehören zu den wichtigsten Leuten, da sie in Deutschland einen gewissen Einfluss haben und weil sie außerdem vernünftige Leute sind, mit denen man über die Dinge reden kann. Aber sie haben es damit nicht eilig.

BAGGE: Sie können es damit gar nicht eilig haben, solange sie sich nicht entschieden haben, ob sie die Russen an der Atombombe beteiligen wollen oder nicht.

HEISENBERG: Genau.

BAGGE: Natürlich bin ich im Augenblick nur am Schicksal meiner Familie interessiert.

HEISENBERG: Ja, natürlich. Das war die große Schwierigkeit bei den gestrigen Diskussionen, die Tatsache, dass unser erstes Interesse unserer Zukunft gilt, während Darwin und die anderen zunächst am Schicksal der Welt interessiert sind. Das ist verständlich, da es für sie in den nächsten drei oder vier Jahren keine Schwierigkeit gibt. Ihr großes Problem ist allerdings, was passiert danach, da sie natürlich Angst davor haben, eines schönen Tages angegriffen zu werden, so wie wir angegriffen wurden (sic) Unser wichtigstes Problem dreht sich um unsere Familien.

(Gez. Rittner)
Major.

Farm Hall,
Godmanchester,
23. August 1945

Anhang zum fünften Bericht

Deutscher Text des Vortrags, den Professor Heisenberg am 14. August 1945 gehalten hat[297]

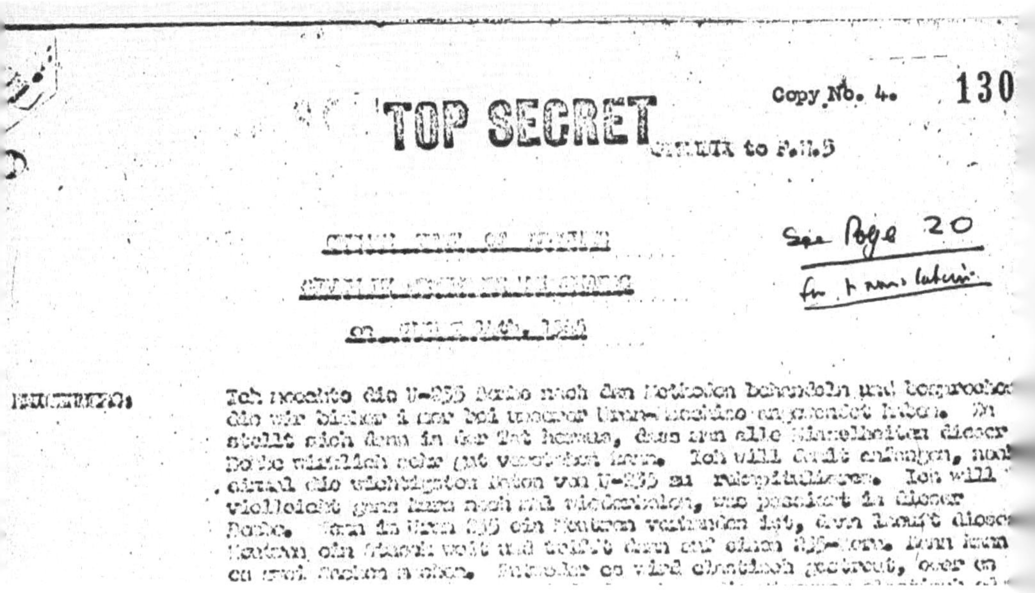
Copy No. 4. 130

TOP SECRET

See Page 20 for translation

297 Dieser Anhang ist im Originalbericht in deutscher Sprache enthalten, der vollständig in diesen Report auf S. 234–257 eingearbeitet wurde.

Mr. Perrin. Copy No. 4.

TOP SECRET 143

Ref. F.H. 6.

Sechster Bericht

23. August – 6. September 1945

I. Allgemeines

1. Das Hauptereignis während des Berichtszeitraumes war das Eintreffen von Antworten auf die Briefe, die die Gäste an ihre Familien geschrieben hatten. Darauf wird in diesem Bericht an anderer Stelle eingegangen. Obwohl die Briefe zeigen, dass es den Familien anscheinend gut geht, suchen sich die Gäste aus den Briefen ganz belanglose Stellen heraus, die ihrer Meinung nach Anlass zur Besorgnis geben. Sie haben bereits darum gebeten, bald weitere Briefe absenden zu dürfen. In diesem wie in vielen anderen Punkten mangelt es ihnen völlig an der Einsicht, dass sie Angehörige einer besiegten Nation sind; sie scheinen zu glauben, dass die alliierten Militärbehörden nichts Besseres zu tun haben, als zum Nutzen der Gäste Kuriere in Deutschland herumzuschicken.

2. Mit zunehmender Wetterverschlechterung können die Gäste nicht mehr soviel Zeit im Freien verbringen. Dies führt dazu, dass sie sich langweilen und nörglerisch werden, was im Laufe der Zeit gewöhnlich noch schlimmer wird. Heisenberg hat damit gedroht, sein Ehrenwort zurückzunehmen, wenn nicht eine Entscheidung über seine Zukunft und die der übrigen Gäste getroffen wird.

3. Prof. Hahn bekam ein Exemplar des amerikanischen Magazins „Life" vom 20. August geliehen, das im Zusammenhang mit der Jahrhunderte zurückreichenden Atomforschung Beiträge über die Atombombe enthält sowie Fotos von Persönlichkeiten, auch von Hahn selbst.[298] Weizsäcker warf einen Blick auf die Zeitschrift und bemerkte dann: „Natürlich sind es

298 The Atomic Bomb 1945.

Dieter Hoffmann (Hrsg.): Operation Epsilon.
 DOI: <https://doi.org/10.47261/1508>.

meist Deutsche." Die Tatsache, dass diese Äußerung nicht stimmt, unterstreicht lediglich die angeborene Einbildung dieser Leute, die immer noch glauben, sie seien das „Herrenvolk". Dies gilt für jeden der Gäste, vielleicht mit Ausnahme von Laues.

4. Die üblichen, zweimal in der Woche stattfindenden Vorträge wurden gehalten, beschränkten sich aber auf allgemeine Physik. Es fanden keine anderen mitteilenswerten fachspezifischen Diskussionen statt.

5. Major Calvert, Major Smith, Captain Davis und Lieutenant Volpe, sämtlich Angehörige der US-Armee, besuchten Farm Hall am Sonntag, dem 26. August, und aßen mit den Gästen zu Abend.[299]

II. Nachrichten von zu Hause

1. Die amerikanischen Militärbehörden sandten Lieutenant Warner von der US-Armee nach Deutschland mit Briefen, die die Gäste an ihre Familien geschrieben hatten, und wiesen ihn an, wenn möglich Antworten zurückzubringen. Dieser Offizier kehrte mit einer Reihe von Antworten zurück und besuchte am 28. August die Gäste in Farm Hall.

2. Antwortbriefe von ihren Frauen erhielten von Laue, Hahn, Gerlach, Heisenberg, Wirtz und Bagge. Die Antworten zeigten, dass es diesen Familien gutging und sie in angemessenen Verhältnissen lebten.

3. Von Weizsäckers Frau ist zu ihren Eltern in die Schweiz gezogen.[300] Harteck und Korsching sind Junggesellen und hatten keine Briefe geschrieben.

4. Der einzige, der Pech hatte, war Diebner. Wie erinnerlich, waren im Juni auf Diebners Bitte Vorkehrungen getroffen worden, seine Frau und seinen Sohn aus Stadtilm in Thüringen fortzubringen, das gerade von den Russen besetzt werden sollte. Sie wurden zu Bagges Eltern in Neustadt bei

299 Major, später Lieutenant Colonel Horace K. Calvert gehörte zum Spionageabwehrkorps des Manhattan-Projekts („Counter Intelligence Corps", CIC) und war während der Alsos-Mission Leiter des Londoner Verbindungsbüros, das in der US-Botschaft ansässig war. Smith und Davis gehörten ebenfalls zum CIC. Der Rechtsanwalt Lieutenant Joseph Volpe Jr. war Groves Verbindungsmann für die Sicherung von Uran und anderem Material verantwortlich.

300 Siehe die Briefe von Weizsäcker im Dokumentenanhang S. 488 f.

Lieutenant Warner (links) mit Otto Hahns Sohn Hanno Hahn und dessen Frau Ilse im November 1945 in Tailfingen.

Coburg gebracht. Als der amerikanische Offizier im Haus der alten Bagges eintraf, um Diebners Brief abzugeben, stellte er fest, dass Diebners Frau und sein Sohn in Begleitung eines Herrn Rackwitz mit unbekanntem Ziel abgereist waren. Die alte Frau Bagge ließ gegenüber dem amerikanischen Offizier und auch in einem Brief an ihren Sohn keinen Zweifel daran, dass sie das „Treiben" zwischen Frau Diebner und Rackwitz missbilligt habe. Diebner wurde lediglich mitgeteilt, dass es unmöglich gewesen sei, seinen Brief abzugeben, und er ist allem Anschein damit zufrieden, dass sein

Freund Rackwitz seine Interessen wahrt, indem er sich um seine Frau und seinen Sohn kümmert.

5. Aus den Briefen ergaben sich die folgenden interessanten Punkte:

(a) Frau Wirtz schrieb am 30. Juni, es kursiere ein Gerücht, dass Heisenberg im Flugzeug nach England gebracht worden sei, und es gebe auch ein Gerücht, dass die übrigen Wissenschaftler in den USA seien. Sie teilte ferner mit, dass Prof. Joliot in Hechingen gewesen sei und ihr versichert habe, dass sie bald zu Hause sein würden.

(b) Am 2. Juli seien, wie Frau Wirtz erwähnte, zahlreiche Russen in Hechingen gewesen. Sie erwähnte auch, dass Bopp als stellvertretender Institutsdirektor abgelöst und fünf Tage lang gefangengehalten worden sei. Schüler habe die Franzosen dazu überredet, ihn an Stelle von Bopp zum stellvertretenden Direktor zu ernennen.[301]

(c) In einem Brief teilte Frau Wirtz mit, dass das Institut noch arbeite und dass sie und die anderen Ehefrauen 60 Prozent des Gehalts ihrer Männer erhielten.

(d) Frau von Weizsäcker ist in die Schweiz gefahren. In einem Brief an Frau Wirtz schrieb sie, sie habe gerüchtweise gehört, dass ihre Männer in England seien.

(e) Frau von Laue erwähnte ebenfalls die Anwesenheit von Russen in Hechingen und teilte mit, sie habe gehört, dass alle Mitarbeiter der Kaiser-Wilhelm-Institute in Berlin zusammen mit allen Apparaturen und Dokumenten nach Russland gebracht worden seien.[302]

---

301 Siehe Anhang des vorliegenden Buches, S. 495 f. sowie Walker 1990, S. 226.

302 Nach der Einnahme Berlins durch die Rote Armee wurden zahlreiche wissenschaftliche Laboratorien – darunter nicht zuletzt die Institute der Kaiser-Wilhelm-Gesellschaft in Berlin-Dahlem (vgl. Steinhauser et al. 2011, S. 136 ff) – demontiert und in die Sowjetunion verbracht. Gleichzeitig wurden führende deutsche Wissenschaftler (u. a. Manfred von Ardenne, Robert Döpel, Gustav Hertz, Max Steenbeck, Peter Adolf Thiessen, Max Volmer) mehr oder weniger ultimativ aufgefordert, in die Sowjetunion überzusiedeln, wo sie am sowjetischen Atombombenprojekt mitwirkten.

(f) Frau von Laue gab ferner an, sie habe gehört, dass Prof. Hahn zum Präsidenten der Kaiser-Wilhelm-Gesellschaft gewählt worden sei.[303]

III. Das Radium von Wirtz

1. In früheren Berichten wurde bereits auf eine gewisse Menge Radium hingewiesen, die Wirtz versteckt haben soll.

2. Das folgende Gespräch fand am 27. August zwischen Wirtz, von Weizsäcker und Heisenberg statt. Eine Kopie des Originalwortlauts wurde unverzüglich an Lieutenant Commander Welsh geschickt.

Wirtz: Hoffentlich ist das Radium noch in Hechingen. Ich entdeckte erst hinterher, dass es unter der Kiste mit den Uranwürfeln (?) vergraben worden war.

Heisenberg: Ach, da!

Wirtz: Ja, da. Die Amerikaner hatten diese Würfel (?) herausgenommen, und dann rief jemand zu Geismann: „Muss ich die Kiste rausnehmen?" Geismann sagte, ihm liege nichts daran, und so nahmen sie die Kiste nicht heraus und schmissen den Schutt wieder in das Loch auf die Kiste – es war ein schönes Stück Arbeit, da es eine große Kiste war und sie den Schutt nur zu etwa einem Drittel weggeräumt hatten, gerade so viel, um den Deckel aufzubekommen; es wäre eine Mordsarbeit gewesen, die ganze Kiste herauszuheben. Das Radium war darunter, es ist noch da. Geismann gelang es, einen der Würfel (?) beiseite zu legen, während die 14 oder 15 Männer mit der Suche beschäftigt waren. Wir haben einen Fehler gemacht, wir hätten es nicht aushändigen sollen.[304]

---

303 Otto Hahn war vom greisen Max Planck, der nach dem Selbstmord Albert Vöglers noch einmal die Präsidentschaft der Kaiser-Wilhelm Gesellschaft für eine Übergangszeit übernommen hatte, dieses Amt angetragen worden; nach seiner Rückkehr aus der Internierung und nach der satzungsgemäßen Wahl durch „alle erreichbaren Direktoren und Wissenschaftlichen Mitglieder der KWG" hat er die Präsidentschaft im März 1946 offiziell übernommen. Auch nach Überführung der KWG in die Max-Planck-Gesellschaft (1946 bzw. 1948) hat Hahn das Amt weitergeführt.

304 Vgl. auch Bernstein 2001, S. 213, der über weitere Dokumente und Korrespondenzen dazu berichtet.

IV. Die Zukunft

1. Mehrere Gäste haben mit mir über ihre Zukunft gesprochen. Ihre mir gegenüber zum Ausdruck gebrachten Vorstellungen entsprechen im Großen und Ganzen den im privaten Gespräch mit ihren Kollegen geäußerten Ansichten, über die bereits berichtet wurde.

2. Heisenberg ließ mir gegenüber keinen Zweifel daran, dass er weiter über Uran arbeiten wolle, obwohl er einsieht, dass das nur unter alliierter Kontrolle möglich wäre. Im Augenblick ist er hauptsächlich daran interessiert, nach Deutschland zurückzugehen, um für seine Familie zu sorgen, die offensichtlich einige Schwierigkeiten hat, da sie in den Bergen bei München lebt und seine Frau niemanden hat, der sie mit ihren sieben Kindern unterstützt. Er ist tief erschüttert, von seiner Frau zu erfahren, dass seine Mutter vor zwei Monaten gestorben ist, desgleichen eine Freundin seiner Frau, die ihr immer zur Hand gegangen ist.[305] Er ist durchaus bereit, eine eidesstattliche Erklärung abzugeben, nicht mehr über Uran zu arbeiten, es sei denn unter alliierter Kontrolle, falls ihm gestattet wird, zu seiner Familie zurückzukehren. Heisenberg hat damit gedroht, sein Ehrenwort zu widerrufen, das er mir vor einiger Zeit schriftlich gegeben hat, sofern nicht über seine Zukunft und die seiner Familie irgendeine Vereinbarung getroffen wird.

3. Bagge führte mit mir ein langes Gespräch über seine Zukunft. Er behauptete, nicht mehr am Uran interessiert zu sein, und würde lieber über kosmische Strahlung arbeiten. Er sagt, er sei in die Uranforschung nur wegen des Krieges eingestiegen. Bagge macht sich offenbar mehr Sorgen um seine Familie als irgendeiner der anderen Gäste. Wie erinnerlich, hat er sich ausgemalt, dass seine Frau Tag und Nacht von marokkanischen Truppen vergewaltigt wird, und als nun aus dem Brief seiner Frau eindeutig hervorging, dass dies nicht der Fall war, zeigte er nicht die Erleichterung und Freude, die ich eigentlich erwartet hatte. Er beschwert sich jetzt, dass seine Frau für die französischen Truppen, die im Haus einquartiert sind, kochen soll. Wie so viele andere begreift er einfach nicht, dass Deutschland den Krieg verloren hat. Er steigert sich in eine möglicherweise gefährliche Nervenkrise hinein.

---

305 Vgl. Cassidy 1995, S. 638, sowie die Schilderung der Situation der Familie durch Heisenberg im Dokumentenanhang S. 467 ff.

4. Das folgende Gespräch fand am 25. August zwischen Heisenberg, Harteck und Wirtz statt:

HEISENBERG: Ich glaube, dass man mit den Anglo-Amerikanern zu einer Übereinkunft gelangen kann, so dass sie einerseits die Arbeit überwachen – was sie sowieso tun werden – und gleichzeitig dafür sorgen, dass wir genügend Material erhalten.

HARTECK: Ich kann Ihnen sagen, sobald das geschieht, werden wir bei der breiten Masse als Verräter gelten.

HEISENBERG: Nein. Man muss das geschickt anstellen. Was die breite Masse betrifft, wird es so aussehen, als müssten wir unsere wissenschaftliche Arbeit unter der anmaßenden Kontrolle der Angelsachsen leider fortsetzen und könnten daran nichts ändern. Wir müssen den Anschein erwecken, dass wir uns wütend und zähneknirschend mit dieser Kontrolle abfinden.

HARTECK: In Hamburg könnten Sie damit nicht ungestraft davonkommen.

HEISENBERG: In Hechingen schon.

WIRTZ: Ich verstehe nicht, warum Sie im Hinblick auf die Angelsachsen so optimistisch sind; Hahn und die anderen sind genauso. Die letzten fünf Monate haben uns doch bestimmt nicht viel Anlass zum Optimismus gegeben.

HEISENBERG: Es stimmt, dass man uns mittlerweile fünf (sic[306]) Monate gefangenhält, doch wenn man sich mal die Position überlegt, in der die Alliierten sich befinden, dann ist es verständlich. Jetzt, da sie die Atombombe haben und erkennen, was sie da für eine schreckliche Sache in der Hand haben, ist es für die Politiker nicht gerade leicht, deutsche Uranspezialisten frei herumlaufen zu lassen. Das kann man wirklich nicht erwarten.

5. Das folgende Gespräch fand am 6. September zwischen Heisenberg und Korsching statt:

HEISENBERG: Ich habe das Gefühl, das einzige, wovor sie wirklich Angst haben, ist, dass wir zu den Russen überlaufen könnten. Die Engländer sagen sich völlig zu Recht: „Sie kennen zwar unsere techni-

306 Von Rittner eingefügt, doch bleibt die Heraushebung unklar.

schen Einzelheiten nicht, aber sie wissen so viel über die ganze Sache, dass sie eine sehr beträchtliche Hilfe leisten könnten, wenn es darum geht, die Sache in Russland voranzutreiben."

KORSCHING: Aber diese Leute hier kennen uns doch mittlerweile so gut und wissen, dass wir nicht prorussisch eingestellt sind.

HEISENBERG: Wenn wir jedoch nach einem Jahr oder nach sechs Monaten feststellen, dass wir uns unter den Angelsachsen bestenfalls schlecht und recht durchschlagen können, während die Russen uns einen mit, sagen wir mal, 50.000 Rubel dotierten Job anbieten,[307] was dann? Erwartet man dann von uns, dass wir sagen: „Nein, wir lehnen diese 50.000 Rubel ab, weil wir so zufrieden und dankbar sind, auf Seiten der Engländer bleiben zu dürfen."

KORSCHING: Nein. Wir müssen einfach sagen, wenn die Engländer von uns erwarten, dass wir nicht für die Russen arbeiten, dann erwarten wir von ihnen, dass sie uns nicht verhungern, sondern anständig leben lassen.

(Gez. Rittner)
Major.

Farm Hall,
Godmanchester,
8. September 1945

---

307 Ähnliches geschah 1945/46 bei der „Anwerbung" der deutschen Spezialisten durch die Sowjetunion, Vgl. Albrecht et al. 1992, S. 34 ff.

Copy No. 6. 148

Lt. Cdr. Welsh.

TOP SECRET

Distribution:
Copy No.1-Capt. Davis for Gen. Groves.
" 2-Capt. Davis.

Siebter Bericht 7. – 13. September 1945

I. Allgemeines

1. Die Gäste sind jetzt in fröhlicher und freundlicher Stimmung, da sie seit dem Besuch von Prof. Blackett eine baldige Rückkehr nach Deutschland erwarten.

2. Am Dienstag, dem 11. September, fragte Prof. Hahn nach der Möglichkeit, ob er zwei Schweizer 20-Franken-Noten, die er bei sich habe, zum Kauf einiger kleiner Luxusartikel für seine Frau verwenden könne.

3. Eine Lockerung der Postbeschränkungen wird ebenfalls erwartet, und Prof. Hahn hat um die Beschaffung von einfachen Umschlägen für mögliche Briefe an Prof. Blackett, Sir Charles Darwin, Herrn Schumacher[308] usw. gebeten.

II. Besuch von Professor Blackett

1. Prof. Blackett und Lieutenant Commander Welsh trafen am Samstag, dem 8. September, am frühen Abend in Farm Hall ein und blieben bis Sonntag nach dem Mittagessen.

2. Vor und nach dem Abendessen am Samstag führte Prof. Blackett in Englisch lange Gespräche mit Heisenberg, der ein alter Freund war,[309]

308 Fritz Schumacher war Heisenbergs Schwager, der Bruder seiner Frau Elisabeth, der Mitte der dreißiger Jahre nach England ausgewandert war und es dort zum Wirtschaftsberater der britischen Regierung gebracht hatte. Vgl. den Brief Heisenbergs an Schumacher im Dokumentenanhang S. 467.

309 Heisenberg und Blackett hatten sich 1924/25 in Göttingen kennengelernt, als Heisenberg Assistent bei M. Born und Blackett Stipendiat bei J. Franck war; beide hatten zudem gemeinsame Forschungsinteressen auf dem Gebiet der kosmischen Strahlung und man hatte wohl auch freundschaftliche Beziehungen gepflegt, denn Heisenberg besuchte Blackett und seine Frau in deren Göttinger Wohnung. Nye 2004, S. 46.

Dieter Hoffmann (Hrsg.): Operation Epsilon.

über die Zukunft der deutschen Wissenschaft, über die Gäste in Farm Hall und ihre unmittelbaren Aussichten sowie über Heisenbergs Familienprobleme.

(a) Vor dem Abendessen:

HEISENBERG: Wir hatten etliche Diskussionen mit Darwin, und er sagte uns, Bohr vertrete mit Nachdruck die Ansicht, dass alles (hinsichtlich der Bombe) publik gemacht und nichts geheimgehalten werden sollte;[310] auf der anderen Seite ist es natürlich eine so wichtige Sache für die Politik, dass es fast unmöglich ist, jede Geheimhaltung abzuschaffen.

BLACKETT: Sehr viele ernstzunehmende Leute sind dafür. Die Argumente sind sehr überzeugend. Wenn man es allerdings macht, ist die Sache vom logischen Standpunkt aus natürlich etwas schwierig, denn warum macht man es nicht auch mit allen anderen Waffen. Schließlich ist die Atombombe nur eine davon. Dale schrieb in seinem Brief an die „Times",[311] er sei der Meinung, man solle aus der Bewaffnung überhaupt kein Geheimnis machen.

HEISENBERG: Das lässt sich wahrscheinlich nicht erreichen. Man kann die verschiedenen Regierungen nicht dazu zwingen, den Stand der Rüstung preiszugeben, sofern man nicht wirklich eine totale Abrüstung auf der ganzen Welt durchsetzen kann, was eindeutig das Beste wäre.

BLACKETT: Wie soll man damit anfangen?

HEISENBERG: Ja, ich fürchte, dass die Russen beispielsweise da einfach nicht mitspielen werden.

BLACKETT: Die Amerikaner sind die Einzigen, die die Bombe haben, und was sie tun, richtet sich nach dem, was die Russen tun, und die Russen sind hinter den Amerikanern eindeutig zurück. Um wie viel Jahre, weiß ich nicht.

---

310 Niels Bohr hat schon vor den ersten Atombombenabwürfen – u. a. in Gesprächen mit Churchill und Roosevelt – auf die weltpolitischen Gefahren des atomaren Wettrüstens hingewiesen und internationale Kontrollmaßnahmen für die Kernenergie vorgeschlagen, die sich auf das Prinzip kollektiver Sicherheit und allgemeiner Offenheit gründeten. Vgl. Bohr 2005, S. 7–34.

311 Dale 1945. Der englische Physiologe und Nobelpreisträger des Jahres 1936 hatte in einem Aufsatz in seiner Eigenschaft als Präsident der Royal Society zur Atombombe und der damit verbundenen Geheimhaltung Stellung bezogen.

Patrick M. S. Blackett.

HEISENBERG: Mindestens drei.

BLACKETT: Ja, mindestens. Ich habe nichts damit zu tun gehabt. Ich hatte 1941 etwas damit zu tun und bin erst kürzlich durch dieses Komitee – Sie haben davon in der Zeitung gelesen – dazugekommen, was zum Teil aus dem Regierungswechsel resultiert. Haben Sie das britische Weißbuch gesehen?

HEISENBERG: Ja.[312]

BLACKETT: Ein sehr viel Ausführlicheres kommt in Amerika heraus.[313] Es ist in England noch nicht veröffentlicht worden.

HEISENBERG: Nach dem, was ich in den Zeitungen und im Weißbuch, das Darwin uns gab, gelesen habe, kann ich mir, glaube ich, im Einzelnen genau vorstellen, wie man es gemacht hat. Die Physik davon ist im Grunde sehr einfach; es ist ein industrielles Problem. Es wäre Deutschland überhaupt nie möglich gewesen, etwas in dem Umfang aufzuziehen. In einer Hinsicht bin ich ganz froh, dass es nicht möglich war, weil es für uns alle schrecklich gewesen wäre. Wir haben ja sehr klein angefangen. Wir waren an einer Art Maschine, nicht an einer Bombe interessiert, wobei wir von Anfang an wussten, dass keine Aussicht bestand, etwas in dem Umfang zu machen, und um die Isotope zu trennen, hätten wir es, das war uns klar, in eben diesem Umfang machen müssen. Dann dachten wir, dass wir mit viel geringerem industriellem Aufwand vielleicht eine kleine Maschine bauen könnten, die uns Energie liefert.

BLACKETT: Das ist vernünftig; das haben auch wir vor.

HEISENBERG: Ja, und wir wussten auch, wenn wir das machen, dann wird unsere Regierung damit zufrieden sein, und es machte uns Spaß, daran zu arbeiten. Eigentlich ist uns ja die Sache, wie ich meine, auch fast gelungen. Allerdings wurden sämtliche Schwerwasseranlagen von

312 Charles Darwin hatte es bei seinem Besuch in Farm Hall den Internierten zur Kenntnis gebracht, siehe S. 261.

313 Gemeint ist der „Smyth-Report“ Smyth 1945.

der R. A. F.[314] zerstört, und deswegen konnte die Maschine auch nicht vollendet werden. Trotzdem, wissenschaftlich gesehen sind all die Sachen bekannt. Die Russen haben sicherlich ebenfalls davon Kenntnis, Kapitza und Landau.

BLACKETT: Ehrlich gesagt, es gibt keine Geheimnisse, es gibt lediglich ein paar Kunstgriffe. Man kennt das Rezept zu einem Omelett, aber dennoch muss einem nicht unbedingt eins gelingen. Es gibt keine wissenschaftlichen Geheimnisse. Bohr hat mir erzählt, dass bereits 1939 eine ungewöhnlich umfassende Diskussion über die ganze Sache in Kopenhagen stattfand. Nun erzählen Sie mir mal etwas über sich selbst.

HEISENBERG: Es gibt so viele Themen, ich weiß nicht, über welches wir sprechen können, weil es natürlich Beschränkungen gibt. Was, glauben Sie, wird in Deutschland hinsichtlich der Wissenschaft usw. überhaupt geschehen? Natürlich sind wir daran interessiert, ob man in Deutschland seinen Lebensunterhalt verdienen kann oder nicht. Dann die spezielle Frage: Falls eine Möglichkeit besteht, die Wissenschaft in Deutschland wieder anzukurbeln, wie würde dann in der Praxis ein Plan für beispielsweise unsere Gruppe aussehen? Ich habe mir gedacht, dass Sie wahrscheinlich die Bedingungen kennen, die Ihre Regierung diesbezüglich im Sinn hat, und ich habe mir gedacht, dass wir vielleicht im Rahmen dieser Bedingungen darüber diskutieren könnten, dass wir uns – innerhalb dieses Rahmens – darauf verständigen, was nach unserem Dafürhalten das Vernünftigste wäre.

BLACKETT: Das können wir sicherlich tun.

HEISENBERG: Es ist natürlich eine andere Frage, ob die Regierung Ihre Ratschläge annimmt.

BLACKETT: Ich bin nur am Rande mit der Kontrollkommission[315] und dergleichen befasst gewesen. Offen gestanden, die sitzt ganz schön in der Patsche. Wir waren nicht sehr gut auf den Krieg vorbereitet, aber wir waren vermutlich besser auf den Krieg vorbereitet als jetzt auf den Frieden.

---

314 Royal Air Force, britische Luftwaffe.

315 Gemeint ist wohl die britische Kontrollkommission für Deutschland, d.h. die Militärregierung für die britische Besatzungszone in Deutschland, die die Besatzungspolitik konkret umzusetzen hatte.

HEISENBERG: Genau was Darwin mir gesagt hat.

BLACKETT: Sie dürfen nicht vergessen, dass wir einfach nicht darauf vorbereitet waren, den Krieg zu gewinnen, und die Leute sahen nicht weit genug. Es gibt nach dem, was ich gehört habe, offensichtlich eine Menge unterschiedlicher Meinungen, zum Beispiel die der Militärs gegenüber den anderen. In Amerika und in England erleben wir ganz allgemein einen entscheidenden Zeitabschnitt, in dem wir uns wirklich zu überlegen versuchen, wie praktische Politik aussehen soll. Und diese Frage nach der Wissenschaft: Alle möglichen unterschiedlichen Vorstellungen sind von verschiedenen Leuten verbreitet worden. Ich selbst habe eine ganz klare eigene Vorstellung, und ich glaube, ich kann sagen, dass eine große Mehrheit englischer Wissenschaftler mit mir einer Meinung ist. Ob unsere Auffassungen allerdings akzeptiert werden, weiß ich nicht. Nur ein paar Punkte sind sicher. Meines Erachtens sollten alle Universitäten neu beginnen und in Lehre und Forschung Unterstützung erhalten. Es scheint mir, dass die Universitäten in hohem Maße der Schlüssel zu dem sind, was man gemeinhin „re-education“ nennt. Ich glaube, die gewöhnliche Forschung sollte ganz ungehindert weitergehen. Meiner Überzeugung nach wird es in nicht allzu langer Zeit dazu kommen – das ist nur meine eigene persönliche Meinung –, dass die gewöhnliche Hochschulforschung und die private Forschung in den kleineren Industriebetrieben, in der Leichtindustrie ziemlich unkontrolliert, einigermaßen frei arbeiten können. Vielleicht gibt es ein paar Inspektionen.

HEISENBERG: Die erste Frage würde lauten: „Was, glauben Sie, wird mit Europa als Ganzem geschehen?“ Darauf würde ich wahrscheinlich sagen: In gewisser Hinsicht habe ich keine Angst vor den Kontrollen, weil die Welt, wie ich meine, sich ohnehin auf einen Zustand hin entwickelt, in dem alles stärker kontrolliert wird als je zuvor. Die ganze Industrie wird überwacht; es ist teilweise Sozialismus, würde ich sagen. Sozialismus bedeutet immer, dass durch die Regierung, die die Organisation übernimmt, die Dinge wesentlich effektiver erledigt werden. Wir sehen in Russland und vielleicht haben wir es auch in Deutschland gesehen, wie effektiv so etwas sein kann. Insofern habe ich nichts dagegen, wenn in vieler Hinsicht eine Kontrolle ausgeübt wird, bis zu einem gewissen Grad auch an den Universitäten.

Blackett: In gewisser Weise haben wir für die Wissenschaft zu viel Reklame gemacht. Viele Leute glauben, dass Wissenschaftler Zauberer sind, die schon an sich eine Gefahr darstellen. Was wirklich gefährlich ist, ist die große Maschine, die von diesen Sachen Gebrauch macht und sie herstellt. Wir müssen verhindern, dass die Leute annehmen, Wissenschaftler seien schon an sich gefährliche Leute; das ist ziemlich verbreitet. Ob die Kernphysik jemals wieder zu einem unbelasteten, frei zugänglichen Forschungsgegenstand wird, da tappen wir genauso im Dunkeln wie Sie.

Heisenberg: Das habe ich mir gedacht. Und ich weiß natürlich, dass es nach dem Abwurf der Atombombe zwangsläufig ein äußerst schwieriges Thema sein wird.

Blackett: Viele von uns, die über die Produktion der Atombombe Bescheid wussten, hofften geradezu darauf, dass sie nicht gelingen würde, weil sie alles sehr kompliziert macht. Es wird sehr, sehr viel politischen und technischen Mut brauchen, um die Welt < > unter Kontrolle zu bekommen.

Heisenberg: Falls Ihre Leute zustimmen würden, dass die Wissenschaft im Allgemeinen Unterstützung finden kann und dass auch zum Beispiel die Kernphysik wieder zugelassen wird – natürlich nicht, um eine Bombe herzustellen, sondern ganz gewöhnliche Physik mit hohen Energien und dem ganzen Drum und Dran –, welcher Plan, glauben Sie, könnte wohl in unserem Fall zur Anwendung kommen, weil unser Fall schwierig ist? Unser Institut ist eigentlich in Berlin. Jetzt ist Berlin fast russisch, und deshalb würde ich durchaus verstehen, dass Ihre Politiker es nicht gerne sähen, wenn wir ausgerechnet in Berlin arbeiten, weil sie befürchten würden, dass wir uns auf irgendeine Weise mit den Russen zusammentun könnten, und so weiter. Wir haben unser Institut von Berlin nach Hechingen verlagert, weil es in Berlin so viele Bombenangriffe gab. Jetzt ist Hechingen in den Händen der Franzosen.

(Lacht.)

Wir zogen so weit wie möglich nach Westen, weil wir lieber von Ihnen oder den Amerikanern besetzt werden wollten als von den Russen, aber dann hatten wir das Pech, dass die Franzosen kamen. Und jetzt hätten Sie es vermutlich nicht gern, wenn wir in der französischen Zone arbeiten. Andererseits haben Sie es in dieser Hinsicht schlecht getroffen, weil die Franzosen gerade einen Teil von uns eingesperrt haben und die andere Hälfte in Hechingen bleibt und den Franzosen alles erzählen kann, was sie wollen. Laue zum Beispiel, er hat während des ganzen Krieges nie etwas von Uran gehört, er wusste nie etwas von der Maschine, die wir bauten, während beispielsweise Herr Bopp – er ist theoretischer Physiker, der in meinem Labor arbeitete – über die kleinste Einzelheit Bescheid wusste, und er blieb in Hechingen.[316] Joliot besuchte ihn, und der erzählte mir dann, dass Bopp ihm alles berichtet habe.[317] Nun, ich konnte es nicht ändern, es war nicht meine Sache, ihn daran zu hindern.

BLACKETT: Meine persönliche Meinung geht dahin, dass die meisten von Ihnen ziemlich bald zurückkehren sollten. Ob Sie von der Kernphysik im Augenblick die Finger lassen und an anderen Sachen arbeiten sollten – ich weiß nicht, ob das notwendig sein wird oder nicht. Ich glaube nicht, dass von kernphysikalischer Arbeit Gefahr

---

316 Fritz Bopp gehörte als theoretischer Physiker seit Beginn der vierziger Jahre zum Uranverein und zu den engeren Mitarbeitern Heisenbergs, der im Rahmen der Entwicklung einer Uranmaschine wichtige Beiträge zur Reaktortheorie leistete. Er wie auch die meisten anderen Mitarbeiter des Instituts (Schüler, Ramm, Menzer, Pahl, Woeldicke, Hiby, Gysae) wurden von der Alsos-Mission nicht interniert, sondern blieben in Hechingen und konnten im Einvernehmen mit der französischen Besatzungsbehörde ihre wissenschaftlichen Forschungen, natürlich nicht zur Kernspaltung, fortführen. Bopp war noch von Heisenberg als sein Vertreter in der Leitung des KWI eingesetzt worden, doch kam es schon bald nach der französischen Besetzung zu Querelen mit der französischen Besatzungsmacht, die zu Bopps Verhaftung und Absetzung sowie der Einsetzung von H. Schüler als Institutsdirektor führten. Vgl. den Brief C. F. v. Weizsäcker an seine Frau vom August 1945, S. 488 f. sowie Lässing 2013, S. 138 ff.

317 Der Report besagt hier wörtlich: „And Joliot visited him and (Joliot) told me, he had told Joliot everything about it." Heisenberg dürfte mit Joliot jedoch seit Kriegsende nicht zusammengetroffen sein, weshalb diese Aussage unverständlich bleibt bzw. ein Übermittlungsfehler ist.

ausgeht, vorausgesetzt, dass keine großen Uran- oder < >-Anlagen gebaut werden. Ich persönlich bin ganz sicher, dass die übrige Physik und Wissenschaft in Deutschland für Sie innerhalb einer einigermaßen zumutbaren Frist freigegeben wird. Das ist meine persönliche Meinung, und die kann durch nichts erschüttert werden. Ob die Leute allerdings mit mir einer Meinung sind, da bin ich nicht ganz sicher. Ich weiß, die meisten Wissenschaftler sind es. Es ist doch offensichtlich absurd, auf die Dauer einen anderen Standpunkt einzunehmen.

Heisenberg: Da ist noch eine andere Frage in diesem Zusammenhang: diese Kontrolle, über die wir sprachen. Das ist jetzt in Deutschland fast eine Notwendigkeit, damit alles in der Wissenschaft klappen soll. Wir haben keine deutsche Regierung. Zu normalen Zeiten wäre ich zu meiner Regierung gegangen und hätte gesagt: So und so ist die Situation, ich möchte, dass ihr mir etwas Geld gebt und so weiter. Jetzt ist die Lage in Deutschland insgesamt schwierig. Da Sie eine deutsche Regierung nicht zulassen, müssen Sie Deutschland selber regieren. Beides auf einmal geht nicht; und wenn es gemacht wird, wie es jetzt gemacht zu werden scheint, dann sollte es auch wirklich gemacht werden, und dann sollte es auch eine Kontrolle jedes physikalischen Instituts geben, entweder durch die Amerikaner oder durch die Engländer. In jedem Fall sollten Vorkehrungen getroffen werden, dass der englische Berater beziehungsweise die örtliche Regierung dafür sorgen kann, dass wir Geld oder so etwas erhalten.

Blackett: Die Schwierigkeit war doch, dass wir auf das Ende des Krieges eigentlich nicht vorbereitet waren und die ganze Konzeption, was mit Deutschland geschehen soll, sehr vage war. Seit der Berliner [d. h. Potsdamer] Konferenz ist alles etwas klarer geworden. Die ungefähren Umrisse sind festgelegt, und was klar und, wie ich meine, im Grunde vernünftig ist, ist, dass die Regierung auf örtlicher Ebene mit dem Aufbau beginnt, statt ganz oben an der Spitze anzufangen.

Heisenberg: Ja, wahrscheinlich.

Blackett: Ich weiß nicht, um was für ein Gremium es sich handeln wird, ob es, grob gesagt, ein englisches, französisches und russisches geben wird. Was jedoch die Beschaffung von Mitteln betrifft, wird es eine Wirtschafts- und Finanzverwaltung geben müssen, die wohl im

Wesentlichen aus deutschen Mitarbeitern besteht und ein paar alliierten Leuten an der Spitze. Ich hätte mir nun gedacht, angenommen, Sie und einige Ihrer Kollegen gingen zurück in die englische Zone, Göttingen oder irgendwo – (wird unterbrochen.)

HEISENBERG: Es gibt nur zwei Universitäten, die in der englischen Zone noch intakt sind, Göttingen und Heidelberg. Natürlich liegt Heidelberg in der amerikanischen Zone. Aber diese Institute sind bereits mit Leuten überfüllt, die brauchen keinen mehr.

BLACKETT: Dreht es sich dabei lediglich um Unterkunft?

HEISENBERG: Es geht um Unterkunft und um das Folgende: Ich bin Professor an der Universität Berlin und habe bisher mein Geld von dort erhalten, aber seit Kriegsende habe ich überhaupt kein Geld bekommen, und ich weiß nicht, ob meine Frau sich allein ernähren kann oder nicht. Natürlich ergibt sich das gleiche Problem für jeden Einzelnen, und deshalb muss diese Angelegenheit auf irgendeine Weise geregelt werden.

BLACKETT: Was diese familiären Dinge betrifft, dürfte ich in der Lage sein, etwas zu erreichen. Ich glaube, wir können erreichen, dass nach einer vernünftigen Linie verfahren wird. Ich würde mir an Ihrer Stelle nicht so schrecklich viele materielle Sorgen machen. Die Lage ist schwierig, nun ja, sie ist für ganz Europa schwierig. Sie brauchen sich aber, wie ich meine, nicht so schreckliche Sorgen zu machen.

HEISENBERG: Es gibt wirklich sehr viele Probleme in meiner Familie. Sie haben wahrscheinlich davon gehört, dass es während der letzten Monate, als ich weg war, zwei Todesfälle gab. Meine Mutter starb und eine Freundin meiner Frau, die eigentlich nicht zur Familie gehörte, aber bei uns wohnte. Solche Dinge passieren, aber ich war doch etwas verärgert über die Amerikaner, weil sie mir, als sie mich mitnahmen, versicherten, sie würden sich um meine Familie kümmern. Meine Frau durfte mir nicht einmal schreiben, dass meine Mutter krank war. Deshalb konnte ich meine Mutter vor ihrem Tode auch nicht mehr sehen.[318] Auch nach dem Tod meiner Mutter erhielt ich nicht einen

318 Zu den komplizierten Lebensbedingungen der Familie Heisenberg siehe auch den Brief W. Heisenbergs an seinen Schwager F. Schumacher im Dokumentenanhang S. 467 f.

Brief von meiner Frau. Ich bekam ihn erst zwei Monate später. Ich meine, etwas muss doch unternommen werden, um festzustellen, ob die Leute etwas zu essen haben oder nicht.

BLACKETT: Das sind Dinge, die sich am Ende von selbst lösen.

HEISENBERG: Dies war die Situation: Ich hatte in Leipzig gewohnt. Unser Haus wurde 1943 zerstört, und ich überzeugte meine Familie davon, in unser Haus in den bayrischen Alpen zu ziehen,[319] das ich schon vor dem Krieg erworben hatte. Dieses Haus war für wenige Leute eingerichtet, und bei Kriegsende wohnten etwa 13 Leute in diesem sehr kleinen Haus. Meine Familie lebt noch immer da. Am letzten Tag, als dieser Colonel Pash kam, um mich nach Heidelberg zu bringen, erzählte ich ihm von der extrem schwierigen Lebensmittelsituation; er war sehr freundlich und erlaubte mir, in einem amerikanischen Jeep bis zu einer Stelle mitzufahren, wo ich Brot für etwa eine Woche kaufen konnte.

BLACKETT: Wann haben Sie das letzte Mal von Ihrer Familie gehört?

HEISENBERG: Etwa vor drei Wochen. Das war der erste Brief, den ich erhielt, seit wir gefangengenommen wurden. Seit dieser Zeit bin ich der Meinung gewesen, dass wegen der Familie etwas unternommen werden muss, und das habe ich auch unserem Major gesagt. Lassen Sie uns aber über die allgemeinen Fragen sprechen. Wenn wir, sagen wir mal, nach Göttingen zurückgehen, dann stellt sich doch die schreckliche Frage, wo die Leute in Göttingen wohnen sollen, weil alle Häuser in Göttingen mit Sicherheit bis zum letzten überfüllt sind. Das würde auch in praktisch jeder anderen deutschen Stadt so sein. Sind Sie schon in Deutschland gewesen?

BLACKETT: Nur in Frankfurt. Dort sieht es ziemlich schlimm aus. Welche Universitäten liegen in der amerikanischen Zone?

HEISENBERG: Heidelberg. Ich meine, Heidelberg wäre am besten, weil die Stadt Heidelberg noch intakt ist.

BLACKETT: Die Münchner Universität ist kaputt, oder?

HEISENBERG: Die ist völlig ausgebrannt. Nun, es kann ja sein, dass Sie in den Randbezirken von München noch Wohnraum finden. Heidelberg wäre insofern ein guter Platz, als es dort mehrere Institute gibt,

319 Es befand sich in Urfeld am Walchensee.

die jetzt leer stehen. Dann ist Bothe in Heidelberg, so würde es auch eine Zusammenarbeit mit Bothe geben. Vom Standpunkt der Unterbringung wäre es am besten, wenn wir einfach in Hechingen bleiben könnten, bis etwas gefunden ist. Ich war der einzige, der für seine Familie keine Bleibe in Hechingen hatte, aber wahrscheinlich würde ich eine Wohnung finden.

BLACKETT: Alle Leute außer von Laue und Hahn arbeiteten in Hechingen?

HEISENBERG: Selbst Laue und Hahn waren in Hechingen. Wir waren praktisch alle in Hechingen, außer Diebner.[320]

BLACKETT: Arbeitet das Institut?

HEISENBERG: Ja, soweit ich weiß, arbeitet das Institut. Wenn es sich lediglich darum dreht, dass wir kernphysikalische Diskussionen mit den Franzosen vermeiden sollen, dann könnten wir natürlich unser Ehrenwort geben oder etwas in der Art.

BLACKETT: Ich persönlich glaube nicht – das heißt, wenn die Leute sich der Tatsachen bewusst werden –, dass da etwas dran ist. In dem amerikanischen Dokument wird mehr veröffentlicht, als wir wissen, wenigstens mehr, als ich weiß. Es wird publiziert, es ist nicht geheim. Bisher gibt es in England nur etwa ein Dutzend Exemplare. Es ist sehr ausführlich. Darin steht alles über Plutonium, Trennungsverfahren usw. Ich glaube nicht, dass es noch irgendwelche Geheimnisse gibt.[321]

HEISENBERG: Nein, von einem vernünftigen Standpunkt aus gibt es natürlich nicht den geringsten Grund, uns hier festzuhalten, während Herr Bopp in Hechingen ist.

(b) Hier wurde das Gespräch unterbrochen und nach dem Abendessen wie folgt fortgesetzt:

---

320 Das ist eigentlich nicht korrekt, denn außer Diebner lebten auch Gerlach und Harteck nicht in Hechingen, sondern in Hamburg bzw. München und Laue und Hahn im Nachbarort Tailfingen.

321 Es handelt sich um den bereits erwähnten Smyth-Report, der relativ wenig über die Physik und die Konstruktionsdetails der Atombombe preisgibt, insbesondere keine sicherheitsrelevanten Informationen. Präsident Truman hatte den Bericht am 11. August zur Veröffentlichung freigegeben. Er erschien 1946 und wurde in alle Weltsprachen übersetzt, siehe Smyth 1945.

HEISENBERG: Dem Anschein nach wird es jetzt nur eine Art provisorische Vereinbarung geben, und die endgültige Entscheidung, was mit der deutschen Wissenschaft geschehen soll, wird erst später getroffen.

BLACKETT: Ja, ich denke, sie ist jetzt formuliert worden, aber es wird einige Zeit dauern, bis die Sache endgültig entschieden ist. Was Ihre eigene Zukunft betrifft, werden im Augenblick gerade sehr wirksame Schritte unternommen.

HEISENBERG: Wann, glauben Sie, wird darüber entschieden werden, so dass wir vielleicht von hier wegkommen?

BLACKETT: Ich bin noch recht neu in dieser Position und habe über Ihre Situation erst vor drei Tagen gehört, aber ich glaube, ich bin jetzt imstande, meinen Einfluss geltend zu machen. Es ist der Regierungswechsel und dieses neue Komitee.[322] Wir sind in der Zusammenarbeit mit Amerika der weitaus kleinere Partner, und dass Sie hier sind, ist eigentlich Sache der Amerikaner.[323] Es liegt nicht im Verantwortungsbereich der Engländer. Sie haben gesagt, was sie erledigt haben wollten, und wir haben es erledigt. Wir waren an diesem Bombenprojekt nur in sehr bescheidenem Umfang beteiligt, und wir können im Grunde überhaupt nicht selbständig handeln.[324] Bis zum Abwurf der Bombe gab es für uns einen Grund für diese extreme Geheimhaltung, aber danach ganz eindeutig nicht mehr. Jetzt, nachdem die Bombe abge-

---

322 Gemeint ist der Wechsel im Amt des britischen Premierminister nach den Unterhauswahlen Ende Juli 1945 von W. Churchill zu C. Attlee; mit dem „neuen Komitee“ ist das Advisory Committee on Atomic Energy gemeint, dem der Schatzkanzler John Anderson vorstand und das deshalb als „Anderson-Committee“ genannt wurde. Siehe Nye 2004, S. 86 f.

323 David Cassidy gibt in seiner Heisenberg-Biographie eine etwas andere Darstellung, warum die deutschen Kernphysiker im englischen Farm Hall interniert und nicht in die USA verbracht wurden, vgl. Cassidy 2009, S. 612.

324 Auf Anregung von Rudolf Peierls, Otto Robert Frisch und G. P. Thomson war in Großbritannien schon frühzeitig (1940) mit Forschungen zur Entwicklung von Kernsprengstoffen begonnen und dazu das sogenannte MAUD-Komitee gegründet worden. Im Abkommen von Quebec (1943) wurde zwischen Churchill und Roosevelt vereinbart, das englische Projekt, das den Decknamen „Tube Alloys“ trug, in das amerikanische Manhattan-Projekt zu integrieren, wobei die Engländer aber nur noch die Rolle eines Juniorpartners spielten. Zur Geschichte des britischen Atombombenprojekts siehe Gowing 1988.

worfen und dieses Komitee ins Leben gerufen wurde, ist es durchaus möglich, grundsätzlich eine vernünftige Linie zu entwickeln und auf ihre Verwirklichung zu drängen. Ich glaube, die Umstände sind ganz günstig, jetzt auf eine Entscheidung zu drängen. Die Entscheidung wird in Washington, nicht hier getroffen, aber offensichtlich haben wir dabei ein Mitspracherecht. Die Entscheidung sollte – im äußersten Fall könnten Sie alle nach Deutschland zurückgeschickt werden und dort einfach Ihre normale Arbeit fortsetzen mit einigen Einschränkungen auf dem Gebiet der Kernphysik. Und dann kann ich Ihnen sagen, es besteht die Möglichkeit, dass einige von Ihnen nach England oder Amerika eingeladen werden, um dort zu arbeiten. Ich weiß es aber noch nicht, und ich weiß auch nicht, ob es überhaupt gemacht wird; auch frage ich mich, wie wohl die Reaktionen ausfallen. Ich bin allerdings ganz sicher, dass es keinerlei Zwang gibt. Soweit ich sehe, werden Sie die Wahl haben. Aber vergessen Sie nicht, Vieles ist nur meine private Meinung. Wissen Sie, man kann heute gewissermaßen über nichts mehr reden, es sei denn als Privatmann, weil die Entscheidungen von einem großen Kreis von Personen getroffen werden, und man weiß nie, was dabei herauskommt. Aber ich schlage dies als eine Möglichkeit vor. Ehrlich gesagt, ich glaube nicht, dass es viele von Ihnen betreffen wird, Sie und Hahn oder jemanden wie ihn. Wie Sie reagieren und was ich Ihnen raten würde, ist mir nicht einmal ganz klar.

HEISENBERG: Ich kann Ihnen sagen, was ich empfinden würde. Ich glaube, dass Laue, sollte man ihn fragen, immer ja sagen würde, weil sein Sohn in Amerika lebt.[325] Das könnte ich mir vorstellen. Doch was den Rest von uns betrifft, sind wir der Meinung, dass es unsere Pflicht ist, in Deutschland zu bleiben. Wenn jetzt natürlich die Lage in Deutschland sich derart verschlechtert, dass man sich sagen muss: Wir werden nie die Gelegenheit erhalten, vernünftige Forschungsarbeit zu leisten, dann sieht die Sache ganz anders aus, weil schließlich mein Leben eng mit der Physik verknüpft ist. Daher weiß ich wirklich nicht,

325 Max von Laue hatte seinen Sohn Theodor 1938 nach dem Abitur 1938 nach Amerika geschickt, um ihn der nationalsozialistischen Indoktrination zu entziehen und vor dem Dienst in der Wehrmacht zu bewahren.

wie ich reagieren würde, aber ich bin eher geneigt zu sagen: Wenn möglich, möchte ich in Deutschland sein und die Sache neu aufbauen.

BLACKETT: Ich glaube, Sie haben recht. Ich bin überzeugt, dass die Zukunft Deutschlands äußerst wichtig für Europa ist. Sie gehören zu den Menschen, die dazu beitragen können, die Dinge wieder in Gang zu bringen.

HEISENBERG: Da ist eine Sache, die wir noch nicht erwähnt haben: Was soll Hahn mit seinem Institut machen? Vor allem ist er der Entdecker der Kernspaltung. All die Experimente, die er in seinem Laboratorium durchführte, sind reine Chemie radioaktiver Substanzen und stellen für niemanden auch nur die geringste Gefahr dar.

BLACKETT: Richtig, da stimme ich mit Ihnen völlig überein.

HEISENBERG: Dennoch ist es schwierig, einen Politiker davon zu überzeugen, dass Hahn keine gefährliche Person ist. Gerade in den Diskussionen, die Sie zurzeit mit Mr. Anderson[326] führen, wäre es, glaube ich, vielleicht angebracht zu erwähnen, wie gut es ist, dass in jedem deutschen wissenschaftlichen Institut Kontrollen durchgeführt werden sollen, denn wenn man solche Kontrollen durchführt, hat man vielleicht weniger Angst vor Herrn Hahn, wenn er seine Experimente fortsetzt.

BLACKETT: Wenn es nach mir ginge, würde ich es Ihnen – vorbehaltlich einer sehr rigorosen, umfassenden Überwachung der Schwerindustrie, der Produktion und der Prototypen – freistellen, einige Arbeiten wiederaufzunehmen. Ich würde Ihnen gestatten, über Uran von einigen Kilogramm oder so zu verfügen. Ob sich das machen lässt, weiß ich nicht.

HEISENBERG: Ich persönlich möchte gänzlich weg von der Experimentalphysik. Aber ich habe dieses Institut etwa fünf Jahre lang geleitet, so dass die Menschen da in gewisser Weise auf mich angewiesen sind, und es wäre schön, weiterzumachen. Dabei war stets beabsichtigt, eine kleine Uranmaschine zum Laufen zu bringen, gerade so viel, dass man sehr starke radioaktive Präparate erhalten kann, damit Hahn – (wird unterbrochen.)

BLACKETT: Einverstanden. Und all die biologischen Aspekte.

---

326 Sir John Anderson war in der Regierung Churchill für das britische Atomprogramm verantwortlich, siehe auch Anm. 322 auf S. 286.

HEISENBERG: Nun, wir waren an einer starken Neutronenaktivität interessiert. Ich habe mir gedacht, ich kann einige hübsche Experimente mit Neutronenstrahlen hoher Intensität und dergleichen machen. Das wird doch erlaubt sein?

BLACKETT: Kann sein, aber ich weiß nicht einmal, ob ich zurück kann. Wir wissen ja selber nicht, welche Rolle die Kernphysik in England spielen wird. Werden wir im Dunkeln bleiben müssen? Wir wissen es nicht. Ihnen als Gruppe möchte ich ganz allgemein sagen: Gehen Sie zurück und beschäftigen Sie sich mit harmlosen Gebieten der Physik, seien Sie so tüchtig, wie es in Ihren Kräften steht, und geben Sie Ihr Bestes, um ein neues Deutschland aufzubauen.

HEISENBERG: Wenn ich das Institut wieder aufbauen soll, wäre ich froh, es dort wieder aufzubauen, wo es wirklich hingehört. Die Schwierigkeit ist nur, dass im Augenblick die Leute in Hechingen sind. Nun weiß ich nicht, ob Hechingen langfristig der beste Ort ist. In mancher Hinsicht wäre es natürlich am besten zu sagen: Wir wollen zurück nach Berlin, wo wir ein noch immer völlig intaktes Institut haben. Ich meine, Berlin wäre auf die Dauer die beste Lösung oder vielleicht auch eine der größeren Städte.

BLACKETT: Was Ihre Bedenken wegen dieser rein sachlichen Schwierigkeiten anlangt, stimme ich mit Ihnen völlig überein. Doch die eigentliche Schwierigkeit liegt auf einer allgemeineren Ebene. Es gibt in dieser Frage Meinungsverschiedenheiten. Einige sind der Auffassung, dass alle Wissenschaftler gefährlich sind. Wenn wir das überwinden können und den Satz „Die Wissenschaftler sind gefährlich" durch „Die Anwendung der Wissenschaft ist gefährlich und verlangt nach Kontrolle" ersetzen, dann werden sich auch individuell zugeschnittene Möglichkeiten ergeben, die praktischen Schwierigkeiten zu lösen. Die größte Schwierigkeit ist vielleicht das Problem der verschiedenen Zonen und der Beziehungen zu Russland. Das ist ein sehr ernstes Problem. Ich weiß es einfach nicht. Ich glaube nicht, dass es da schon eine Grundsatzentscheidung gibt. Allerdings besteht ganz offensichtlich eine starke Überzeugung, dass man es auf keinen Fall riskieren dürfe, eine dieser brillanten Schlüsselfiguren aus Deutschland für die Russen arbeiten zu lassen. Es gibt eine Übergangszeit, in der allein Amerika die

Bombe besitzt. Und in diesem Fall kann es durchaus vernünftig sein zu verhindern, dass Sie für die Russen arbeiten.

HEISENBERG: Klar. Ich hätte natürlich überhaupt nichts dagegen, wenn wir eine Art Ehrenwort geben würden, dass wir uns nie mit den Russen zusammentun. Doch könnte es sich am Ende herausstellen, dass die Lebensbedingungen in Deutschland einfach unmöglich sind; und wenn dann, sagen wir mal, die Russen einigen Physikern sehr gute Angebote machen, würde es doch schwierig sein für sie zu sagen: Ich verhungere lieber in Deutschland, als dass ich nach Russland gehe. – Die Situation ist doch die, dass man zunächst eine Entscheidung über die Hauptfragen treffen muss, und erst dann werden die privaten Probleme diskutiert.

BLACKETT: Ich meine, wenn man zu den richtigen Entscheidungen über die Hauptprobleme gelangt, ist es ganz leicht, Schritte zu unternehmen, um private Dinge in Ordnung zu bringen. Aber ich bin mir nicht sicher, wie die Grundsatzentscheidung ausfallen wird. Ich glaube nicht, dass sie sich am Ende nachteilig auswirken wird, sie kann sich allerdings durchaus verzögern. Ich weiß es eben nicht.

HEISENBERG: Wenn sie sich verzögert, würde das doch bedeuten, dass wir noch länger festgehalten werden.

BLACKETT: Nun, das glaub ich nicht. Vermutlich werden Sie nicht (länger) festgehalten. Das ist aber wirklich reine Vermutung.

HEISENBERG: Was meine Familie betrifft, muss meines Erachtens etwas unternommen werden. Als ich diesen Brief von zu Hause erhielt, war ich der Meinung, wenn ich nur dem Major erzähle, dass ich mich um meine Familie sorge, würde nichts passieren. Vielleicht gibt er meine Besorgnis noch an den Nächsten weiter, aber dieser Nächste unternimmt sicherlich nichts < >, und so beschloss ich, ihm mitzuteilen, dass ich mein Ehrenwort, dieses Haus nicht zu verlassen, zurücknehmen werde. Dies hatte anscheinend zur Folge, dass man Sie über die ganze Angelegenheit informierte, und insofern ist ja bereits etwas sehr Gutes dabei herausgekommen. Ich glaube jedoch nach wie vor, dass wegen meiner Familie etwas unternommen werden muss, und so machte ich den – vom Major gebilligten – Vorschlag, dass man vielleicht versuchen sollte, sich mit dem Bruder meiner Frau in Verbindung zu setzen.[327]

BLACKETT: Ich kenne ihn gut, er war bei uns vor ein paar Tagen zu Gast.

HEISENBERG: Hat er Ihnen von meiner Familie erzählt?

BLACKETT: O ja, er hat versucht, sich mit Ihnen in Verbindung zu setzen, aber es wurde ihm nicht gestattet.

HEISENBERG: Glauben Sie, es besteht Aussicht, dass ich mich mal bei ihm melde? Oder würde das auch nicht erlaubt werden?

BLACKETT: Es gibt meines Erachtens absolut keinen Grund für diese völlige Nachrichtensperre, was Ihren hiesigen Aufenthalt betrifft, und die Tatsache, dass Sie von jeglichem Verkehr mit der Außenwelt abgeschnitten sind, wirkt jetzt geradezu albern. Bis zum Abwurf der Bombe war eine totale Sperre über praktisch alles verhängt worden, aber jetzt sehe ich nicht den geringsten Grund – von welchem Standpunkt auch immer –, warum Schumacher Sie nicht besuchen sollte. Das fällt jedoch nicht in unseren Verantwortungsbereich – (wird unterbrochen.)

HEISENBERG: Wer entscheidet darüber – Washington?

BLACKETT: Nun ja, die Sache wird schon in Washington entschieden werden müssen, aber wir sind, wie ich meine, in einer sehr starken Position, um in dieser Sache ziemlich unnachgiebig zu bleiben und entsprechende Schritte zu unternehmen. Ich vermag keine wie auch immer begründeten Einwände zu erkennen, und ich kann eigentlich nicht verstehen, warum über die ganze Sache überhaupt eine so strenge Nachrichtensperre verhängt wurde.

HEISENBERG: Hat mein Schwager Ihnen gesagt, was seiner Meinung nach wegen meiner Familie unternommen werden sollte, weil er doch dort war?

BLACKETT: Er blieb eine Nacht bei uns, ehe er das letzte Mal nach Deutschland ging.

HEISENBERG: Wusste er zu diesem Zeitpunkt, dass ich aus Deutschland weggebracht worden war?

---

327 Gemeint ist Fritz Schumacher, siehe den Brief Heisenbergs vom Mai 1945 im Dokumentenanhang S. 467 sowie in diesem Report Anm. 308 auf S. 275

BLACKETT: Ja, er wusste, dass Sie nicht in Deutschland waren. Er wusste allerdings nicht, wo Sie waren. Ich sehe überhaupt keine objektiven Gründe, warum Schumacher Sie nicht besuchen und notfalls rübergehen und Ihre Familienangelegenheiten in Ordnung bringen sollte. Die Schwierigkeit ist nur, dass das im Augenblick nicht in unserer Verantwortung liegt, aber ich denke, wir sind jetzt in der Lage, etwas zu unternehmen.

HEISENBERG: Wie lange ist es her, dass mein Schwager sich bei Ihnen aufhielt?

BLACKETT: Das war etwa Ende Juli.

HEISENBERG: War das, bevor er nach Deutschland ging?

BLACKETT: Er war dort schon vorher. Er trägt amerikanische Uniform und ist bei der Bombing Research Mission. Eigentlich ist er ein äußerst erfolgreicher Wirtschaftswissenschaftler. Er pflegt freundlichen Umgang mit Morrison, dem Präsidenten des Staatsrats, und versteht sich sehr gut mit der Labour Party. Er ist eher so etwas wie ein privater Berater der Labour Party in Wirtschaftsfragen. Man hält überall große Stücke auf ihn. Ich traf ihn vor zwei Jahren bei Cripps.[328] Er war Anhänger dieser neuen – was ich als neo-keynesianische Schule von Wirtschaftswissenschaftlern bezeichne.

HEISENBERG: Natürlich würde ich mich freuen, ihn zu sehen. Aber wenn Sie ihn vielleicht nur anrufen und fragen könnten, was man seiner Meinung nach tun sollte – (wird unterbrochen.)

BLACKETT: Die Hauptsache ist doch wohl, dass ich versuche, eine allgemeine Erlaubnis zur Aufnahme von Kontakten zwischen Ihnen hier und anderen Leuten zu erwirken. Und später kommt dann auch das andere. Ich sehe keinen Grund, warum nicht auch andere Wissenschaftler herkommen und Sie besuchen sollten. Es wurde eine Bestimmung erlassen, dass niemand mit Ihnen sprechen darf. Wir haben diese Bestimmung nicht gemacht.

---

328 Richard Stafford Cripps war ein in Großbritanien über Parteigrenzen hinaus hoch angesehener und einflussreicher Sozialist (Labour Party), der im Nachkriegskabinett von C. Attlee Handelsminister und später sogar Schatzkanzler war.

Heisenberg: Das ist ja klar. Das Problem ist nur, dass es wiederum Wochen dauern kann, bis Sie diese Erlaubnis erhalten. Wenn Sie vielleicht nur anrufen könnten – (wird unterbrochen.)

Blackett: Ich glaube nicht, dass Schumacher sich zurzeit in England aufhält.

Heisenberg: Wichtig wäre doch, dass sich jemand auf irgendeine Weise um meine Familie kümmert, wobei das Beste wäre, wenn Schumacher rüberginge.

Blackett: Das lässt sich, glaub ich, leicht arrangieren. Sagen Sie mal, im Großen und Ganzen wäre doch wohl jeder hier froh, so bald wie möglich nach Deutschland zurückzukehren?

Heisenberg: Ja.

(Pause.)

Ich habe noch ein paar weitere Fragen. Bohr wird am 5. Oktober 60 Jahre alt. Ich hätte ihm nun gern geschrieben und eine Arbeit geschickt, die ich als eine Art Festschrift für ihn geplant hatte.[329] Ich weiß nicht, ob dies Ihrer Meinung nach möglich ist.

Blackett: Schicken Sie mir die Arbeit, und ich werde zusehen, was sich machen lässt. Wenn entschieden wird, dass Sie nach Deutschland zurückdürfen, macht das für mich selber oder jemanden bei der Kontrollkommission einen Deutschland-Besuch erforderlich, um herumzufahren und die Möglichkeiten < > zu erkunden. Wir haben jetzt einen ganz tüchtigen, sehr sympathischen Wissenschaftler bei der Kontrollkommission,[330] der für derartige Vereinbarungen zuständig ist. Ich meine, wegen der meisten Ihrer jüngeren Kollegen hier wird es wohl kaum Bedenken geben. Sie werden ziemlich bald nach Deutschland zurückgehen dürfen. Es ist jedoch durchaus möglich, dass die wichtigsten Leute hier gefragt werden, ob sie in England arbeiten möchten. Ich weiß es eben nicht.

---

329 Vgl. dazu auch den Brief Weizsäckers an Bohr vom November 1945 im Dokumentenanhang S. 498.

330 Hier könnte es sich um den Physiker Ronald G. J. Fraser handeln, der in der britischen Militärregierung für die Forschung in der britischen Zone verantwortlich zeichnete und unbürokratisch die Wiederaufnahme wissenschaftlicher Forschung gefördert hatte. Vgl. Rammer 2003, S. 91 f.

HEISENBERG: Es gibt noch eine Sache, die ich in diesem Zusammenhang fragen möchte. Könnten Sie uns nicht auf dem Laufenden halten? Natürlich dürfen Sie uns über all die Diskussionen nichts mitteilen. Aber es ist sehr schwierig, hier herumsitzen zu müssen und nichts von dem zu erfahren, was draußen vor sich geht.

BLACKETT: Ich kann nichts versprechen, weil ich noch etwas neu in dem Job bin. Ich bin recht optimistisch, dass die Dinge sich jetzt ziemlich schnell klären werden.

HEISENBERG: Wegen meiner Familie, glauben Sie, dass ich in dieser Sache schon bald Bescheid bekomme?

BLACKETT: Ja, Sie werden schnell Bescheid bekommen.

HEISENBERG: Was meinen Sie mit schnell?

BLACKETT: In vierzehn Tagen.

Im Zusammenhang mit dem Vorstehenden sind folgende Bemerkungen Heisenbergs mitteilenswert, die er am 5. September 1945 im Gespräch mit Hahn gemacht hat:

HEISENBERG: Ich habe das Gefühl, dass wir der Entlassung aus dieser Internierung erheblich näher sein werden, wenn wir erst einmal die Erlaubnis bekommen, mit meinem Schwager Kontakt aufzunehmen. Wenn ich mit ihm sprechen könnte, könnten wir wesentlich mehr erreichen, weil er hier schließlich verschiedene Beziehungen hat. Und er könnte wiederum beispielsweise mit Blackett oder jemand anders Verbindung aufnehmen. Außerdem könnte er meiner Familie vielleicht ein paar Lebensmittel schicken.

3. Am Vormittag des 9. September berichtete Hahn Prof. Blackett in dem folgenden auf englisch geführten Gespräch von seiner antinationalsozialistischen Einstellung und seiner Bereitschaft, mit den Alliierten zusammenzuarbeiten:[331]

HAHN: Wie ich aus den Briefen aus Hechingen und Tailfingen weiß, durften die Institute anscheinend nach wie vor arbeiten, doch Sie vermuten, wie Heisenberg mir erzählte, dass es nicht gestattet sein wird – (wird unterbrochen.)

---

331 Vgl. dazu auch Hahn 2018. Es handelt sich um handschriftlich niedergelegte Erinnerungen Hahns vom Juli 1945.

BLACKETT: Nein, das habe ich nicht gesagt. Ich habe gesagt, dass noch keine Grundsatzentscheidung getroffen worden ist. Es gibt in der Alliierten Kontrollkommission bestimmte Meinungsverschiedenheiten über die deutsche Wissenschaft, aber ich habe nicht den geringsten Zweifel, dass nach Auffassung der meisten englischen Wissenschaftler und vernünftiger Leute die normale Hochschulphysik sowie die reine und die Grundlagenphysik gänzlich unkontrolliert bleiben werden. Wie sich leicht denken lässt, wird es möglicherweise Beschränkungen auf dem Gebiet der Kernphysik geben. In England sind solche Beschränkungen der kernphysikalischen Forschung bereits in Kraft. Die Schwierigkeit ist, dass Kernphysik in großem Umfang sich nur mit umfangreicher Unterstützung der Regierung betreiben lässt. Man muss dazu Zyklotrone und dergleichen haben, und so war sie selbst in England kein frei zugänglicher Forschungsgegenstand mehr. Wenn es nach mir ginge, würde ich dafür eintreten, dass die Kernphysik in geringem Umfang Ihnen ebenso offensteht wie uns.

HAHN: Die Kernphysik war ja in Ihrem Land eigentlich viel geheimer als bei uns, denn ich konnte meine Arbeiten veröffentlichen.[332] Ich habe den Leuten gesagt, wenn ich unsere harmlosen Sachen nicht veröffentliche, machen wir die Amerikaner und die Engländer glauben, dass wir Bomben usw. herstellen. Zeigen wir ihnen doch, dass wir ganz harmlose Dinge treiben. Aber ich habe den Leuten auch gesagt, dass man nie wissen kann, was morgen passiert. Deshalb habe ich die Leute in meinem Laboratorium vor dem Kriegseinsatz bewahrt, weil ich den hohen Herren versicherte, dass unsere Arbeit furchtbar wichtig sei; wir wussten natürlich, dass sie überhaupt nicht wichtig war. Wir haben unsere Regierung also regelrecht betrogen. Das gleiche gilt für meinen Freund Mattauch, der ein ebenso fanatischer Nazigegner war wie ich.[333]

332 Bezieht sich wohl auf die Publikation aus dem Jahre 1942 von Hahn und Straßmann über die Isolierung des Elements 93 (Plutonium). Hahn, Straßmann 1942, siehe auch Walker 2003, S. 26 ff.

333 Siehe Brief J. Mattauch an St. Meyer, Krähenbad 5.9.1946. Zentralbibliothek für Physik der Universität Wien, B 35-1619, Bl. 508; sowie Deichmann 2001, S. 441. Zu Mattauchs Forschungen am KWI für Chemie und im Uranverein siehe Kant, Reinhardt 2012, S. 84 – 89 und S. 101 – 106.

BLACKETT: Ich glaube nicht, dass Beschränkungen zu erwarten sind.

HAHN: Ich habe einige Leute – zum Beispiel meinen Freund Straßmann und noch einige andere junge Leute –, die in der Isotopentrennung oder zum Beispiel für Nachweisverfahren wirklich gute Erfahrungen besitzen. Deshalb wäre es meiner Meinung nach sogar für die Amerikaner interessant – ich weiß nicht, ob sie so viele chemisch bewanderte Leute mit solcher Erfahrung haben –, und deshalb ist es eine Verschwendung an Arbeitskräften, sogar im Interesse der Amerikaner. Natürlich würden wir jede Menge englische und amerikanische Freunde oder Leute willkommen heißen, die sich unsere Arbeit ansehen; vielleicht könnten sie chemisch sogar etwas lernen.

BLACKETT: Sie brauchen sich wirklich keine so großen Sorgen zu machen, das wird sich alles regeln; was Sie ärgert, ist die Verzögerung. Die Leute hier haben sehr hart gearbeitet, um Ihnen zu helfen und die Dinge richtigzustellen, und ich bin der Meinung, dass ihre Bemühungen sehr bald Erfolg haben werden.

HAHN: Ich spreche nicht für mich selbst, sondern für die jungen Leute. Wovon sollen sie leben, wenn sie nicht arbeiten dürfen?

BLACKETT: Arbeiten sie denn?

HAHN: Ich nehme doch an.

BLACKETT: Das kann ich herausfinden.

(Pause.)

HAHN: Meine große Sorge gilt wirklich dem Institut. Wie sieht die Zukunft von Leuten aus, die sich während des Krieges wirklich anständig verhalten haben? Ich hatte kaum einen Mitarbeiter, der in der Partei war. Wenn ich nicht diese Uranspaltung entdeckt hätte, so dass die Leute sagen konnten: Oh, das ist sehr wichtig, dann hätte ich, glaub ich, meine Stelle verloren.

BLACKETT: Ich darf wohl sagen, dass Ihr guter Ruf aufgrund Ihres tadellosen Leumunds als Nazigegner hier bei uns durchaus bekannt ist und gewürdigt wird. Machen Sie sich also keine Sorgen.

HAHN: Ich denke immer, man könnte die Leute überzeugen, dass wir den Amerikanern und natürlich auch den englischen Wissenschaftlern von Nutzen sein und ihnen helfen könnten, wenn sie uns nur unsere Arbeit fortsetzen lassen.

BLACKETT: Wir haben großes Verständnis. Durch die Kriegsumstände wurde Ihre Arbeit für einige Monate unterbrochen. Eine Menge unserer Leute musste ihre eigenen Arbeiten allerdings für sechs Jahre unterbrechen.

4. In dem folgenden auf englisch geführten Gespräch gab Prof. Blackett von Laue den Ratschlag, im Interesse des Wiederaufbaus nach Deutschland zurückzukehren, und bot ihm an, sich darum zu bemühen, ein Treffen mit Prof. Born und Sir William Bragg zu vereinbaren:

BLACKETT: Liegt Ihnen viel daran, nach Deutschland zurückzugehen?

LAUE: Ja.

BLACKETT: Das sollte eigentlich bald geschehen. Es ist alles sehr bedauerlich. Dabei wurden hier in England von den betreffenden Leuten große Anstrengungen unternommen, alles zu bereinigen, aber wir hatten natürlich einen sehr schweren Stand. Wir konnten nichts von dem tun, was wir eigentlich vorhatten. Ich glaube aber, dass man es Ihnen so komfortabel zu machen versucht hat, wie es unter den gegebenen Umständen, die wir nicht erfunden haben, möglich ist.

LAUE: Einige unserer jüngeren Kollegen haben den Wunsch, für ein oder zwei Jahre nach England oder Amerika zu gehen. Ist das vielleicht möglich?

BLACKETT: Wer?

LAUE: Bagge.

BLACKETT: Sie meinen, um normale reine Wissenschaft zu treiben?

LAUE: Ja.

BLACKETT: Ich glaube nicht, dass es Zweck hat, dies jetzt sofort zu versuchen. Vernünftig wäre es, wenn Sie so bald wie möglich zurückgeschickt werden und unter den besten Bedingungen neu anfangen würden; nach einem Jahr sind dann vielleicht Besuche möglich. Aber ich kann Ihnen darüber nichts weiter sagen. Ich glaube, es lohnt sich im Augenblick nicht, vorauszuplanen und zu fragen, wann Sie sich wieder frei bewegen können. Wir wissen ja selber nicht, wann wir uns in Europa werden frei bewegen können.

LAUE: Halten Sie es für möglich, dass ich und meine Frau unseren Sohn in Princeton besuchen?[334]

BLACKETT: Wann das sein wird, weiß ich nicht, aber zweifellos wird der Zeitpunkt kommen. Die Transportsituation ist äußerst angespannt, und es ist ganz unmöglich, Ihnen vorrangig Transportmittel zur Verfügung zu stellen. Das können Sie billigerweise auch nicht erwarten, aber was mir vernünftig zu sein scheint, ist, dass wir unser Möglichstes versuchen werden, um sicherzustellen, dass Sie, sobald Sie zurück in Deutschland sind, anständige Arbeitsbedingungen vorfinden. Für Sie als Theoretiker ist es leichter. Ich kann Ihnen versichern, dass wir Wissenschaftler in England Ihnen durchaus großes Verständnis entgegenbringen. Mir liegt sehr viel daran, dass das Publikationswesen wieder richtig in Gang kommt und auch der Austausch von Zeitschriften. Falls Sie nach Deutschland zurückkehren, was werden Sie machen?

LAUE: Ich würde zum Sitz der Kaiser-Wilhelm-Gesellschaft gehen.

BLACKETT: Die ist jetzt nach Hechingen umgezogen.

LAUE: Nur ein Teil davon wurde nach Hechingen verlagert, aber nach Berlin zu gehen ist ja wohl noch nicht möglich.

BLACKETT: Ich bin der Meinung, dass Sie zu den Leuten gehören, die nach Deutschland zurückgehen und dort beim Wiederaufbau des akademischen und wissenschaftlichen Lebens helfen sollten. Sie genießen einen sehr guten Ruf als ein kluger und verständiger Mann, der seinen Standpunkt konsequent vertreten hat, und überall spricht man von Ihnen mit großer Hochachtung. Ich erinnere mich, mit Ihnen über Ihre Einstellung zur Nazibewegung schon 1938 gesprochen zu haben, erinnern Sie sich? Meines Erachtens sollten Sie unbedingt zu denjenigen Leuten in Deutschland gehören, die die richtigen Ansichten zu vermitteln versuchen und die Dinge wieder aufbauen. Möchten Sie das?

LAUE: Ja.

BLACKETT: Ich würde es gern ermöglichen, dass Sie mit anderen Leuten umfassende Diskussionen über die Zukunft der deutschen Wissenschaft führen. Ich verstehe nicht, warum Sie nicht mit Bragg sprechen

---

334 Nachdem Theodor von Laue auf Wunsch der Familie 1938 in die USA gegangen war, lebte er im Kreis deutscher Emigranten in Princeton und studierte dort Geschichte.

durften. Wie gesagt, wir sind dafür nicht zuständig gewesen, aber ich werde die Sache mit Sicherheit zur Sprache bringen und zusehen, was ich tun kann. Born und Bragg sind die beiden Leute, die Sie gern wiedersehen möchten?

LAUE: Ja, und G. P. Thomson.[335]

5. Im weiteren Verlauf des Sonntagvormittags führte Prof. Blackett ein weiteres Gespräch mit Heisenberg, in dem sie sich über die Gäste in Farm Hall wie folgt unterhielten:

HEISENBERG: Weizsäcker ist nicht sonderlich interessiert, zu der Uransache zurückzukehren, er ist im Augenblick mehr an Astrophysik interessiert. Er war Professor an der Universität Straßburg,[336] aber das ist natürlich zu Ende. Aber jede deutsche Regierung würde ihm jederzeit gern – (wird unterbrochen.)

BLACKETT: Ist er außergewöhnlich tüchtig?

HEISENBERG: Er ist ein sehr guter Mann.

BLACKETT: Will er nach Deutschland zurück?

HEISENBERG: Ich glaube schon. Er ist mit mir einer Meinung, dass wir in Deutschland und nicht in den Vereinigten Staaten gebraucht werden.

BLACKETT: Darin stimme ich mit Ihnen überein. Was ist mit Korsching?

HEISENBERG: Er ist kein brillanter Physiker, dafür aber ein sehr guter Experimentator; was die Isotopentrennung betrifft, hatte er eine hübsche Idee. Er arbeitete mit einer Vorrichtung, die in gewisser Weise eine Kombination des Clusius-Dickel-Verfahrens und der [Thermo-]Diffusion darstellte.

BLACKETT: Er sieht ein bisschen unglücklich aus.

HEISENBERG: Er ist ein Mann, der noch nie im Ausland war. Er ist Deutscher und ist aus deutschen Städten nie herausgekommen. Für ihn ist der Aufenthalt hier ganz schlimm, weil er keine Arbeit hat.

BLACKETT: Bagge?

335 Die Namen Born, Bragg und Thomson wurden nachträglich handschriftlich in den Report eingefügt.

336 Mit der Kapitulation Deutschlands endete endgültig die deutsche Besatzung von Straßburg wie auch die dreijährige Episode der Reichsuniversität Straßburg.

HEISENBERG: Seine wesentliche Eigenschaft ist große Tatkraft. Er ist ein sehr aktiver Mensch und hat insofern gute Arbeit geleistet. Er hat teils theoretisch, teils [experimentell] gearbeitet. Ich weiß nicht, ob Sie seine Abhandlungen über die kosmische Strahlung gesehen haben. In gewisser Hinsicht ist er ein proletarischer Typ, er kommt aus einer proletarischen Familie, und das ist auch einer der Gründe, warum er in die Partei eintrat, aber er war nie das, was man als fanatischen Nazi bezeichnen würde. Ich kann ihn eigentlich ganz gut leiden. Er besitzt eine große Befähigung [experimentell] zu arbeiten. Wenn ich ihm sage: „Versuchen Sie mal, diese Apparatur aufzubauen", dann kann ich sicher sein, dass er in kurzer Zeit die Arbeit wirklich erledigt hat.

BLACKETT: Er ist hauptsächlich Experimentator, arbeitet aber auch ein wenig theoretisch?

HEISENBERG: Ja.

BLACKETT: Wirtz?

HEISENBERG: Er ist ein viel besserer Physiker, er weiß wirklich in der gesamten Physik Bescheid. Er ist ein Experimentator und ist für die Organisation sehr nützlich gewesen. Er ist der Typ, der weiß, wie man ein Institut aufbaut und einrichtet. Wenn Wirtz nicht in unserem Institut gewesen wäre, wären wir in der Uransache und all den anderen Dingen sicherlich nicht so weit gekommen; besonders wenn wir versuchen mussten, irgendwelche Apparaturen zu beschaffen, war er der Mann, der die Sache in die Hand nahm. In gewisser Hinsicht ist er vielleicht der wichtigste der jüngeren Leute in meinem Institut. Er hat die ganze Sache wirklich geleitet, ich könnte ein experimentelles Institut überhaupt nicht leiten. Wirtz ist sehr tüchtig. Er hat bei seinen Experimenten nie einen wirklichen Fehler gemacht.

BLACKETT: Worüber hat er vorher gearbeitet?

HEISENBERG: Er hat über Thermodiffusion gearbeitet.

BLACKETT: Was würde er denn jetzt gern machen?

HEISENBERG: Wenn wir das Institut für kosmische Strahlung wieder ins Leben riefen, wäre das ganz gut. Dann könnte er bestimmt jede Arbeit machen, die mit kosmischer Strahlung im Zusammenhang steht.

BLACKETT: An ihm ist nichts Auffälliges, weder in politischer noch in anderer Hinsicht?

HEISENBERG: Nein, er stand politisch stets auf der guten Seite, auf unserer Seite.

BLACKETT: Gilt für Korsching das Gleiche, ist er politisch stets neutral gewesen?

HEISENBERG: Ja, völlig neutral. Die einzigen aus unserer Gruppe, die in der NSDAP waren, sind Diebner und Bagge. Diebner ist natürlich, politisch gesehen, wohl der Schwierigste von allen.

BLACKETT: Ist er Physiker?

HEISENBERG: Er hat seinen Doktor in Physik gemacht, aber er ist eigentlich kein Physiker; er ist mehr eine Art Verwaltungsmann.[337] Er hatte mit dem Heereswaffenamt zu tun. Er war von Anfang an der Organisator dieser ganzen Uransache, allerdings in sehr geringem Umfang.

BLACKETT: Unter Gerlach?

HEISENBERG: Er war Gerlach nicht unterstellt. Anfangs war es ganz allein eine Angelegenheit des Heereswaffenamtes;[338] sein Vorgesetzter war ein General Schumann. Dann wurde Schumann durch Esau abgelöst.

BLACKETT: Was würde Diebner machen, wenn er zurückgeht?

HEISENBERG: Das ist eine der Schwierigkeiten. Er selbst hat mehrere Pläne vorgeschlagen. Zum einen könnte Diebner vielleicht irgend etwas in Verbindung mit der Verwaltung wissenschaftlicher Arbeit machen; eine andere Möglichkeit wäre, dass er in die Industrie geht.

BLACKETT: Es gibt in Deutschland Tausende, die sich eine neue Beschäftigung suchen müssen. Wir haben eine Art wissenschaftliche Verantwortung für die guten Leute, die nicht so guten Leute werden sich selber zurechtfinden müssen. Sind das alle? Haben wir sie alle durch?

HEISENBERG: Harteck ist Professor in Hamburg.

BLACKETT: Dann geht er doch wohl dorthin zurück?

HEISENBERG: Er geht einfach nach Hamburg zurück.

---

337 Heisenbergs Charakteristik von Diebner macht die Spannung deutlich, die es zwischen beiden gab, aber auch die Disqualifizierung von dessen Arbeiten als wissenschaftlich zweitrangig, obwohl von Diebner die Idee der Würfelanordnung bei den Reaktorexperimenten stammt. Diese zeigte sich letztlich der Heisenbergschen Schichtenanordnung überlegen, siehe Walker 1990, S. 118 ff.; Karlsch 2005, S. 218 ff.

338 Auch hier ist Heisenbergs Aussage nicht ganz richtig, denn Diebner war ab Dezember 1943 die „rechte Hand" von Gerlach.

III. Reaktion auf den Besuch von Professor Blackett

Die einzige ausführliche Reaktion auf den Besuch von Prof. Blackett war ein Gespräch zwischen Heisenberg und Weizsäcker, in dem die Sorge um die Zukunft des Kaiser-Wilhelm-Instituts im Besonderen und um die Wissenschaft im Allgemeinen zum Ausdruck kam. Weizsäcker räumte zwar – im eigenen Interesse – die Notwendigkeit ein, im Augenblick auf internationaler Basis für die Wissenschaft zu arbeiten, bezweifelt aber, dass das für eine Nation ein lohnendes Geschäft ist, solange es noch eine nationale Souveränität gibt:

Heisenberg: Im Großen und Ganzen finde ich die Situation zufriedenstellend.

Weizsäcker: Ich meine, Blackett ist ein vernünftiger Mann, mit dem man zur Sache kommen kann.

Heisenberg: Ja.

Weizsäcker: Hast du den Eindruck, dass wir anderen lange vor dir und Hahn nach Hechingen zurückgehen?

Heisenberg: Das ist denkbar, obwohl ich der Meinung bin, dass, sobald die erste Veränderung in der Art unserer Internierung erfolgt ist, die ganze Sache bald zu einem Ende kommen muss.

Weizsäcker: Die Sache hat nur einen Haken; wenn Laue nach Hechingen zurückgeht, du aber nicht, wird das Institut die ungeeignetste Leitung haben, die sich denken lässt.[339]

Heisenberg: Die eigentliche Leitung des Instituts würde ja sowieso Wirtz haben. Wir müssen sorgfältig überlegen, wie wir das deichseln. Offiziell wird es schwierig sein, Laue seinen Einfluss zu nehmen. Ich könnte es allerdings auf freundliche Art und Weise machen und sagen: „Offiziell sind Sie der Leiter, aber ich empfehle, dass Sie vorübergehend alles Wirtz machen lassen."

Weizsäcker: Ich würde sogar eine kleine Intrige einfädeln mit dem Ziel, dass Laue nicht eher zurückgeht, bis du nach Hechingen zurück-

339 Weist auf die Aninositäten hin, die es zwischen Laue und Weizsäcker gab, siehe den Brief Laues an P. Rosbaud vom 17.4.1959 im Dokumentenanhang S. 481 sowie S. 535 ff.

gehst, aber ich glaube, das lässt sich nicht so leicht bewerkstelligen, da man in dieser Richtung nicht zu viel tun darf.

HEISENBERG: Da Laue der einzige ist, der nur allzu gern nach Amerika gehen würde, könnte man es möglicherweise auf diese Art machen.

WEIZSÄCKER: Ich will Laue gegenüber nicht unfreundlich sein, aber man muss an das Institut denken.

HEISENBERG: Ich habe den Eindruck, selbst wenn man uns gegenüber noch immer im Zweifel ist, dass man höchstwahrscheinlich sagen wird: „Wir wollen nicht, dass ihr für längere Zeit in die französische Zone geht, aber geht doch mal mit Blackett hin, und seht euch dort um; die Schlussvorstellung möchten wir allerdings in Göttingen über die Bühne gehen lassen."

WEIZSÄCKER: Andererseits möchte ich Wirtz nicht allzu viel Macht überlassen, die er selber ohnehin nicht will. Wenn Wirtz beispielsweise zurückgeht, erhebt sich sofort die Frage, welche Einstellung er gegenüber Schüler einnehmen wird. Du bist der einzige, der mit ihm umgehen kann. Es liegt auf der Hand, dass du, wenn du zurück gehst, Schülers Platz einnimmst,[340] und falls Wirtz vor dir dort eintrifft, dann müsste er der nominelle Leiter sein. Aber das ganze Problem der späteren Beziehungen zu Schüler ist so unerfreulich, dass es völlig zwecklos ist, wenn jemand anders als du sich der Sache annimmt.

HEISENBERG: Ich bin in dieser Hinsicht eigentlich nicht pessimistisch; selbst wenn die Amerikaner mir die Gelegenheit bieten sollten, nach Amerika zu gehen, könnte ich noch immer sagen, dass ich zuerst nach Deutschland zurückgehen müsste, um zu sehen, woran ich bin – oder etwas in der Art. Blackett wurde nicht müde zu wiederholen, er sei fest davon überzeugt, dass es sinnlos wäre, in Zukunft die Wissenschaft zu kontrollieren, da die Wissenschaft an sich überhaupt nicht gefährlich sei. Nur die industrielle Nutzung der Wissenschaft stelle eine Gefahr dar. Er sagte, man müsse klar unterscheiden zwischen der Wissenschaft an sich und ihrer Anwendung.

---

340 Hintergrund der Überlegungen ist der Umstand, dass H. Schüler, der als schwieriger Kollege galt, von der französischen Besatzungsmacht zum Direktor des KWI ernannt worden war und damit den Heisenberg-Vertrauten F. Bopp abgelöst hatte.

WEIZSÄCKER: Es liegt nicht in unserem Interesse, so etwas zu sagen, aber – und selbst Blackett muss das einsehen – wenn wir in Deutschland die Publikation von Hahns Entdeckung nur etwa ein Jahr zurückgehalten hätten, dann wären die Amerikaner nicht imstande gewesen, die Atombombe in diesem Krieg zu vollenden. Vom Standpunkt der reinen Wissenschaft steht fest, dass jede Beschränkung in erster Linie ein Hindernis für den Fortschritt darstellt. Vom Standpunkt des Politikers ist die Entdeckung eines Prinzips, wie zum Beispiel des Dynamos oder der Uranspaltung, wie ich meine, gerade dann von höchstem Interesse, bevor es technisch weiterentwickelt wurde. Denn wenn man ein solches Prinzip zu einem so frühen Zeitpunkt in die Hand bekommt, hat man die Chance, sich mühelos an die Spitze der Konkurrenten zu setzen. Sobald andererseits das Prinzip jedoch allgemein bekannt ist, verfügt jedes Land über genügend kompetente Leute, die es technisch weiterentwickeln. Allerdings < > dies jetzt nicht sagen, da wir uns dadurch unsere eigenen Chancen verderben könnten, aber wahr ist es trotzdem.

HEISENBERG: Die Folge von dem, was du sagst, würde sein, dass die gesamte Wissenschaft überall als strenges Geheimnis gehütet würde, aber ich glaube nicht, dass die Dinge sich in dieser Weise entwickeln werden, denn es sieht doch beispielsweise so aus, dass die Amerikaner alle Einzelheiten ihrer Atombombe zur Genüge publiziert haben.[341]

WEIZSÄCKER: Ich bin auch keinesfalls dafür. Es kommt darauf an, was man will. Man kann sagen: Wir wollen, dass die Politik international ist, und deshalb wollen wir auch, dass die Wissenschaft international ist. Doch wenn die Amerikaner beispielsweise vor den Russen Angst haben oder die Russen vor den Amerikanern, dann kann man eben nicht reinen Gewissens sagen: „Wir wollen, dass die Wissenschaft international ist." Falls die Theorie, die ich jetzt darlege, akzeptiert werden sollte, dann könnte das nur heißen, dass man uns verbietet, in Deutschland wissenschaftlich zu arbeiten. Folglich müssen wir offensichtlich für die internationale Wissenschaft arbeiten.

HEISENBERG: Ja, ich bin überzeugt, dass es für uns in Deutschland das einzig Mögliche ist, uns die internationale Theorie zu eigen zu machen.

---

341 Gemeint ist der Smyth-Report (Smyth 1945), wobei dieser aber keineswegs das Geheimnis der Atombombe gelüftet hat, vgl. S. 285.

WEIZSÄCKER: Ganz klar.

HEISENBERG: Die internationale Theorie wird sich am Ende durchsetzen, auch wenn es in der Zwischenzeit vielleicht noch fünf oder mehr Kriege mit Atombomben geben mag.

WEIZSÄCKER: Eigentlich würde das die Abschaffung staatlicher Macht erforderlich machen. Solange es jemanden gibt, der an Macht interessiert ist, muss er unter den gegenwärtigen Umständen versuchen, die Ergebnisse wissenschaftlicher Forschung zu monopolisieren. Erst nach Abschaffung aller staatlichen Macht wird eine internationale Wissenschaft möglich sein.

HEISENBERG: Ja, und das ist genau die Theorie, die sich die Amerikaner zu eigen gemacht haben, und deshalb erlangen sie praktisch die gesamte Macht.

WEIZSÄCKER: Aber ich muss sagen, das, was sie wirklich erreicht haben, das haben sie durch Geheimhaltung erreicht. (Gelächter.)

HEISENBERG: Blackett war dennoch der Meinung, dass die Kernphysik und die Uranphysik uns für einige Zeit nicht zugänglich sein würden, so dass man vielleicht bis auf Weiteres dafür sorgen müsste, dass das, was Hahn macht, nicht so genau definiert ist. Mir scheint, dass man durch geschickte Definitionen sich um diese Dinge herum mogeln muss. Wir werden sehen müssen, was sich in meinem Institut machen lässt, aber ich würde ebenso gern über kosmische Strahlung arbeiten.

WEIZSÄCKER: Hast du den Eindruck, dass Blackett Einfluss besitzt?

HEISENBERG: Sein Einfluss nimmt im Augenblick sicher noch zu, weil er seit langem ein Labour-Mann ist und jetzt in die Politik rutscht. Ob er geschickt genug ist, seinen Einfluss auch später zu behalten, lässt sich nicht vorhersagen.[342]

WEIZSÄCKER: Glaubst du, dass er jetzt wegen der politischen Einflussnahme arbeitet? Ist er im Grunde ein Wissenschaftler, der froh ist, zur Wissenschaft zurückzukehren, oder ist er bereit, die Wissenschaft für die Politik zu opfern?

HEISENBERG: Sicherlich zum Teil das letztere. Obwohl er natürlich wissenschaftlich arbeiten will, ist ihm doch bewusst, dass er eine ein-

342 Zu Blacketts politischer Karriere vgl. Nye 2004.

flussreiche Stellung innehat, und so möchte er auch in diesem seinem Einflussbereich etwas bewirken.

WEIZSÄCKER: Gestern hörte ich zufällig mit an, wie er etwas sagte, was mich enorm für ihn einnahm. Ich weiß nicht mehr genau, welche Frage ihm gestellt wurde, aber er antwortete, dass, wenn Physiker sich in die Politik einzumischen begännen, diese nach seiner Erfahrung genauso würden wie andere Politiker. Das erscheint mir im Vergleich mit den Ansichten aller anderen Physiker so realistisch, dass er nach meinem Dafürhalten vielleicht der einzige Physiker ist, der als Politiker wirklich von Nutzen sein könnte.

IV. Vorträge

Es fanden wie üblich zweimal in der Woche Vorträge statt, die sich jedoch auf allgemeine physikalische Themen beschränkten, und es fanden auch keine weiteren mitteilenswerten fachlichen Diskussionen statt.

(Gez. P. L. C. Brodie, Capt. 1. C.)[343]
für Major T. H. Rittner

Farm Hall,
Godmanchester,
15. September 1945.

343 Nachdem Major T. H. Rittner krank geworden und nach London zurück gekehrt war, übernahm P. L. C. Brodie das Kommando und die Berichterstattung in Farm Hall, vgl. auch die Tagebucheintragung in Bagge et al. 1957, S. 61.

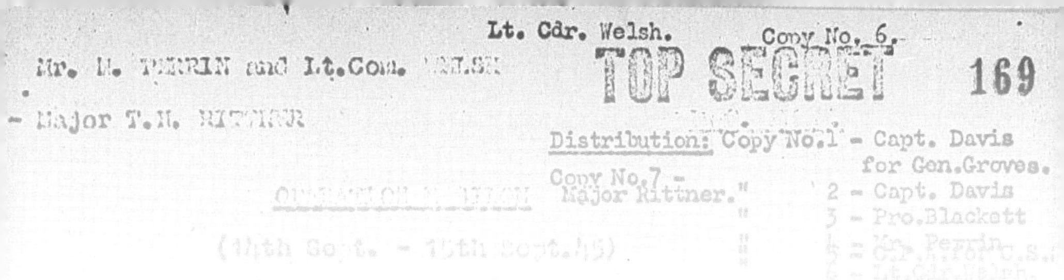

Lt. Cdr. Welsh. Copy No. 6.
TOP SECRET
169
Distribution: Copy No.1 - Capt. Davis for Gen.Groves.
Copy No.7 - Major Rittner."
2 - Capt. Davis
3 - Pro.Blackett

Achter Bericht
14. – 15. September 1945

1. Dieser Bericht befasst sich nur mit einem Brief, den Heisenberg an Prof. Blackett schrieb, sowie mit den Diskussionen, die die Abfassung dieses Briefes begleiteten.

2. Bevor er den Brief erwähnte, diskutierte Heisenberg am Nachmittag des 14. September in dem folgenden Gespräch mit Gerlach über die Zukunft.

Heisenberg schlägt vor, dass die Deutsche Physikalische Gesellschaft als zentrale Behörde geeignet sei, die Physik in Deutschland zu kontrollieren und die Schwierigkeiten der einzelnen separaten Besatzungszonen zu überwinden.

Es ist auch von bestimmten Geldern die Rede, die vom Kaiser-Wilhelm-Institut und von Gerlach einbehalten worden sind.

HEISENBERG: Die Deutsche Physikalische Gesellschaft ist dafür geeignet, da sie von Anfang an darauf achten würde, dass die verschiedenen Zonen nicht voneinander isoliert werden.

GERLACH: Ja, mir kam auch schon der Gedanke, dass es sich bei der Deutschen Physikalischen Gesellschaft um eine Organisation handelt, die politisch unverfänglich ist.

HEISENBERG: Ganz recht, sie existierte schon lange vor den Nazis und wurde auch nicht von Nazis unterwandert.[344]

---

344 Die Deutsche Physikalische Gesellschaft – 1845 als Physikalische Gesellschaft zu Berlin gegründet – hatte in den Jahren der nationalsozialistischen Gewaltherrschaft versucht, sich vom NS-System nicht vereinnahmen zu lassen und gewisse Freiräume zu sichern. Im Spannungsfeld zwischen politischer Anpassung und wissenschaftlicher Autonomie agierend, war sie zwar keine politisch unverfängliche Organisation, doch auch keine, in der NS-Funktionäre und Ideologen das Sagen hatten. Dennoch wurde die DPG – wie alle anderen Organisationen und Verbände in Deutschland – durch die Alliierten zunächst verboten und die Neugründung der

Dieter Hoffmann (Hrsg.): Operation Epsilon.

GERLACH: Sie wurde auch nie Mitglied dieser verschiedenen Naziorganisationen,[345] allerdings wurden im letzten Jahr oder im Jahr zuvor diese beiden Naziführer reingesetzt.

HEISENBERG: Aber das war nicht die Schuld der Gesellschaft. An wen haben Sie gedacht?

GERLACH: Zunächst einmal an Finkelnburg.[346]

HEISENBERG: Ja, Finkelnburg ist natürlich ein kleiner Nazi – (wird unterbrochen.)

GERLACH: – den Ramsauer aus rein politischen Gründen haben wollte.

HEISENBERG: Obwohl ich glaube, dass Finkelnburg nicht vom Schlage Esaus[347] ist.

GERLACH: Nein, er benahm sich bei dieser Diskussion über Religion[348] – (wird unterbrochen.)

Gesellschaft musste ab 1946 über regionale physikalische Gesellschaften in den einzelnen Besatzungszonen erfolgen, wobei der Anfang die Physikalische Gesellschaft in der Britischen Zone mit Max von Laue als deren Gründungspräsident machte. Vgl. den Besuch von Sir Charles Frank im sechzehnten Bericht, S. 359 ff.

345 Seitens der Politik war in den dreißiger Jahren mehrfach ohne Erfolg versucht worden, die DPG – wie auch andere wissenschaftliche und technische Fachgesellschaften – in die Dachorganisation der technisch-wissenschaftlichen Vereine, den NS-Bund Deutscher Technik zu zwingen und damit die DPG gleichzuschalten. Vgl. Hoffmann, 2007, S. 173 ff.

346 Der Atomphysiker und Professor an der Reichsuniversität Straßburg Wolfgang Finkelnburg war im engeren DPG-Vorstand das einzige Parteimitglied und wurde von Carl Ramsauer, seit 1940 Vorsitzender der DPG, als sein Stellvertreter ernannt, was als Zeichen der Anpassung an das NS-System gesehen wurde. Wer das zweite Parteimitglied gewesen sein soll, ist unklar.

347 Abraham Esau war seit 1939 Präsident der Physikalisch-Technischen Reichsanstalt und Forschungsmanager im Dritten Reich. Er hatte mit C. Ramsauer in Konkurrenz um den Vorsitz der DPG gestanden. Vgl. Hoffmann, Stutz 2003.

348 Auf Anregung und unter der Leitung von W. Finkelnburg fanden 1940 im München und 1942 in Seefeld / Tirol zwei sogenannte „Religionsgespräche" statt, auf denen (zumeist jüngere) Vertreter der sogenannten „Deutschen Physik" und der modernen Physik über ihr Physikverständnis stritten. Im Ergebnis der Streitgespräche mussten die Anhänger der „Deutschen Physik", die von ihnen als jüdisch verfemte Relativitätstheorie und Quantentheorie offiziell anerkennen, was zum weiteren Einflussverlust der „Deutschen Physik" führte. Vgl. Beyerchen 1982, S. 238 ff sowie Eckert 2007, S. 154 ff.

HEISENBERG: – sehr anständig.

GERLACH: Auch als diese Diskussion vorbereitet wurde, stand er immer auf der richtigen Seite.

HEISENBERG: Soweit ich ihn kenne, hatte ich nie den Eindruck, dass er ein fanatischer Nazi war. Ich glaube nicht, dass er bei den Judenverfolgungen mitgemacht hätte. Er war, meine ich, irgendwann einmal Mitglied der SS. Vermutlich trifft das zu. Ich würde sagen, die Deutsche Physikalische Gesellschaft muss jetzt kluge Leute auswählen, die mit den anderen fertig werden können. Ja, man sollte im Vorstand Leute sitzen haben, die mit den Russen umgehen können, und auch Leute, die mit den Amerikanern zurechtkommen. Sie werden mit der Interalliierten Kontrollkommission verhandeln müssen, von der sie Grundsatzentscheidungen mitgeteilt bekommen, so dass sie weitermachen und etwa notwendig werdende Tricks anwenden können. Ich würde jetzt sehr gern nach Berlin gehen und mit Sauerbruch[349] sprechen. Ich bin sicher, er könnte etwas für mich tun. Mittlerweile müsste er ja ein paar Dinge auf die Beine gestellt haben, und dann könnte man in Berlin vermutlich eine ganz anständige Stellung bekommen. Meines Erachtens liegt die Lösung, die kommen muss und wahrscheinlich kommen wird, darin, dass die Angelsachsen dafür sorgen, dass wir wieder eine einheitliche Verwaltung für alle Besatzungszonen haben werden.

GERLACH: Bei der Deutschen Physikalischen Gesellschaft gab es auch noch Gauvereine. Ich halte es für durchaus wahrscheinlich, dass diese Gauvereine fürs erste selbständig weiterarbeiten werden, bis es eine zentrale Kontrollverwaltung gibt.[350]

---

349 Ferdinand Sauerbruch war ein herausragender Chirurg an der Berliner Charité, der als Preußischer Staatsrat und Leiter der Fachsparte Medizin des Reichsforschungsrats zur NS-Elite gehörte und den Heisenberg aus der Mittwoch-Gesellschaft kannte. Kurz nach der deutschen Kapitulation wurde er von der Sowjetischen Militäradministration als Stadtrat für das Gesundheitswesen im neugeschaffenen Magistrat für Berlin eingesetzt, jedoch vom Alliierten Kontrollrat wegen seiner nationalsozialistischen Verstrickungen Mitte Oktober 1945 wieder entlassen. Vgl. Eckart 2016.

350 So erfolgte dann auch der Neubeginn der Physikalischen Gesellschaft, wobei den Anfang die Physikalische Gesellschaft in der Britischen Zone mit Max von Laue als deren Gründungspräsident machte.

HEISENBERG: Außerdem muss es einen Leiter geben, den wir, wie in der Vergangenheit, selber wählen können, und dieser Leiter kann dann überall anordnen und bestimmen.

GERLACH: Und er müsste auch in der russischen Zone versuchen – (wird unterbrochen.)

HEISENBERG: Ja, besonders dort. Ich meine, vor allem der Berliner Gauverein muss gleichzeitig mit allen dreien zusammenarbeiten. Wir hatten in Haigerloch noch Geld von Reichsforschungsrat übrig – 100.000 Mark. Ich habe das Geld sicherheitshalber auf mein Institutskonto überwiesen. Das steht uns natürlich wieder zur Verfügung, wenn es gewünscht wird.

GERLACH: Offiziell habe ich noch eine halbe Million Mark auf einem Sonderkonto in München. Ob das Geld noch da ist, weiß ich natürlich nicht. Es handelte sich um Geld, das auf dem Weg von Berlin verlorengegangen war; ich fuhr also nach Ettal, wo das Kultusministerium war, und bat die Leute dort, für mich einen Brief an die Reichsbankstelle in München zu unterschreiben, in dem diese gebeten wurde, einen Vorschuss von einer halben Million Mark an die Bayrische Staatsbank zu überweisen und das Kultusministerium mit dem Betrag zu belasten. Der Präsident der Reichsbank überwies die Summe, und der Präsident der Bayrischen Staatsbank bestätigte den Empfang. Von dort wurde das Geld auf meine Bank überwiesen, die Hypotheken- und Wechselbank.

HEISENBERG: Wenn wir dieses Geld irgendwie retten können, sollten wir es um jeden Preis tun und es in irgendeiner Form für die Forschung verwenden.

3. Am frühen Vormittag des 15. September machte Heisenberg Harteck, Weizsäcker und Wirtz den Vorschlag, einen Brief an Prof. Blackett zu schreiben, in dem sie ihre eigenen Wünsche für die Zukunft darlegen könnten. Diesen Brief könne Prof. Blackett dann bei der für Donnerstag, den 20. September vorgesehenen Konferenz[351] zur Sprache bringen.

351 Es handelte sich um die Konferenz der Außenminister der Siegermächte des Zweiten Weltkriegs, die vom 11.9. bis 2.10.1945 in London tagte und in der Nachfolge der Potsdamer Konferenz über die Nachkriegsordnung in Deutschland und Europa beraten sollte. Offenbar ging man davon aus, dass dort auch das Schicksal der Internierten in Farm Hall zur Debatte stehen würde, was sich als Illusion erwies.

Alle Gäste sind der Meinung, dass es für sie in Zukunft am besten wäre, unter alliierter – einschließlich russischer – Kontrolle zu arbeiten, da ihnen dann umfassendere Möglichkeiten eingeräumt würden.

Aus den Äußerungen von Weizsäcker und Wirtz ist ein nationalistischer Unterton herauszuhören.

Die Diskussion verlief folgendermaßen:

HEISENBERG: Was hältst du davon, dass ich die verschiedenen Standpunkte für Blackett noch einmal schriftlich formuliere? Die Dinge, über die wir gesprochen haben, können ja zum einen Ohr herein und zum anderen wieder hinaus, aber wenn sie schriftlich festgehalten werden, kann man bei der Diskussion immer wieder darauf zurückgreifen und sagen: „So ist das also."

WEIZSÄCKER: Was würdest du ihm denn schreiben?

HEISENBERG: Was unser Institut betrifft, würde ich sagen: Ich würde einen breiteren Arbeitsbereich mit Kontrolle einem sehr begrenzten Arbeitsbereich ohne Kontrolle vorziehen. Falls keine Kontrolle stattfindet, würden wir mit Sicherheit nicht über Uran arbeiten können und über kernphysikalische Probleme nur in sehr begrenztem Umfang. Da bleibt nur noch die Arbeit über kosmische Strahlung. Wenn es keine Kontrolle gibt, würden wir mit Sicherheit auch nicht über kosmische Strahlung arbeiten, wozu ja Flugzeuge oder Ballons erforderlich sind. Wenn wir Glück haben, könnten wir vielleicht gerade noch etwas in Verbindung mit dem Jungfraujoch[352] machen. Das heißt, alles, was uns wirklich noch übrigbleibt, ist ein armseliges bisschen Physik über die kosmische Strahlung. Die Amerikaner haben auf diesem Gebiet so gründlich gearbeitet, dass man viele Jahre brauchen würde, um sie technisch einzuholen. Das lohnt sich wirklich nicht. Es wäre für das Institut besser, wenn man einen umfassenderen Forschungsbereich zulassen und ihn kontrollieren würde. Wenn man das aber unter gar keinen Umständen will, wäre es für das Institut besser, wenn, sagen wir,

352 Auf dem Jungfraujoch in den Berner Alpen wurde 1930 eine internationale hochalpine Forschungsstation u.a. zur Erforschung der kosmischen Höhenstrahlung eröffnet, an deren Gründung und Betrieb Deutschland maßgeblich beteiligt war. Siehe Diener 2022.

Debye[353] zurückkommen und über ein ganz anderes Gebiet der Physik arbeiten würde. Wir sollten uns überlegen, ob wir das nicht einfach als einen weiteren Vorschlag einfügen sollten. Dann müsste das Institut von Grund auf verändert werden, so dass es keine Geheimhaltungsprobleme und so weiter gibt. Ich würde dann zur theoretischen Physik zurückkehren, und wir müssten abwarten, wie die Dinge sich entwickeln. Zugunsten einer Kontrolle könnten wir auch erwähnen, dass eine vernünftige Kontrolle den Anfang einer Zusammenarbeit darstellt, die schließlich auch für die andere Seite erwünscht sein sollte. Wenn wir dies Blackett in einem privaten Brief schreiben, laufen wir, glaube ich, keine Gefahr, später von den Werwölfen[354] gehängt zu werden. Wir könnten uns auch überlegen, ob wir nicht wirklich vorschlagen sollten, dass wir nur über kosmische Strahlung und nicht über Kernphysik arbeiten würden und dass wir zumindest in Berlin unter einer Kontrolle arbeiten, die uns den Einsatz von Flugzeugen für unsere Arbeit ermöglicht. Da wird es immer englische Piloten geben, die die Maschinen fliegen können, und falls es in unserem Institut einen englischen oder amerikanischen Kontrolleur gibt, dann würde er in diesem Bereich über die richtigen Beziehungen verfügen.

WEIZSÄCKER (düster): Dies könnte natürlich noch viel leichter als „Kollaboration“ ausgelegt werden. Jedenfalls halte ich es für eine ausgezeichnete Sache, dass Blackett genau erfährt, was wir möchten. Hast du ihm das nicht gesagt?

HEISENBERG: Nun, ich teilte ihm mehr oder weniger mit, worüber wir heute Abend gesprochen haben.

(Pause.)

---

353 Peter Debye war bis 1940 Direktor des KWI für Physik gewesen und dann in die USA emigriert, doch stand für ihn eine Rückkehr ins zerstörte Nachkriegsdeutschland und auf seine alten Posten außer Frage. Vgl. Hoffmann 2006, S. 165 f.

354 Eine vom Reichsführer SS H. Himmler im September 1944 gegründete Untergrundorganisiation, die in den besetzten Gebieten des Deutschen Reiches Sabotageakte und Attentate verüben sollte. Allerdings fanden die Aufrufe zur Gründung von Werwolf-Gruppen in der deutschen Bevölkerung kaum Anklang und spielten in der Nachkriegszeit faktisch keine Rolle, so dass der Werwolf mehr oder weniger eine Sache der Propaganda blieb. Vgl. Etscheit 1990.

Falls wir auf einem Gebiet arbeiten müssten, das bereits abgegrast ist, würden wir uns für experimentelle Präzisionsverfahren interessieren müssen. Um das zu organisieren, bin ich völlig ungeeignet. Debye könnte allerdings Lösungen und völlig andere Wege und Möglichkeiten finden, um auf einem Gebiet zu arbeiten, das als nicht gefährlich gilt.

HARTECK: Dann erhebt sich die Frage: Wollen die wirklich, dass wir in Deutschland wieder mit hochqualifizierter Arbeit beginnen?

HEISENBERG: Blackett will es bestimmt.

HARTECK: Man könnte sich ein physikalisches Institut in Hamburg nach dem Vorbild der Reichsanstalt vorstellen.[355] Ich glaube aber nicht, dass die Engländer das erlauben würden.

HEISENBERG: Da bin ich nicht so sicher. Die Deutsche Physikalische Gesellschaft sollte jetzt folgendermaßen verfahren: Zunächst sollte sie die Gauvereine anweisen, dass jeder Gauverein mit der örtlichen [Militär-]Regierung auf gutem Fuße steht. Zweitens besteht die Physikalische Gesellschaft als Ganzes jedoch weiter. Die anderen dürften das nicht verbieten, weil sie politisch sehr gut dasteht. Und wenn sie jetzt schlau sind, holen sie sich Leute in ihre Behörde, die wissen, wie man mit den verschiedenen Leuten umgeht. Es gibt genug mit den Amerikanern zu verhandeln, aber es sollte auch jemanden geben, der sich irgendwie um die Russen kümmert. Auf diese Weise müssen wir dafür sorgen, dass es in Deutschland eine zentrale wissenschaftliche Organisation gibt. Ich glaube nicht, dass die anderen dies verhindern werden.

WEIZSÄCKER: Man hat uns gesagt, dass die Zukunft der deutschen Forschung noch in der Diskussion ist. Wir wissen nicht, wie die Ergebnisse dieser Diskussionen ausfallen werden. Wenn beschlossen wird, die Forschung in Deutschland nicht zu unterstützen, gibt es für unser Institut keine Zukunft. Abgesehen davon ist es natürlich besser, wenn Blackett rechtzeitig erfährt, was wir machen möchten, falls uns erlaubt wird zu arbeiten.

---

355 Gemeint ist die 1887 in Berlin gegründete Physikalisch-Technische Reichsanstalt, das zentrale Metrologie-Institut in Deutschland, in dem aber auch Grundlagenforschung im Bereich der Präzisionsphysik betrieben wurde und das in den letzten Kriegsjahren nach Thüringen ausgelagert worden war, so dass die Zukunft der Reichsanstalt damals ungewiss war. Siehe Kern 1994, S. 271 ff.

HARTECK: Wird man uns beispielsweise erlauben, die Arbeit über die Benzinsynthesen in der Kohlenwasserstoffchemie fortzusetzen? Falls es etwas gibt, was ihren eigenen Interessen zuwiderläuft, dürften sie es doch wohl verbieten?

HEISENBERG: Sie werden alle Organisationsformen verhindern, die Deutschland wieder zu einer unabhängigen Industriemacht werden lassen.

WEIZSÄCKER: Diese Dinge werden sich ändern. Wenn man uns beispielsweise Forschungsarbeit verbietet, ist es wichtig, dass wir Hochschularbeit leisten, das heißt, dass wir junge Leute ausbilden, die jetzt eigentlich nichts tun können. Aber in fünf Jahren, wenn sie etwas gelernt haben, ist die Forschung am Ende vielleicht wieder erlaubt, und dann brauchen wir diese Leute. Ich bin durchaus überzeugt, dass nach einigen Jahrzehnten Forschung in Deutschland wieder in großem Umfang getrieben wird. Die Hauptsache ist jetzt, die Zwischenzeit zu überbrücken, was aber vielleicht nicht möglich sein wird.

WIRTZ: Also ich meine, wir könnten doch genauso viel verlangen, wie wir zu bekommen hoffen.

(Pause)

Um auf den Brief an Blackett zurückzukommen, ich bin dafür, ihm mitzuteilen, dass wir über möglichst viele verschiedene Themen arbeiten möchten und dass wir gegen eine Art Kontrolle keine Einwände haben würden. Vielleicht könntest du hinzufügen, dass er diesen Brief so privat wie möglich halten sollte.

HEISENBERG: Der Commander und all diese Leute werden ihn natürlich zu Gesicht bekommen.

WEIZSÄCKER: Es spielt keine Rolle, wenn sie ihn sehen, nur die Werwölfe dürfen ihn nicht sehen. Ich möchte wissen, ob jemand von Ihnen irgendwelche Bedenken wegen dieses Briefes hat, weil das eine Sache ist, über die wir jetzt entscheiden können.

HEISENBERG: Ich wollte, dass er den Brief vor der Konferenz am Donnerstag erhält, weil es wichtig ist, dass er bis dahin unsere Situation voll und ganz verstanden hat. Ich fürchte fast, die bequemste Lösung für die Engländer wäre es, zu sagen: „Sie dürfen keine Kernphysik treiben. Sie können über kosmische Strahlung arbeiten." Schließlich ist das für sie der einfachste Ausweg, und deshalb sollte man es ihnen nicht so leicht machen.

WIRTZ: Ich glaube, wenn wir die Dinge jetzt in Gang halten, dann können wir später vielleicht mehr erreichen, statt an das Optimale gebunden zu sein, das wir im Augenblick für uns herausholen können.

HEISENBERG: Da bin ich aber nicht so sicher.

WEIZSÄCKER: Meiner Meinung nach sollte man bei Leuten wie Blackett um alles gleich im großen Maßstab bitten und vor allem Vorschläge unterbreiten, die uns in ständigem Kontakt mit Blackett oder seinen Leuten halten. Schließlich ist das eine ganz gute Sache.

HEISENBERG: Ja.

WEIZSÄCKER: Ich meine, es ist grundsätzlich sehr gut für uns, wenn ein Engländer das ganze Jahr über persönlich in unserem Institut anwesend sein muss.

HEISENBERG: Ja.

WEIZSÄCKER: Ich würde daher sagen, dass die Kontrolle keineswegs unangenehm, sondern im Gegenteil sogar erwünscht ist, so wie ich es auch für wünschenswert halte, dass die Alliierte Militärregierung in Deutschland so lange wie möglich dauert, damit die Angloamerikaner die volle Verantwortung dafür tragen, ob die Menschen verhungern oder nicht. Natürlich dürfen wir keinen Mann bekommen, der gar zu schrecklich ist. Aber vielleicht kann sich Blackett darum kümmern. Wenn wir natürlich einen Mann wie Diebner bekommen, wäre das unerträglich. Ich möchte natürlich auch nicht den Commander; er ist dafür wieder zu hoch oben, und ich möchte nicht einmal seinen Sohn haben. Das einzige Problem dabei ist, ob uns das später als Kollaboration angelastet wird.

HEISENBERG: Eigentlich schon.

WIRTZ: Wenn die ganze Sache richtig formuliert wird, sehe ich keine Gefahr.

WEIZSÄCKER: Natürlich könnte man sich überlegen, ein großes Tieftemperaturlabor aufzubauen, falls alles andere scheitert.

HEISENBERG: Das müsste ebenfalls in Berlin sein, und ich weiß überhaupt nicht, ob man vielleicht sagen sollte, die beste Lösung wäre es, in einem Jahr oder so nach Berlin zurückzugehen. Wäre es denn nicht wirklich die beste Lösung, wenn wir in Berlin über kosmische Strahlung und Tieftemperaturphysik arbeiten und dabei sowohl von einem Amerikaner als auch von einem Russen kontrolliert würden?

WEIZSÄCKER: Also das wäre ideal. Wahrscheinlich wird das aber nicht möglich sein, denn es hieße zu viel erwarten. Denn sobald sie uns zu den Russen gehen lassen, werden sie uns auch über Uran arbeiten lassen. Das kommt auf ein und dasselbe heraus.

HEISENBERG: Durch meinen Brief an Blackett will ich verhindern, dass er sich die Lösung zu eigen macht, die für die Engländer am einfachsten ist. Eine solche Lösung ärgert mich, da sie lediglich bedeuten würde, dass wir nach Hause gehen können und die anderen sich nicht weiter für uns interessieren. Das ist es gerade, was ich verhindern will. Ich würde sagen, dass in diesem Fall eine Zusammenarbeit mit Hahns Institut auch ein Punkt ist, der dafür spricht, weil dadurch eine günstigere Lösung insofern erleichtert würde, als die Engländer vom Prestigestandpunkt aus sagen werden, es ist kaum möglich, Hahn daran zu hindern, über Uran zu arbeiten. Das wäre so schäbig, dass sie sich dazu wohl kaum durchringen dürften. Wenn wir jetzt zusammen mit Hahn über solche Dinge unter Kontrolle weiterarbeiten könnten, dann werden sie sich sagen: „Wir werden Hahn die Erlaubnis erteilen müssen, wir werden ihn ohnehin überwachen müssen und so könnten wir ebenso gut der ganzen Gruppe Hahn-Kaiser-Wilhelm-Institut gestatten, unter Kontrolle weiterzuarbeiten. Das gilt nicht für die übrige deutsche Wissenschaft, die frei sein soll, aber dies ist ein Sonderfall. Das ist vielleicht doch die vernünftigste Lösung."

WIRTZ: In dem Punkt bin ich pessimistisch, weil sie so schreckliche Angst vor der deutschen Forschung haben.

HEISENBERG: Wenn sie darüber diskutieren, ob Hahn weiter über Uran arbeiten darf, werden jedenfalls alle Physiker in der amerikanischen Kommission, der auch Oppenheimer angehört, beziehungsweise alle Leute hier sagen: „Jawohl, wir müssen ihm die Erlaubnis geben, wir können nichts anderes tun."

HARTECK: Sind Sie sicher?

HEISENBERG: Da bin ich ganz sicher.

WEIZSÄCKER: In der Welt herrscht eine bestimmte Richtung, die sich jetzt deutlich abzeichnet; nennen wir sie „Internationalismus". Es gibt viele Leute, die so denken, besonders in England und Amerika, und ich weiß wirklich nicht, ob sie damit ihrem Land nützen. Aber es sind die Leute, an die wir uns zu unserem Besten zu halten haben, und wir werden das unterstützen müssen. Die Leute, die über die Atombombe nichts geheim halten wollen, das sind die, die wir brauchen.

4. Später am Vormittag des 15. September liest Heisenberg seinen Brief Hahn vor und spricht darüber mit ihm. Er sagt, der Brief deute in der Tat an, dass er, sofern er von den westlichen Alliierten nicht großzügig behandelt werde, ernsthaft in Betracht ziehen müsse, für die Russen zu arbeiten.

HEISENBERG: Wie denken Sie über die ganze Sache?

HAHN: Ich fürchte, man will uns daran hindern, Kernphysik zu treiben.

HEISENBERG: In Ihrem Fall bestehen gute Aussichten, dass man das nicht tun wird. Es würde für die anderen sehr schwer sein, auch vom Prestigestandpunkt, Ihre Arbeit zu unterbinden, da Sie ja ohne Zweifel die ganze Sache entdeckt haben.

HAHN: Ich meine, was Sie da geschrieben haben, ist ausgezeichnet. Wäre es Ihrer Ansicht nach vielleicht klüger, wenn Debye zu uns käme?

HEISENBERG: Wenn man entschlossen ist, die Kernphysik zu beschränken, dann, glaube ich, würde Debye sicherlich eine gute Lösung sein. Debye würde dann das Institut völlig umgestalten, entsprechend seiner eigenen Arbeit – (wird unterbrochen.)

HAHN: Nein, Sie müssen da sein. Nur sollte ein Mann wie Debye, der nun ganz entschieden kein Nazi ist, auch da sein.

HEISENBERG: Ja.

HAHN: Ich glaube aber nicht, dass Debye nach Hechingen gehen würde.

HEISENBERG: Sicher nicht nach Hechingen, aber vielleicht, sagen wir mal, nach Heidelberg. Am liebsten würde er wohl nach Berlin zurückgehen. In gewisser Hinsicht würde Debyes Rückkehr natürlich die einfachste Möglichkeit sein, die Schwierigkeiten zu überwinden. Falls Debye das Institut übernimmt, dann muss er alles machen, und dann ist es eben die Frage, ob ich nicht einfach nach München gehen oder irgend etwas anderes machen sollte. Warum sollte ich schließlich nicht theoretisch arbeiten? Ich meine, wenn man Kernphysik in hinreichend großem Umfang treiben oder über kosmische Strahlung mit genügenden Mitteln arbeiten kann, dann würde ich das natürlich gerne machen. Wenn man jedoch mit ein paar armseligen Zählrohren über Themen arbeiten muss, die von den Amerikanern schon abgegrast worden sind, dann lohnt sich die Sache nicht.

HAHN: Können Sie in Deutschland überhaupt über kosmische Strahlung arbeiten? Haben wir 3.500 und 4.000 m hohe Berge?

HEISENBERG: Was ich zuerst einmal gerne machen würde: Ich möchte gern Apparate und Geräte in ein Flugzeug verladen. Es gibt eine riesige Zahl von Flugzeugen in Deutschland, die natürlich von Deutschen nicht benutzt werden können. Ich sehe aber überhaupt nicht ein, warum amerikanische Piloten, die ohnehin zu Übungsflügen aufsteigen müssen, nicht irgendwelche Geräte mitnehmen sollten, oder man könnte beispielsweise auch Leute mit Apparaten zum Jungfraujoch hinaufsenden. Nach meinem Dafürhalten ist diese etwas mehr internationale Zusammenarbeit entschieden das Richtige. Ich hatte mir vorgestellt, in Friedenszeiten über kernphysikalische Probleme oder kosmische Strahlung in größerem Stil zu arbeiten. Moderne Physik in kleinem Rahmen zu treiben hat überhaupt keinen Zweck. Es besteht nun für die Angelsachsen eine große Versuchung zu sagen: „Diese Leute sollen natürlich ihre Arbeit fortsetzen. Wir wollen ihnen nicht all ihre Chancen nehmen, aber diese großen technischen Sachen kommen für sie absolut nicht in Frage.“ Diese Versuchung ist groß. Das heißt, wir werden ständig auf Eis gelegt und können Physik im rumänischen oder bulgarischen Maßstab treiben. Und genau das müssen wir zu verhindern suchen. Denn es ist entschieden besser, dass die Engländer selber die Verantwortung für das, was in Deutschland gemacht wird, übernehmen, und dann liegt es in ihrem eigenen Interesse, darauf zu achten, dass es richtig gemacht wird.

HAHN: Eigentlich sollte es den Engländern ganz angenehm sein, wenn nicht alles in Amerika gemacht wird.

HEISENBERG: Ich würde auch sagen, die Engländer sollten sich wirklich für den Wiederaufbau Europas interessieren, und sie müssen sich das ja selber sagen – ich werde das jedenfalls nicht tun, weil sie uns dann noch länger festhalten. Wenn mir die Engländer also sagen: „Sie dürfen allerhöchstens mit minderwertigen Apparaturen arbeiten“, und die Russen sagen: „Sie bekommen ein Institut mit einem Jahresetat von einer halben Million“, dann würde ich mir überlegen, ob ich nicht doch zu den Russen gehe. Weil das also wirklich einfach idiotisch ist. Wir sind doch schließlich da, um vernünftig zu arbeiten. Bis jetzt ist es sicherlich so, dass die Russen in diesen wissenschaftlichen Dingen viel großzügiger sind als die Engländer. Ich bin fest davon überzeugt, weil die Russen die moderne Denkweise bereits gelernt haben, die Engländer dagegen bis jetzt noch nicht. Ich weiß überhaupt nicht, ob die Zukunft Europas nicht am Ende bei den Russen liegt. Was mich unlängst wieder in dieser Richtung so sehr beeindruckte, war die Reaktion des sehr netten amerikanischen Majors, der mir sagte: „Ja, wir Amerikaner wollen wieder nach Hause. Wir wollen nicht diese zerstörten Städte sehen. Wir werden unsere Jungs nach Hause schicken und nur so viele hierlassen, wie absolut erforderlich sind, aber wir wollen nichts mit der ganzen Sache zu tun haben.“ Also, mein Gott, wenn's das ist, was sie wollen, dann müssen wir ja mit den Russen zusammenarbeiten.

HAHN: Sofern nicht die Engländer die Initiative ergreifen.

HEISENBERG: Können sie ja nicht, sie sind viel zu schwach. Sie können gegen die Russen nichts unternehmen.

HAHN: Wenn wir erreichen könnten, dass uns erlaubt wird, unter englischer Aufsicht weiterzuarbeiten, dann wäre das natürlich bei weitem am besten.

HEISENBERG: Ja. Es gibt, wie ich finde, nur diese zwei Möglichkeiten: Entweder die Angelsachsen sind an Europa so stark interessiert, dass sie es wirklich halten können, und halten bedeutet in diesem Fall, dass sie bei fast allem, was gemacht wird, beteiligt sind und darauf achten, dass es richtig gemacht wird. Aber wenn die nicht wollen und sagen: „Nein, von uns aus kann Europa vor die Hunde gehen“, dann bleibt Europa nichts anderes übrig, als sich Russland zuzuwenden. Weil die Russen es dabei nicht bewenden lassen würden, würden sie etwas unternehmen. Ich glaube, wir sollten es den Engländern ein bisschen schwerer machen, den Weg des geringsten Widerstandes zu gehen, und der Weg des geringsten Widerstandes lautet natürlich: „Nun ja, wir werden euch

Deutschen gestatten, wieder ein wenig Physik in geringem Umfang zu treiben." Aber genau das ist es, was wir nicht wollen.

HAHN: Es ist natürlich gefährlich, ihnen mit Russland zu drohen.

HEISENBERG: Das können wir nicht machen. Schließlich ist das schon sinngemäß darin enthalten, wenn ich sage, ich will keine Bagatellphysik treiben. Entweder mache ich richtige Physik oder gar keine. Falls die endgültige Entscheidung lautet, dass ich keine richtige Physik machen darf, und ich wieder nach Deutschland gehe, werden auch sie einsehen müssen, dass ich mir dann überlege, ob ich nicht doch bei den Russen Physik mache.

5. Der Brief, dessen Original am 17. September an Lieutenant Commander Welsh weitergeleitet wurde, hat folgenden Wortlaut:

Lieber Blackett,
im Anschluss an unsere jüngsten Gespräche habe ich mir die Dinge überlegt und bin zu dem Schluss gekommen, dass ich Ihnen eigentlich auch noch über die besondere Situation meines Instituts berichten könnte, bevor wir über die Zukunft unserer Institute im Allgemeinen sprechen. Das Kaiser-Wilhelm-Institut für Physik in Berlin wurde von Debye aufgebaut und unterstand bis Januar 1940 seiner Leitung. Nach Debyes Weggang übernahm Diebner für einige Zeit die Verwaltung. Er war verantwortlich für die Umstellung des Instituts auf Kernphysik. Vom Frühjahr 1941 an war ich praktisch verantwortlich und später auch offiziell. Seit dieser Zeit galt der größte Teil unserer Arbeit dem Uran und der Kernphysik im Allgemeinen (Hochspannungsanlagen), daneben wurde, wie Sie aus unserem Buch wissen,[356] über kosmische Strahlung gearbeitet, und auch die Arbeit in den verschiedenen Abteilungen (Röntgenlabor, Tieftemperaturlabor und Optik) wurde in kleinerem Umfang fortgesetzt. Als erstes Ziel unserer wissenschaftlichen Arbeit hatten wir beabsichtigt, einen Brenner mit D_2O, Graphit und Uranmetall zu bauen. Dieser Brenner sollte eine starke Neutronenquelle bilden. In Kriegszeiten wären auf diese Ergebnisse natürlich technische Weiterentwicklungen gefolgt, die auf eine praktische Nutzung der Energie gezielt hätten. Wir hatten jedoch gehofft, dass der

356 Heisenberg 1943. Es handelte sich um eine Festschrift für Arnold Sommerfeld zum 75. Geburtstag.

Brenner in Friedenszeiten zur Herstellung starker radioaktiver Substanzen für die chemische Forschung in Hahns Institut eingesetzt werden könnte und auch vielleicht für Experimente in meinem Institut mit Neutronenstrahlen hoher Intensität. Die in Haigerloch und Stadtilm vorhandenen Mengen an D_2O[357], Graphit und Uran hätten für den Bau des Brenners vermutlich gerade ausgereicht.

Die erste Frage zur Zukunft des Instituts ist, ob Debye zurückkommt und noch einmal die Leitung übernimmt. Uns ist es gelungen, dass Debye offiziell noch immer verantwortlich ist;[358] daher hängt es allein von ihm ab, ob er bereit ist, wieder die Leitung zu übernehmen, und falls er zusagt, dürfte es wahrscheinlich keine politischen Schwierigkeiten geben, da er niederländischer Staatsbürger ist. Wenn dagegen Debye nicht zurückkommt, erhebt sich die Frage nach dem zukünftigen Gegenstand unserer Forschung. Wenn wir zwischen den folgenden zwei Möglichkeiten wählen sollen, entweder ein sehr stark eingeschränkter Arbeitsbereich ohne Kontrolle oder ein weiter gefasster, aber von alliierten Physikern kontrollierter Arbeitsbereich, dann würde ich aus den folgenden Gründen entschieden die letztere Möglichkeit vorziehen: Falls es keine Kontrolle geben sollte, würde die Politik kernphysikalische Arbeit vermutlich ganz allgemein untersagen. In diesem Fall, vorausgesetzt, die Forschungsrichtung ändert sich nicht von Grund auf, könnte das Institut nur über kosmische Strahlung arbeiten. Und in diesem Fall würde jede Zusammenarbeit mit Hahns Institut aufhören. Außerdem würden uns im Bereich der kosmischen Strahlung alle Möglichkeiten verschlossen sein, sofern sie erhebliche technische Mittel voraussetzen, das heißt Experimente mit Flugzeugen und dergleichen. Dann wäre das Institut auf die Arbeit mit den bescheidensten technischen Mitteln auf einem Gebiet angewiesen, auf dem andere bereits so gründliche Arbeit geleistet haben, dass das Ergebnis einen solchen Aufwand nicht rechtfertigen würde. In diesem Fall könnte es besser sein, das Institut auf völlig andere Arbeitsgebiete umzustellen, mit denen ich

357 Schweres Wasser.

358 Als Heisenberg 1942 die Leitung des KWI für Physik in Berlin-Dahlem übernahm, wurde er zum Direktor am KWI für Physik berufen, denn Debye war offiziell nur zur Wahrnehmung einer Gastprofessur an der Cornell University Ithaca beurlaubt worden. Vgl. Cassidy 1992, S. 553 ff.

nichts zu tun habe. Falls jedoch die kernphysikalische Arbeit fortgesetzt werden könnte, wenigstens mit Hochspannungsanlagen, so dass auch die Zusammenarbeit mit Hahns Institut weiterbesteht, dann wäre ich sicherlich bereit, mich mit einer Kontrolle abzufinden. Dann könnte man vielleicht auch die Behörden gewinnen, Experimente über kosmische Strahlung zu unterstützen, so dass ein erheblich größerer technischer Aufwand in den Bereich des Möglichen rückt. Schließlich wird es Physikern, die selber an der Wissenschaft interessiert sind, möglich sein, eine Kontrolle auszuüben.

Die Frage des Institutsstandortes lässt sich wahrscheinlich erst entscheiden, wenn die Zukunft der Kaiser-Wilhelm-Gesellschaft als Ganzes zur Diskussion steht.[359] Vielleicht ist Hechingen eine geeignete Übergangslösung, die jedoch so bald wie möglich durch eine Dauerlösung ersetzt werden sollte. Vermutlich würde es in Heidelberg und Göttingen leerstehende Institute geben, die benutzt werden könnten, jedoch keinen Wohnraum. Das Institut in Berlin ist unbeschädigt und wird von amerikanischen Truppen beansprucht. Möglicherweise haben die Russen vorher Apparaturen und Geräte mitgenommen. Vielleicht wäre es in Berlin leichter, unsere ehemaligen Wohnungen zurückzubekommen, aber die spezifischen Schwierigkeiten Berlins sprechen nicht zugunsten dieser Stadt.[360]

Ich hoffe, wir werden über all diese Probleme noch einmal sprechen können, wenn die grundlegenden Fragen geklärt worden sind.

Mit freundlichen Grüßen
Ihr (gez.) W. Heisenberg

Farm Hall
18. September 1945

(Gez. P. L.C. Brodie)
Captain.
Für Major T. H. Rittner

359 Dies war Sache einer mehrjährigen Diskussion und Umbruchsphase voller Unsicherheit, die mit der Neugründung der Max-Planck-Gesellschaft in den Westzonen 1948 seinen Abschluss fand und den Fortbestand des KWI / MPI für Physik unter Heisenberg endgültig sicherte - zunächst mit dem Standort Göttingen und ab 1958 in München, siehe Kant 1996.

360 Dies beschreibt sehr gut die Nachkriegssituation in der Frontstadt des Kalten Krieges – wie auch die Nachkriegsgeschichte des KWI für Physikalische Chemie und Elektrochemie zeigt, vgl. Steinhauser et al. 2011, S. 139 ff.

Copy No. 8. 17

TOP SECRET

Professor Sir James Chadwick.

Neunter Bericht
16. – 23. September 1945

I. Allgemeines

1. Dies war eine schwierige Woche, die ich hauptsächlich damit zubrachte, Heisenberg zu beschwichtigen: Er hatte sich von Prof. Blackett mehr erhofft, als vielleicht gerechtfertigt war.

2. Der im Farm-Hall-Bericht Nr. 8 erwähnte Brief an Prof. Blackett wurde am 17. September Lieutenant Commander Welsh übergeben.

3. Am 20. September hatte ich ein unfreiwilliges Gespräch mit Bagge, in dessen Verlauf ich das Terrain zu sondieren versuchte, falls es bei der für diesen Tag angesetzten Konferenz[361] – wie ich erwartete – zu keinem unmittelbaren Ergebnis kommen sollte.

II. Die Konferenz am 20. September

4. Am 21. September fuhr ich auf die Bitte der Professoren nach London, um das Ergebnis der Konferenz herauszufinden.

5. Nachdem ich ohne die Erlaubnis zurückgekehrt war, alle Gäste sofort nach Deutschland zu entlassen, entstand eine gespannte Situation.

6. Die Professoren Hahn, Heisenberg und Gerlach machten mir klar, dass die entscheidende Frage doch in Wirklichkeit die Zukunft von Frau Heisenberg und die ihrer Kinder sei. Wenn man sich nicht um sie kümmere, sehe Heisenberg sich gezwungen, sein Ehrenwort zu widerrufen, und die anderen würden aus Loyalität das Gleiche tun.

361 Gemeint ist die bereits erwähnte Londoner Außenministerkonferenz, siehe S. 310.

Dieter Hoffmann (Hrsg.): Operation Epsilon.
 DOI: <https://doi.org/10.47261/1508>.

7. Ich verschaffe mir eine Atempause, indem ich wiederholte, dass die Konferenz noch im Gange und dass mit einer Entscheidung in Kürze zu rechnen sei. Es ist stets unangenehm, einen bestimmten Zeitpunkt anzugeben, denn wenn zu diesem Zeitpunkt nichts geschieht, wirkt sich das verhängnisvoll auf unsere Gäste aus.

8. Ich sagte ferner zu, dass ich versuchen würde, mich über Lieutenant Commander Welsh mit Prof. Blackett in Verbindung zu setzen, um zu sehen, ob er mit Heisenbergs Schwager, Herrn Schumacher in Oxford, etwas vereinbart habe mit dem Ziel, sich um Heisenbergs Familie zu kümmern.

9. Heisenberg diskutierte am Abend über dieses Gespräch mit Weizsäcker, Wirtz, Korsching und Diebner, ohne jedoch Herrn Schumacher zu erwähnen:

HEISENBERG: Wir sprachen über meine Familie, und im Großen und Ganzen ist das Ergebnis der heutigen Konferenz so ausgefallen, dass man noch immer nicht weiß, was die eigentlich wollen. Dies ist sicherlich ein plausibles Ergebnis, aber keines, das man sich hätte wünschen mögen. Nächste Woche findet eine weitere Konferenz statt, auf der dann hoffentlich eine Entscheidung getroffen wird.

DIEBNER: Keiner weiß was, nehm ich an.

HEISENBERG: Alles scheint bisher auf eine einzige Sache hinzudeuten, dass nämlich, wenn überhaupt etwas entschieden wird, die Entscheidung getroffen wird, dass wir nach Hause gehen. Aber die Sache ist eben die, dass sie sich dazu nicht entschließen können.

KORSCHING: Ist das ein rein britisches Komitee?

HEISENBERG: Ganz im Gegenteil. Blackett sagte mir, ich müsse einsehen, dass die Engländer in diesen Dingen meist nur die zweite Geige spielen.

WIRTZ: Ich meine, man sollte sich völlig Amerika zuwenden.

HEISENBERG: Deshalb ist es schade, dass wir so wenig Kontakt zu führenden Amerikanern haben. Nur mit einem amerikanischen Major[362] zu reden hat keinen Zweck.

---

362 Wer dieser auch früher schon (siehe S. 319) erwähnte „amerikanische Major" war, ist unklar.

WIRTZ: Das Tragische ist, dass wir in England sind. Wir sollten entweder nach Amerika geflogen werden oder im US-Hauptquartier in Deutschland sitzen. Aber hier in England befinden wir uns praktisch am Ende der Welt.

HEISENBERG: Ja, da ist etwas dran.

DIEBNER: Was haben sich die Engländer erhofft, als sie uns hierher brachten? Wenn sie keinerlei Einfluss haben, was soll denn das alles bedeuten?

HEISENBERG: Offensichtlich haben sie einigen Einfluss.

WEIZSÄCKER: Man sollte sowohl zu den einen wie zu den anderen freundschaftliche Beziehungen pflegen. Die Amerikaner mögen ja stärker sein, aber die Engländer haben bei der Bestimmung unseres Schicksals während der kommenden Jahre mehr zu sagen. Ich habe so das Gefühl, dass die Amerikaner weniger an uns interessiert sind.

HEISENBERG: Jedenfalls haben die Engländer ein wirklich entscheidendes Interesse an Europa, denn wenn es ihnen jetzt nicht gelingt, eine dauerhafte Vereinbarung in Europa zu schaffen, sind sie das nächste Mal dran. Das ist ganz klar.

10. Am Samstagvormittag fragte mich Heisenberg, ob ich nicht Lieutenant Commander Welsh übergehen und Prof. Blackett direkt anrufen könne. Das lehnte ich ab und erklärte, es sei besser, Prof. Blackett nicht übermäßig zu belästigen, der zweifellos alles in seiner Macht Stehende tue, und dass verhüllte Drohungen, das Ehrenwort zu widerrufen, ganz bestimmt eine Wirkung hervorrufen würden, die sie am wenigsten wünschen. In einem späteren Gespräch drückte Heisenberg seine Verärgerung Hahn gegenüber so aus: „Ich kann eine Weile warten, aber es ist trotzdem ärgerlich, dass der Captain[363] mit Blackett nicht telefonieren darf."

III. Technisches

11. Am Dienstag, dem 18. September, hielt Harteck einen Vortrag über „Atmosphäre", dem das Werk von Fowler[364] und Milne zugrunde lag.

363 P. L. C. Brodie.

364 Milne 1930, Fowler 1925.

12. In dieser Woche gab es in technischer Hinsicht nichts weiter Mitteilenswertes.

Farm Hall,
Godmanchester,
27. September 1945

(Gez. P. L.C. Brodie)
Captain.
Für Major T. H. Rittner

Anhang: Produktion von schwerem Wasser

1. Am 23. September beschrieb Harteck Hahn eine Methode, D_2O[365] herzustellen, die er und Suess[366] entdeckt hatten und die sie für wirtschaftlicher hielten als jede andere ihnen bekannte Methode.

2. Da keine angemessenen Einrichtungen für die Übersetzung in Farm Hall verfügbar waren, wurde sie in London erstellt.

3. Das übersetzte Gespräch wird im Folgenden wiedergegeben:

Harteck: Es ist eine Frage der Ammoniakdestillation. Der teuerste Teil ist das Gefäß für die Destillation. Dann müssen Sie eine Substanz nehmen, die einen möglichst großen Dampfdruck-Unterschied beim höchstmöglichen Druck hat. Das ist offensichtlich Ammoniak. Außerdem hat es drei Wasserstoffatome, das es mit Wasser austauschen wird wenn Sie das wollen.

Hahn: Fließt das Ammoniakgas direkt durch das Wasser?

Harteck: Nein, Sie fraktionieren das Ammoniak kontinuierlich und tauschen das Ammoniak aus, das mit dem Wasser erneuert wurde. Sie haben eine Säule, in der 5 – 10 t Ammoniak sind.

Hahn: Oberhalb ist mehr leichtes Ammoniak …

Harteck: Und das schwere ist unten. Dann nehmen Sie das Ammoniak, die leichte Fraktion oben, erlauben es, sich gegen Wasser fließend

365 Schweres Wasser.

366 Hans E. Suess, österreichischer Physikochemiker, der von 1938 bis 1950 zusammen mit Harteck an der Universität Hamburg gewirkt hat; danach forschte er an verschiedenen Universitäten der USA.

auszutauschen bis es seinen alten Inhalt hat. So ist alles, was ich wirklich benötige, nur ein paar Tonnen Ammoniak, das sicherlich nicht teuer ist.

HAHN: Verunedeln Sie dann das Wasser?

HARTECK: Nein, es ist x-beliebiges Wasser.

HAHN: Und das Ammoniak, das Sie wieder aus dem Wasser bekommen …

HARTECK: Das ist wieder normal.

HAHN: Und das leichte Ammoniak verschwindet einfach?

HARTECK: Nein, das leichte Ammoniak ist nicht verloren.

HAHN: Nun, dann tauscht sich der Wasserstoff aus …

HARTECK: Mit dem Wasser, und es wird später ausgeleitet. Es ist, als wenn Sie zum Beispiel 20 Prozent auslassen, und 80 Prozent ist normal[es Wasser], dann führen Sie den Austausch durch. Es ist nur eine Frage der Wirtschaftlichkeit.

HAHN: Welchen Einfluss hat es, wenn Sie 5 Tonnen Ammoniak haben? Wie lang müssen Sie das fraktioniert destillieren, um unten eine vernünftige Anreicherung zu erhalten?

HARTECK: Ein Schritt ist 2,4 Prozent. Sie würden eine Säule von 80 Meter Höhe haben wenn Sie eine zwölffache Anreicherung möchten.

HAHN: Für einen Schritt …

HARTECK: Nein, die wichtige Frage ist, wieviele Kilowattstunden Sie aufwenden müssen um 1 Gramm schweres Wasser zu erhalten.

HAHN: Ich glaube, Ihres ist billiger. Ich würde nur gerne wissen, wie Sie es machen. Würden Sie 12 Säulen nebeneinander stellen?

HARTECK: Nein, eine riesige Säule. Durchmesser ungefähr 2 Meter, Höhe 80 Meter. Es funktioniert so: Wenn ich kaltes Wasser und warmes Wasser habe, sagen wir, mit 5 und 20 Grad, dann habe ich einen Verdunster bei 20 Grad und einen Kondensor bei 5 Grad.

HAHN: Und in welchem Zustand ist das Ammoniak?

HARTECK: Flüssiges Ammoniak.

HAHN: Dann unter einem bestimmten Druck?

HARTECK: Ja, bei 9 oder 10 Grad hat es einen Druck von 4.000 Millimetern[367] oder so. Das ist optimal.

HAHN: Dann machen Sie einige Atmosphären Druck drauf?

---

367 Millimeter Quecksilbersäule, 4.000 mm Hg sind etwa 5,3 bar.

HARTECK: Etliche Atmosphären. In einer Säule mit so vielen Biegungen haben Sie einen Druckabfall von etwa 1½ Atmosphären. Das können Sie direkt abschätzen. Und dieser Druckabfall von 1½ Atmosphären entspricht mehreren Grad Temperaturdifferenz. Und dann läuft es darauf hinaus: Ich kann mit heißem Wasser erwärmen und mit kaltem Wasser kühlen. Aber ich könnte eine Wärmepumpe haben, das heißt, einen Kühlschrank, und wenn ich das habe, brauche ich ständig 2.000 Kilowatt. Um 5 Tonnen pro Jahr zu machen. Für 1 Gramm benötigt man 3 bis 4 Kilowattstunden. Das heißt, wenn Sie eine Wärmepumpe verwenden. Wenn Sie heißes und kaltes Wasser verwenden, ist das sehr viel weniger und natürlich kostet es sehr viel weniger. Ich bin erst dahinter gekommen, nachdem wir die Säule entworfen hatten.

Das Verfahren ist billiger, das lag jedem nahe, mit dem ich mich zur Abschätzung irgendwelcher Mittel darüber unterhalten hatte. Aber anscheinend arbeiten diese Leute [die Amerikaner] mit Graphitblöcken und nicht mit schwerem Wasser. Aber vielleicht hat schweres Wasser Schwierigkeiten, wenn es Neutronen aufnimmt und radioaktiv wird. Und wenn man tatsächlich wie ich viel zu lange mit der Sache gespielt hat und eine eindeutige Lösung hat, ist es überhaupt nicht gut, auf solche Weise unterbrochen zu werden. Meinen Sie nicht?

HAHN: Ja, ich stimme zu.

HARTECK: Nun ist die Frage, in Deutschland können wir das anscheinend nicht mehr machen.

HAHN: Sicherlich nicht mit schwerem Wasser.

HARTECK: Was ich wirklich gerne hätte, wäre ein Gespräch mit einem der Physikochemiker, Rideal oder H. S. Taylor.[368] Wenn sie [die Amerikaner] diesen Prozess nicht schon haben, dann würde ich sicherlich nicht schlecht dastehen.

HAHN: Einverstanden. Sie sprechen mit ihnen und sie sagen zu Ihnen: „Ja, das wussten wir schon lange“, und sie gehen raus und ziehen das Patent danach aus der Schublade, oder sie würden das Verfahren [einfach] verwenden.

---

368 Gemeint sind die britischen Chemiker Eric Rideal, der am King's College der Universität Cambridge lehrte, und Hugh Stott Taylor von der Princeton University in den USA, die eine Methode zur Schwerwasserherstellung entwickelt hatten, die Hartecks fraktionierter Destillation sehr ähnlich war.

HARTECK: Na, eine Patentanmeldung ist mir egal. Trotzdem möchte man zumindest ein bisschen mitarbeiten oder etwas mehr Kontakt zu den Wissenschaftlern haben. Wir sind in Deutschland so vorsichtig geworden. Es ist schade, dass wir so viel Zeit in die Sache investiert haben und das ist das Ergebnis. Wir haben mehrere Säulen gebaut, und die I. G. [Farben] konstruierte sie.

HAHN: Möchten Sie wirklich, dass Taylor oder Rideal hierher kommen? Sie lassen niemanden hereinkommen, das ist das Beschämende.

HARTECK: Aber das können Sie den Leuten doch sagen, dass Sie von allem, was bisher gemacht wurde, den Eindruck gewonnen haben, dass das Verfahren, das wir für schweres Wasser haben, um einen beträchtlichen Faktor besser ist als das, was die haben. So ist es unsererseits eher ein Freundschaftsakt in dieser speziellen Sache mit schwerem Wasser. Ich möchte mich diesen Leuten nicht aufdrängen, aber es ist ungefähr ein halbes Jahr her, seit wir hier sind und Sie können nicht sagen, dass wir ihnen nachlaufen. Der Major kann dem Commander sagen, dass ich Rideal sehr gerne wegen diesem und jenem Thema sehen würde.

HAHN: Dass Sie eine Methode hatten, von der Sie überzeugt waren, dass Sie schweres Wasser 2 bis 3 Mal billiger herstellen können als bei den bisherigen Verfahren.

HARTECK: Ich will nicht übertreiben, aber Sie können sicherlich 3 Mal sagen. Der Direktor [der I. G. Farben] sagte, wenn es aufgebaut wäre und man schweres Wasser für 20 Pfennig pro Gramm verkaufen könnte, würde man recht gute Geschäfte damit machen. Es gibt nichts Schriftliches, das Sie vorweisen könnten. In meinen Aufzeichnungen steht nur: „Nach dem neuen Verfahren vom Institut für Physikalische Chemie – Verfahren für Schweres Wasser – wird eine Anlage gebaut, die 1,2 Millionen Mark kostet und in der Lage ist, 5 Tonnen D_2O [jährlich] produzieren zu können." Ansonsten gibt es darüber kein Wort. Die höchsten Stellen haben eingestanden, dass dies im vergangenen Februar natürlich völlig unangemessen war. Nicht einmal der Dampfdruck von Ammoniak wurde gemessen, und dann benötigen Sie eine Austauschvorrichtung; das ist tatsächlich der Punkt, dass man nicht nur das Ammoniak fraktioniert, sondern es kontinuierlich mit Wasser austauscht. Dies sind in der Tat die zwei Kniffe.

HAHN: Nun, dann haben Sie unten Ihr gewöhnliches Ammoniak, das Sie allmählich anreichern.

HARTECK: Ja, genau.

HAHN: Was passiert damit?

HARTECK: Dieses Ammoniak strömt in die zweite Säule und die zweite Säule wird senkrecht in das Innere der ersten Säule gesetzt. In die zweite setzen Sie dann eine dritte hinein. Die erste hat rund 2 Meter Durchmesser, der innere vielleicht 40 Zentimeter und die innerste 15 Zentimeter. Kann ich es Ihnen skizzieren? Dies ist die erste Säule, die große. Das heißt, sagen wir, normal, das ist vielleicht 30 % verringert und hier dreifach. Es tauscht sich hier mit Wasser aus und kommt hier wieder in den Gegenstrom. Dann kommt hier das Dreifache – hier haben wir die Säule drinnen, dann kommt das untere Material hier hoch, das ist dreifach. In Wirklichkeit kann es hier viel mehr sein, es ist schon zehnfach. Also hier ist es zehnfach und hier ist es rund 80-fach.

HAHN: Aus welchem Grund denn?

HARTECK: Weil es dann weiter fraktioniert wird. Es läuft runter und das Gas steigt auf. Dann geht beides wieder durch. Hier das 80-fache und hier 800-fach.

HAHN: Was passiert mit den leichten Fraktionen? Werden sie immer vom Wasser weggetragen?

HARTECK: Ja, sie wirken aufeinander, und hier ist das leichte, das ist einfach der Gegenstrom, das Ammoniak strömt hier herein, das Wasser in die entgegengesetzte Richtung und es sind nur wenige Sekunden bis sie ins Gleichgewicht gekommen sind. Dann muss das Wasser, das natürlich mit dem ganzen Ammmoniak darin wegfließt, gekocht werden. Und der Rest, den ich habe, der sagen wir schon 10 % ist, das ist einfach verbrannt, es spielt keine Rolle mehr. Jetzt haben wir 20 %-Wasser, mit dem ich machen kann, was ich will.

(P. L. C. Brodie)
Capt.
24. X. 45.

o: Mr. M. PERRIN and Lt.Cdr. WELSH
rom: Major T.H. RITTNER

Copy No. 3.

TOP SECRET

184

Ref. F.H.10

Pro. Sir James Chadwick.

Zehnter Bericht

24. – 30. September 1945

I. Allgemeines

1. Diese Woche ist ruhig verlaufen, da die Gäste größtenteils damit beschäftigt waren, ein ihre eigene Zukunft betreffendes Memorandum zu verfassen. Sie machen gegenwärtig insgesamt einen ganz zufriedenen Eindruck.[369]

II. Das Memorandum

2. Am 24. September erörterte Prof. Hahn die Situation mit Major Rittner,[370] nachdem Prof. Heisenberg es in einem Gespräch mit den Professoren Weizsäcker und Wirtz bereits klar zum Ausdruck gebracht hatte, dass er sein Ehrenwort eigentlich nicht mehr widerrufen wolle:

HEISENBERG: Ich habe ein weiteres Gespräch mit Hahn geführt. Er will dem Major mitteilen, dass wir alles in allem wirklich sehr deprimiert sind. Es ist uns zunehmend klargeworden, dass über uns nicht so schnell entschieden wird, wie wir es gehofft hatten, da dies im Interesse einer höheren Politik nicht gestattet ist, und es wäre vielleicht eine gute Sache, wenn eine Art Termin festgesetzt würde, bis zu dem wenigstens so etwas wie eine Entscheidung über unsere Familien getroffen werden könnte. Außerdem soll er dem Major klar machen, dass es ihm (Hahn)

369 Das im Anhang wiedergegebene Memorandum lag dem Report nur in deutscher Sprache bei, das erst nach schwierigen Diskussionen von allen zehn Internierten unterzeichnet wurde. Bagge weist in seinem Tagebucheintrag vom 27.9.1945 darauf hin, dass die Reihenfolge der Unterschriften der Anciennität folgt, s. Bagge et al. 1957, S. 61. Es ist fraglich, ob das Memorandum jemals außerhalb des Kreises der Berichtsempfänger kursierte.

370 Hahn war dazu nach London gefahren, da Rittner sich wegen einer Erkrankung zu seiner Familie zurückgezogen hatte, siehe Bagges Tagebucheintrag vom 27.9.1945 in Bagge et al. 1957, S. 61.

Dieter Hoffmann (Hrsg.): Operation Epsilon.
© 2023 GNT-Verlag GmbH, Berlin, Germany. DOI: <https://doi.org/10.47261/1508>.

erst nach enormen Schwierigkeiten gelungen sei, mich zu überreden, wenigstens noch ein paar Tage zu warten, bevor diese Sache mit dem Ehrenwort ihren Fortgang nimmt. Ich denke, es ist ganz gut, wenn wir weiter auf diese Weise Druck ausüben, obwohl ich persönlich der Meinung bin, dass ich in der unmittelbaren Zukunft mein Ehrenwort nicht widerrufen sollte.

WEIZSÄCKER: Ich meine, dass du völlig im Recht bist, zumal heute der Tag ist, an dem man dir ausdrücklich versichert hat, dass du eine Nachricht erhalten würdest. Ja, es ist sogar deine Pflicht, in dieser Richtung Druck auszuüben, wenn du eine Grundlage für weitere Verhandlungen haben willst.

HEISENBERG: Ja.

WIRTZ: Wir dürfen die Dinge aber nicht so weit treiben, dass wir plötzlich keine Alternative mehr haben.

3. Hahn berichtete Heisenberg über sein Gespräch mit Major Rittner, der den Gästen, da die Unruhe unter ihnen zunehme, vorgeschlagen hatte, ein Memorandum über ihre politischen Überzeugungen sowie über ihre Zukunftserwartungen zu verfassen, aber Heisenberg wollte politisch nicht mit Diebner in Verbindung gebracht werden:

HAHN: Der Major meinte, wir sollten etwas über unsere politischen Überzeugungen in das Memorandum einfügen, das heißt, etwas über die gegen die Nazis gerichteten Überzeugungen unserer gesamten Gruppe.

HEISENBERG: Ja, aber wenn wir in dieses Memorandum etwas über eine allgemeine antinazistische Haltung hineinschreiben und Diebner unterzeichnet es, dann könnte ich es nicht mit gutem Gewissen unterschreiben. Sie wissen genausogut wie ich, dass Diebner bei den Nazis mitgemacht hat.

4. Gerlach drückte in einem Gespräch mit Hahn ähnliche Bedenken aus:

GERLACH: Diebner könnte nie reinen Gewissens unterschreiben, dass er sich nie an kriegswichtigen Arbeiten irgendwelcher Art beteiligt hat.[371]

---

371 Das traf sicher auch auf Gerlach selbst zu – nicht nur wegen seiner Funktion als Beauftragter des Reichsmarschalls für Kernphysik und damit administrativer Leiter des deutschen Uranprojekts, sondern auch wegen seiner Arbeiten im Rahmen der Torpedoforschung im Ersten und Zweiten Weltkrieg.

5. Korsching, der nicht verheiratet ist, meinte in einem Gespräch mit Bagge und Diebner, jetzt sei nicht der Zeitpunkt, Forderungen zu stellen, sondern vertrat die Ansicht, dass es, sobald man wieder in Deutschland sei, leichter sein werde, die Erlaubnis zur Arbeit an einer Uranmaschine zu erhalten:

BAGGE: Ich glaube schon, dass dieses Memorandum mit äußerster Sorgfalt abgefasst werden muss.

KORSCHING: Die Hauptsache ist doch, dass wir sie dazu bringen, uns nach Hause zu schicken. Später ordnen sich die Dinge von selbst. Ich meine, in einem Jahr können wir mit Sicherheit wieder eine Uranmaschine bauen, niemand wird sich einen Dreck darum kümmern.[372] Wenn wir aber jetzt sagen, wir gehen nicht, wenn wir nicht eine Uranmaschine bauen dürfen, behält man uns eben hier. Wir müssen eben auf unsere Wünsche in dieser Beziehung verzichten, jedenfalls für den Anfang. Später brauchen wir diese Leute lediglich wieder um Erlaubnis zu bitten, dann müssen sie nach einer Weile Ja sagen. Das liegt auch im Interesse der Engländer. Die Engländer wollen offensichtlich, dass die Amerikaner sich da heraushalten. Die Amerikaner werden das natürlich nur tun, wenn wir vorläufig versprechen, keinesfalls über Uran zu arbeiten. Wenn wir nach einem Jahr zu den Engländern hingehen und sagen: „Gebt uns die Erlaubnis", dann werden sie uns diese sicher erteilen, dann werden sie fähige Hilfe bekommen. In einem Jahr ist das alles hier überholt, dann wird es nur noch ein englisches Unternehmen sein. Dann muss man vielleicht in England arbeiten, aber es gibt keinen Grund, warum man da nicht hingehen sollte.

6. Bei einer allgemeinen Diskussion fiel es den Gästen einigermaßen schwer, das Memorandum zu formulieren, da ihr Hauptwunsch darauf gerichtet ist, dass etwas für ihre Familien getan wird, und nicht darauf, ihre politischen Überzeugungen zu beteuern, die ihrer Meinung nach hinreichend bekannt sind. Von dieser Diskussion wurde nichts Interessantes bekannt, was nicht schon in früher abgehörten Gesprächen zutage trat.

7. Eine Fotokopie des Memorandums ist als Anhang I beigefügt.

---

372 Hier irrt Korsching, denn bis 1955 waren in Deutschand auf Grund des Kontrollratgesetzes Nr. 25 jegliche militärtechnische Forschungen und namentlich zur angewandten Kernphysik sowie speziell der Reaktorentwicklung strikt verboten.

III. Briefe

8. Aus Tailfingen trafen am 15. September Briefe ein. Die hier angefertigten Übersetzungen wurden am 28. September Lieutenant Commander Welsh übergeben, während die Briefe selbst zusammen mit Briefen von Prof. Blackett und Frank[373] den Gästen am 26. September ausgehändigt wurden.

9. Die Briefe waren für alle ein Grund zur Freude, nur nicht für Bagge, der so etwas wie ein Masochist ist und von jedem immer gleich das Schlimmste dachte, wenn kein Brief für ihn dabei war. In einem Gespräch mit Diebner sagte er: „Dieser Mann [der Bote] war in Hechingen, und ich habe keine Briefe bekommen. Haben wir das wirklich verdient? Wir haben denen doch alles gesagt, und jetzt halten sie uns einfach fest. Was haben wir eigentlich getan?"

10. Am 28. September trafen Briefe von verschiedenen befreundeten Wissenschaftlern ein, die die allgemeine Stimmung weiter verbesserten, weil sie auch einige mit Spannung erwartete Nachrichten über die Kaiser-Wilhelm-Gesellschaft enthielten.[374] Diese Briefe wurden hier vorher nicht geöffnet.

IV. Die Zukunft

11. Weizsäcker machte in einem Gespräch mit Hahn und Gerlach so ganz nebenbei den Vorschlag, dass es unklug wäre, die Gruppe nach Deutschland zurückzuschicken:

---

373 Sir Charles Frank war ein britischer theoretischer Physiker und Geheimdienstmitarbeiter. Von 1936 bis 1938 war er Gastwissenschaftler am gerade neu eröffneten und von Peter Debye geleiteten KWI für Physik in Berlin-Dahlem. Zum Besuch Franks in Farm Hall siehe sechzehnter Bericht, Kap. IV auf S. 359 ff. sowie sein Vorwort zur englischen Ausgabe der Farm-Hall-Protokolle (Operation Epsilon 1993, S. 2 f.).

374 Diese betrafen u. a. die Übernahme der Präsidentschaft der KWG durch den greisen Max Planck sowie die Inthronisierung des Berliner Physikochemikers und kommunistischen Widerstandkämpfers Robert Havemann als Gegenpräsidenten durch die sowjetischen Besatzungsbehörden, vgl. Lemmerich 2011, S. 255 und Steinhauser et al., S. 139 ff.

Weizsäcker: Wenn ich für das ganze Problem zuständig wäre, würde ich mir die Sache mit Sicherheit sehr sorgfältig überlegen, bevor ich uns nach Hause gehen lassen würde.

Gerlach: Auch ich bin zu dem Schluss gekommen, dass man uns jetzt vermutlich nicht nach Deutschland zurücklassen wird.

V. Technisches

12. Am Freitag, dem 28. September, hielt Hahn einen Vortrag über seine bereits zuvor veröffentlichte erste Entdeckung der Uranspaltung.

13. Sonstiges von technischem Interesse gab es in dieser Woche nicht.

Farm Hall,
Godmanchester
3. Oktober 1945.

(Gez. P. L.C. Brodie)
Captain,
für Major T. H. Rittner

Anhang: Memorandum

Die unterzeichneten deutschen Wissenschaftler befinden sich seit etwa fünf Monaten in Haft, offenbar weil ein Teil von ihnen zu der Arbeitsgruppe gehört hat, die in Deutschland während des Krieges das Uranproblem bearbeitet hat.[1)] Da die alliierten Behörden bisher noch keinen endgültigen Beschluss über das weitere Schicksal der Unterzeichneten haben fassen können, möchten wir darum bitten, die folgenden Gesichtspunkte in Erwägung zu ziehen.

Die unterzeichneten Wissenschaftler haben vor dem Krieg, insbesondere soweit sie auf dem Gebiet der Kernphysik gearbeitet haben, stets reine Grundlagenforschung betrieben, und zwar in der gleichen Weise, wie dies international in der Wissenschaft überall üblich war. Sie haben die brauchbaren Ergebnisse ihrer Arbeiten veröffentlicht, haben sie auf internationalen Tagungen vorgetragen, und ihre Institute waren regelmäßig von ausländischen Physikern oder Chemikern besucht.[2)] Erst im Verlauf des Krieges sind in den Instituten auch Kriegsaufträge bearbeitet worden; trotzdem ist die rein wissenschaftliche Arbeit weitergegangen[3)] und es ist uns gelungen, einen wertvollen Teil der wissenschaftlichen Tradition und des wissenschaftlichen Nachwuchses durch den Krieg zu retten. Die Unterzeichneten glauben, dass der Wiederaufbau der Wissenschaft und der Universitäten in Deutschland auch im internationalen Interesse liegt und dass man dafür sorgen soll, dass das durch den Krieg Gerettete nicht nachträglich noch verloren gehe. Die Unterzeichneten werden für diesen Wiederaufbau dringend gebraucht; sie haben den Wunsch, die Arbeit in der gleichen internationalen Weise wie vor dem Krieg fortzusetzen. Wenn die Politik zur Zeit hierin gewisse Einschränkungen verlangt, sind sie bereit, diese in Kauf zu nehmen.

Schließlich möchten die Unterzeichneten darauf hinweisen, dass die völlige Trennung von ihren Familien bei den äußerst schweren Lebensbedingungen in Deutschland für diese Familien und damit für sie selbst eine sehr große Härte bedeutet.[4)]

Aus diesen Gründen möchten die Unterzeichneten bitten zu erwägen, ob nicht die folgende Regelung möglich wäre:

1. Es wird den Unterzeichneten gestattet, nach Deutschland zurückzukehren und dort für ihre Familien zu sorgen.

2. Sie nehmen ihre Lehr- und Forschungstätigkeit wieder auf, wobei der Umfang ihres Arbeitgebiets und der Ort ihrer Arbeit noch im einzelnen (etwa im Einvernehmen mit den alliierten Behörden in Frankfurt a. M.) festzulegen ist.
3. Umfang des Arbeitsgebiets. Wenn die Wahl besteht zwischen einer sehr starken Einschränkung des Arbeitsgebiets ohne Kontrolle einerseits und weiteren Arbeitsmöglichkeiten mit Kontrolle andererseits, so ist die zweite Möglichkeit vorzuziehen. Denn erstens würde eine starke Einschränkung, zusammen mit den schon durch die Wirtschaftslage gegebenen Schwierigkeiten, den Wiederaufbau wertvoller Forschungsarbeit fast unmöglich machen, zweitens würde eine Kontrolle jedes Misstrauen beseitigen und vielleicht von Wissenschaftlern ausgeübt werden können, die an der Arbeit selbst Interesse haben.
4. Arbeitsort. Die Kaiser-Wilhelm-Institute für Chemie und Physik haben ihren eigentlichen Sitz in Berlin (amerikanische Besatzungszone), sie sind jetzt in Verlagerungsstätten in Tailfingen und Hechingen (französische Besatzungszone) untergebracht. Wenn aus äußeren Gründen für die Weiterarbeit weder Tailfingen-Hechingen noch Berlin in Betracht kommt, so schlagen die Unterzeichneten vor, Heidelberg, München oder Göttingen in Erwägung zu ziehen, wo es wahrscheinlich leere Institute bzw. geeignete Anlagen gibt. Die Beschaffung von Wohnraum würde hier allerdings die größten Schwierigkeiten machen.

Anmerkungen.

1) Inzwischen sind Dr. Bopp von der gleichen Arbeitsgruppe und Prof. Schüler von den Franzosen verhaftet und nach Frankreich gebracht worden.[375] Es wäre wohl zweckmäßig, wenn auf diese Institutsmitglieder die gleichen Gesichtspunkte angewendet würden, die auf uns angewendet werden.
2) Einige der Unterzeichneten haben Institute geführt, in denen eine Reihe von englischen und amerikanischen Wissenschaftlern gearbeitet oder einen Teil ihrer Ausbildung erhalten hat. Z. B. haben wissenschaftlich gearbeitet

375 Siehe auch S. 281.

an dem von Prof. Hahn geleiteten Kaiser-Wilhelm-Institut für Chemie: Dr. M. Francis, Prof. King.
an dem von Prof. Gerlach geleiteten Physikalischen Institut der Universität München: Dr. Bragg, Dr. Colby, Dr. Lane, Dr. Goudsmit, Dr. Little, Dr. R. W. Wood, Dr. Wulff.
an dem von Prof. Heisenberg geleiteten Institut für theoretische Physik an der Universität Leipzig: Dr. Eckart, Dr. Houston, Dr. Jahn, Dr. Feenberg, Dr. Podolsky, Dr. Slater, Dr. Uehling, Dr. Nordsieck, ferner die später nach Amerika oder England ausgewanderten: Dr. Bloch, Dr. Weisskopf, Dr. Halpern, Dr. Placzek, Dr. Teller und Dr. Peierls.

3) Die Arbeiten des Kaiser-Wilhelm-Instituts für Chemie über die Spaltungsprodukte des Urans sind auch während des Krieges fortgesetzt und in vollem Umfange veröffentlicht worden. Das Kaiser-Wilhelm-Institut für Physik hat noch 1943 ein Buch über die Kosmische Strahlung herausgegeben. Außerdem wurden verschiedene Arbeiten aus dem Gebiet der theoretischen Physik, über magnetische, elektrische und optische Probleme veröffentlicht.

4) In diesem Zusammenhang ist zu berücksichtigen, dass die Familien der Unterzeichneten zum Teil ihre eigentliche Wohnung durch Luftangriffe verloren haben und in Notquartieren wohnen. Die derzeitigen Lebensbedingungen in Deutschland, besonders in der französischen Zone, machen es einer Frau, die Kinder zu betreuen hat, fast physisch unmöglich, auch für Lebensmittel- und Brennholzvorräte für den Winter zu sorgen. Wahrscheinlich sind die Familien wegen unserer Abwesenheit auf den Winter überhaupt nicht vorbereitet. Außerdem erhalten sie zum Teil sicher keinerlei Zahlungen mehr. Die Unterzeichneten glauben aufgrund ihres persönlichen Verhaltens in den vergangenen Jahren die Erwartung aussprechen zu dürfen, dass man ihre Familien nicht im Winter in Deutschland verkommen lässt.

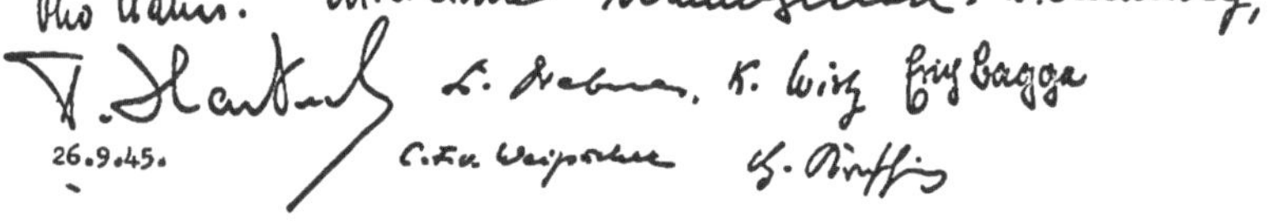

Copy No. 3.

190

Mr. M. PERRIN and Lt.Cdr. WELSH
Major T.H. RITTNER

Pro. Sir James Chadwick.

Ref. F.H. 11

TOP SECRET

Elfter Bericht
1. – 7. Oktober 1945

I. Allgemeines

1. Das Interesse Aller konzentriert sich in dieser Woche auf eine Konferenz der Professoren Hahn, Laue und Heisenberg mit verschiedenen britischen Wissenschaftlern[376] am Dienstag, dem 2. Oktober, in der Royal Institution sowie auf einen Brief, den Heisenberg im Anschluss daran an Prof. Blackett geschrieben hat.

II. Die Konferenz

2. Außer mit den verschiedenen britischen Wissenschaftlern traf Heisenberg auch mit seinem Schwager, Herrn Schumacher, zusammen, der ihm anscheinend einen ermutigenden Bericht über die Verhältnisse in der britischen Zone gab und den Heisenberg in der nahen Zukunft sehr gern noch einmal treffen möchte. Er hat um diese zweite Unterredung gebeten, weil er der Meinung ist, Schumacher könne ihm bei der Auswahl eines Standortes für die künftige Kaiser-Wilhelm-Gesellschaft materiell behilflich sein.

3. Nach Rückkehr von der Konferenz in London gab Heisenberg den folgenden Bericht über das, was stattgefunden hatte:

376 Die genannten Internierten, alle Nobelpreisträger – Hahns Verleihung stand unmittelbar bevor (siehe S. 370) –, waren durch den Präsidenten der Royal Society H. Dale in die Royal Institution zu einem Treffen mit britischen Wissenschaftlern eingeladen worden, wobei sich die dort geführten Gespräche um die Zukunft der Wissenschaft in der Britischen Besatzungszone drehten. Laue wurde bei der Gelegenheit auch zur Gedenksitzung der Royal Society zum 50. Jubiläum von Wilhelm Conrad Röntgens Entdeckung am 9. November eingeladen, erhielt dafür jedoch keine Erlaubnis. Vgl. Laue 1962, S. 302.

„Blackett hat mir Folgendes mitgeteilt: Die Amerikaner haben beschlossen, dass wir nach Deutschland zurückkehren. Sie haben es jedoch zur Bedingung gemacht, dass wir nicht in die französische Zone zurückkehren. Blackett hat mir ausdrücklich versichert, er glaube nicht, dass wir mit unseren Familien zu Hause zusammentreffen sollen, um sie aus Hechingen zu holen, vielmehr sei es seiner Meinung nach wahrscheinlicher, dass die Familien von Hechingen aus zu uns gebracht werden. Die Amerikaner erheben anscheinend keine Einwände dagegen, dass wir in die britische Zone gehen. Einem sehr detaillierten Bericht zufolge, den mir mein Schwager gab, sind die Verhältnisse in der englischen Zone gegenwärtig offenbar am besten. Göttingen, Hamburg und Bonn standen zur Diskussion. Der Zweck der Sache ist, dass eine zentrale Organisation eingerichtet werden soll, die sich um den Wiederaufbau der deutschen Wissenschaft kümmert. Göttingen wurde in diesem Zusammenhang erwähnt, da zuallererst die Kaiser-Wilhelm-Gesellschaft nach Göttingen evakuiert wurde, und zweitens befindet sich die Akademie dort, und drittens wegen der Universität. Der einzige Haken dabei ist, dass Göttingen in der Nähe der russischen Zone liegt,[377] und Blackett meinte, dass die Amerikaner aus diesem Grunde Göttingen nicht in Betracht ziehen würden. Der Plan scheint jetzt der zu sein, dass die Alliierten sich über einen Ort verständigen wollen, wo sie uns hinschicken können. Es ist natürlich eine Riesenaufgabe für jede alliierte Organisation, sich um ein Institut und um Wohnraum für uns zu bemühen, uns dorthin zu befördern und auch noch unsere Familien und unsere Möbel mitbringen zu lassen, doch im Grunde würde das die einzige Lösung sein, um diesen Plan für uns attraktiv zu machen. Die zweite Alternative wäre, dass die Möbel dort bleiben und lediglich unsere Familien mitkommen. In diesem Fall würden für uns nur ein paar Wohnungen freigemacht. Ich habe den Eindruck, dass die Amerikaner diese letztere Alternative als die bequemere ansehen und sie auch

377 Die Interzonengrenze befand sich nur etwa 40 km von der Stadt entfernt, so dass einschlägige Geheimdienstoperationen leicht durchzuführen waren. Göttingen wurde dann aber schließlich doch gewählt, wobei wohl die Tatsache ausschlaggebend war, dass sich hier inzwischen auch andere verlagerte Einrichtungen der Kaiser-Wilhelm-Gesellschaft niedergelassen hatten. Auch Max Planck als Interims-Präsident der KWG lebte in der Stadt.

auszuführen beabsichtigen. Ich meine jedoch, dass wir in dieser Sache noch immer einigen Einfluss ausüben können. Wir werden uns zwischen zwei Möglichkeiten zu entscheiden haben: Entweder bleiben unsere Familien in Hechingen, bis ein Umzug in größerem Maßstab möglich ist, und wir bleiben inzwischen weiter interniert, oder wir werden so bald als möglich mit unseren Familien zusammengeführt, können aber nicht unsere Möbel mitnehmen. Nach dem, was Blackett mir gesagt hat, wird es vermutlich ziemlich einfach sein, für diejenigen, deren Wohnorte bereits in der amerikanischen Zone liegen, jetzt einfach eine Zusammenführung mit ihren Familien zu veranlassen. Als ich von meiner eigenen Familie sprach, stellte ich auch die Frage, ob es für mich eine Chance gebe, zu meiner Familie zurückzukehren. Blackett hielt dies für sehr wahrscheinlich. Wie wir jetzt dastehen, können wir die Dinge erheblich beeinflussen, zumal die anderen selber noch nicht wissen, was sie tun sollen. All dies natürlich im Rahmen dessen, was sie gesagt haben."

III. Brief an Prof. Blackett

4. Später am Abend schlug Heisenberg vor, einen Brief an Professor Blackett zu schreiben, der ihre Wünsche zum Ausdruck bringt, die hinsichtlich ihrer Zukunft beim Treffen mit Blackett bereits diskutiert wurden. Im Folgenden ein Bericht über dieses Gespräch:

HAHN: Wofür sollen wir uns Ihrer Ansicht nach also jetzt entscheiden?

HEISENBERG: Ich meine, wir sollten das folgende tun: Ich schreibe morgen oder übermorgen einfach einen weiteren Brief an Blackett, in dem ich festhalte, erstens worüber auf der Konferenz heute Nachmittag gesprochen wurde und zweitens worüber wir jetzt unter uns diskutieren werden. Wir sollten uns für eine Strategie entscheiden, die uns erlaubt, diesen Leuten Vorschläge zu unterbreiten, da ich der Meinung bin, dass wir im Augenblick einen ziemlichen Einfluss auf das künftige Geschehen haben. Wir könnten beispielsweise einen Beschluss durchsetzen, dass innerhalb der nächsten Tage ein Engländer, ein Amerikaner und einer von uns sich nach Deutschland begeben, um die verschiedenen Orte zu inspizieren, die für den künftigen Standort der Institute in Frage kommen könnten; diese drei würden dann gemeinsam einen

Bericht über die Möglichkeiten vorlegen. Vielleicht könnte man sogar ein Programm ausarbeiten, was diese Kommission in Deutschland unternehmen sollte.

HARTECK: Nach meiner Erfahrung zu urteilen ist es immer besser, wenn mehrere Leute gehen, sagen wir zwei oder drei.

HAHN: Ich bezweifle, ob man drei von uns frei umherlaufen lassen wird, aber vielleicht könnten wir sie dazu bringen, mit zweien von uns einverstanden zu sein.

HEISENBERG: Ich würde sagen, dass in dieser Richtung durchaus etwas erreicht werden kann, da dies nicht gegen die von den Amerikanern auferlegte Bedingung verstoßen würde, nämlich dass wir bis zu einer endgültigen Entscheidung diesen Ort hier nicht verlassen dürfen. Es ist schließlich eine naheliegende und zumutbare Forderung, dass jemand nach Deutschland reist, um bestimmte Dinge herauszufinden.

HAHN: Aber die französische Zone würde während einer solchen Reise für uns verboten bleiben.

HEISENBERG: Ich schlage vor, die zu besuchenden Städte sollten München, Heidelberg, Göttingen, Bonn und Hamburg sein.

BAGGE: Heidelberg ist früher aber nie erwähnt worden. Warum nicht?

HEISENBERG: Eigentlich nur deshalb, weil wir im Augenblick die amerikanische Besatzungszone vermeiden wollten, was gerade jetzt sehr im Interesse der Engländer liegt.

WEIZSÄCKER: Die einzigen, die wirklich ein vitales Interesse am Wohlergehen Deutschlands haben, sind anscheinend die Engländer. Übrigens sind die Ergebnisse der Konferenz von heute Nachmittag, wie ich meine, unerwartet positiv ausgefallen.

WIRTZ: Ja, aber ich denke, wenn die Institute oder auch nur einige der Mitglieder aus der französischen Zone nicht mit uns zusammenarbeiten können, sind diese positiven Ergebnisse eher zweifelhaft.

WEIZSÄCKER: Natürlich, aber das sind Schwierigkeiten, die wir bereits kannten.

LAUE: Meines Erachtens messen die Engländer allgemeinen Fragen größere Bedeutung bei als unseren Instituten.

HEISENBERG: Das ist ja eben der Unterschied zwischen England und Amerika. Die Amerikaner legen mehr Wert auf Menschen und auf die

Uranbombe, während die Engländer mehr an der Wissenschaft im Allgemeinen interessiert sind.

WEIZSÄCKER: Das ist alles schön und gut, aber da wir bei diesem Spiel nur Schachfiguren sind, müssen wir betonen, dass für uns die Hauptsache ist, wieder arbeiten zu können.

GERLACH: Unvorstellbar, wenn die uns für die Ausbildung des wissenschaftlichen Nachwuchses verheizen.

WEIZSÄCKER: Das einzige, was wir tun können, ist, uns in eine Stellung hineinzumanövrieren, wo wir in der Lage sind, mit diesen Leuten zu reden. Aber wir lassen uns nicht einfach zu einem Verwaltungsgremium machen.

HEISENBERG: Das liegt auch mit Sicherheit nicht in der Absicht der Engländer.

5. Nachdem sie die Sache erst einmal überschlafen hatten, diskutierten die Gäste am Vormittag des 3. Oktober erneut über die Abfassung des Briefes. Bei dieser Diskussion zeigte es sich, dass die Konferenz in der Royal Institution die Gäste sehr ermutigt hat, was fast so weit ging, dass sie ihre eigenen Bedingungen diktierten. Weizsäckers diplomatisches Geschick ist besonders bemerkenswert:

HEISENBERG: Der Schlüssel zu dem ganzen Problem liegt doch offenbar darin, dass wir nirgends in Deutschland ohne unsere Institute arbeiten können. Es ist daher unerlässlich, dass, wenn wir umziehen müssen, alle Institute und gleichzeitig unser gesamtes Mobiliar so wie alles, was den Familien gehört, ebenfalls umziehen müssen. Wir müssen es Blackett also klarmachen, dass die alliierten Behörden um Verhandlungen mit den Franzosen gar nicht herumkommen. Der wichtigste Punkt in dem Brief an Blackett muss daher lauten: „Es müssen Verhandlungen mit den Franzosen aufgenommen werden, um deren Zustimmung zum Umzug der Institute von Hechingen und Tailfingen an einen anderen noch zu bestimmenden Ort zu erhalten." Dann ist zu hoffen, dass uns nach erfolgreichem Abschluss dieser Verhandlungen gestattet wird, mit unseren Familien in Hechingen und Tailfingen zusammenzukommen. Der offizielle Grund dafür könnte sein, dass wir den Umzug vorbereiten sollen. Ich weiß aber nicht, ob man diesen Punkt schon jetzt hervorheben sollte, da dies wahrscheinlich erst später angebracht ist.

WEIZSÄCKER: Ich empfehle, wir erzählen den Engländern auch weiterhin, dass wir hier wegwollen, unterbreiten aber weiterhin Vorschläge, die schwer zu verwirklichen sind. Und solange über diese Vorschläge noch nicht entschieden worden ist, werden wir hier festgehalten, und das dient uns als weiteres moralisches Druckmittel, bis unsere Vorschläge verwirklicht worden sind. Wenn wir jetzt allerdings Vorschläge machen, die leicht zu verwirklichen, aber für uns nicht sehr viel wert sind, dann werden sie sofort akzeptiert, und dann werden diese unbefriedigenden Verhältnisse jahrelang andauern. Blackett wird jetzt auf gewaltige Schwierigkeiten stoßen. Mr. Bevin[378] wird sagen: „Wie können Sie erwarten, dass ich zu diesem Zeitpunkt mit den Franzosen etwas Derartiges tue? Das ist völlig ausgeschlossen." Dann wird Blackett sagen: „Die einzigen berühmten deutschen Wissenschaftler, die nie Nazis waren, sitzen hier herum, und nicht einmal um ihre Familien kümmert man sich." Und somit wird sich Bevin gezwungen sehen, etwas zu unternehmen. Wenn sie ihm allerdings erzählen: „Sie sind in Godesberg oder in Urfeld, und man kümmert sich um alles", dann wird Bevin sagen: „Gut, dann lassen Sie uns noch fünf Jahre warten."

LAUE: Die Tatsache, dass wir in England sind, ist doch günstig, da die Engländer sich für uns einfach werden interessieren müssen.

WEIZSÄCKER: Die Engländer sind jetzt für uns verantwortlich, und wir müssen das nutzen.

HAHN: Von Monat zu Monat haben wir unsere Haltung ihnen gegenüber versteift, und nur dadurch hat sich unsere Situation verbessert.

WIRTZ: Je entschlossener wir sind, desto mehr Ergebnisse werden wir erzielen.

WEIZSÄCKER: Strategisch gesehen ist es eine wundervolle Situation für uns, wenn sie uns etwas abschlagen müssen, da wir dann sagen können: „Schon gut, aber dann gebt uns dies oder das." Doch wenn wir gleich zu Anfang etwas vorschlagen, was sie nicht abzulehnen brauchen, da

378 Ernest Bevin, britischer Labour-Politiker, Gewerkschaftsführer und in der Attlee-Regierung Außenminister.

es leicht zu verwirklichen, doch für uns nur von geringem Nutzen ist, dann werden wir alles selber tun müssen.

6. Der fertige Brief an Prof. Blackett wurde mir am 4. Oktober übergeben und am folgenden Tag Lieutenant Commander Welsh ausgehändigt. Es folgt die [englische] Übersetzung des Briefes:[379]

Lieber Blackett,

wir waren sehr dankbar für die Art und Weise, in der unsere Diskussionen in London geführt wurden, und für die diskutierten Themen. Ausgehend davon haben wir die anstehenden Fragen untereinander noch einmal ausführlich erörtert. Vielleicht ist es von Nutzen, wenn ich Ihnen darüber berichte.

Nach dem, was uns von Ihnen und Ihren Kollegen mitgeteilt worden ist, sind wir offenbar an die folgenden Bedingungen gebunden: Die alliierten Behörden stimmen unserer Rückkehr nach Deutschland im Großen und Ganzen zu. Zum gegenwärtigen Zeitpunkt ist allerdings eine Rückkehr in die französische Besatzungszone nicht geplant, vielmehr soll der Schauplatz unserer Aktivitäten an einen Ort innerhalb der anglo-amerikanischen Besatzungszone verlegt werden, einen Ort, der es ermöglicht, die Arbeit im Einklang mit den früheren wissenschaftlichen Traditionen wiederaufzunehmen, und der so einen Ausgangspunkt bildet für den Wiederaufbau der Wissenschaft als Ganzes.

Behält man diese Bedingungen im Auge, muss auf die folgenden Schwierigkeiten hingewiesen werden: Die Wiederaufnahme unserer Arbeit hängt voll und ganz von unseren Instituten ab. Unser Umzug in eine größere Stadt mit einer Universität wird sich nur dann als nützlich erweisen, wenn all unsere Institute mit ihrer gesamten Ausrüstung und ihren Mitarbeitern – die zurzeit noch in Hechingen und Tailfingen arbeiten – gleichfalls in diese Stadt umziehen. Ein solcher Umzug unter den gegenwärtig in der Besatzungszone herrschenden Verhältnissen wird eine Vollmacht der französischen Regierung erfordern, die sich, wie Sie wissen, lebhaft für die Arbeit und die Ausrüstung der Institute interessiert. Ich bin daher der Meinung, dass Verhandlungen zwischen den anglo-amerikanischen

379 Die deutsche Fassung des Briefes scheint verlorengegangen zu sein.

und den französischen Behörden über die Zukunft der Institute sich nicht umgehen lassen. Zugunsten eines solchen Umzugs in die anglo-amerikanische Zone kann man zu Recht noch ergänzend darauf hinweisen, dass diese Institute eigentlich in Berlin-Dahlem zu Hause sind, das heißt, im amerikanischen Sektor, und dass Württemberg lediglich eine Region darstellt, in welche die Dahlemer Institute vorübergehend ausgelagert wurden. Darüber hinaus kann man betonen, dass diese Institute das Privateigentum der Kaiser-Wilhelm-Gesellschaft repräsentieren, die gegenwärtig von Göttingen aus verwaltet wird, und dass diese Institute nicht Eigentum des Deutschen Reiches sind.[380]

Ganz unabhängig von dem Ergebnis der Verhandlungen mit den französischen Behörden sollte man unverzüglich damit beginnen, nach einem geeigneten Ort Ausschau zu halten, wohin die Institute umziehen können. Bei den Diskussionen, die wir über diese Frage führten, wurden verschiedene Argumente vorgetragen, die, wenn nun ein solcher Ort in der britischen Zone liegen muss, Hamburg gegenüber Bonn den Vorzug geben. Die Entscheidung über die Zone selbst wird kaum von uns abhängen. Jedenfalls waren wir uns alle darüber einig, dass es höchst erwünscht wäre, wenn zwei Leute aus unserer Gruppe hier und vielleicht auch Mitglieder der Institute in Hechingen und Tailfingen die Gelegenheit erhielten, die jeweiligen Arbeitsplätze, die Unterbringungsmöglichkeiten usw. selber zu besichtigen, bevor über den Umzug der Institute eine endgültige Entscheidung fällt. Um die Arbeit in dieser Richtung unverzüglich in Angriff nehmen zu können, möchten wir Sie fragen, ob nicht die folgenden Entscheidungen herbeigeführt werden könnten:

1. Eine Kommission, die aus geeigneten Personen der alliierten Behörden sowie aus zwei Mitgliedern unserer Gruppe hier besteht (vielleicht Wirtz und ich), wird aufgefordert, nach einem geeigneten Standort für die Institute zu suchen und einen Bericht über ihre Ergebnisse vorzulegen. Das Folgende sollte zu der Aufgabe gehören, die dieser Kommission

380 Die Kaiser-Wilhelm-Gesellschaft (KWG) war 1911 ausschließlich mit privatem Stiftungskapital gegründet worden, das jedoch mit der Hyperinflation in den zwanziger Jahren verloren ging, so dass die Gesellschaft seither überwiegend staatlich finanziert wurde. Dennoch behielt die KWG, wie auch die MPG als ihre Nachfolgerin, die Rechtsform eines privaten eingetragenen Vereins.

gesetzt ist: Besuch der verschiedenen in Frage kommenden Städte (München, Heidelberg, Göttingen, Bonn, Hamburg) und Kontaktaufnahme zu den entsprechenden Behörden. Zum Hauptsitz der Kaiser-Wilhelm-Gesellschaft und zu einigen Mitgliedern der Institute in Hechingen und Tailfingen müsste ebenfalls Verbindung aufgenommen werden. Die Kommission müsste ferner die Finanzierungs- und Versorgungsprobleme lösen.

2. Zur gleichen Zeit nehmen die anglo-amerikanischen Behörden Verhandlungen mit den französischen Behörden über den beabsichtigten Umzug der Institute auf.
3. Da beispielsweise Gerlach (München) und Harteck (Hamburg) der Kommission bei ihrer Arbeit in München und Hamburg wertvolle Hilfe leisten könnten, dürften wohl keine Einwände erhoben werden, wenn Mitglieder unseres Kreises, die ihre Familien beziehungsweise Institute in der anglo-amerikanischen Zone haben, unverzüglich nach Deutschland zurückkehren – vielleicht unter der Bedingung, dass sie ihre jeweilige Zone nicht verlassen.

Falls dieser Plan sich in seinen Hauptpunkten als brauchbar erweist, stelle ich mir meine eigene Tätigkeit folgendermaßen vor: Ich würde mit der unter 3. erwähnten Gruppe zum frühestmöglichen Zeitpunkt nach Deutschland zurückkehren, das heißt, zunächst würde ich nach Urfeld gehen, um mich dort um die dringendsten Bedürfnisse zu kümmern. Dann, vielleicht ein paar Tage später, würde ich der Kommission zur Verfügung stehen, die mit ihrer Arbeit vielleicht in München beginnen und mich dort hinbringen könnte. Nach Abschluss unserer Reise könnte ich zu einer weiteren Konferenz nach England zurückkehren, oder ich könnte auch die endgültige Entscheidung in Urfeld abwarten und dann mit dem Umzug selber beginnen. Alles in allem wäre es – vermutlich auch für die Festlegung eines Ausgangspunktes – ratsam, wenn ich häufig Gelegenheit erhielte, mit Ihnen über diese Fragen zu sprechen, aber ich weiß natürlich nicht, inwieweit für solche Zwecke Transportmittel zur Verfügung gestellt werden können.

Was die Frage nach einem Ausgangspunkt betrifft, sind wir alle hier uns darin einig, dass, soweit es die Naturwissenschaften betrifft, sich die

Kaiser-Wilhelm-Gesellschaft als eine angemessen zentrale Organisation anbieten würde, während es für historische und philosophische Themen das Kartell der Deutschen Akademien sein müsste.[381] Die Verbindung zu den Universitäten könnte von den beiden genannten Orten aufrechterhalten werden.

Noch einmal vielen Dank und freundliche Grüße
Ihr (gez.) W. Heisenberg

IV. Andere Briefe

7. Briefe von Hahn an Geheimrat Planck, Prof. Westgren und Prof. Lise Meitner, von Laue an Geheimrat Planck und Prof. Lise Meitner sowie von Weizsäcker an seine Frau[382] wurden nach Anfertigung von Übersetzungen [ins Englische] am 6. Oktober Lieutenant Commander Welsh übergeben.

V. Das Haar in der Suppe

8. Bagge machte, getreu seinem Charakter, zu Hahn die folgende Bemerkung: „Wenn wir jetzt nach Bonn gehen, was soll ich allein machen? Ich werde allein in einem möblierten Zimmer herumsitzen und vor dem Problem stehen, mir mein Essen selber zu besorgen."

VI. Technisches

9. In dieser Woche gab es weder Vorträge noch Sonstiges von technischem Interesse.

Farm Hall,
Godmanchester
8. Oktober 1945.

(Gez. P. L.C. Brodie)
Captain,
für Major T. H. Rittner

381 Das Kartell war 1893 als Dachorganisation der deutschsprachigen Akademien gegründet worden und sollte akademische Forschungsprojekte (insbesondere aus dem Bereich der Geisteswissenschaften und in Kooperation der Akademien) anregen sowie deren Finanzierung und Organisation sichern. In den letzten Jahren des Dritten Reichs war die Tätigkeit des Kartells bereits stark eingeschränkt und fand nach 1945 keine Fortsetzung (vgl. Grau 1995).

382 Siehe Dokumentenanhang S. 485 ff.

To: Mr. M. PERRIN and Lt.Cdr. WELSH
From: Major T.H. RITTNER

TOP SECRET

196

Ref: F.H.12.

Copy No. 3.

Zwölfter Bericht
8. – 14. Oktober 1945

I. Allgemeines

1. Diese Woche ist ruhig verlaufen, aber die Gäste zeigen zunehmend Anzeichen von Unruhe.

2. Captain Speer von der US-Armee traf am Montag, dem 8. Oktober, ein, eine ebenso willkommene wie notwendige Ablösung.

3. Am Dienstag, dem 9. Oktober, wendeten sich zuerst Heisenberg und dann Hahn an uns und beklagten sich, dass nichts wegen ihrer Familien unternommen werde und dass ihre eigene Internierung ganz und gar gegen die guten Sitten verstoße. Sie drohten, wie üblich, ihr Ehrenwort zu widerrufen, was wir aber fürs erste verhindern konnten.

II. Technisches

4. Am Dienstag, dem 9. Oktober, hielt Hahn einen Vortrag über früher bereits veröffentlichte chemische Experimente und über die Uranspaltung, die er selbst, Straßmann und Götte ausgeführt hatten.[383]

5. Es gab sonst nichts, was von technischem Interesse gewesen wäre.

Farm Hall
Godmanchester
18. Oktober 1945

(Gez. P. L.C. Brodie)
Captain,
für Major T. H. Rittner

383 Gemeint ist der gedruckte Bericht von Otto Hahn, Fritz Straßmann und Hans Götte: Einiges über die experimentelle Entwirrung der bei der Spaltung des Urans auftretenden Elemente und Atomarten, Berlin 1942. Deutsches Museum, FA 002/748. Online verfügbar unter <https://digital.deutsches-museum.de/item/FA-002-748/>, ein Faksimile des Titelblattes ist auf der nächsten Seite abgebildet.

Überreicht von den Verfassern

Einzelausgabe

Einiges über die experimentelle Entwirrung der bei der Spaltung des Urans auftretenden Elemente und Atomarten

Nach Versuchen von

Otto Hahn, Fritz Strassmann

und

Hans Götte

Aus den Abhandlungen
der Preußischen Akademie der Wissenschaften
Jahrgang 1942. Math.-naturw. Klasse. Nr. 3

Berlin 1942
Verlag der Akademie der Wissenschaften
In Kommission bei Walter de Gruyter u. Co.

TOP SECRET 197

: Lt.Cdr. WELSH and Mr. M. PERRIN

om: Major T.H. RITTNER — Rof: F.H.14

Copy No. 3.

Vierzehnter Bericht 14.–21. Oktober 1945

I. Allgemeines

1. Eine weitere ruhige und uninteressante Woche, in der das Schwergewicht vor allem auf der Sorge unserer Gäste um ihre Familien lag.

2. Wirtz äußerte am Sonntag, dem 21. Oktober, mir gegenüber, da er und einige der anderen auf längere Zeit nicht mehr damit rechneten, nach Deutschland zurückkehren zu dürfen, wäre es eine gute Idee, ihre Familien herüberzubringen.

II. Verhältnis zum Ausland

3. Bei den Mahlzeiten macht sich bei den Gästen eine zunehmende Tendenz bemerkbar, am Verhalten der Besatzungsmächte in Deutschland herumzukritteln, wobei die Russen und die Franzosen als besonders niederträchtig angesehen werden.

4. Allgemein scheint man die Einstellung zu vertreten, dass der deutsche Krieg ein Missgeschick gewesen sei, das den Deutschen durch die Arglist der Westmächte aufgezwungen wurde, die inzwischen wohl vergessen hätten, dass er überhaupt stattgefunden habe (auf die Gäste trifft das allem Anschein nach zu), und dass die Vereinten Nationen in hohem Maße daran interessiert sein sollten, Deutschland wieder auf die Beine zu helfen.

5. Sowohl Wirtz als auch Weizsäcker haben behauptet, dass der japanische Krieg von Präsident Roosevelt eingefädelt worden sei, der den Angriff auf Pearl Harbor absichtlich zugelassen habe, ohne rechtzeitig davor zu warnen, wozu er durchaus in der Lage gewesen wäre. Jedenfalls sei Commodore

 DOI: <https://doi.org/10.47261/1508>.

Perrys erster Feldzug gegen Japan[384] Hauptursache des Krieges gewesen, für den daher die Amerikaner die Verantwortung trügen.

III. Kleine Hitlers

6. Diebner wird von seinen Gastgebern ein bisschen wie ein Nazi angesehen. Das Kompliment wird anscheinend erwidert, wie aus dem folgenden Gespräch zwischen Bagge und Korsching hervorgeht:

Bagge: Sagen Sie mal, worüber regt sich Diebner denn so auf?

Korsching: Er ist zu Recht verärgert über unsere Nazi-nationalistischen englischen Bewacher.

IV. Technisches

7. Es gab in dieser Woche nichts, was von technischem Interesse gewesen wäre.[385]

Farm Hall
Godmanchester
25. Oktober 1945

(Gez. P. L. C. Brodie)
Captain,
für Major T. H. Rittner

384 Im Sommer 1853 erzwang ein amerikanisches Geschwader unter der Führung von Commodore Perry die Öffnung japanischer Häfen und beendete damit die mehr als zweihundertjährige Selbstisolierung Japans.

385 Bagge notierte am 21. Oktober 1945 in sein Tagebuch, die Kolloquien seien einen leisen Tod gestorben. Vgl. Bagge et al. 1957, S. 63.

Mr. M. PERRIN and Lt.Cdr. WELSH
Major T.H. RITTNER

TOP SECRET 202

Ref: F.H. 16

Copy No. 3.

Fünfzehnter Bericht 22. – 28. Oktober 1945

I. Allgemeines

1. Noch eine weitere ruhige Woche. Die Gäste werden allmählich apathisch, sie halten nicht einmal mehr Kolloquien ab, und keiner von ihnen hat Wirtz zufolge noch den Ehrgeiz, wissenschaftlich zu arbeiten.[386]

II. Konservatismus

2. Die Gäste akzeptieren nicht leicht neue Ideen. Am Donnerstag, dem 25. Oktober, erwähnte ich, dass Prof. Oliphant[387] gesagt habe, Uran sei möglicherweise nicht die einzige Atomenergiequelle. Diese Vermutung wurde mit spöttischen Worten aufgenommen, doch als ich ihnen den entsprechenden Artikel in der „Picture Post“ vom Samstag, dem 27. Oktober, zeigte, war man sich einig, dass an der Vermutung etwas dran sei.[388]

---

386 Bagge berichtete, dass die „Gäste“ ziemlich niedergeschlagen waren und die Planung für ihre Freilassung einstellten, nachdem Welsh Heisenberg gegenüber unmissverständlich geäußert hatte, er wolle nicht mehr darüber sprechen. Vgl. Bagge et al. 1957, S. 63.

387 Mark Oliphant war ein australischer Physiker und Politiker, der seit 1937 Professor für Physik in Birmingham war und zu dessen Kollegen Rudolf Peierls und Otto Robert Frisch gehörten. Sie spielten eine zentrale Rolle bei der Gründung des britischen Atombombenprojekts und die forcierte Kooperation mit dem amerikanischen Manhattan-Projekt. Vgl. Gowing 1988.

388 Dies dürfte mehr eine subjektive Einschätzung von Captain Brodie gewesen sein als die genaue Reaktion der „Gäste“, die seit 1940 über die Spaltbarkeit von Transuranen nachdachten. Daher konnten sie sich zu den Ereignissen ab dem 6. August sehr konkret etwa über Protactinium oder „Element 94“ (Plutonium) als Spaltmaterial äußern.

Dieter Hoffmann (Hrsg.): Operation Epsilon.
© 2023 GNT-Verlag GmbH, Berlin, Germany. DOI: <https://doi.org/10.47261/1508>.

III. Briefe

3. Alle Gäste und Hilfskräfte haben Briefe zur Weiterleitung an ihre Verwandten geschrieben. Diese Briefe wurden zusammen mit Übersetzungen in doppelter Ausfertigung am Dienstag, dem 23. Oktober, Lieutenant Commander Welsh übergeben. Ein Brief von Laues an seinen Sohn in Amerika[389] wurde Lieutenant Commandar Welsh am Freitag, dem 26. Oktober, übergeben.

IV. Gesprächsüberwachung

4. Der Abhördienst, der die Gespräche der Gäste kontinuierlich von früh bis spät aufzeichnet, hat in dieser Woche überhaupt nichts aufzuweisen.

Farm Hall,
Godmanchester
31. Oktober 1945

(Gez. P. L.C. Brodie)
Captain,
für Major T. H. Rittner

389 Wahrscheinlich M. v. Laue an Th. v. Laue, Farm Hall Huntingdon vom 12.10.1945, in Lemmerich 2011, S. 263 f.

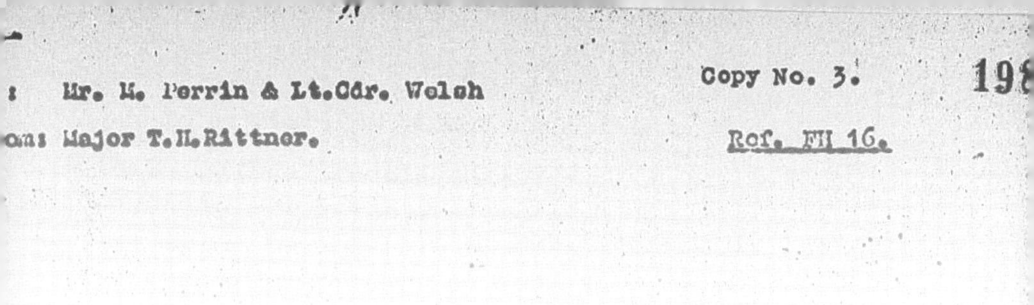

Sechzehnter Bericht

29. Oktober – 4. November 1945

I. Allgemeines

1. Captain Speer von der US-Armee reiste am 29. Oktober ab.

2. Ein Besuch von Dr. Frank am Freitag, dem 2. November, war der Höhepunkt der Woche.

II. Werwölfe

3. Ein Absatz im „Daily Express" vom Dienstag, dem 30. Oktober, in dem angedeutet wurde, Hahn könnte in Didcot[390] arbeiten, veranlasste ihn zu der Äußerung, es sei ungeheuerlich, so etwas zu schreiben und auf diese Weise die Werwölfe herauszufordern.[391]

III. Die Zukunft

4. Spät am Abend des 31. Oktober diskutierten Heisenberg, Harteck und Korsching in dem folgenden Gespräch über ihre Zukunft; sie waren der Ansicht, dass die Engländer eher eine Verwendung für sie hätten als die Amerikaner.

5. Harteck: Glauben Sie, dass das Angebot der Russen an die deutschen Wissenschaftler[392] irgendeinen Einfluss darauf hat, dass wir hier bleiben?

---

390 In der Nähe des Ortes Didcot, Grafschaft Oxfordshire, wurde seit Herbst 1945 das britische Kernforschungszentrum Harwell aufgebaut.

391 Siehe S. 312.

392 Von welchem Angebot hier Harteck spricht, einem realen oder nur fiktiven, ist unklar.

Dieter Hoffmann (Hrsg.): Operation Epsilon.

HEISENBERG: Ich meine, es gibt eine Gruppe ganz hoch oben in der Nähe von Mr. Truman, und diese Gruppe sagt: „Man muss diese Deutschen auf Jahre hinaus einsperren, denn wo immer sie sind, stellen sie eine Gefahr dar. Wenn sie sich irgendwo aufhalten, können sie zu den Russen überlaufen, und selbst wenn sie das nicht wollen, können die Russen sie entführen." Und dann gibt es eine andere Gruppe, die sagt: „Das ist eine ganz unmögliche Auffassung. Erstens handelt es sich um Nazigegner. Zweitens sind es rechtschaffene Wissenschaftler. Drittens ist diese ganze Geheimhaltung sowieso Unsinn. Wir müssen uns diese Leute zunutze machen, um die Wissenschaft in Deutschland wiederaufzubauen." Diese zweite Gruppe hat jetzt von der Oppositionsgruppe offenbar ein wesentliches Zugeständnis erreicht: die Tatsache, dass wir nach Deutschland zurück sollen. Aber jetzt sagt die Oppositionsgruppe: „Wenn ihr so hartnäckig darauf besteht, dann müsst ihr euch um alles im voraus kümmern, damit sie auf gar keinen Fall irgendwie von den Russen entführt werden können." Ich glaube, dass, wenn wir überhaupt nach Deutschland zurückkommen, uns dieser Faktor vielleicht sogar zu einer günstigen Position in Deutschland verhelfen wird. Denn sie werden sich sagen: „Erstens müssen wir natürlich Wachen aufstellen, damit sie nicht entführt werden. Zweitens müssen wir ihnen allerdings so gute Bedingungen anbieten, dass sie bereitwillig bei uns bleiben."

HARTECK: Aber es könnte ihnen zu viel Mühe verursachen, wenn sie zulassen, dass die Hauptgruppe sich in München herumtreibt und ich mich in Hamburg.

HEISENBERG: Das ist es ja gerade. Das ist die große Schwierigkeit. Ich sehe noch nicht, wie sie es machen wollen. Natürlich ist es möglich, dass zu irgendeinem Zeitpunkt die Oppositionsgruppe irgendwo da oben ebenfalls erklärt, dass sie nicht mehr interessiert sind, und dann sagt: „Schließlich wissen sie ja nicht sehr viel über die Geheimnisse, und im Grunde genommen wissen die Russen ohnehin schon alles." Trotzdem glaube ich, dass es für sie in jedem Fall unangenehm wäre, wenn wir zu den Russen gehen würden.

HARTECK: Haben sie überhaupt genug Leute?

HEISENBERG: Die Engländer oder die Amerikaner?

HARTECK: Die Engländer. Wie ich die Sache sehe, verfügen die Amerikaner über riesige Menschenmassen, während die Engländer einfach zu wenig haben.

HEISENBERG: Ich kann mir durchaus vorstellen, dass die Engländer sagen würden: „Nun, das ist ganz gut. Bringen wir also diese Leute nach England. Ich könnte mir denken, dass es hier vielleicht eine Gruppe gibt, die das will. Aber ich glaube, dass die Amerikaner das ebenfalls nicht gestatten würden, weil sie sagen, und sie haben bis zu einem gewissen Grade recht damit: „Die Engländer werden ihnen kein Riesengehalt zahlen, und vor allem werden sie nicht alle von ihnen beschäftigen. Dann, sagen wir mal, gibt es ein paar Nazis unter ihnen, und die fühlen sich mit Sicherheit mehr zu Russland als zu England hingezogen." Und wenn sie erst einmal auf freiem Fuß sind, wer kann sie dann daran hindern, zur russischen Botschaft in London zu gehen und zu sagen: „Wir stellen uns Russland zur Verfügung." Ich weiß nicht, ob die Amerikaner das zulassen würden. Nun sind die Amerikaner faktisch nicht sonderlich daran interessiert, dass die Engländer in absehbarer Zukunft hier eine riesige Atomfabrik aufmachen wollen.

HARTECK: Aber können sie das überhaupt verhindern?

HEISENBERG: Nein, sie können die Engländer nicht daran hindern, hier in England jede Menge Atomforschung zu treiben. Aber sie können sie sehr wohl daran hindern, uns hier zu beschäftigen, indem sie sagen: „Dies ist eine interalliierte Angelegenheit. Ihr kümmert euch zwar um diese Deutschen, aber wir wollen ein Mitspracherecht haben, was mit ihnen geschehen soll."

HARTECK: Die Amerikaner können auf eine riesige Zahl von Instituten zurückgreifen. In England ist das nicht der Fall.

HEISENBERG: Die Engländer haben nicht so viele Leute.

HARTECK: Und wenn sich mit ihnen noch rund ein Dutzend Leute zusammentun würde, wäre das doch ganz gut.

KORSCHING: Auch ich bin allerdings der Meinung, dass die Amerikaner dagegen sein werden. Leute, von denen man nicht weiß, wieweit man ihnen trauen kann – ich meine, es gibt sicherlich genügend Leute, die sagen werden: „Man könnte Prof. Hahn und vielleicht Prof. Heisenberg trauen, aber man weiß nicht genau, wie die anderen sind."

HEISENBERG: Ein paar von uns sind ja Parteimitglieder gewesen.[393] Das wird natürlich gewisse Schwierigkeiten verursachen. Man muss sich einfach klarmachen, dass es in Amerika mit Sicherheit einige hohe Tiere gibt, die sagen werden, und von ihrem Standpunkt aus durchaus zu Recht: „Am einfachsten würde es sein, wenn diese zehn Deutschen tot wären." Die Amerikaner brauchen uns überhaupt nicht. Es besteht kein Zweifel, dass sie es besser machen können als wir. Sie haben nicht das geringste Interesse daran, dass wir den Engländern helfen. Es ist ganz gut, wenn die Engländer einige Jahre zurück sind. Und unter gar keinen Umständen dürfen sie zu den Russen gehen. Aber natürlich sind diese Leute nicht die einzigen, die bei diesen Dingen mitreden. Besonders weil diese Leute von den amerikanischen Wissenschaftlern aus anderen Gründen heftig angegriffen werden.

HARTECK: Ich muss aber doch sagen, wenn man die Russen und die Nazis kennt, sind diese Leute hier wirklich sehr anständig, dass sie sich soviel Mühe mit uns machen.

HEISENBERG: Die Engländer sagen: Die Politik der Amerikaner, Europa zu zerschlagen, ist von ihrem Standpunkt aus genauso logisch wie die entsprechende Taktik der Russen, doch vom englischen Standpunkt ist es das Schlimmste, was passieren könnte, weil die Engländer noch immer Europa beherrschen müssen. Und deshalb ist es für die Engländer von allergrößter Bedeutung, Europa wiederaufzubauen, und zu diesem Zweck sind wir für die Engländer nützlich. Es ist ja ganz klar, dass sie uns gebrauchen könnten, weil sie bisher keine große Anzahl ausgebildeter junger Leute hatten. Sie könnten uns sogar in Deutschland verwenden. Wiederum könnten sie sagen: „Lasst diese Leute doch in Deutschland über das besagte Problem arbeiten, und lasst euch von ihnen das Versprechen geben, uns als erste über neue Ergebnisse zu informieren und nur zu produzieren, was wir ihnen sagen." Ein solcher Überwachungsplan könnte für sie durchaus akzeptabel sein.

KORSCHING: Das würde bedeuten, dass die betreffenden Leute nichts veröffentlichen könnten.

---

393 Von den Internierten waren lediglich Bagge und Diebner Mitglieder der NSDAP, siehe auch S. 301.

HEISENBERG: Nein, das ist so. Es würde bedeuten, dass man natürlich nicht mehr diese technischen Einzelheiten veröffentlichen könnte, aber man könnte die rein wissenschaftlichen Dinge publizieren, über die man ebenso gut arbeiten könnte. Ich würde es ohnehin vorziehen, das Institut auf rein wissenschaftlicher Grundlage zu leiten. Man könnte leicht Probleme in Angriff nehmen, die selbst vom kernphysikalischen Standpunkt noch immer zur reinen Wissenschaft tendieren, beispielsweise die kosmische Strahlung. In dieser Hinsicht bin ich für Abwarten, bis diese Leute entschieden haben, was mit uns geschehen soll. Das Problem ist, dass sie bisher darüber ständig miteinander im Streit liegen. Da gibt es einige, die sich uns gegenüber äußerst freundlich verhalten, und andererseits gibt es diese starrsinnigen Leute, diese amerikanischen Heydrichs und Kaltenbrunners,[394] die sagen: „Was? Das Beste, was diese deutschen Wissenschaftler von uns zu erwarten haben, ist, weiter eingesperrt zu bleiben." Ich glaube, die Engländer haben allen Grund, sich die Hilfe der deutschen Wissenschaft zu wünschen,[*)] das heißt, die deutsche Wissenschaft zu unterstützen, weil das sozusagen ihr Einflussbereich sein wird, und sie werden davon profitieren. Andererseits ist es den Amerikanern egal.

*) Das heißt, deutsche Wissenschaft zu unterstützen.[395]

IV. DER BESUCH VON DR. FRANK

6. In Erwartung des Besuchs von Dr. Frank stellte sich bei den Gästen die übliche Freude ein, die ihnen Kontakte mit der Außenwelt bereiten.

7. Es sollte sich nur um einen gesellschaftlichen Besuch handeln, und Heisenberg schlug, als er eine Frage Korschings beantwortete, denn auch keinen besonderen Aktionsplan für den Tag vor:

8. KORSCHING: Wie sollen wir uns verhalten, wenn Frank kommt?
HEISENBERG: Am besten wie gewöhnlich.

394 Beide waren hohe SS-Führer und Chef der Sicherheitspolizei und des Sicherheitsdienstes.

395 Eine handschriftlich von Captain Brodie angefügte Anmerkung.

9. Dr. Frank[396] führte lange Gespräche mit Wirtz, der der Held des Tages war, doch nichts Neues wurde gesagt, zumindest nicht innerhalb des Hauses.

10. Die Reaktion auf den Besuch war gering, aber im Gespräch mit Hahn meinte Wirtz, Dr. Frank habe hart gearbeitet, um sie überhaupt besuchen zu können. Heisenberg entdeckte das Schreckgespenst der Parteipolitik:

11. WIRTZ: Frank sagte, die ganze Sache unserer Internierung ist rein politisch.

HAHN: Wenn sie nichts mit Physik zu tun hätte, wären wir nicht hier.

WIRTZ: Er selbst sagt, was hier gemacht wird, ist natürlich alles völliger Unsinn. Die falschen Leute werden festgehalten, fast alles, was man überhaupt wissen kann, ist bereits veröffentlicht worden usw., und er kann über Truman und diese Leute nur lachen, aber er sagt auch, dass man im Augenblick nichts tun könne. Ich meine, eigentlich hat er ja schon dadurch eine Menge erreicht, dass er überhaupt herkommt, nachdem Blackett anscheinend vorläufig ausgeschlossen worden ist. Frank, das sagt er von sich selbst, ist konservativ, Blackett dagegen nicht.[397]

HEISENBERG: Da haben Sie's, es ist eben doch alles Parteipolitik.

---

396 Frank und Wirtz kannten sich aus ihrer Zeit am Berliner KWI für Physik, wo Frank von 1936 bis 1938 Gastwissenschaftler war. In seiner Einführung zur englischen Erstausgabe der Farm-Hall-Protokolle erinnert sich Frank, wie Wirtz ihn nach dem Essen mit in den Garten genommen hat um privat zu reden, nachdem sie einige unerklärliche Kabel hinter einem Küchenschrank gefunden hatten (Operation Epsilon 1993, S. 2). So dürfte spätestens seit Herbst 1945 davon auszugehen sein, dass die „Gäste" wussten, dass das Haupthaus verwanzt war und ihre Gespräche abgehört wurden; darauf weist auch die kurze Konversation zwischen Korsching und Heisenberg oben in Punkt 8 hin. Die Kürze der Protokolle ab dem zwölften Bericht könnte ebenfalls Indiz sein, dass man bereits Anfang Oktober davon überzeugt war.

397 Bagge notierte am 6. November in sein Tagebuch, dass sie, wenn sie Franks Meinung ernst nehmen würden, noch in fünf Jahren in Farm Hall wären. Vgl. Bagge et al. 1957, S. 64f.

12. Laues Reaktion auf Hahn zeigt die ersten Anzeichen von Ungeduld, aber Hahn empfiehlt zu warten, bis Mr. Attlee aus den USA zurück ist.[398]

13. LAUE: Aber jetzt muss doch endlich etwas geschehen, wir können doch nicht ewig hier herumsitzen.

HAHN: Wir müssen warten, bis Attlee von der Konferenz mit Truman zurückkommt, bevor wir Weiteres unternehmen.

14. Korsching schlug Bagge eine geheime separatistische Bewegung vor, bei der die jüngeren Wissenschaftler sich von den älteren distanzieren sollten, da die jüngeren mit der Atombombe nichts zu tun hätten. Korsching wollte darüber an Lieutenant Commander Welsh schreiben und ihm anbieten, ihr Wort zu geben, sich nicht mehr mit Kernphysik zu beschäftigen, vorausgesetzt, sie könnten ihre Arbeit auf einem anderen Gebiet fortsetzen. Sie beschlossen ebenfalls, die Rückkehr von Mr. Attlee aus den USA abzuwarten.

V. Französische Wissenschaft

15. Der in der Londoner „Times" vom Samstag, dem 3. November, erschienene Artikel[399] erregte nichts als Unmut und Verärgerung über die Franzosen, die wissenschaftliche Geräte aus Deutschland abtransportiert hatten, sowie blanke Verachtung für die in dem Beitrag gemeldeten Leistungen der Franzosen während der Besatzungszeit.

Farm Hall,	(Gez. P. L.C. Brodie)
Godmanchester.	Captain,
5. November 1945.	für Major T. H. Rittner.

398 Der britische Premier war vom 12. bis 15. November 1945 zu einem Gipfeltreffen mit dem amerikanischen Präsidenten und dem kanadischen Premierminister zusammengekommen, bei dem der Problemkomplex „Atombombe" und ihre Nicht-Weiterverbreitung im Mittelpunkt stand.

399 Science in France 1945. Im Beitrag geht es um eine Konferenz der „Association française pour l'avancement des sciences" über die Zukunft der französischen Wissenschaft und das Potential der Kernforschung sowie die Rolle der Wissenschaft in der Zeit der deutschen Besatzung.

AMERICAN EMBASSY
OFFICE OF THE MILITARY ATTACHE
1. GROSVENOR SQUARE, W. 1.
LONDON, ENGLAND

31 October 1945

Subject: Farm Hall Reports No. 12 and 14 - HEISENBERG and HAHN.

To: Maj. A. E. Britt, Room 5004, New War Dept. Bldg., Washington, D. C.

1. Inclosed herewith is copy No. 1 of Farm Hall Reports No. 12 and 14 and Appendix to Farm Hall Report No. 9.

2. In regard to paragraph 3 of page 1, Farm Hall Report No. 12 wherein HEISENBERG and HAHN complained that nothing was being done about their families, you are advised, the following action has been taken: On 30 October 1945, a cable was dispatched from this office to General SIBERT advising him that General MONTGOMERY was reluctant to accept the guests under the conditions first laid down. These conditions, as you know, were that the guests would be returned to some location in the British sector, preferably a university town; that, while they would not be physically confined, it would be necessary for them to obtain special permission for leaving such location. General MONTGOMERY stated that if these men were to be under his custody, the only conditions he would accept them under were that they would be confined and under close surveillance. General SIBERT was asked, in the above mentioned cable, that until the decision came down on these men, if the theater would assume responsibility for the protection of dependent members of their immediate families. This is similar to Project Overcast which was described in our cable 65971 of 11 October. The only two scientists General SIBERT would have to provide for are those in the American sector who are Prof. Werner HEISENBERG and Prof. W. GERLACH. As of this writing we have received no reply from General SIBERT, however, it is believed that the theater will assume responsibility of these two families.

For the Military Attache:

H. K. Calvert

H. K. CALVERT,
Lt. Col, CE,
Assistant to the Military Attache.

Ein Schreiben von H. K. Calvert, der Ende August mit den „Gästen" zu Abend aß (Sechster Bericht, Kapitel I.5, S. 268), an Major Britt von Groves' Ingenieurskorps zeigt, dass auf deren Kritik und Vorschläge reagiert wurde: Deren Vorschlag, mit ihren Familien in die britische Besatzungszone zu ziehen und dort zu arbeiten, lehnte der Oberbefehlshaber der britischen Besatzungstruppen in Deutschland, Generalfeldmarschall B. Montgomery, vorerst ab, jedoch sollte man sich um die Familien von Heisenberg und Gerlach kümmern.

To: Mr. M. PERRIN and Lt.Cdr. WELSH
From: Major T.H. RITTNER

TOP SECRET 203

Ref: F.H. 17

Copy No. 3.

Siebzehnter Bericht 5.–11. November 1945

I. Allgemeines

1. Diese Woche begann damit, dass Heisenberg ein rigoroses Vorgehen empfahl, und endete mit einem sehr erfolgreichen und versöhnlichen Besuch von Lieutenant Commander Welsh.

II. Heisenbergs Pläne

2. In einem Gespräch mit Hahn am 5. November erörterte Heisenberg die Möglichkeit, zur Klärung ihrer eigenen Situation und Zukunft etwas zu unternehmen. Hahn stimmte zu, dass die Dinge allmählich unmöglich würden:

3. Heisenberg: Ich weiß nicht, ob es nicht doch eine gute Sache wäre, wenn einer von uns sein Ehrenwort widerrufen und abhauen würde.

Hahn: Ich halte das für ein gefährliches Unternehmen, denn dann hätten diese Leute allen Grund zu sagen: „Wir haben sie gut behandelt, und jetzt sind sie bockig. Deshalb werden wir sie jetzt schlecht behandeln." Vielleicht sollte man noch einmal mit dem Captain [Brodie] sprechen, wenigstens über die sinkende Stimmung einiger unserer Kollegen, und dann würde ich ihm sagen: „Hören Sie, einige unserer Leute sind mit ihrer Geduld am Ende" – er kann das ja selber beobachten. Laue, der einen ganzen Tag lang im Bett blieb und dergleichen und dass Gerlach hysterische Anfälle bekommt; er kann all das hören, wenn Gerlach in der Küche plötzlich einen Anfall bekommt und das Personal anzubrüllen beginnt. Ich kann ihm sagen, dass es auf lange Sicht nirgends möglich ist, Leute immer und immer wieder zu beschwichtigen.

Heisenberg: Ich denke, was die hier machen, ist absolut unnötig. Ich kann einfach nicht verstehen, warum sie uns nicht mitteilen, was los ist.

Dieter Hoffmann (Hrsg.): Operation Epsilon.
 DOI: <https://doi.org/10.47261/1508>.

HAHN: Sollen wir zusammen hingehen, vielleicht schon übermorgen?

HEISENBERG: Ich glaube, dass Gespräche mit dem Captain irgendwie nutzlos sind, sie helfen nicht weiter. Er hört uns zu und gibt das Gehörte dann – bereits mit gewissen Vorbehalten – an den Commander weiter. Dann müssen sie darüber reden, ihren Ansichten freien Lauf lassen, wie unangenehm die ganze Sache sei, und damit ist alles schon zu Ende, da bereits der Commander darauf verzichtet, den Sachverhalt an irgendeine übergeordnete Dienststelle weiterzuleiten. Wenn wir sehr großes Glück haben, berichtet der Commander vielleicht davon dem zuständigen Colonel oder General, der hier in London sitzt. Es ist einfach unmöglich (?), dass unser Anliegen jemals nach Amerika gelangt, wo eine Entscheidung getroffen werden könnte.

HAHN: Dann gehen wir das Problem doch in der Weise an, dass wir wirklich um einen Besuch des amerikanischen Colonels[400] bitten. Wir werden den Vorgesetzten des Commanders nie zu Gesicht bekommen, er hält ihn von uns fern.

4. In einem Gespräch mit Wirtz am 6. November entwickelte Heisenberg drei Möglichkeiten, eine Entscheidung zu erzwingen. Wirtz versuchte wie üblich, einen mäßigenden Einfluss auszuüben:

5. HEISENBERG: Ich hätte gern Ihre Meinung zu drei Möglichkeiten, die ich mir überlegt habe. Die erste ist, dass wir eine Unterredung mit Sir John Anderson[401] beantragen. Der zweite Plan wäre, dass ich mein Ehrenwort widerrufe. Ich habe mir den folgenden ziemlich gewagten Plan ausgedacht: Nehmen wir einmal an, ich hätte keine Verpflichtung aufgrund meines Ehrenworts. Dann könnte ich eines Tages weglaufen und zur Dänischen Botschaft gehen. Dort würde ich um Schutz bitten und mit Bohr Kontakt aufnehmen, oder die Dänische Botschaft könnte das erledigen, und von dort aus könnte ich dann irgendwie selbständig

---

400 Wahrscheinlich H. K. Calvert, Stellvertreter des amerikanischen Militätattaches in London, der die Internierten am 26. August zusammen mit anderen amerikanischen Geheimdienstmitarbeitern besucht hatte (siehe S. 268).

401 Britischer Schatzkanzler und für das britische Atombombenprogramm verantwortlich, siehe auch Anm. 322 auf S. 286.

über Bohr verhandeln.[402] Ich würde ihnen sagen, dass ich durchaus bereit bin, in englischen oder amerikanischen Gewahrsam zurückzukehren, aber nur unter gewissen Bedingungen. Diese Bedingungen müssten wir uns noch überlegen. Zunächst würden wir gern wissen wollen, wie die Verhandlungen über unsere Zukunft vorankommen, wir wollen nicht wie dumme Schuljungen behandelt werden. Zweitens möchten wir Kontakt zu unseren Familien haben oder etwas in der Art. Der dritte Plan wäre, dass wir hier eine allgemeine Diskussion abhalten, in der wir beschließen würden, unser Ehrenwort am, sagen wir mal, 1. Dezember zu widerrufen. In diesem Fall könnte Hahn zum Captain gehen und ihm mitteilen, das Äußerste, was er bei uns habe erreichen können, sei gewesen, dass wir bis zum 1. Dezember warten würden, dass es aber bereits beschlossene Sache sei, das Ehrenwort an diesem Tag zu widerrufen; gleichzeitig solle er verlangen, dass unserem schriftlich gegebenen Ehrenwort unverzüglich eine entsprechende Notiz beigefügt wird: „Läuft am 1. Dezember ab" oder etwas in der Art. Dies sind die drei Möglichkeiten. Was halten Sie davon?

WIRTZ: Nun, zunächst jedenfalls hätte ich nichts gegen einen Antrag, von Sir John Anderson empfangen zu werden.

HEISENBERG: Ich glaube nicht, dass ein solcher Antrag Aussicht auf Erfolg hat.

WIRTZ: Also ich halte nicht viel vom Weglaufen oder dergleichen. Ich kann Ihnen nicht genau sagen, warum – (wird unterbrochen.)

HEISENBERG: Allzu gewaltsam, denken Sie. Mein Eindruck ist, dass wir bestenfalls jetzt eine Entscheidung erzwingen könnten, aber später dann dafür bezahlen müssen. Jedenfalls würden die Kreise, die uns jetzt hier festhalten, für alle Zeit uns gegenüber eine derart üble Laune an den Tag legen, dass das Ergebnis für uns am Ende nur Nachteile bringen würde. Ich meine, nachdem wir etwas vorübergehend erreicht haben, würde die einzige Aussicht auf dauerhaften Erfolg darin bestehen, dass diese Leute, die uns derart übelwollen, endgültig aus der amerikanischen Politik ver-

402 Heisenberg überschätzt hier sicherlich seine Möglichkeiten, und ein solches Vorgehen hätte wohl zu ähnlichen Irritationen und Peinlichkeiten geführt wie beim traurig-berühmten Kopenhagen-Besuch von Heisenberg und Weizsäcker im September 1940, Vgl. Frayn 2001.

schwinden und durch Männer wie Oppenheimer ersetzt werden, die es gut mit uns meinen. Aber die ganze Sache ist äußerst riskant; wenn wir nämlich diesen gewagten Coup landen, dürfte aller Wahrscheinlichkeit nach die Opposition ihren ganzen Hass gegen die Deutschen mobilisieren und dann sagen: „Na ja, im Großen und Ganzen haben sie eben doch alle versucht, den Nazis zu helfen; sie haben vielleicht zwar keine Atombombe zuwege gebracht, aber wäre es ihnen gelungen, hätten sie sie natürlich Hitler zur Verfügung gestellt", und so weiter.

6. Als Weizsäcker mit Wirtz über die Angelegenheit sprach, zeigte er die gleiche Vorsicht:

7. WEIZSÄCKER: Wenn wir wirklich ein Ventil für unsere schlechte Laune und unsere Sorgen haben müssen, dann würde ich viel lieber den Captain (Brodie) dreimal im Laufe einer Mahlzeit beleidigen, als auch nur ein Schriftstück aufsetzen, das uns auf Jahre hinaus schaden könnte.

WIRTZ: Ja, man darf keine Verantwortung auf sich nehmen – wie Heisenberg es anscheinend zu tun bereit ist –, nur um den eigenen Gefühlen Luft zu machen und dadurch großen Schaden anzurichten.

WEIZSÄCKER: Auch Hahn ist jetzt zum Handeln aufgelegt, doch wenn er etwas unternimmt, ist es vernünftig.

III. Der Besuch von Lieutenant Commander Welsh

8. Lieutenant Commander Welsh traf am 10. November [von London] ein und führte lange und befriedigende Gespräche mit verschiedenen Mitgliedern der Gruppe, insbesondere mit Wirtz.

9. Wirtz wiederholte Heisenberg gegenüber sein Gespräch mit Lieutenant Commander Welsh und sagte dann:

10. WIRTZ: Meine Absicht an diesem Abend war, ihm klarzumachen, dass wir seine Schwierigkeiten verstehen, aber dass es für uns wertvoll ist, mit ihm in ständigem Kontakt zu stehen.

HEISENBERG: Durchaus meine Meinung.

11. Am 11. November drückte Hahn ebenfalls seine Genugtuung über den Besuch aus:

12. HAHN: Ich freue mich sehr, dass der Commander wieder hier war und dass wir ihm unsere Ansichten vortragen konnten.

WIRTZ: Ich denke, wenn der Commander über die Dinge mit uns nur oft genug und ebenso ausführlich sprechen würde wie gestern mit mir, wäre es für uns viel leichter, sich mit alldem hier abzufinden.

HAHN: Da bin ich ganz Ihrer Meinung.

IV. Technisches

13. Kolloquien kommen wieder in Mode, was auf eine Verbesserung der Stimmungslage schließen lässt.

14. Am 6. November hielt Bagge, auf der Grundlage des Werkes von Fermi, einen Vortrag über die chemischen Eigenschaften der Transurane.[403]

15. Am 9. November hielt Wirtz einen Vortrag über chemische Reaktionen von Elementen.

16. Im Laufe der Woche gab es nichts weiter von technischem Interesse.

V. Administratives

17. Während meiner Abwesenheit von Farm Hall am 8. und 9. November kam Mr. Oates[404] freundlicherweise aus Paris herüber, um mich zu vertreten. Er blieb bis zum 11. November.

Farm Hall
15. November 1945

(Gez. P. L.C. Brodie)
Captain,
für Major T. H. Rittner

403 Unklar auf welchesWerk bzw. auf welchen Aufsatz von Enrico Ferni konkret Bezug genommen wurde.

404 Peter T. Oates hatte zur ALSOS-Mission gehört und bereits im Juni in Huy die Abschirmung mit organisiert (vgl. Vorbericht, Kap. V, S. 101 ff.).

Mr. M. PERRIN and Lt.Cdr. WELSH
Major T.H. RITTNER

TOP SECRET

206

Ref. F.H. 18

Copy No. 3.

Achtzehnter Bericht 12. – 18. November 1945

I. Allgemeines

1. Eine ruhige Woche ohne Anzeichen von Unzufriedenheit.

2. Die Ankündigung im „Daily Telegraph", dass Hahn am Freitag, dem 16. November, der Nobelpreis verliehen werden soll, bildete den Höhepunkt der Woche.

II. Gesundheit

3. Am Montag, den 12. November suchten Laue, Heisenberg und Gerlach den Arzt auf, der der Meinung war, dass ihre verschiedenen Beschwerden in der Hauptsache nervöser Natur seien. Die spätere Besserung scheint diese Diagnose zu bestätigen.

III. Heisenbergs Finanzangelegenheiten

4. Auf Bitte von Colonel Calvert brachte ich am 17. November Vollmachtformulare für Frau Heisenberg nach London, eines in Englisch und eines in Französisch, das erste in der üblichen englischen Form, letzteres selbst angefertigt. Diese Formulare wurden Lieutenant Warner[405] übergeben.

IV. Leute mit Zukunft

5. Am 13. November übergab ich Lieutenant Commander Welsh eine von Heisenberg zusammengestellte Liste mit den Namen vielversprechender junger deutscher Physiker.

405 Angehöriger des amerikanischen Geheimdienstes, der zum Stab des Militärattachés der US-Botschaft in London gehörte.

Dieter Hoffmann (Hrsg.): Operation Epsilon.
 DOI: <https://doi.org/10.47261/1508>.

6. Wirtz missbilligte die Zusammenstellung dieser Liste in einem Gespräch mit Diebner:

7. Wirtz: Um ganz ehrlich zu sein, ich möchte mit dieser Sache nichts zu tun haben. Das ist nicht richtig, ich würde keine Namen angeben. Ich würde, sobald ich in Deutschland zurück bin, genügend Zeit haben, mich darum zu kümmern, dass solchen Leuten keine Nachteile erwachsen. Ich habe nichts dagegen, mit dem Commander zu verhandeln, aber ich traue ihm nicht. Ich habe noch einen anderen Grund, mich nicht daran zu beteiligen: Nach dem künftigen Krieg mit den Russen, wenn Deutschland von Russland besetzt ist, wird man sagen: „Wer hat den Engländern Listen gegeben?" Man wird die Listen irgendwo in Deutschland finden, und dann würde man in einer schrecklichen Klemme sitzen.

Diebner: Haben Sie darüber mit Heisenberg gesprochen?

Wirtz: Nein. Mir ist nicht wohl dabei, wenn unsere Kollegen denen solche Listen geben.

8. Zwar hatten Hahn und Heisenberg ebenfalls Bedenken, glaubten aber bereitwillig, dass nichts Böses beabsichtigt war.

V. Nobelpreis

9. Die im „Daily Telegraph" erschienene Meldung von der Verleihung des Nobelpreises für Chemie an Hahn verursachte allgemeine Freude, aber auch große Zweifel, da keine offizielle Bestätigung erfolgte. Man vermutete sogar, dass irgendeine unerklärliche Bosheit dafür verantwortlich sein müsse, dass uns die Nachricht vorenthalten wurde. In London wurden jedoch große Anstrengungen unternommen, eine Bestätigung des Berichts zu erhalten, und da die Quelle einigermaßen zuverlässig zu sein schien, wurde die Verleihung mit Liedern, Ansprachen, allerlei Gebackenem und einigem Alkohol gefeiert. Die Feier begann mit einer verunglückten Ansprache von Laues, an deren Ende sowohl er als auch Hahn in Tränen aufgelöst waren, was alle in Verlegenheit brachte, vor allem mich, da ich zwischen ihnen saß. Doch durch die vereinten Anstrengungen der übrigen Gäste war unsere normale gute Laune rasch wiederhergestellt.

10. Ich hoffe, Kopien der besseren Lieder und Ansprachen zu erhalten und sie später in Form eines Anhangs zu diesem Bericht bekanntzugeben. Sie haben natürlich keinen operativen Wert.

11. Laue meinte zu Hahn, für die Verleihung des Nobelpreises gebe es einen guten Grund.

12. LAUE: Du hast den Nobelpreis nicht als Trost für uns zehn deutsche Wissenschaftler erhalten, die wir hier eingesperrt sind, sondern ich glaube vielmehr, dass es deren Begründung ist, dass man dir den Preis gerade jetzt verleiht, statt bis zum nächsten Jahr zu warten, was wahrscheinlich die ursprüngliche Absicht war.

13. Hahn sagte, falls ihm gestattet würde, nach Schweden zu reisen, um den Preis in Empfang zu nehmen, könnte er nicht sein Wort geben, nichts über seine hiesige Internierung mitzuteilen.

14. HARTECK: Sie (die Alliierten) können Ihnen nicht ihre Zusage abverlangen, nichts darüber zu sagen, wo Sie gewesen sind und mit wem.

HAHN: Ausgeschlossen!

HARTECK: Sie können Ihnen zwar nicht Ihr Wort abverlangen, aber sie werden sagen: „Natürlich sind wir erfreut, Sie nach Schweden reisen zu lassen, aber bitte erwähnen Sie nicht, mit wem Sie hier zusammen sind."

HAHN: Ich würde zu denen sagen: „jahrelang bin ich in keinem Land im Friedenszustand gewesen. Ich trank gern ein Glas Wein. Ich habe Freunde in Schweden, wie den Prof. Quenzel[406], der einen ausgezeichneten Weinkeller hat. Ich kann nicht dafür garantieren – Sie kennen ja den alten deutschen Studentenbrauch –, dass wir nicht auf freundschaftliche Weise ein bisschen betrunken werden. Ganz offensichtlich kann ich Ihnen also nicht mein Wort darauf geben, was möglicherweise anschließend passiert."

---

406 „Prof. Menzel" im Protokoll, gemeint ist wohl der schwedische Chemiker und Mitglied der Schwedischen Akademie Percy Quenzel.

VI. Die Zukunft

15. Gerlach meinte zu Hahn, dass er auf keinen Fall nach Amerika gehen würde.

16. Gerlach: Ich würde nicht um alles Gold der Welt nach Amerika gehen. Ich habe mir das gründlich überlegt, weil oft gesagt wird, dass dies eine Möglichkeit sein könnte.

Hahn: Sobald man in Deutschland etwas unternehmen kann, ist es natürlich unsere Pflicht, dort zu sein. Persönlich werde ich nicht mehr arbeite aber vielleicht werde ich trotzdem noch imstande sein, ab und zu den einen oder anderen mit Rat und Tat zu unterstützen.

Gerlach: Die Verhältnisse in Deutschland sind überall gleich. Dort zu sein ist die wichtigste Sache auf der Welt.

17. Gerlach war in den vergangenen paar Wochen in einem besonders nervösen Zustand, aber in den letzten Tagen ist er ein wenig ruhiger geworden.

VII. Technisches

18. Am Dienstag und Freitag fanden Kolloquien statt, als Fortsetzungen des in der letzten Woche begonnenen Kolloquiums über die „Molekularstruktur verschiedener chemischer Verbindungen".

19. Es gab in der Woche nichts weiter, was von technischem Interesse gewesen wäre.

Farm Hall
Godmanchester
20. November 1945

(Gez. P. L.C. Brodie)
Captain,
für Major T. H. Rittner

Anhang: Reden zu Ehren von Hahn[407]

1. Beigefügt sind Kopien verschiedener Reden, Späße, Lieder usw., die von den Gästen verfasst wurden, um die Nachricht von der Verleihung des Chemienobelpreises für 1944 an Otto Hahn zu feiern.

2. Die Stücke wurden nicht übersetzt, da sonst allzu viel von ihrem Charakter verlorenginge.

3. Sie haben keinen operativen Wert und werden allein aus allgemeinem Interesse beigefügt.

Tischrede, gehalten in Farmhall, Godmanchester am 16.11.1945 zur Feier der Verleihung des Nobelpreises an Otto Hahn

von M. v. Laue

Lieber Otto Hahn!

Je länger sich unsere Detainung hinzieht, um so schlechter werden unsere Sitten; jetzt gibt es sogar schon Tischreden. Aber ich muss Dir heute ein kleines Geheimnis verraten.

Vor zehn oder mehr Jahren schenktest Du mir Dein Bild. Ich ließ es rahmen und hängte es in mein Instituts-Arbeitszimmer; dort in Hechin-

---

407 Laut Tagebuchaufzeichnungen Erich Bagges (siehe Dokumentenanhang S. 419) wurde der Nobelpreis-Song von Wirtz und Diebner vorgetragen, wobei Diebner wahrscheinlich der Verfasser war; die „Presseschau" stammt von Heisenberg, der Bericht der Frankfurter Zeitung „Von Goethe bis Hahn" von Weizsäcker und der aus dem „Moosejaw Herald" von Wirtz. Die abschließende Geschichte der „Detainung" ist von Bagge. Vgl. Bagge et al. 1957, S. 67 f. sowie Hahns Tagebucheintrag vom 16. November 1945 im Dokumentenanhang ab S. 375. Zur Silvesterfeier hat Weizsäcker noch einen seiner berühmten Limericks zum Besten gegeben:

> „Es war ein Kollegium in Schweden,
> Das verlieh seinen Preis nicht an jeden.
> Doch kriegt man ihn mal,
> So ist's auch noch fatal,
> Denn man kommt nicht von Farm Hall nach Schweden."

gen hängt es heute noch – hoffentlich. Auf seine Rückseite schrieb ich: Otto Hahn, geb. 8. März 1879, aufgenommen 1933 (was wenigstens einigermaßen stimmen dürfte). Solche biografische Notizen schreibe ich nämlich auf alle Bilder von Bekannten, damit diese auch über mein Leben hinaus einen gewissen Wert behalten und damit sich nicht die Göttinger Geschichte wiederholt, bei der Bilder von Gauß und Bessel verwechselt wurden. Aber hinter Deinem Bild steht außerdem noch ein Distichon:

Gaben, wer hätte sie nicht? Talente, Spielzeug für Kinder!
Erst der Ernst macht den Mann, erst der Fleiß das Genie.

Dies dichtete einst Theodor Fontane auf Adolph v. Menzel zu dessen siebzigstem Geburtstag. Wenn ich die Gelehrten überblicke, deren Lebensweg ich einigermaßen zu überblicken glaube, so finde ich keinen, auf den es so gut passte wie auf Dich. Denn – um nur einen Punkt zu erwähnen – zu Schnellanalysen von rasch zerfallenden radioaktiven Stoffen, die Du so oft ausgeführt hast, reichen Gaben und Talente nicht aus; vielmehr muss noch eine Ausbildung der angeborenen Fähigkeiten hinzutreten, die tiefen Arbeitsernst und ungeheuren, lebenslänglichen Fleiß erfordert. Aber weil Du beides hast, so lässt sich die Reihe Deiner Entdeckungen auch [mit] einer Kurve vergleichen, die auf hohem Niveau – mit der Entdeckung des Radiothor, die Du in dieser Gegend machtest – beginnend, über die Entdeckung des Mesothoriums (alias Megatheriums) dauernd ansteigt, um in der Entdeckung der Uranspaltung ein Maximum, aber kein Ende, zu finden. Und als äußere Krönung Deines Lebenswerkes hast Du nun heute die schönste Ehrung erfahren, die dem naturwissenschaftlichen Forscher zuteil werden kann, den Nobelpreis. Ich glaube, man kann Dir in keiner besseren Form dazu gratulieren als mit jenem Verslein.

Aber meine Rede wäre arg unvollständig, wollte ich nicht noch einer anderen Persönlichkeit gedenken: Deiner Frau. Auch Sie muss ja die Nachricht erhalten haben; wie widerstreitende Empfindungen mögen da heute Abend auf sie einstürmen! Aber ich hoffe doch, überwiegen wird bei ihr schließlich die Freude, die stolze Freude, die Gattin eines solchen Mannes zu sein.

Meine Herren! Wir erheben unsere Gläser und trinken auf das Wohl von Otto und Edith Hahn.

Sie leben hoch!

Auszug aus der „Times“ vom 17. November 1945

Prof. Dr. Otto Hahn, German radiologist, has been awarded the 1944 Nobel prize for chemistry. It has been stated in official circles, that Otto Hahn has been detained since the end of the war. No further comment was available.

Übersetzung aus „Sunday Pictorial“ vom 18. November 1945

Nobel Atom Ace Mystery. Where is Otto Hahn?

Die neueste Atombombe ist die Nachricht aus Stockholm, dass Hitlers Atomexperte, Prof. Otto Hahn aus Berlin, den Nobelpreis für Chemie erhalten hat. Wie wir aus zuverlässiger Quelle erfahren, hat die schwedische Akademie gleichzeitig mit der Preisverleihung einen Preis ausgeschrieben für diejenige Person, die zweckdienliche Angaben über den gegenwärtigen Aufenthaltsort Otto Hahns machen kann. Zahlreiche Lösungen sind eingegangen und harren der Bearbeitung. Die nächstliegende Annahme war, dass Otto Hahn vom U-Boot 530 gleichzeitig mit Hitler und Eva Braun in Patagonien abgesetzt worden ist und dort an der Herstellung neuer und besserer Atombomben arbeitet. Diese Vermutungen haben sich jedoch bisher nicht bestätigen lassen; eine andere Quelle bringt jetzt die aufsehenerregende Mitteilung, dass Otto Hahn vor wenigen Tagen in Tel Aviv gesehen geworden ist, wo er offenbar mit anderen dort lebenden Frankfurtern und Dahlemern über die Weiterführung seiner Arbeiten beraten will. Der Bedarf an Fachleuten für Spaltung scheint dort aber nicht mehr groß zu sein, und eine sichere Bestätigung seiner Anwesenheit in Tel Aviv liegt bisher nicht vor.

Um zuverlässige Nachrichten über den Aufenthaltsort O. Hahns zu erhalten, haben wir unseren Sonderkorrespondenten nach Deutschland entsandt; dieser hat zunächst das kleine württembergische Städtchen Tailfingen besucht, in dem Otto Hahn in den letzten Kriegsjahren seine Atomspaltungen durchgeführt hat. Da die Familie des Professors offenbar in der letzten Zeit mehrfach die Wohnung gewechselt hat, gelang es unserem Korrespondenten erst nach langer Mühe, bis zu einer kleinen, bescheidenen Wohnung vorzudringen, in der ihn zwar nicht Prof. Hahn, wohl aber seine reizende Schwiegertochter empfing und freundlich bewirtete. Leider konnte aber auch diese junge Dame keine weiteren Angaben machen, als dass der Professor im April von amerikanischen Truppen weggeführt worden sei und sich wahrscheinlich in England oder Amerika aufhalte. Nach längeren erfolglosen Reisen, die unseren Korrespondenten nach Heidelberg, Versailles und ins Maastal bei Lüttich führten, stieß er auf ein Gerücht, dass Otto Hahn in England in einem kleinen Städtchen Godmanchester zusammen mit anderen War criminals unter schärfstem Arrest gehalten würde.

Ein Besuch in Godmanchester zeigte denn auch, dass dort ein roter Backsteinbau mit schwer vergitterten Fenstern durch Geheimpolizisten in Zivil und Soldaten in Uniform so scharf bewacht war, dass jede Annäherung während des Tages völlig unmöglich schien. Unser Korrespondent versuchte daher, während der Nacht sich über die benachbarten Wiesen an den rückwärts gelegenen Gefängnishof anzuschleichen, und es gelang ihm, in der ersten Morgendämmerung einen mit Stacheldraht umwundenen eisernen Zaun zu erreichen, von dem er einen Rasenplatz hinter dem Gefängnis überschauen konnte. Hier bot sich ihm ein merkwürdiger Anblick: Eine nackte Gestalt mit müdem Gesichtsausdruck lief ununterbrochen an einem Rosenbeet auf und ab, auf und ab, dem Eisbär im zoologischen Garten vergleichbar. Auf einen leisen Anruf unseres Korrespondenten zuckte die Gestalt zusammen und rannte mit einem Schrei des Entsetzens in wilder Flucht in das Haus. Wer diese bemitleidenswerte Gestalt war, hat sich bisher nicht mit Sicherheit ermitteln lassen. Ein Schnappschuss, den unser Korrespondent noch eben nehmen konnte, führte zu einer schlechten Aufnahme, auf der einige Wissenschaftler, um Rat gefragt, tatsächlich die Züge Otto Hahns erkennen wollten. Sic transit gloria mundi.[408] Aber auch diese Feststellungen haben keine Sicherheit über den Aufenthalt Otto Hahns gebracht.

Wir sind daher noch anderen Gerüchten nachgegangen, die behaupten, dass Otto Hahn in England gut untergebracht sei und dort an seinen Memoiren schreibe, die er unter dem Titel: „Von Oxford Street nach Farm Hall" in Buchform herauszugeben gedenkt. Dieser Hinweis auf Oxford Street hat

408 So vergeht der Ruhm der Welt.

uns zu einer Umfrage in den Kaufhäusern und Geschäften dieses Viertels veranlasst. Dabei stießen wir auf eine ältere, würdig aussehende Matrone, Leiterin der Verkaufsabteilung eines Bekleidungshauses, die sich an Prof. Hahn gut erinnern konnte. Sie erzählte mit einem glücklichen Lächeln (happy smile) über die Zeit ihrer Bekanntschaft mit Otto Hahn, aber sie war nicht in der Lage, nähere Einzelheiten aus dieser Zeit mitzuteilen (she was not in a position, to tell more intimate details of this time). Irgendein Anhaltspunkt für den gegenwärtigen Aufenthaltsort Otto Hahns ließ sich also auch hier nicht gewinnen. WHEN THE MYSTERY OF OTTO HAHN WILL BE SOLVED, NOBODY KNOWS.

FRANKFURTER ZEITUNG, VEREINIGT MIT DEM FRANKFURTER GENERALANZEIGER[409]

Von Goethe bis Hahn

In unserer Reihe „Große Frankfurter" umspannen wir heute zwei Jahrhunderte Frankfurter Geschichte mit einem erlauchten Zwillingspaar: Unsere Stadt darf einerseits Goethe, den Spalter des Herzens, andererseits zugleich, um der Sache eine neue Wendung zu geben, Hahn, den Spalter der Atome, zu den Ihren rechnen. Gehen wir über die Lebensschicksale des Älteren der beiden, die den meisten unserer Leser bekannt sein dürften, rasch hinweg, und richten wir unsere Blicke auf die neue Säule im deutschen Chemikerwalde, Otto Hahn. 1879 in unserer Stadt geboren, verehren wir in ihm den Entdecker des Mesozoikums, den Erfinder der Hahnenkammeinheit und des Cocktails[410], den Gründer mehrerer Sportclubs und langjährigen unermüdlichen Leser unserer Zeitung. Er ist Ehrenvorsitzender des Vereins für Sparsamkeit und Gewerbefleiß und Inhaber verschiedener Patente für die Erhöhung der Lebensdauer von Rasierklingen,

409 Diese Büttenrede stammt von Weizsäcker und nimmt die Tatsache auf , dass am 11. November die Faschingskampagne beginnt, die im Februar / März mit dem Aschermittwoch endet.

410 Ein Wortspiel mit den englischen Begriffen „cock" und „tale" für „Hahnenerzählungen", siehe auch S. 536.

Zigaretten und Anekdoten. Dem Fass seiner Verdienste hat er aber erst unlängst die Krone der Uranspaltung ins Gesicht geschlagen. Wie wir von der Sekretärin der Liga für Körperkultur erfahren, soll er dabei ein neues Verfahren zur Fällung strahlender Körper angewandt haben. Er stand sozusagen gewissermaßen mit dem einen Bein fest zwischen den Stühlen der Tatsachen, mit dem anderen aber griff er nach der goldenen Leiter des Ruhms. Mit ihm sonnt sich seine Vaterstadt im bunten Abglanz der verdienten Ehrung, die ihn soeben ereilt hat, und möchten wir wie ein Vogel an mehreren Orten zugleich sein, um sowohl dem Jubilar unsere aufrichtig gemeinten Glückwünsche zu Füßen legen als auch unsern Lesern einen Augenzeugenbericht von dem jüngsten und größten Weltereignis geben zu können.*

* Wir verweisen darauf, dass im Feuilleton dieses Blattes von der berufenen Hand von Wilhelm Westphal die wissenschaftlichen Verdienste Otto Hahns gewürdigt werden, während wir im Wirtschaftsteil einen Beitrag aus der geschätzten Feder unseres Sonderkorrespondenten P. H. [Paul Harteck] über die finanzielle Bedeutung des Nobelpreises bringen. (Red.)

Wirtschaftsteil der Frankfurter Zeitung

Nobelpreis und Atomkernenergie

Otto Hahn, der Entdecker der Uranspaltung, hat den Nobelpreis für Chemie erhalten. Die erste Frage, die sich dem unbefangenen Beobachter aufdrängt, lautet: Steht die Geldsumme, die er erhält, in einem angemessenen Verhältnis zu der Summe, die er der Menschheit durch seine Entdeckung geschenkt hat?

Der Nobelpreis beträgt heute etwa 6.000 Pfund Sterling. Das wären unter der Voraussetzung des Goldstandards RM 120.000. Die Unsicherheit aller Währungsverhältnisse legt es nahe, einen anderen Wertmaßstab zu wählen, der auf den elementaren menschlichen Bedürfnissen basiert. Setzen wir den Preis eines Pfundes Zucker zu 40 Pfennigen an, so erhielte Prof. Hahn den Gegenwert von 150.000 kg Zucker. Diese Zahl ist mit der Energieausbeute, die seine Entdeckung zur Verfügung stellt, deshalb noch schwer zu vergleichen, weil man das Uran nicht essen kann. Wir führen deshalb den Zucker und das Uran auf das gemeinsame Maß der Kalorie zurück. Ein kg Zucker enthält etwa 4.000 kcal; der Nobelpreis beträgt demnach rund 600 Millionen Kilokalorien.

Andererseits können aus einer Tonne Uran 235 nach Hahn etwa 10^{13} kcal. freigemacht werden. Die Gesamtmenge des Urans auf der Erde ist nur schätzungsweise bekannt. Wir nehmen an, dass der hundertmillionste Teil der Materie der Erdoberfläche aus Uran besteht. Setzen wir voraus, dass das Uran bis in eine Tiefe von 1 km ausgebeutet würde, so erhalten wir, da die trockene Erdoberfläche rund 100 Millionen Quadratkilometer beträgt, 100 Kubikkilometer ausbeutbare Materie, von der ein Kubikkilometer Uran ist. Das sind, da das spezifische Gewicht von Uran rund 20 [g/cm^3] ist, 20 Milliarden Tonnen Uran. Etwa der hundertste Teil des Urans ist Uran 235, so dass wir 200 Millionen Tonnen Uran 235 hätten. $2 \cdot 10^8$ t Uran 235 zu je 10^{13} kcal geben $2 \cdot 10^{21}$ kcal. Die $6 \cdot 10^8$ kcal des Nobelpreises sind davon der dreibillionste Teil oder der Bruchteil $3 \cdot 10^{-13}$. Diese Zahl hat man vermutlich gewählt, weil sie gerade der Radius eines Atomkerns ist.

The Farmhaller – Nobel-Prize Song

(Melodie: Studio auf einer Reis')

Detained since more than half a year
Sind Hahn und wir in Farm Hall hier.
Und fragt man, wer ist schuld daran,
So ist die Antwort: Otto Hahn.

The real reason nebenbei
Ist, weil we worked on nuclei.
Und fragt man, wer ist schuld daran,
So ist die Antwort: Otto Hahn.

Die nuclei waren für den Krieg
Und für den allgemeinen Sieg.
Und fragt man, wer ist schuld daran,
So ist die Antwort: Otto Hahn.

Wie ist das möglich, fragt man sich,
The story about seems wunderlich.
Und fragt man, wer ist schuld daran,
So ist die Antwort: Otto Hahn.

Die Feldherrn, Staatschefs, Zeitungsknaben,
Ihn everyday im Munde haben.
Und fragt man, wer ist schuld daran,
So ist die Antwort: Otto Hahn.

Even the sweethearts in the world(s)
Sie nennen sich jetzt: Atom-girls.
Und fragt man, wer ist schuld daran,
So ist die Antwort: Otto Hahn.

Verliert man jetzt so seine Wetten,
So heißt's, you didn't split the atom,
Und fragt man, wer ist schuld daran,
So ist die Antwort: Otto Hahn.

Ein jeder weiß, das Unglück kam
Infolge splitting von Uran.
Und fragt man, wer ist schuld daran,
So ist die Antwort: Otto Hahn.

Die energy macht alles wärmer,
Only die Schweden werden ärmer.
Und fragt man, wer ist schuld daran,
So ist die Antwort: Otto Hahn.

Auf akademisches Geheiß
Kriegt Deutschland einen Nobel-Preis.
Und fragt man, wer ist schuld daran,
So ist die Antwort: Otto Hahn.

In Oxford Street, da lebt ein Wesen,
Die wird das heut' mit Tränen lesen.
Und fragt man, wer ist schuld daran,
So ist die Antwort: Otto Hahn.

Es fehlte damals nur ein Atom,
Hätt er gesagt: I marry you, madam.
Und fragt man, wer ist schuld daran,
So ist die Antwort: Otto Hahn.

Dies ist nur unsre erste Feier,
Ich glaub, die Sache wird noch teuer,
Und fragt man, wer ist schuld daran,
So ist die Antwort: Otto Hahn.

Und kommen wir aus diesem Bau,
We hope, we'll be quite lucky now.
Und fragt man, wer ist schuld daran,
So ist die Antwort: Otto Hahn.

Moosejaw[411] Herald, 16.11.1945

Recent Nobelpreisträger for chemistry ist famous Dr. Otto Hahn. His name ist nicht unbekannt in Moosejaw, wie wir erfahren. In the remarkable year 1905, aus offiziell nicht bekannten reasons, unterbrach er hier eine seiner importanten Welt-voyages für einige days (not exactly known how many) –, und, first of all, besuchte einen hiesigen Friseurladen. Der Friseur erinnert sich lebhaft, dass Hahn gemäß der Landessitte eine Kopfwäsche unter Verwendung von 14 fresh eggs verlangte. Er erinnert sich ferner very well, dass der Kopf von Professor Hahn was very geeignet für die Spaltung der Eier, und er findet es sehr einleuchtend, dass er später sich auch der Spaltung von Atomkernen zugewendet hat. One of the most important problems für die Mitbürger von Moosejaw ist die question, why Dr. Hahn seine voyage hier interruptete. Der Friseur hat eine dunkle Erinnerung, dass nicht ein wissenschaftlicher, sondern mehr ein privater Anlass vorlag und dass der Verbrauch von 14 Eiern mehr eine

411 „Moosejaw" nannte Hahn einen von ihm geliebten Cocktail nach einer gleichnamigen kanadischen Stadt, die er 1905 besucht hatte, als Gastwissenschaftler am Institut von Ernest Rutherford an der McGill University in Montreal war.

Vorbereitung war for that purpose. (Note of the editor: Already at that time Canada and especially Moosejaw have been famous for Pin-ups and other beautiful girls.)

Zusammenfassung und Schlussansprache auf der Nobelfeier

In der Tat und so war es denn auch. Der alte Mann bekam seinen Hut wieder, die Feuerwehr holte das Grammophon vom Dach. Hoijoho! riefen die Matrosen, und der Kapitän schwang sich jubelnd von Mast zu Mast. Im Hintergrund sah man einen Einjährigen mühsam sein Jahr abdienen. Der kleine Scheich von Nubien aber warf den Käse zum Fenster hinaus, hob die Duzbrüderschaft mit seiner Schwiegermutter auf und reiste plötzlich ab, nicht wissend, war dies nun Zufall oder Absicht, kluge Überlegung oder Heuchelei. In der hier mitgeteilten Geschichte wurden die unterstrichenen Adjektive in der von den Festteilnehmern zugerufenen Reihenfolge an für sie freigelassenen Plätzen eingesetzt. Den Zurufern war dabei Inhalt und Anordnung des Stoffes unbekannt. Für den Inhalt verantwortlich: Seine Majestät, der Zufall!

Die einwandfreie Geschichte der unbrauchbaren Kernphysiker seit ihrer überflüssigen Detainung

Am 27. April starten die unwiderstehlichen Vertreter des durchwachsenen KWI f. Chemie in Tailfingen und des maßlos traurigen KWI. f. Physik in Hechingen zu einer süßen Autofahrt in die sauere Detainung. Durch krumme Städte, vorbei an unendlichen Mengen von groben Panzern, zog die düstere Reisegesellschaft westwärts, bis sie am Nachmittag im übertriebenen Heidelberg eintraf. Sie wähnte sich schon am Ziele ihrer stummen Fahrt, aber sie sollte erst im Laufe der schnieken Zeit bemerken, dass dies nur die erste Haltestelle auf einer langen Reise war, die sie damit antrat. Das nächste Ziel war Reims, wo sie wenige Tage später eintraf und zunächst mal das Ende des Krieges abwartete. Aber dann gings smart weiter. In einem blauen Flug von Reims nach Versailles zog sie hinweg über

Nordfrankreich, um nur für einige Tage in einem himmlischen Château zu hausen, das ganz darauf eingerichtet war, die idiotischen Atomphysiker überheizt zu empfangen. Hier geschah etwas Unerwartetes. Nachdem sie die erste Nacht und den ersten Tag auf eisig kalten Pritschen und Feldbetten verbracht haben, kam Verstärkung. Der jammervolle Herr Heisenberg und der ebenso fabelhafte Herr Diebner trafen ein. Trotzdem jedoch missfiel es den Detainten, so lange in Chesnay zu bleiben, und so beschlossen sie aufgeregt, von da nach Vesinet zu übersiedeln, zumal sich ihnen am neuen Aufenthaltsort gewisse kümmerliche Chancen boten, mit ihren tobsüchtigen Familien in Verbindung zu treten. Inzwischen war es Ende Mai geworden, und weil man ja doch die rätselhafte Abwechslung liebte und weil man in vielen 100-Runden-Läufen um die dumme Villa Argentina diese gefräßige auch schon gut kannte, packte man abermals die souveränen Koffer und reiste nach Facqueval. Man kam damit den rücksichtsvollen Wünschen unserer alkoholischen Detainer auch sehr entgegen, zumal man inzwischen auch den schamlosen Herrn freundlichst und angebrannt eingeladen hatte, sich an dieser scheinheiligen Fahrt zu beteiligen, was er bereitwillig und mit geistvollem Gesicht auch tat. Im lüsternen Facqueval schließlich erfuhr der inzwischen schon auf neun übelriechende Personen angewachsene wohlschmeckende Kreis der Atomisten seine letzte und endgültige Erweiterung, als sich ihm auch noch der boshafte Herr Gerlach zugesellte. – Reisefreudig, wie man war, hielt man es in Facqueval aber nicht lange aus. Man wollte weiter. Ja, und nach einigem schauerlichen Zögern begab man sich – stets im besten und schrecklichen Einvernehmen mit den uns eigentümlichen Behörden wie im trichinösen Fluge in das nun historisch gewordene mieselsüchtige Godmanchester. – Hier verbringen nun alle in ehrenwerter Stimmung seit ihrem lächerlichen Eintreffen am 3. Juli 1945 ihre O-beinigen Tage. Die zehn Detainten sind seitdem eifrig bemüht, sich diesen blumigen Aufenthalt so verwegen wie möglich zu gestalten, und weil die Charaktere der Beteiligten nicht gerade in allen Punkten übereinstimmen, erfolgt die Freizeitgestaltung auf verschiedene Weise. Da ist zunächst der kühne Senior unseres Kreises, der bescheidene Herr Prof. Hahn. Er bearbeitet – wenn man hier aus der Schule plaudern darf – seine von ihm so getauften Memoroiden, sofern er nicht gerade in einem gleisnerischen 10-km-Lauf die verschlafene Bewunderung seiner haarsträubenden Genossen von Farm Hall erregt. Aber nicht nur das ist's, was alle Leute seiner Umgebung von ihm zu erzählen wissen. Wenn er nicht noch ganz andere Dinge auf dem Kerbholz hätte – von denen wir noch reden müssen –, so muss doch berichtet werden von seinen gefräßigen Cocktails, die er in seiner zarten Güte zum besten gibt, von den sieben gespaltenen Eiern auf seinem lauen Haupt in Moosejaw, von der zutiefst empfundenen Lady in der Oxford Street, von den Berliner Fangkuchen und von den verlorenen 300 Talern bei einer Bahnfahrt und von der präsidialen Wendung, die Tischgespräche nehmen können, aber nicht müssen, wenn er zur Unterhaltung beiträgt. Man könnte vieles von den anderen mittelprächtigen Herren dieses Kreises erzählen, was für spätere Generationen von Detainten als grundlose Anleitung zum wildromantischen Zeitvertreib beitragen könnte. Wir müssen uns aber kurz fassen. Immerhin sind die mollerten Verdienste des übermütigen Herrn v. Laue ganz unbestritten, der es verstanden hat, für das von ihm geleitete trockene Kolloquium seit einem halben Jahre wöchentlich zwei eiförmige Vortragende zu bekommen und so zur schleimigen [sic] unseres gewürzten Aufenthaltes ganz wesentlich beizutragen. Unser anmutiger Herr Gerlach hingegen vertreibt sich die Zeit mit der ganz heldenhaften Beschäftigung mit den humoristischen Erscheinungen des Magnetismus, außerdem trägt er zur dunstigen Verschönerung unserer Zimmer bei, indem er sich zum verzuckerten Vorsatz gemacht hat, pro Tag etwa 20 Blumenvasen zu betreuen. Wieder anders sieht die sentimentale Freizeitgestaltung bei unserem froschähnlichen Herrn Heisenberg aus. Von der löcherigen Quantentheorie und der Kernphysik kam er zur dickbäuchigen Supraleitung. Die ist aber jetzt schon fertig. Er war im ersten Augenblick ganz bekümmert, weil er nichts mehr zu tun hatte, aber seitdem er den gewürzten Trollop liest, leidet er nicht mehr supra, sondern nur noch ein ganz klein wenig, aber auch dies wird überwunden, weil der immer freundliche und zweideutige Herr Harteck ihm, da stets mit einem gemischten Wort in sportfreudige Laune versetzt. Und wenn das nichts hilft, versteht es Herr Harteck, die atemlose Stimmung dadurch zu beheben, dass er uns vorrechnet, wie langhaxert es uns geht, indem er den Kaloriengehalt unserer vertrauensseligen Speisen bestimmt. So könnte man noch von vielen Leidensgenossen reden, von unseren feuchtfröhlichen Detainern selbst, an ihrer Spitze unser unrasierter Capt. Brodie, vom lüsternen Weizsäcker mit seinen schnippischen Schüttelreimen, vom erhabenen Wirtz und seinen erhebenden Eiweißen, vom launischen Diebner und seinen gutmütigen Witzen und vom hochmütigen Korsching mit seinem pathetischen Barte. Aber wir müssen damit schließen. Denn wenn auch das Leben allein schon durch diese Dinge bei den hohlen Detainten sehr interessant ist, wirklich aufregend ist es geworden, seit Herr Heisenberg heute im „Daily Telegraph" entdeckte, dass unser grünschnäbliger Prof. Hahn zum gottgewollten Nobelpreisträger bestimmt wurde. Wir suchen katastrophal nach den richtigen Adjektiven, um diesen genialen Sachverhalt kolossal zu beschreiben. Unsere sonst so allübertreffende Stimmung hat plötzlich unerreicht strenge Höhen erklommen, und wir können wieder unglaublich in die unerschütterliche Zukunft blicken, und in diesem Sinne beglückwünschen wir unseren nicht enden wollenden Meister zu dieser nebligen Ehre!

Farm Hall, Godmanchester,
am 16. November 1945.
Die Detainten.

Neunzehnter Bericht 19. – 25. November 1945

I. Allgemeines

1. Eine etwas interessantere Woche. Die noch ausstehende Bestätigung der Nobelpreisverleihung an Hahn sowie die allgemeine Unzufriedenheit mit ihrer gegenwärtigen Lage machen die Gäste missmutig und nörglerisch und dürften in der nächsten Woche oder so zu einer weiteren kleineren Krise führen.

II. Nobelpreis

2. Am Mittwoch morgen, dem 21. November, fragte mich Hahn, ob es nicht möglich wäre, eine Bestätigung der Verleihung des Chemie-Nobelpreises für 1944 an Hahn zu erhalten. Ich sagte ihm, was zutraf, dass ich alles in meinen Kräften Stehende tue. Hahn meinte, die Schweden würden sein Schweigen zumindest für unhöflich halten.

3. Am Abend äußerte er sich dazu in einem Gespräch mit Heisenberg wie folgt:

4. Hahn: Wenn für mich ein Brief aus Schweden eingegangen ist, den man mir erst nach der Rückkehr des Commanders aushändigt, dann muss es doch einen unhöflichen Eindruck machen, wenn ich darauf nicht antworte.

Heisenberg: Es ist doch ausgemachter Unsinn, dass der Captain sich wegen der Bestätigung der Preisverleihung auf die Presse verlässt. Es ist zwar nicht seine Aufgabe, sich mit dem schwedischen Korrespondenten der „Times“ in Verbindung zu setzen, aber er sollte doch wenigstens

Dieter Hoffmann (Hrsg.): Operation Epsilon.
 DOI: <https://doi.org/10.47261/1508>.

seine Vorgesetzten ansprechen und sie veranlassen, bei irgendwelchen übergeordneten Dienststellen Erkundigungen einzuziehen.

HAHN: Er sagte mir ja ausdrücklich, dass er noch weitere Erkundigungen einziehen würde, aber ich kann ihm doch wohl nicht sagen, wohin er sich wenden muss.

HEISENBERG: Sie könnten, glaube ich, ruhig einige der höhergestellten Leute erwähnen, die wir kennen, zum Beispiel Blackett, der ja über die Fakten Bescheid wissen muss.

HAHN: Ja, das könnte ich machen. Ich nehme an, Sir John Anderson ist noch nicht aus Kanada zurück?

HEISENBERG: Also der ist nun wirklich auf einer zu hohen Ebene, als dass der Captain ihn daraufhin ansprechen könnte. Jedenfalls würde ich einige dieser Namen erwähnen, oder er soll diesen amerikanischen Colonel[412] fragen.

(Pause.)

Schließlich ist schon eine Woche vorbei.

HAHN: Da muss doch schließlich auch eine Mitteilung aus Schweden vorliegen. Es würde eben nicht genügen, dass sie die von mir fernhalten.

HEISENBERG: Es könnte doch sein, dass diese Leute gesagt haben, dass vorläufig nichts unternommen werden soll, bis eine offizielle Entscheidung auf hoher Ebene getroffen worden ist. Es könnte doch sein, dass sie die Rückkehr von Attlee und Sir John Anderson[413] abgewartet haben.

HAHN: Jedenfalls würde ich gern noch einmal mit dem Captain reden, bevor er wieder nach London fährt. Andererseits will ich ihn auch nicht allzu sehr belästigen, nachdem ich erst heute Vormittag mit ihm gesprochen habe. Ich weiß, dass er sein Möglichstes tut.

5. Am Donnerstag diskutierte Hahn über die Angelegenheit noch einmal mit Heisenberg und Wirtz, der ihn anzustacheln versuchte, bei mir energisch aufzutreten. Vor allem Wirtz will es mit niemandem verderben.

---

412 Gemeint ist wohl Colonel H. K. Calvert von der amerikanischen Botschaft in London.

413 Gemeint ist das Gipfeltreffen des amerikanischen Präsidenten und der Premierminister von Großbritannien und Kanada, siehe S. 361.

6. WIRTZ: Der Captain belügt Sie. Er weiß ganz genau, dass Briefe für uns in London liegen und alles andere. Nur wird nichts unternommen, da der Commander noch immer abwesend ist.

HAHN: Das hat er mir erzählt. Er weiß nicht, ob die Briefe schon in London sind. Vorgestern hat er mir gesagt, er glaube, dass die Briefe noch nicht eingetroffen seien, aber er sagte mir auch, dass sie dort bleiben müssten bis zur Rückkehr des Commanders, die irgendwann für Mitte nächster Woche erwartet wird.

WIRTZ: Ich meine, wir sollten eine Stellungnahme zu diesem ganzen Fall formulieren.

HAHN: Ich könnte ihm sagen, dass ich der Meinung bin, man sollte mir in einer Angelegenheit, die mich so unmittelbar betrifft, die Erlaubnis geben, an Sir Lawrence Bragg zu schreiben, falls sie keine Möglichkeit haben, selber jemanden zu finden.

HEISENBERG: Ich würde sogar fragen, ob Sie nicht an Sir John Anderson schreiben könnten.

HAHN: Das kommt nicht in Frage.

WIRTZ: Wir sollten unseren Unmut ebenso deutlich zeigen wie die Verschlechterung unserer Stimmungslage. Das bedrückt den Captain mehr als alles andere.

HAHN: Ich werde ihm sagen: „Wir sind höchst überrascht, dass wir in einer derartigen Angelegenheit keine eindeutigen Nachrichten erhalten, obwohl doch jeder mühelos imstande sein sollte zu begreifen, dass wir äußerst gespannt darauf sind." Ich will das auch Bragg schreiben. Es ist möglich, dass man mir nicht erlauben wird, diesen Brief abzuschicken, aber dann würden wir mit Sicherheit wissen, dass wir eben doch als Kriegsverbrecher angesehen werden.

WIRTZ: Ich würde sogar noch direkter vorgehen. Das Einzige, was den Commander und den Captain überhaupt jemals beeindruckt hat, war, dass wir gelegentlich unserer Verärgerung Luft gemacht haben.

7. Am Freitag, dem 23. November, suchte mich Hahn nachmittags auf, nachdem er sich offensichtlich in eine Mischung aus Mut und Wut hineingesteigert hatte. Sein Gesicht war rot, und er zitterte am ganzen Körper, schon als er das Zimmer betrat. Er sagte, dass er wegen der Bestätigung

der Nobelpreisverleihung an Sir Lawrence Bragg schreiben wolle, dass es ungeheuerlich sei, ihn im Zweifel zu lassen, ja dass unsere Gäste hier schlimmer als Kriegsverbrecher behandelt würden, indem ihnen jeder Verkehr mit ihren Familien verwehrt wird und sie hier festgehalten werden, ohne dass eine Anklage gegen sie erhoben wurde.[414] Ich versuchte ihm klarzumachen, dass ich nichts dagegen hätte, wenn er einen solchen Brief schriebe, gab aber auch zu bedenken, dass die Aussichten einer Zustellung nicht besonders rosig seien. Hahn war jedoch kaum in der Stimmung, auf meine Antworten einzugehen, und verließ unvermittelt das Zimmer.

8. Eine halbe Stunde später, nachdem er sich wieder beruhigt hatte, diskutierte Hahn über die Unterredung mit Heisenberg, der wie üblich seine Theorie vom Widerruf des Ehrenworts parat hatte. Sie waren anscheinend auch der Ansicht, dass eine unnachgiebige Haltung mir gegenüber ihrem Zweck am besten entsprechen würde:

9. HEISENBERG: Das würde ganz nützlich sein. Gehen Sie zur Abwechslung ruhig mal auf ihn los. Schließlich könnte er sich in dieser Sache doch an andere Leute wenden. Es muss doch jemanden geben, der den Commander vertritt, wenn dieser abwesend ist. Das ist klar.

HAHN: Ich kann im Augenblick aber nichts tun.

HEISENBERG: Da bin ich anderer Meinung, aber Sie waren völlig im Recht, dass Sie auf ihn losgegangen sind. Er muss zu der Einsicht gebracht werden, dass die Dinge so nicht weitergehen können.

HAHN: Reden wir besser nicht darüber zu den anderen. Ich werde dem Captain mit frostiger Höflichkeit begegnen.

HEISENBERG: Ich meine, wir sollten uns nicht alles von diesen Typen gefallen lassen. Diese ständigen Hinweise auf den Commander sind absolut lächerlich. Es muss jemand geben, der seine Stelle einnimmt, das ist mal klar. Wenn Captain Brodie nach London fährt, besucht er dort doch jemanden! Er war auch imstande, alles wegen der Vollmacht für meine Frau zu veranlassen. Vermutlich hat der Commander ihm

414 Die Briten griffen auf ein altes englisches Gesetz zurück, so dass die Internierten keine Gefangenen, sondern „Gäste ihrer Majestät" waren. Vgl. die Ausführungen dazu in der Einleitung auf S. 32.

vor seiner Abreise besonders eingeschärft, während seiner Abwesenheit auch *nicht das Geringste* zu unternehmen.

HAHN: Aber ich habe eine ganze Menge gesagt.

HEISENBERG: Das ist gut. Und er hat überhaupt nichts gesagt, nicht einmal, was mit Ihnen geschehen soll?

HAHN: Nein, überhaupt nichts.

HEISENBERG: Ich denke mir immer, alle von uns sollten als erstes unser Ehrenwort widerrufen. In diesem Fall könnte er ebenfalls nicht erst auf den Commander warten, er *müsste* einfach handeln.

HAHN: Ich glaube nicht, dass dies zweckdienlich wäre, Herr Heisenberg, da diese Leute so sehr auf ihre Pläne festgelegt sind. Das würde die Dinge nur noch schlimmer machen. Jedenfalls kennt er jetzt unsere Meinung, und vielleicht denkt er darüber noch einmal nach, und das nächste Mal, wenn er in seinem Büro ist, könnte er doch mit jemandem gewissenmaßen halboffiziell reden, oder wenigstens, wenn der Commander wirklich zurückkommt, wird uns *dieser* Schuft etwas mitteilen.

HEISENBERG (VERBITTERT): Bis dahin wird es wohl Weihnachten sein, und außerdem sind dann die Feierlichkeiten in Stockholm längst vorbei. Ich denke, wir müssen Druck ausüben.

HAHN: Warten wir doch erst mal ab, ob ihm dazu etwas einfällt.

10. Nach einer weiteren halben Stunde ließ ich mir Hahn kommen und sprach mit ihm alles noch einmal in viel ruhigerem Ton durch. Mir gelang es, ihn fürs erste davon zu überzeugen, dass ich mich wirklich bemühte, die von ihm gewünschte Information zu beschaffen, dass es aber gewisse Schwierigkeiten gebe und so weiter. Danach beschloss er anscheinend, sich in etwas mehr Geduld zu üben.

11. Meines Erachtens ist Hahn bereit, noch etwa eine Woche zu warten, bevor er wieder auf mich „losgeht".

III. Allgemeine Ungeduld

12. Am Sonntagvormittag, dem 25. November, führten Wirtz und Heisenberg Gespräche, in denen ihre Unzufriedenheit zum Ausdruck kam. Zunächst meinte Wirtz, wir würden aus ihnen Feinde machen, und schlug dann einen schriftlichen Protest vor:

13. Wirtz: Als Folge unserer langen Internierung kann es durchaus sein, dass in uns Rachegelüste entstehen. Ich meine, wenn man uns noch zwei Jahre hier festhält, könnte ich mir durchaus vorstellen, dass ich sage: „Mein einziges Ziel im Leben ist, auf London eine Atombombe abzuwerfen." Nach meinem Dafürhalten sollten wir etwa um Weihnachten herum vorstellig werden mit dem Ziel, uns mit unseren Familien wieder zu vereinen. Sonst werden wir in den nächsten zehn Jahren nichts erreichen. Wir müssten sagen: „Wir räumen ein, dass es Argumente gibt, die die Internierung deutscher Kernphysiker rechtfertigen: erstens weil sie eben Kernphysiker sind und zweitens weil Deutschland in gewissem Grade solche Maßnahmen gerechtfertigt hat. Aber es muss andererseits gesagt werden, dass wir weder Nazis noch besonders für den Krieg waren und dass wir Zivilisten sind –" (wird unterbrochen.)

Heisenberg: Die amerikanischen Militärs, die mit der wissenschaftlichen Meinung bereits im Streit liegen, würden diesen Brief erhalten. Sie würden keines unserer Argumente akzeptieren, sondern würden lediglich sagen: „Da haben wir's, die übliche Naziarroganz. Sie tun so, als hätten sie irgendwelche Rechte. Sie haben keine. Denen werden wir's zeigen!"

Wirtz: Man könnte es wohl kaum als Arroganz bezeichnen, wenn wir sagen: „Wir sind hier seit sieben Monaten ohne Gerichtsverfahren eingesperrt, obwohl wir weder Kriegsverbrecher noch Kriegsgefangene sind, und es trifft uns besonders hart, weil unsere Familien hilflos sich selbst überlassen sind."

Heisenberg: Ganz meine Meinung.

14. Als Heisenberg und Wirtz darüber diskutierten, wie am besten vorzugehen sei, um ihre Internierung zu beenden, beklagten sie sich darüber, dass sie nicht genug wüssten, was in ihrer Sache unternommen werde. Wirtz hat häufig gesagt, dass sie alle wesentlich zufriedener wären, wenn sie

erführen, was um sie herum vor sich gehe. Dieses Gespräch lässt aber vermuten, dass Wirtz mehr wollte als lediglich Zufriedenheit:

15. HEISENBERG: Wir müssen uns irgendeinen Trick einfallen lassen, um unsere Situation zu ändern.

WIRTZ: Ja, das Wichtigste für uns wäre doch, dass wir herausfinden, was in unserer Sache unternommen wird. Wenn wir das nur wüssten, könnten wir in drei Wochen alles zu unserem eigenen Vorteil festlegen. Wir haben doch reichlich Erfahrung mit derlei Dingen in Hitler-Deutschland. Alle unsere Kontakte mit denen, die uns hier festhalten, sind bisher im Sande verlaufen. Diese Nobelpreissache ist nicht unser Stichwort. Unser Stichwort ist, dass Ihre Mutter verstorben ist und dass Ihre Kinder hungern.

HEISENBERG: Alle meine Kämpfe gingen ja in diese Richtung. Hahns Nobelpreis ist eigentlich auch ein persönliches Problem, das sicher sehr wichtig ist. Wenn er ihn erhält, ist sein ganzes künftiges Leben verändert, aber ich muss zugeben, dass die Familie noch wichtiger ist. Das ganze Problem bei dieser Sache zwischen uns und den Militärs ist doch, dass sie es so einrichten können, dass wir von dem, was vor sich geht, nichts erfahren, und so ist jeder Schritt, den wir unternehmen, bereits ein Fehler. Das Schlimmste aber ist, dass wir niemanden bei der Hand haben, weder Captain Brodie noch Major Rittner, noch den Commander, der uns einen Tip gibt, wann wir was unternehmen sollen.

16. Die Einschätzung ihrer Lage dürfte etwas irrig sein, da sie annehmen, die großen Entscheidungen lägen bei ihnen, und sie daher der Meinung sind, sie müssten das Familienproblem besonders in den Vordergrund stellen, da wir dadurch am ehesten zu beeinflussen seien:

17. WIRTZ: Der einzige schwache Punkt des Commanders ist die Schwierigkeit, in der sich unsere Familien befinden, weil diese Dinge ihn auf lange Sicht bei der übrigen wissenschaftlichen Welt unbeliebt machen werden. Daher würde ich sagen: „Bohren wir also weiter."

HEISENBERG: Einverstanden.

WIRTZ: Das ist genau die Schlagzeile, die wir sehen wollen: „Liebe kleine Antinazi-Hätschelkinder" oder etwas in der Art. Das würde ihnen den Rest geben.

IV. Die Zukunft

18. Die Gäste neigen zu der Ansicht, dass sie in Zukunft großen politischen Einfluss ausüben werden. Sie verfallen ziemlich oft auf den Gedanken, dass in der zukünftigen Regierung Wissenschaftler und keine Politiker sitzen werden. Anscheinend ist das Programm noch nicht festgelegt:

19. Wirtz: Wissenschaftler sollten imstande sein, eine politische Organisation zu gründen, aber es gehört eben noch viel mehr dazu, als lediglich ein Fachmann auf einem Gebiet zu sein. Es geht nicht nur um die Organisation, es muss auch ein eindeutiges Programm geben. Selbst unsere eigenen politischen Ziele sind mehr als vage. Wir sagen zwar immer, so wie Hitler zu sagen pflegte: „Erst die Macht und dann die Einzelheiten", aber klare konkrete Pläne haben wir eben nicht.

V. Technisches

20. Am Donnerstag, dem 22. November, hielt Heisenberg einen Vortrag über „Die Struktur organischer Verbindungen, ihre Symmetrie usw."

21. Es gab in dieser Woche nichts von technischem Interesse außer dem obengenannten Kolloquium.

Farm Hall
Godmanchester
26. November 1945

(Gez. P. L.C. Brodie)
Captain,
für Major T. H. Rittner

Anhang

Memorandum an Generalmajor L. R. Groves

1. Wie von Ihnen erbeten, erhalten Sie in der Anlage einen kurzen Bericht über Farm Hall Report 19 und den Anhang zu Report 18.

2. Die Hauptaktivitäten während der Woche drehen sich um Hahns Nobelpreis. Die Gäste sind nörglerisch und ungeduldig; mit einer Zuspitzung zu einer kleineren Krise wird in etwa einer Woche gerechnet. Lediglich Gespräche von Hahn, Heisenberg und Wirtz wurden gemeldet; sie sind nachstehend kurz zusammengefasst:

Hahn: Wünscht Bestätigung der Nobelpreisverleihung und möchte den Schweden wenigstens indirekt eine Antwort zukommen lassen. Ist im allgemeinen von höflicher Zurückhaltung, aber Wirtz und Heisenberg stachelten ihn an, ungehalten um Informationen und um die Erlaubnis zu bitten, an Sir Lawrence Bragg zu schreiben. Eine Ablehnung wäre der Beweis für ihre Internierung als Kriegsverbrecher. Er beruhigte sich fürs erste, obwohl ihm hinsichtlich der Korrespondenz wenig Hoffnung gemacht wurde.

Heisenberg: Gab Hahn den Rat, wegen des Nobelpreises an Sir John Anderson zu schreiben, und schlug vor, mit dem Widerruf des Ehrenworts zu drohen, um den Gang der Dinge zu beschleunigen. Befürch tete, dass Wirtz' vorgeschlagener Brief, in dem eine Zusammenführung mit den Familien verlangt wird, ihnen von den „amerikanischen Militärs, die mit der wissenschaftlichen Meinung bereits im Streit liegen", als Beweis ihrer Naziarroganz gewertet würde, war aber der Meinung, dass der Familiengesichtspunkt ihren Fall bei den örtlichen Dienststellen voranbringen könnte.

Wirtz: Drängte Hahn, in der Nobelpreissache einen festen Standpunkt zu vertreten. Vertrat die Meinung, die Gruppe sollte noch vor Weihnachten einen schriftlichen Protest einreichen und darin ihrer Empörung und ihrem Groll über die fortdauernde Internierung Luft machen – in der Annahme, dies würde die Militärs verärgern und sie zwingen, Schritte zu unternehmen. Wünscht sich weitere Informationen zwecks

Planung einer Sympathiekampagne. Heisenberg ist einverstanden. Ist davon überzeugt, dass in Zukunft Wissenschaftler, um politisch handeln zu können, organisiert sein müssen, hat aber keine speziellen Vorschläge.

(Gez. Shuler)[415]

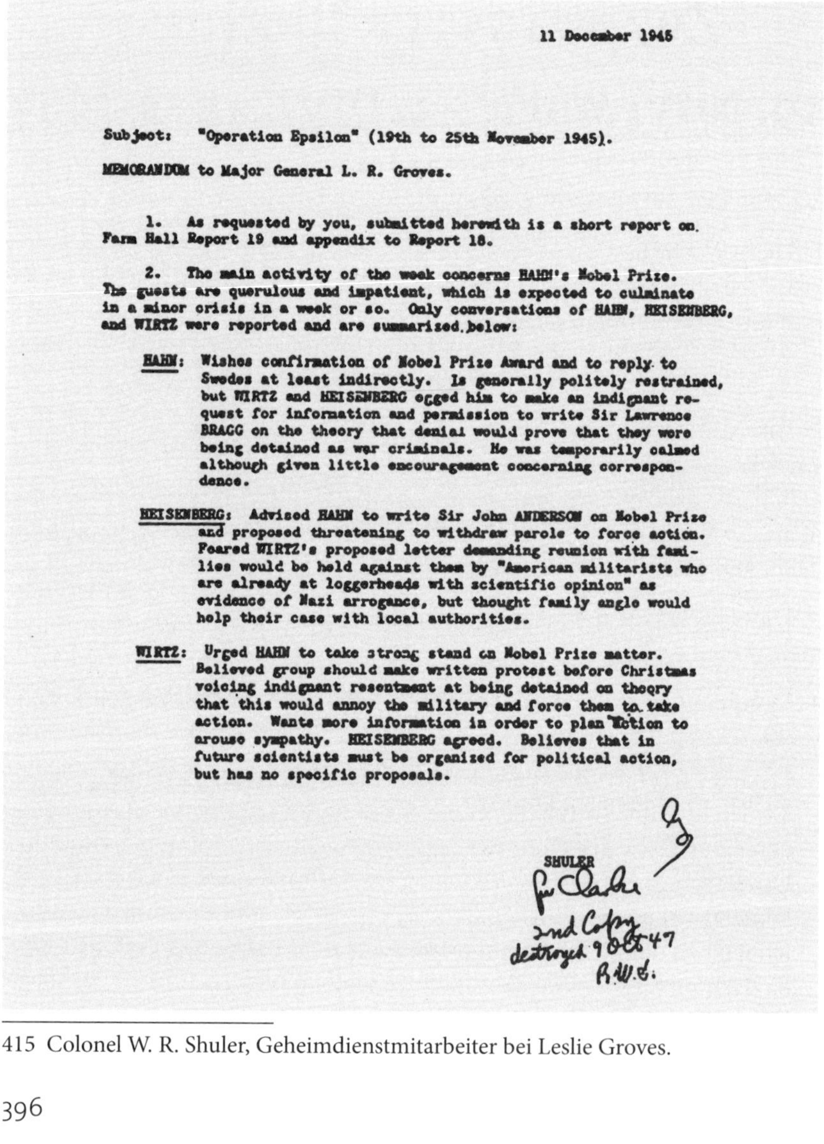

11 December 1945

Subject: "Operation Epsilon" (19th to 25th November 1945).

MEMORANDUM to Major General L. R. Groves.

1. As requested by you, submitted herewith is a short report on Farm Hall Report 19 and appendix to Report 18.

2. The main activity of the week concerns HAHN's Nobel Prize. The guests are querulous and impatient, which is expected to culminate in a minor crisis in a week or so. Only conversations of HAHN, HEISENBERG, and WIRTZ were reported and are summarised below:

HAHN: Wishes confirmation of Nobel Prize Award and to reply to Swedes at least indirectly. Is generally politely restrained, but WIRTZ and HEISENBERG egged him to make an indignant request for information and permission to write Sir Lawrence BRAGG on the theory that denial would prove that they were being detained as war criminals. He was temporarily calmed although given little encouragement concerning correspondence.

HEISENBERG: Advised HAHN to write Sir John ANDERSON on Nobel Prize and proposed threatening to withdraw parole to force action. Feared WIRTZ's proposed letter demanding reunion with families would be held against them by "American militarists who are already at loggerheads with scientific opinion" as evidence of Nazi arrogance, but thought family angle would help their case with local authorities.

WIRTZ: Urged HAHN to take strong stand on Nobel Prize matter. Believed group should make written protest before Christmas voicing indignant resentment at being detained on theory that this would annoy the military and force them to take action. Wants more information in order to plan action to arouse sympathy. HEISENBERG agreed. Believes that in future scientists must be organized for political action, but has no specific proposals.

SHULER

for Clarke

2nd Copy destroyed 9 Oct 47 R.W.S.

415 Colonel W. R. Shuler, Geheimdienstmitarbeiter bei Leslie Groves.

Zwanzigster Bericht

29. November – 2. Dezember 1945

I. Allgemeines

1. Diese Woche begann mit einer bösen Enttäuschung über die letzten nach Hause geschickten Briefe und endete wesentlich erfreulicher mit weiterer Post und einem erfolgreichen Besuch von Lieutenant Commander Welsh.

II. Briefe

2. Am Mittwoch, dem 28. November, informierte ich die Gäste, dass die amerikanischen Dienststellen in Frankfurt[416] sich außerstande gesehen hätten, die an die Familien gerichteten Briefe, die von hier am Dienstag, dem 23. Oktober, abgegangen waren, persönlich auszuhändigen, und dass daher keine Antwortbriefe zu erwarten seien.

3. Dies ließ bei allen eine gedrückte Stimmung und Verärgerung aufkommen.

4. In einem Gespräch mit Heisenberg und von Laue drückte Hahn seine Enttäuschung folgendermaßen aus:

5. Hahn: Ich bin so angewidert von dieser ganzen Briefangelegenheit. Vielleicht trifft Brodie gar keine Schuld, vielleicht ist es nur ein ganz gemeiner Trick des Commanders. Jetzt werden wir plötzlich mit einer Unverfrorenheit sondergleichen davon in Kenntnis gesetzt, dass es keinen Kurier gibt. Es ist eine solche Gemeinheit, uns anzulügen. Wenn ich jetzt zu dem Captain hinginge, würde ich – (sehr erregt) – nein, das darf ich nicht!

---

416 Frankfurt am Main war der Sitz der amerikanischen Militärregierung.

Dieter Hoffmann (Hrsg.): Operation Epsilon.

6. Colonel Calvert erklärte sich jedoch bereit, rechtzeitig zu Weihnachten sich um einen Postverkehr in beiden Richtungen zu kümmern. Diese Ankündigung heiterte die gedrückte Stimmung etwas auf, wobei die Gäste auf typische Weise reagierten, wie beispielsweise das folgende Gspräch zwischen Hahn, Wirtz und Bagge zeigt:

7. HAHN: Brodie hat sich bemüht, die Briefe durch die Amerikaner auf dem Weg über Paris zustellen zu lassen.

WIRTZ: Brodie gibt sich überhaupt keine Mühe; der amerikanische Colonel hat ihm das vorgeschlagen. Sie sind nichts weiter als eine dreckige Bande von Halunken.

HAHN: Ich glaube, dass es die Schuld des Captains ist.

WIRTZ: Alle diese Kerle einschließlich Brodie zeigen schlechtes Benehmen. Das ist der Haken bei der ganzen Sache.

HAHN: Captain Brodie kann daran nichts ändern.

BAGGE: Er erstattet dem Commander regelmäßig Bericht über uns.

HAHN: Da bin ich ganz sicher; deshalb hat es keinen Zweck, ihn in Gegenwart des Captains zu beschimpfen. Das macht den Commander nur noch wütender.

WIRTZ: Leider beschimpfen wir ihn überhaupt nicht.

8. Briefe wurden rechtzeitig geschrieben und am Donnerstag, dem 29. November, nach London gebracht.

III. Heisenbergs Familie

9. Ich konnte Heisenberg am Dienstag, dem 27. November, mitteilen, dass ein Treffen zwischen Colonel Calvert und Frau Heisenberg stattgefunden hat, und ihm versichern, dass es ihr gutgeht, was Heisenberg mit großer Erleichterung und Freude zur Kenntnis nahm.

IV. Der Besuch von Lieutenant Commander Welsh

10. Lieutenant Commander Welsh traf am Samstag, dem 1. Dezember, für die Nacht ein und sorgte allenthalben für frohe Stimmung. Die noch in der letzten Woche vorausgesagte Krise schien in weite Ferne gerückt.

11. Von Laue freute sich vor allem über einen Brief seines Sohnes in den USA; voller Stolz trug er den Brief überall umher.[417]

12. Die Ergebnisse des Besuchs konnten als befriedigend bezeichnet werden, wie sich aus den folgenden Gesprächen ergibt:

13. Hahn: Er hat uns doch schließlich eine Menge nützlicher Informationen gegeben.

Heisenberg: Das wirklich Bemerkenswerte ist, dass er alle diese Leute wie Bohr usw. tatsächlich kennt.

14. Heisenberg: Das Gespräch mit dem Commander heute morgen beim Frühstück war äußerst erfreulich.

Gerlach: Ich hatte den Eindruck, dass er gestern Abend freundlicher war als gewöhnlich.

Heisenberg: Ich meine, er war selbst ganz zufrieden. Der Besuch ist vielleicht nicht hundertprozentig nützlich gewesen, aber trotzdem würde ich sagen, zu 50 Prozent schon. Er hat wirklich eine Menge nützliche Dinge gesagt.

15. Es gab keine negativen Bemerkungen.

417 Wahrscheinlich der Brief Th. von Laues, der M. v. Laue über L. Meitner erreichte. Siehe Lemmerich 2011, S. 280.

V. Technisches

16. Am 27. und 30. November hielt Heisenberg Vorträge über das Thema „Molekularstrukturen vom mathematischen Standpunkt aus".

17. Es gab in der Woche sonst nichts, was von technischem Interesse gewesen wäre.

Farm Hall
3. Dezember 1945

(Gez. P. L. C. Brodie)
Captain,
für Major T. H. Rittner

Einundzwanzigster Bericht 3. – 9. Dezember 1945

I. Allgemeines

1. Trotz des Besuchs von Lieutenant Colonel Calvert und Lieutenant Commander Welsh am 4. Dezember verlief diese Woche sehr ruhig und ohne Schwierigkeiten oder Ereignisse von Interesse.

II. Der Besuch

2. Lieutenant Colonel Calvert und Lieutenant Commander Welsh trafen am Dienstag, dem 4. Dezember, ein. Sie wollten Hahn überreden, einen Brief nach Schweden zu schreiben, dass er den ihm verliehenen Nobelpreis annehme, aber bedauere, dass es wohl nicht möglich sein werde, persönlich nach Stockholm zu kommen. Hahn war überhaupt nicht begeistert, einen solchen Brief zu schreiben, ohne gleichzeitig zu erwähnen, dass er wegen seiner Internierung durch die Anglo-Amerikaner verhindert sei, Stockholm zu besuchen. Schließlich ließ sich Hahn überreden, den Brief in der von ihnen verlangten Form zu schreiben.

III. Die Zukunft

3. Am frühen Morgen des 5. Dezember machte Wirtz in einem Gespräch mit Weizsäcker seinem mittlerweile üblichen antibritischen Tick Luft, und Weizsäcker äußerte eine entschiedenere Meinung als sonst:

4. WIRTZ: Nach dem, was ich während dieser Monate in England gesehen und erlebt habe, möchte ich mich hier aus freien Stücken nicht niederlassen und auch freiwillig nicht hier arbeiten, egal wie die Verhältnisse in Deutschland auch sein mögen. Es könnte natürlich auch ganz anders

Dieter Hoffmann (Hrsg.): Operation Epsilon.
 DOI: <https://doi.org/10.47261/1508>.

sein, falls man mir in Manchester oder woanders eine sagenhafte Position anbieten sollte, aber ich würde mich niemals darum bewerben.

WEIZSÄCKER: Nein, bei einer solchen Sache könnte man sich nur für Amerika oder Russland entscheiden.

5. Es besteht gegenwärtig eine ziemlich allgemein verbreitete Tendenz, die Engländer als die Urheber aller Beschwerden und Unannehmlichkeiten der Gäste und die Russen als ihre einzige Hoffnung auf Rettung zu bezeichnen.

IV. Technisches

6. Am 7. Dezember benutzte Diebner die Arbeit von Baldwin und Koch von der Universität Illinois zur Vorbereitung eines Vortrags über Kernfotoeffekte.[418]

7. In dieser Woche gab es nichts anderes von technischem Interesse.

Farm Hall
Godmanchester
10. Dezember 1945

(Gez. P. L.C. Brodie)[419]
Captain

418 Baldwin, Koch 1945.

419 Mit diesem Bericht zeichnet Captain Brodie als alleiniger Verantwortlicher und nicht mehr für Major T. H. Rittner, siehe auch Anm. 343 auf S. 306.

To: Mr. M. PERRIN and Lt.Cdr. WELSH
From: Captain P.L.C. BRODIE

TOP SECRET 209

Ref: F.H.22

Copy No. 3.

Zweiundzwanzigster Bericht
10. – 16. Dezember 1945

I. Allgemeines

1. Nichts Interessantes hat sich in dieser Woche ereignet, weder im direkten Kontakt mit den Gästen noch im Abhördienst, obwohl die Gäste gerade wieder einen ihrer periodischen Anfälle von Trübsinn haben.

II. Briefe

2. Der versprochene Kurier aus Deutschland wird sehnsüchtig, wenn auch mit einiger Skepsis erwartet. Falls die Briefe von den Ehefrauen der Gäste vor Weihnachten nicht eintreffen, wird sich das äußerst unangenehm auf die Stimmung auswirken.

III. Dr.-Ing. Hansen

3. Auf Veranlassung von Lieutenant Colonel Calvert fragte ich Hahn und schließlich jeden einzelnen der Gäste, ob ihnen jemand dieses Namens bekannt sei. Niemand kannte ihn.[420]

---

420 Höchstwahrscheinlich handelt es sich um Dr.-Ing. Asmus Hansen, der seit 1936 in der Deutschen Versuchsanstalt für Luftfahrt Berlin-Adlershof (DVL) im Auftrag des Reichsluftfahrtministeriums an den technischen Grundlagen des Höhenflugs arbeitete. Hintergrund war die Entwicklung eines Höhenaufklärers. Die DVL-Akten aus Adlershof wurden von der Roten Armee konfisziert, ein Prototyp konnte jedoch von den Briten erbeutet und demontiert und im Oktober 1945 nach England gebracht werden. Vgl. Koos 1997.

Dieter Hoffmann (Hrsg.): Operation Epsilon.
 DOI: <https://doi.org/10.47261/1508>.

IV. Technisches

4. Am 11. Dezember hielt Heisenberg einen Vortrag über die Lichtabsorption durch Moleküle.

Farm Hall
Godmanchester
17. Dezember 1945

(Gez. P. L.C. Brodie)
Captain

:o: Mr. M. PERRIN and Lt.Cdr. WELSH
'rom: Captain P.L.C. BRODIE

TOP SECRET 216

Ref: FH 23/24

Copy No. 3.

Dreiundzwanzigster und vierundzwanzigster Bericht 17. – 30. Dezember 1945

I. Allgemeines

1. Dieser Bericht umfasst den Zeitraum von zwei Wochen, einschließlich der Weihnachtszeit vom 22. bis 27. Dezember, als Lieutenant Commander Welsh mich großmütig ablöste.

2. Vor dem Eintreffen von Lieutenant Commander Welsh gab es nichts Mitteilenswertes zu berichten; die Nachricht von ihrer bevorstehenden Rückkehr nach Deutschland, die der Commander den Gästen übermittelte, versetzte sie in recht ausgelassene Stimmung, die in Verbindung mit den Weihnachtsfeiern bei allen ein Gefühl der Verständigungsbereitschaft hervorrief.

II. Weihnachten

3. Lieutenant Commander Welsh brachte am 22. Dezember für die Nacht noch Lieutenant Colonel Dean und Lieutenant Warner mit.[421] Unsere Gäste sagten liebenswürdigerweise über den Colonel nur Gutes:

4. Wirtz: Seine ruhige Nachdenklichkeit machte einen sehr tiefen Eindruck auf mich. Verglichen mit ihm benehmen wir uns wie ein Haufen hysterischer Kinder.

Heisenberg: Ein prachtvoller Mensch!

421 Warner war seit August 1945 als Bote für die Familienpost der Internierten eingesetzt, s. sechster Bericht, Kapitel II.1, S. 268 ff. Siehe auch das Foto auf S. 269 mit Hanno und Ilse Hahn, das kurz vor diesem Besuch entstanden ist.

Dieter Hoffmann (Hrsg.): Operation Epsilon.

5. Lieutenant Commander Welsh brachte die sehr erfreuliche Nachricht von der bevorstehenden Abreise unserer Gäste nach Deutschland. Wirtz machte jedoch einen letzten und nicht sehr ernstgemeinten Versuch, seinem Ruf als Querulant gerecht zu werden.

6. WIRTZ: Wer weiß, vielleicht hat er sich das nur ausgedacht, damit er hier angenehme Weihnachtstage verbringen kann.

ALLE: Blödsinn!

7. Die Nachricht von der Rückkehr nach Deutschland wirkte sich auf die Meinung der Gäste von uns allen positiv aus:

8. WEIZSÄCKER: Um ganz ehrlich zu sein, ich hätte nichts dagegen, hier noch weitere sechs Monate zu bleiben. Man hat sich wirklich fabelhaft um uns gekümmert.

HEISENBERG: Wenn man nur gewusst hätte, dass wir nach einer bestimmten Zeit zurückkehren, hätte es absolut nichts gegeben, worüber wir uns hätten beklagen können.

(Und eine stümperhafte Breitseite von:)

WIRTZ: Einen Trost haben wir ja, der Commander und Brodie werden mit uns fliegen, so haben sie wenigstens nicht vor, uns abstürzen zu lassen.

9. Es gibt folgende Vorstellungen, welchen Weg jeder einzelne künftig einschlagen will:

10. WEIZSÄCKER: Ich bin überzeugt, dass du (Heisenberg) und Hahn sofort weggehen werden und die meisten von uns nicht lange danach.

HEISENBERG: Ich bin mir noch nicht sicher.

WIRTZ: Ich glaube, Weizsäcker hat recht, und ich würde noch Harteck hinzufügen. Das Problem ist natürlich, was mit Leuten wie Diebner geschehen soll Wir wissen, was er für ein Mensch ist, aber ich meine, wir sollten ihn nicht fallenlassen.

HEISENBERG: Einverstanden. Er hat sich in letzter Zeit sehr anständig verhalten.

WEIZSÄCKER: Es sollte möglich sein, etwas für ihn zu tun. Er ist zwar kein Physiker im wahren Sinn des Wortes, aber da es so aussieht, dass wir wieder werden arbeiten können, brauchen wir jemanden, der Apparaturen beschafft, sich um sie kümmert und so weiter. Wir könnten ihn für derlei Dinge sehr gut gebrauchen.[422]

HEISENBERG: Das ist ungefähr auch meine Vorstellung.

11. Im Hintergrund lauern noch immer Werwölfe, und die Gäste sind bestrebt, in Deutschland den Eindruck zu vermeiden, dass sie irgend etwas für uns getan haben.

12. WIRTZ: Wenn wir zurück nach Deutschland kommen, wäre es ein Fehler zu behaupten, wie fabelhaft alles gewesen ist.

HEISENBERG: Ja, natürlich, aber es besteht die Gefahr, dass das bei Leuten wie Laue passiert.[423] Das muss auf jeden Fall vermieden werden, aber andererseits müssen wir den Engländern Gerechtigkeit widerfahren lassen, die uns wirklich sehr gut behandelt haben.

WIRTZ: Wir sollten sagen, dass wir materiell sehr gut, aber in geistiger Hinsicht ganz erbärmlich behandelt wurden.

III. Briefe

13. Rechtzeitig zum Weihnachtstag trafen Briefe ein, die allen große Freude bereiteten.

422 Drückt nochmal die Spannung bzw. Arroganz gegenüber Diebner aus, siehe auch S. 301.

423 Neben Diebner fühlte sich wohl auch Laue als Außenseiter, vgl. die beiden Briefe Laues an Rosbaud im Dokumentenanhang S. 477 ff. und S. 535 ff.

IV. AUCH WIRTZ LENKT EIN, ODER: HE THAT FIGHTS AND RUNS AWAY LIVES TO FIGHT ANOTHER DAY[424]

14. WIRTZ: Schließlich ist zugunsten des Commanders eine Menge zu sagen, so sehr wir ihn auch verwünscht haben mögen. Jedenfalls kann es nichts schaden, bei ihm gut angeschrieben zu sein. Man kann nie wissen, wann wir ihn wieder mal brauchen.

Farm Hall
Godmanchester
31. Dezember 1945

(Gez. P. L.C. Brodie)
Captain

„FARMHALL 10 min VOR ABFAHRT, MIT GEÖFFNETEM TOR!“ Zeichnung von Walther Gerlach vom 3. Januar 1946, siehe auch S. 156.

424 Ein zum Sprichwort gewordene Zitat aus der Anthologie „Musarum Deliciae“ (17. Jahrhundert), das zahlreiche Vorläufer in der Antike hat: „Wer durch Fliehen sich mag retten, kann wieder vor die Luke treten.“

DOKUMENTENANHANG

Zeichenerklärung

[Text]	Anmerkung des Herausgebers.
[Text]	Ergänzung des Herausgebers.
[S. #]Text	Beginn der neuen Seite #.
[Bl. #v]Text	Beginn der Rückseite Blatt #.

Einführung

Der nachfolgende und neu aufgenommene Anhang umfasst Dokumente, die von den Internierten während ihres Aufenthaltes in Farm Hall bzw. unmittelbar davor oder danach verfasst wurden. Es sind vor allem Briefe an Angehörige, aber auch Tagebucheintragungen und kurze, während der Internierung verfasste Berichte. In den Dokumenten spiegeln sich die Gefühle und Ansichten der Internierten und ihre Lebensbedingungen in Farm Hall sowie nicht zuletzt die „Höhepunkte" ihres sechsmonatigen Gewahrsams: die Tage nach dem Abwurf der ersten Atombombe Anfang August 1945, die Verleihung des Nobelpreises an Otto Hahn im November und schließlich Weihnachten/Silvester mit der anstehenden Rückkehr in die zerstörte Heimat.

Die Auswahl der Dokumente ist keiner speziellen Systematik geschuldet oder gar Ergebnis einer systematisch betriebenen Suche. Sie sind vielmehr Fundstücke eines seit 1992 bestehenden Interesses des Herausgebers an Farm Hall, dem deutschen Uranprojekt und nicht zuletzt seinen führenden Protagonisten, namentlich Walther Gerlach, Werner Heisenberg und Carl Friedrich von Weizsäcker. Es sind Archivfunde und Lesefrüchte, mehr zufällig als gezielt in den unterschiedlichsten Forschungszusammenhängen und -projekten entdeckt.

Leitend für die vorliegende Zusammenstellung war, dass sie dem Leser einen anderen, kontrastierenden bzw. komplementären Blick auf die Zeit der Internierung vermitteln soll, quasi einen Kontrapunkt zu den Abhörprotokollen des britischen Geheimdienstes. Die Dokumente zeigen die Sicht der Internierten auf Farm Hall und liefern ein zwar selektives, aber dennoch authentisches Bild von den sie damals beschäftigenden persönlichen Sorgen und Nöten, ihren Hoffnungen und Zukunftsvorstellungen sowie nicht zuletzt der damaligen Zeit- und Lebensumstände.

Dieter Hoffmann (Hrsg.): Operation Epsilon.
 DOI: <https://doi.org/10.47261/1508>.

In der Regel stammen die Dokumente aus den Nachlässen der Wissenschaftler selbst, deren Provenienz in den Anmerkungen vermerkt ist. In den Anmerkungen finden sich auch Kommentare zu Personen und historischen Vorgängen, die heutigen Lesern meist nicht mehr ohne weiteres geläufig und präsent sind. Sie sollen die Verständlichkeit des Textes und seine Lesbarkeit verbessern und dem Leser wissenschaftliche wie historische Details sowie den jeweiligen historischen Kontext zu vermitteln versuchen. Dabei bleiben die Kriterien einer historisch-kritischen Briefedition genauso unerfüllt, wie manches spezielle Detail nicht geklärt werden konnte.

Es verdient an dieser Stelle auch der Erwähnung, dass der Großteil der im Anhang abgedruckten Dokumente bislang unpubliziert ist; namentlich die abgedruckten Briefe, wogegen die Tagebucheinträge von Erich Bagge und in Teilen auch die von Otto Hahn bereits publiziert vorliegen. In toto unpubliziert sind die Briefe bzw. Brieffragmente Carl Friedrich von Weizsäckers an seine Frau Gundalena, die aus dem persönlichen Familiennachlass des Gelehrten stammen und speziell für diese Edition zur Verfügung gestellt wurden. Bei diesen konnte im Übrigen nicht zweifelsfrei geklärt werden, ob es sich um tatsächlich versandte Briefe, oder lediglich um in Farm Hall verfasste Briefentwürfe handelt, die wegen der von den alliierten Geheimdiensten verhängten Kontaktsperre und Postkontrolle oder auch wegen anderer Gründe nicht versandt werden konnten. Auf jeden Fall sind sie aber authentische Zeitzeugenschaften und für die Bewertung der Ansichten und des Verhaltens Carl Friedrich von Weizsäckers in Farm Hall und danach von Gewicht. Für die Genehmigung zum Abdruck der Briefe sei der Familie von Weizsäcker und speziell Frau Elisabeth Raiser (Berlin) für die bereitwillige Kooperation bei der Identifizierung von Personen und der Erschließung von Zusammenhängen auch an dieser Stelle ganz herzlichst gedankt.

Erich Bagge[425]

1 Tagebuchauszug Erich Bagge 7. – 10. August 1945

Dienstag, 7. August 1945

Morgens. Das war ein aufregender Abend gestern. Der englische Rundfunk gibt bekannt, daß auf einen Ort in Japan eine Atombombe abgeworfen wurde. Wir sitzen schon am Abendbrottisch, als diese Sensationsmeldung unsere Tafelrunde in Erstaunen setzt. Es entwickelt sich sofort eine äußerst lebhafte Diskussion, ob das überhaupt möglich sei und ob hier nicht ein Hörfehler vorliege. Heisenberg vertritt ganz entschieden die Ansicht „Vielleicht haben sie einen neuen Sprengstoff mit atomarem Wasserstoff oder Sauerstoff oder so etwas Ähnliches!“ Hat Goudsmit nicht immer wieder gefragt, wieso wir Deutschen überhaupt solche Wissenschaft hätten machen können, während in Amerika die Physiker in „wahre“ Kriegsphysik eingespannt wurden? Herr Hahn ist zunächst sehr erschüttert, hofft dann, daß Heisenberg recht habe, weil er den Gedanken fürchtet, daß seine eigene Entdeckung kriegsmäßige Konsequenzen haben könne. Harteck schätzt ab, daß selbst unter günstigsten Bedingungen ein Sprengstoff mit atomarem Wasserstoff oder Sauerstoff nur die zehnfache Brisanz haben könne als die bisher bekannten, während bekanntgegeben worden ist, daß die eine Bombe allein die Wirkung von 20 000 t Sprengstoff besessen haben soll. Da bleibt ja nur die Uranbombe! Herr von Laue und Herr Gerlach sind sehr erschüttert. Gerlach hält die Sache für nur schwer glaubwürdig, verweist aber auf den nächsten Nachrichtendienst um 21 Uhr. Herr von Weizsäcker fragt Herrn Heisenberg nach seiner Meinung noch einmal genauer aus, und Heisenberg bestätigt von neuem, daß er

425 Aus Bagge et al. 1957, S. 56 – 58, 66 – 68 und 70 f. Abdruck mit freundlicher Genehmigung von Elsa Keyser-Bagge.

Dieter Hoffmann (Hrsg.): Operation Epsilon.
 DOI: <https://doi.org/10.47261/1508>.

versuchsweise die Sache mal nicht glaube, obwohl nach HARTECKS Bemerkung, die auch von HAHN unterstüzt wurde, er etwas unsicher wurde und meinte, man müsse eben um 21 Uhr nochmals hören. Herr DIEBNER hielt es hingegen für möglich, daß es sich um eine echte Atombombe gehandelt haben könne, und KORSCHING unterstützt ihn in der Vermutung, daß die Amerikaner wohl mit der Isotopentrennung durch Diffusion den Sprengstoff erzeugt hätten.[426] Immerhin war natürlich klar, daß der Sprengstoff auf dem Wege über die Isotopentrennung erzeugt sein mußte, wenngleich es auch als möglich zu betrachten war, daß Trennmethoden vom Typ des Massenspektrometers[427] eingesetzt waren. So verging die Zeit mit Diskussionen, bis wir um 21 Uhr im Salon alle gemeinsam und für einen Eingeweihten zweifelsfrei erfuhren, daß die Amerikaner und die Engländer die Atombombe wirklich besitzen. Eine Leistung, 500 Millionen Pfund Sterling hat die Entwicklung gekostet.[428] Du liebe Zeit, was sind unsere 1,5 Millionen RM dagegen?[429] Und jetzt ist die Bombe in Japan bereits eingesetzt. Angeblich soll man noch viele Stunden nach dem Abwurf vor lauter Rauch und Staub die betroffene Stadt nicht haben sehen können. Von 300 000 toten Japanern ist die Rede. Der beklagenswerte Prof. HAHN!! Er erzählte uns, daß er schon damals, als er zum ersten Mal erkannte, welche furchtbaren Wirkungen die Uranspaltung haben könne, mehrere Nächte lang nicht geschlafen und erwogen habe, sich das Leben zu nehmen. Eine Zeitlang sei sogar der Plan aufgetaucht, ob man zur Verhütung dieser Katastrophe nicht alles Uran ins Meer versenken solle. Aber kann man gleichzeitig die Menschheit um all die segensreichen Wirkungen bringen, die das Uran andererseits auslöst? Und nun ist sie da,

426 Gemeint ist das von G. Hertz ursprünglich für die Glühlampenindustrie entwickelte Gasdiffusionverfahren, mit dem sich die Isotope eines (gasförmigen) Elements in einem langwierigen und energieintensiven Verfahren mittels Thermodiffusion und beim Durchlaufen mehrstufiger Diaphragmen trennen lassen. Dieses Verfahren galt damals sowohl in den USA, wie auch in Deutschland als das praktikabelste Verfahren zur Gewinnung des Kernsprengstoffs U^{235}.

427 Ein alternatives Verfahren zur Isotopentrennung, bei der Kaskaden von Massenspektrometern jeweils winzige Mengen des benötigten Isotops abscheiden.

428 Zum Budget des Manhattan-Projektes siehe: <https://www.brookings.edu/the-costs-of-the-manhattan-project/>.

429 Zur Geschichte der deutschen Kernforschungsprogramme und deren Budget vgl. Walker 1990; Karlsch 2005; Forstner 2019.

diese furchtbare Bombe. Die Amerikaner und Engländer haben in Amerika gewaltige Fabriken aufgezogen und ungestört in pausenloser Arbeit das reine Uran 235 hergestellt. Währenddessen mußten wir in Deutschland um ein paar tausend Mark riesige Kämpfe ausfechten und zusehen, wie unsere Arbeiten immer wieder zerbombt wurden, mußten freilich auch feststellen, wie einige unserer maßgebenden Männer die Isotopentrennung abschlägig beurteilten und sie nur so am Rande duldeten. In diesem Augenblick wird allen klar, warum wir *detained* sind, warum man uns so ultrageheim vor aller Welt verbirgt, warum keine Post zu unseren Angehörigen gehen kann und warum man alles Verdächtige aus Hechingen geholt und man Haigerloch gesprengt hatte.[430] Ich muß in diesem Augenblick an die drei Kernphysikerpreise des Herrn STALIN denken.[431] Im Osten werden sicher auch die Milliarden freigemacht und Physiker mit Frauen und Kindem kaserniert wie es die Amerikaner taten. Jetzt wird auch verständlich, warum der Major ausgerechnet am Sonntag, den 5. August, zu uns kam und uns mitteilte, daß bald eine grundlegende Änderung in unserer Situation eintrete und dann klar würde, was mit uns geplant sei. Er war eben sehr gut unterrichtet. Ist es nicht ein Treppenwitz der Weltgeschichte, daß wir am 6. August morgens die ersten Briefe an unsere Angehörigen abgeben dürfen,[432] wir, unter denen

---

430 Die Alsos-Mission hatte nicht nur die zehn deutschen Atomforscher festgesetzt und die deutschen Bestände an Uran und schwerem Wasser (für das amerikanische Manhattan-Projekt) gesichert, sondern am 30. April 1945 auch den (noch unterkritischen) Aufbau des Versuchsreaktors in Haigerloch vollständig demontiert sowie den Schwerwasser-Tank gesprengt.

431 Der 1941 gestiftete Stalinpreis war die höchste zivile Auszeichnung der Sowjetunion für Wissenschaftler und trat an die Stelle des von 1925 bis 1935 vergebenen Leninpreises. Nach dem Tode Stalins ging der Preis in den 1956 wieder begründeten Leninpreis auf. Welche Kernphysiker Bagge meint, ist unklar, da in der Liste der Preisträger solche bis 1957 nicht vorkommen; in diesem Jahr wurde der wissenschaftliche Leiter des sowjetischen Atombombenprojekts Igor Kurtschatow mit dem Leninpeis geehrt, wobei in der Stalin-Ära auch schon die Physiker W. F. Mitkewitsch (1928), A. A. Tschernyschew und L. I. Mandelstam (1931) den Leninpreis erhalten hatten. Vgl. Schuppe 1970.

432 Bis zum 6. August 1945, dem Tag des Abwurfs der ersten Atombombe, waren die internierten deutschen Atomforscher weitgehend isoliert und von der Öffentlichkeit völlig abgeschirmt, vor allem durften sie mit ihren Angehörigen nicht korrespondieren und ihre Briefe waren zurückgehalten worden.

sich Prof. Hahn, der Entdecker der Uranspaltung befindet, am 6. 8., genau an dem Tage, an welchem die erste Uranbombe eine japanische Großstadt zertrümmert und an dem die Welt durch eine Sondermeldung von einer epochemachenden Erfindung erfährt, wie sie nur selten in der Geschichte der Menschheit vorkommt? Sicher wird diese Uranbombe Entwicklungen von welthistorischer Tragweite auslösen, wohl kann sie viel Unglück über die Menschheit bringen, hoffen wir aber, daß sie auf der anderen Seite dazu beitragen wird, das Leben der Menschen angenehmer, schöner und vielleicht auch glücklicher zu gestalten als bisher. Kein Zweifel, daß dies möglich ist. Es ist dazu nur nötig, daß sich die Menschen auch in moralischer Hinsicht dieser Entwicklung gewachsen zeigen. Und daran glauben wir. Wie sagte in dieser Nacht Prof. von Laue, als er nach langen Diskussionen sich um 1 Uhr schlafen legte? „Als ich jung war, wollte ich Physik treiben und Weltgeschichte erleben. Die Physik habe ich getrieben, und daß ich Weltgeschichte miterlebt habe, wahrhaftig, das kann ich jetzt in meinen alten Tagen wohl sagen." Er sollte aber nicht zum Einschlafen kommen. Um 2 Uhr pochte es an unsere Tür und herein trat Herr von Laue: „Wir müssen etwas unternehmen, ich habe große Sorgen um Otto Hahn. Diese Nachrichten haben ihn entsetzlich erschüttert, und ich befürchte das Schlimmste." Wir waren noch lange wach, und erst als wir vom Nebenzimmer aus feststellten, daß Herr Hahn schließlich doch eingeschlafen war, gingen alle zu Bett.

Freitag, 10. August 1945

Die letzten Tage standen bei uns ganz im Zeichen der Presse- und Rundfunkmeldungen über die Atombombe. Nachdem man genügend erfahren hatte, brach sich hier bei unseren älteren Herren der Gedanke Bahn, daß es doch wichtig sei, ein Schreiben zu verfassen und dem Major zu überreichen, aus dem hervorgeht, daß man in Deutschland nicht an der Atombombe, wohl aber an der stabilisierten Maschine gearbeitet habe. Die Geschichte fand zwar weitgehende aber nicht die allgemeine Billigung. So wurde denn von Heisenberg und Gerlach ein entsprechendes Schreiben verfaßt, das dann nach einigen Schwierigkeiten unterschrieben wurde.[433]

---

433 Siehe Vierter Bericht Kap. IV S. 200 f. und Anhang S. 205 ff.

2 Tagebuchauszug Erich Bagge 18.–26. November 1945

Sonntag, 18. November 1945

Heute kann ich über ein interessantes Ereignis berichten, das zweifellos seinesgleichen sucht. Am Freitag vormittag, kurz nach dem Frühstück, saßen die meisten von uns im Salon, um *„this week's composer"*, es war Rimskij-Korsakoff, abzuhören und dabei natürlich auch die „latesten News" zu studieren, als Heisenberg zu Hahn sagte: „Herr Hahn, da lesen Sie mal!" Und damit überreichte er ihm den *„Daily Telegraph"*. Herr Hahn, der selbst gerade eifrig in einem anderen Blatt las, meinte: „Ich hab jetzt gar keine Zeit." „Das ist aber sehr wichtig für Sie, da steht nämlich drin, daß Sie den Nobelpreis für 1944 erhalten sollen." Die Erregung, die von diesem Augenblick an die 10 Detaineden befiel, ist natürlich schwer mit wenigen Worten zu beschreiben. Hahn glaubte es zunächst nicht. Anfangs lehnte er alle Glückwunschadressen ab. Aber dann drangen wir allmählich durch, allen voran Heisenberg, der ihn zu den 6200 Pfund herzlich beglückwünschte. Dann kamen auch wir anderen der Reihe nach dran. Heisenberg begab sich sofort zum Captain *[Brodie]*, der von dieser Nachricht völlig überrascht wurde und noch eine halbe Stunde später ganz fassungslos war. Sofort rief er das Londoner Office an. Dort wußte man offenbar noch gar nichts, aber die Telefone wurden bald sehr lebhaft in Bewegung gesetzt. Informationsministerium, *Times*-Korrespondenten und alle möglichen Zeitungsleute wurden angerufen. Es stellte sich allmählich heraus, daß keine Falschmeldung vorlag.

Die schwedische Akademie hatte sich offenbar in den letzten Tagen zu diesem Schritt entschlossen, der zum Teil wohl auch durch unsere Lage beeinflußt wurde. Noch vor wenigen Wochen teilte nämlich der schwedische Prof. Westgreen[434] Herrn Hahn mit, daß man ihn in diesem Jahre leider nicht in Stockholm begrüßen könne.[435] Man hätte mit Rücksicht auf

434 Arne Westgren war ein schwedischer Chemiker und einflussreiches Mitglied des schwedischen Nobel-Komitees für Physik und Chemie, siehe auch Elfter Bericht Kap IV. „Andere Briefe" auf S. 348.

435 Bezieht sich auf die alljährliche Verleihungszeremonie des Nobelpreises. Zum Nobelpreis für O. Hahn vgl. Crawford et al. 1997.

die Weltstimmung über die Atombomben davon abgesehen. Aber vielleicht haben die englischen Physiker ein wenig nachgeholfen.[436] Es besteht nicht der leiseste Zweifel, daß in dem kleinen Kampfe zwischen Commander und BLACKETT zunächst der Commander gewann. Nun erfolgte offensichtlich der Gegenschlag der Wissenschaftler.

Die schwedischen Physiker SIEGBAHN und SVEDBERG waren wahrscheinlich am 9. November zur Röntgenfeier nach London gekommen[437] und haben dort die englischen Wissenschaftler gesehen. Wenige Tage später erfolgte die Nobelpreisverleihung an HAHN. Das ist kein Zufall. Wir wissen das zwar nicht sicher. Es ist nur zu vermuten; denn keiner von uns hat die Möglichkeit, sich richtig zu unterrichten. Ob es gut war, daß die Verleihung als politische Aktion jetzt erfolgt, ist noch nicht einmal ganz sicher; denn nun werden die „Commanders" wieder zurückschießen, und die besitzen ja das richtige Pulver. Man muß deshalb abwarten.

Der Captain fuhr noch am gleichen Tage nach London und kam am Abend schon wieder zurück. Nichts Neues. Das war klar, aber die Nobelpreisnachricht wurde auch nicht dementiert. Wir hatten inzwischen eine kleine Feier vorbereitet.[438] Der Captain stiftete eine Flasche Gin und zwei Flaschen Rotwein, und noch während des Abendbrotes begann die Geschichte mit einer Festrede des Herrn VON LAUE.

Er feierte unseren Senior gebührend, redete von Genie und Fleiß, und am Schluß kam er darauf zu sprechen, welche Gedanken wohl Frau HAHN jetzt in Deutschland bewegen mögen. Daraufhin verlas HEISENBERG eine sehr lustige, von ihm selbst erfundene Sammlung von Zeitungsstimmen, die sich auf OTTO HAHN bezogen. WEIZSÄCKER schloß an mit einem Bericht aus der Frankfurter Zeitung mit der bemerkenswerten Überschrift „Von GOETHE bis HAHN – zwei große Frankfurter", Herr WIRTZ verlas einen Artikel des „*Moosejaw Herald*". „Moosejaw" war einer von HAHNS

---

436 Vgl. Oexle 2003, S. 39.

437 Anlässlich des 50. Jahrestags der Entdeckung der Röntgenstrahlen fand am 2. Oktober 1945 in London ein internationale Tagung statt, an der jedoch Hahn, Laue und Heisenberg, die am gleichen Tag in London die Royal Society besuchten, nicht teilnehmen durften (vgl. elften Bericht Kap. I, S. 339).

438 Zur Nobelpreisfeier in Farm Hall siehe achtzehnten Bericht Kap. V mit Anhang auf S. 370 ff. sowie Hoffmann 1993 b.

„Cocktails". Jener mit den sieben gespaltenen Hühnereiern auf dem Kopfe desjenigen, der sich dort die Haare waschen läßt. Dann singen DIEBNER und WIRTZ ein Lied mit dem Refrain „... und fragt man, wer war schuld daran, so ist die Antwort: OTTO HAHN". Zum Schluß verlese ich noch eine Geschichte der Detaineden, in der die Adjektive von den Festteilnehmern ergänzt werden müssen. Diese werden an vorgesehenen freien Plätzen erst nachträglich in die Geschichte eingesetzt.

Schon die Überschrift kam gut heraus. Die „einwandfreie" Geschichte der „unbrauchbaren" Kernphysiker seit ihrer „überflüssigen" Detainung. Es ergaben sich auch sonst noch herrliche Witze, so u. a. der vom „durchwachsenen" KWI für Chemie in Teilfingen und der von den „alkoholisierten" Detainern. Jedenfalls wurde an diesem Abend viel gelacht. Zum ersten Mal vergaß man, daß man hier gefangen war.

Der Captain kam in den nächsten Tagen nicht mehr auf den Nobelpreis zurück. In den englischen Zeitungen wird die Verleihung mit keinem Wort mehr erwähnt, und man beginnt langsam zu begreifen, weshalb unser Betreuer am Freitag so schnell nach London fahren mußte. Totschweigen ist offenbar die Parole des Tages. Was aber werden die Wissenschaftler in der übrigen Welt tun?

Montag, 26. November 1945

Auf HAHNS Nobelpreisnotiz ist nicht die geringste Spur einer Reaktion von Seiten des Office erfolgt. Wir leben trüb unseren Tag dahin. Aller Elan ist verschwunden. Jeder fühlt, daß hier menschliche Willkür, nicht eine höhere Notwendigkeit oder Zweckmäßigkeit dahintersteht. Warum werden wir eigentlich noch festgehalten? Die englischen Staatsführer haben schon lange erklärt, daß die Aufbauprinzipien für Atombomben überall bekannt seien. Trotzdem sind wir hier so eingesperrt, daß kein Mensch etwas über unseren Aufenthaltsort erfährt. Es wird jetzt mehr denn je der Schleier des Geheimnisses über uns gebreitet. Die Autofahrten haben aufgehört, ins Kino kommt keiner von den Physikern. HAHNS Anfrage in dieser Richtung wurde einfach übergangen. [...]

3 Tagebuchauszug Erich Bagge 31. Dezember 1945 – 7. Januar 1946

Montag, 31. Dezember 1945

Zum Jahresende will ich noch kurz über die Weihnachtstage dieses trüben Jahres berichten. Die Amerikaner hatten uns am Montag vor acht Tagen programmgemäß wieder verlassen.[439] Nur der Commander *[Welsh]* blieb zurück. Er nahm am Montag an unserer Weihnachtsfeier teil. Heisenberg spielte, und wir sangen „Stille Nacht, heilige Nacht …" Dann hielt von Weizsäcker eine kurze Rede, in der er von den Gedanken sprach, die uns und unsere Angehörigen in dieser Stunde der Trennung wohl bewegen mögen. Anschließend verlas er das Weihnachtsevangelium.[440] Was soll man nun über dieses trübselige Jahr 1945 sagen? Freilich muß man seinem Schöpfer danken, daß er einem die Angehörigen in dieser schwierigen Zeit gesund erhalten hat. Man muß froh sein, daß man alles glücklich überstanden hat, daß dieser wahnsinnige Krieg ein Ende fand, daß überhaupt noch Spuren von Hoffnungen übrigblieben und daß man verhältnismäßig glimpflich davongekommen ist. Man darf aber auch nicht vergessen, was dieses Jahr an Unglück für uns brachte: den furchtbaren Zusammenbruch des deutschen Heeres und Volkes, die völlige Vernichtung des deutschen Verkehrswesens, die Zerstückelung Deutschlands, die Besetzung und Ausplünderung großer Teile davon, die Vertreibung der Deutschen aus den Ostgebieten, Hunger und Kälte in den ersten Wintermonaten. Dies alles hat dieses Jahr 1945 an Gutem und Bösem auf dem Gewissen. Man wird ihm sicher nicht schmerzlich nachtrauern. Was aber bringt uns 1946? Befindet sich die Welt schon wieder in einem Zustand der Entwicklung nach oben? Werden die Menschen, die diese Welt lenken, mit Vernunft, Einsicht und Zurückhaltung handeln?

---

439 Gemeint ist das amerikanische Kommando unter Leitung von Commander Welsh, das die Internierten in Vorbereitung auf ihre Heimkehr nach Deutschland besucht hatte, siehe Bericht 23 / 24.II auf S. 405.

440 Siehe S. 512 ff.

Montag, 7. Januar 1946

Endlich wieder auf deutschem Boden! Unser Flug von Huntigdon nach Bückeburg fand programmgemäß am 3. Januar statt. Kurz vorher erfuhren wir, daß wir nicht nach Münster, sondern nach Lübbecke, Krs. Minden in Westfalen, gebracht werden. Also wieder Geheimhaltung. Furchtbar, so dachten wir. Als wir aber in Bückeburg einen Omnibus bestiegen, sagte plötzlich der Captain, daß wir in einem Laden untergebracht würden. Und so war es denn auch. Es ging ins Dorf Alswede. Dort hatte man 14 Tage vorher ein Konfektionsgeschäft ausgeräumt und für uns vorbereitet. Noch am Abend wurde bekanntgegeben, daß der Geheimhaltungsbann gelöst sei und wir ab 4. 1. 1946 auf der Straße frei herumlaufen können.
Gestern, am Sonntag, wurde uns gestattet, Briefe an unsere Angehörigen zu schreiben. Es geht dem normalen Leben entgegen. Die volle Freiheit haben wir freilich noch nicht. Die englische Zone dürfen wir nicht verlassen. Aber auch da haben wir gewisse, wenn auch nur temporäre Hoffnungen. Denn es ist ganz gewiß, daß wir auf lange Sicht in der englischen Zone ansässig gemacht werden.[441] Wir sind damit einverstanden, wenn wir wieder in Deutschland sind, Pläne schmieden und das tun und lassen können, was wir wollen.

441 Als im Januar / Februar 1946 die Internierten Alswede verlassen konnten, mussten sie jedoch für die nächsten zwei Jahre in der britischen Besatzungszone verbleiben.

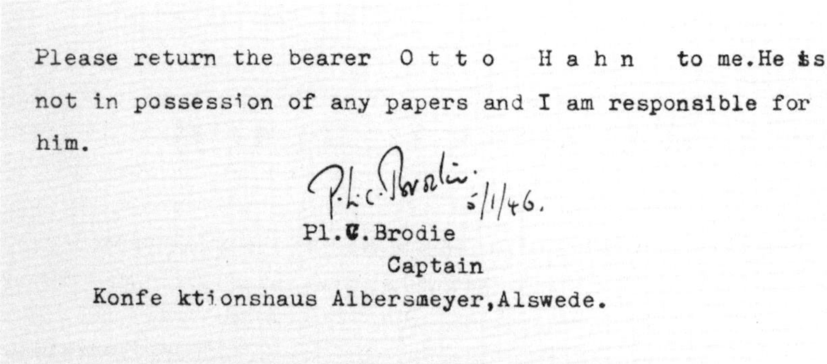

Please return the bearer Otto Hahn to me. He is not in possession of any papers and I am responsible for him.

P. L. C. Brodie 5/1/46.

Pl. C. Brodie
Captain
Konfektionshaus Albersmeyer, Alswede.

Provisorisches Personaldokument für Otto Hahn von Captain Brodie vom 5. Januar 1946, das zeigt, dass die „Guests of His Majesty" auch nach der Rückkehr nach Deutschland unter geheimdienstlicher Obhut standen.

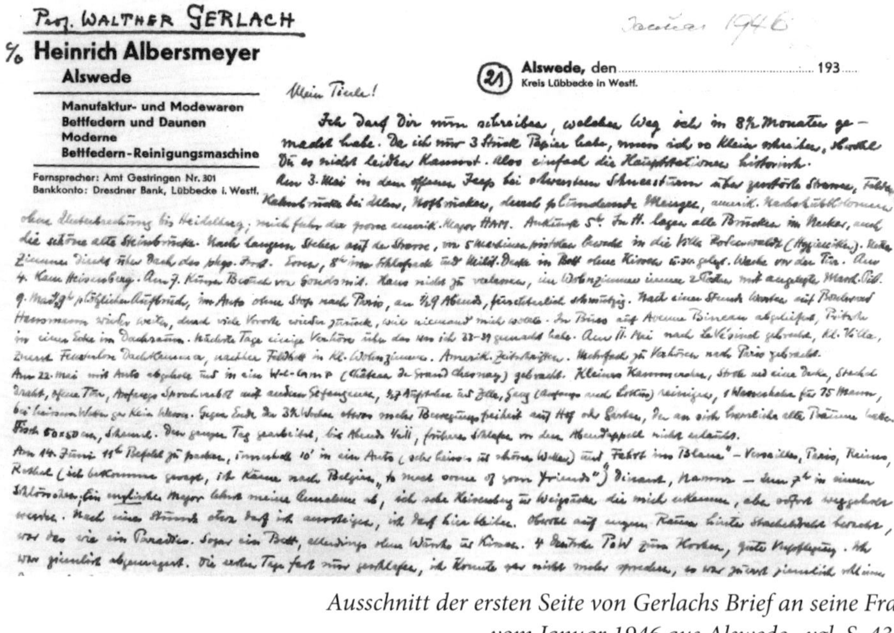

Prof. WALTHER GERLACH
% **Heinrich Albersmeyer**
Alswede

Manufaktur- und Modewaren
Bettfedern und Daunen
Moderne
Bettfedern-Reinigungsmaschine

Fernsprecher: Amt Gestringen Nr. 301
Bankkonto: Dresdner Bank, Lübbecke i. Westf.

Januar 1946

(21) Alswede, den .... 193....
Kreis Lübbecke in Westf.

Mein Tiele!

Ich darf Dir nun schreiben, welchen Weg ich in 8½ Monaten gemacht habe. Da ich nur 3 Stück Papier habe, muss ich so klein schreiben, hoffentlich Du es nicht leiden kannst. Also einfach die Hauptstationen historisch.

Ausschnitt der ersten Seite von Gerlachs Brief an seine Frau vom Januar 1946 aus Alswede, vgl. S. 433.

Walther Gerlach

1 Walther Gerlach an Ruth Gerlach[442], 7. Mai 1945

Heidelberg 7. Mai 1945

Liebe Meine, du darfst dich nicht ueber die Maschinenschrift wundern. Sie ist fuer die Controlle leichter zu lesen und wird so – wie ich hoffe – die Befoerderung beschleunigen.

Waehrend wir die letzten Tage voellige Ruhe hatten, sehr gute Verpflegung, geheizte Wohnung, genuegend zu rauchen und allen nur wuenschenswerten Comfort, fand heute frueh die erste Besprechung mit Goudsmit und Prof. Kemble[443] statt. Goudsmit kam gerade aus Tuebingen, Back[444] gehe es wesentlich besser.

Ich blicke von meinem Schreibtisch in das sonnenglaenzende fast sommerliche Neckartal, im Hintergrund hebt sich breit der Dom von Speyer in den Himmel. Ich waere so gluecklich, wenn ich so wenig Sorgen um Dich zu haben brauchte und um unsere Kätter[445], wie Du um mich. Denn die aeusseren Bedingungen fuer die Arbeit, die ich hier zu leisten habe, sind gut.

442 Ruth Gerlach, geb. Probst, war Kinderärztin und seit 1939 mit Walther Gerlach verheiratet; seine erste Ehe mit Wilhelmine Mezger war im Jahr zuvor für aufgelöst erklärt worden.

443 Edwin Kemble, US-amerikanischer Physiker, der in der Endphase des Zweiten Weltkriegs mit Spezialaufträgen der ALSOS-Mission betraut war.

444 Ernst Back, deutscher Physiker (Paschen-Back-Effekt), der wie Gerlach an der Universität Tübingen studiert und dort von 1936 bis 1948 gewirkt hatte; 1926/27 hatten S. Goudsmit und Back in Tübingen gemeinsame Untersuchungen zum Zeeman-Effekt sowie zum neu entdeckten Elektronenspin durchgeführt. Back litt seit 1944 an einem Kehlkopfleiden und hatte im Frühjahr 1945 wegen einer schweren Lungenentzündung längere Zeit „ohne Schlaf und Lebenswillen“ in der Tübinger Universitätsklinik gelegen.

445 Katharina Auer, langjährige Haushälterin der Familie Gerlach.

Dieter Hoffmann (Hrsg.): Operation Epsilon.
 DOI: <https://doi.org/10.47261/1508>.

Dass die Arbeit selbst manche Bitterkeit bringt und dass mir manchmal das Herz brechen will, nun da man den Truemmerhaufen so ungetarnt vor Augen hat, kannst Du Dir denken; ich habe alles so ganz richtig vorausgesehen und du auch, Du Meine.

Der Aufenthalt hier wird bald zu Ende gehen, sicher kann ich Dir regelmaessig schreiben, aber die Befoerderung mag nicht immer schnell gehen, dass weisst du ja selbst. Es wird auch versucht werden, dass Du mir schreiben kannst, man bemueht sich, uns alle seelischen Belastungen zu ersparen. Du musst dann auch mit der Maschine schreiben.

Hoffentlich kannst Du bald eine Verbindung mit unserem Vaeterchen[446] bekommen.

Leb wohl!
Dein Has![447]

2 Walther Gerlach an Ruth Gerlach 4. Juni 1945

Frankreich 1945, June 4.[448]

My Has,

Dr. Brod[i]e the author of a book on our spectrographical problems – you know it surely – will visit Munich and I hope it will reache the permission to give to him this letter and that this sign of life shall come to Franz Josef Strasse. Now I'm 4 Weeks in France; two a half weeks ago Dr Baumann brought me your letter of May 8. He told me you and Kätter being well; he also visited Sommerfeld[449] (I gave the adress to him), he told me that the good old man has had no trouble.

446 Valentin Gerlach, Arzt.

447 Handschriftlich.

448 Nach seiner Verhaftung und einem Verhör durch die Alsos-Mission war Gerlach zunächst in das Internierungslager für höhere Funktionsträger des Dritten Reichs in Grand Chesnay bei Versailles überstellt worden, wo er bis zum 14. Juni verblieb.

449 Arnold Sommerfeld, Begründer einer der bedeutendsten Schulen der modernen theoretischen Physik, war seit 1906 Professor für theoretische Physik an der Universität München und langjähriger Kollege Gerlachs.

I think you will have much work in your hospitals. Whether father came back to Munich? Whether you have any news from Friedel[450] and the others and Wolf[451] and the two Werners[452]?

I'm so well als possible – much time to physical work. I read the American phys. journals[453] of last year; but especially I'm working on my magnetic problems. Perhaps in the last three days I made a progress in understanding the Temesvary-experiments on the thermo-idealisation, esp. the difference IHT and ITH, the big problem during the last two years. Unfortunately I'm missing some data and calculations and notes I made in last year; thereupon it is difficult to think on such a difficult and so complicated problem without speaking with the assistants; some of the signs the little Temesvary[454] wrote on the figures are hard to understand. But I have time to reconstruct earlier ideas and it seems I [S. 2] will come to results. I hope also the experiments in Munich go on; one should make effort to clear up the influence of the n-factor on the heating- and cooling-effects in a given field. (With regard to the "am" processes also!)

Another problem is the repartion of the magnetic flux along a bar magnetised in different fields (Lorenz); I found in Phys. Rev. some measurements, unfortunately there are used only some states of the "new kurve", but nothing is measured on the much more interesting hysteresis- points and the different "am" and "c" – conditions. – I hope also that Bühl[455] makes measurements on the Courvoisier-retardation effect[456] to have a wider experimental basis. –

450 Friederike Klingenburg, geb. Probst, Schwester von Ruth Gerlach.

451 Wolfgang Gerlach, Bruder von Walther und Zwillingsbruder von Werner Gerlach.

452 Werner Gerlach, Bruder von Walther Gerlach, sowie wahrscheinlich Werner Kittel, Sohn von Ingeborg Kittel, (geb. Gerlach), der ältesten Tochter von Werner Gerlach.

453 Insbesondere wohl Physical Review.

454 Annemarie Temesváry (genannt Tem) war eine Mitarbeiterin Gerlachs, die nach Gerlachs Rückkehr an die Münchener Universität dort 1949 mit Untersuchungen zum Ferromagnetismus promoviert wurde.

455 Otto Bühl, Mitarbeiter Walther Gerlachs, der 1938 bei diesem an der Münchener Universität promoviert hatte.

456 Bezieht sich wohl auf Forschungen über irreversible magnetische Nachwirkungen, die vom Gerlach-Schüler Peter L. Courvoisier im Rahmen seiner Promo-

And now to me. The food is good, so as I like, four meals at 8^{30} 12^{30} 4 *[pm]* 6 *[pm]*. The morning at 7^{h} I make at first exercises quite so as with you; than washing, cleaning the shoes and clothes, sweeping the room with a big broom and so on. I can walk some hours through a beautiful park with old trees and so many birds, also our titmouses (in my first station there were nightingales in the garden). The weather changes often, from cold and rain to heat and burning sun-shine. I'm brown like a hare, since I'm often sitting in the meadow upon my blanket and with book, paper, pen – as in earlier, happier time with you on our veranda – when that will came back? I have so much questions – whether flours and toma crew? Whether mothers and pidas tree[457] have overcome the damages through bombs and cold? – On my small table I have always flowers from the garden and your photos – so that you are close to me when I eat and work; and then I tell you. I get cigars but tobacco and cigars are scarce; I would be happy if I could part the cigarettes with you! – Let us hope, my dear Häsl.

Also in hopless situation must hope – at last, we are not surprised on this development; we have to work; we see our job. – My < >

3 Walther Gerlach an Ruth Gerlach, 13. Juni 1945

1945 June 13[458]

My dear Has,

today is he birthday of James Clerk Maxwell; "14 horrible years ago" there was in London one of the most excellent festivals of the scientific world, at the centenary of the birthday and also at the centenary of the discovery of electromagnetic induction by Michael Faraday, in 1831. Who of us had thought that all these intimate connections would be breaked up; three month ago I have read again the biography of Maxwell which was published

tion durchgeführt und zur Publikation am 16. März 1945 von Gerlach der Bayerischen Akademie vorgelegt worden war.

457 Wahrscheinlich geht es um die Oleandersträucher, die die Terrasse der Gerlachschen Wohnung in der Münchener Franz-Josef-Straße schmückten und u.a. ein Geschenk von Ruth Gerlachs Studienfreundin Pida (Eva Pitzker) gewesen waren.

458 Handschriftlicher Vermerk: „erhalten 8. X. 45".

in 1931[459] and granted to us; there I asked me whether such a life would be possible again. And now one might fear that we work of such men and the wonderful development of the famous idea would be destroyed, so as the old churches and castles and towns. That's the calamity that one learned only the history of the wars and of men who maked much trouble in the world and did neglect absolutely the study of the history of the intellect. I think that in the future of all education, especially but not only on the universities, the development of the mental work shall be learned at the first line so that the mankind shall be understand that the development of a new idea is more worthful than the conquest of a land.

Myself I'm always very well. We make now "Frühsport". Unfortunably I have forgotten to keep with the sport-trousers, but I found here a suitable stuff and sewed shorts! The meadows in the park are now cut so we must miss the flowers, but I took wunderfull branches from Oak, Elm, Lime-Tree and Laurek. When I have calculated enough [S. 2] I sit in the garden and make pictures of the house and the trees, especially, to reach more practice in the perspective; I'm very sorry to miss my colours and coloured pens.

I'm content with the progress of my research work but I'm missing my institute, I have new ideas and conceptions for experimental work.

I hope you will reach that letter not to late. I think on Father and Kätter and all the men and girls in my institut and hope so hearty that all would be quite well. My dear Has!

459 Den Gedenkband zum 100-jährigen Geburtstag von J. C. Maxwell (Maxwell 1931) erhielten alle Teilnehmer einer Jubiläumstagung, die am 1. und 2. Oktober 1931 an der University of Cambridge stattfand, siehe The Clerk Maxwell Centenary 1931 und Born 1931.

4 Walther Gerlach an Ruth Gerlach, August 1945

Farm Hall, August 1945[460]

Du meine Gute,

es besteht die Hoffnung, dass ich Nachricht von Dir bekommen kann; schreibe mir bitte wie es Dir und Deiner Arbeit in der Klinik geht, was Du von Vater weisst, was Kätter macht und wie es mit Sommerfelds, Rüchardts[461], der Tem[esvary] und meinen anderen Leuten im Institut steht.

Mir geht es gesundheitlich dauernd gut. Ich treibe jeden Morgen allein zwischen 7 und 8 ordentlich Sport und laufe 2 bis zwei-einhalb Kilom.; ein schöner alter Rasen hinter dem Haus ist ein idealer Platz dafür; oft wird auch noch tagsüber ein Ball- und Laufspiel gemacht. Manchmal zeichne ich die herrlichen grossen Bäume auf die ich von meinem Fenster blicke, und die Pferde, Ochsen und Kühe auf der Weide. Ich arbeite viel an den angefangenen Arbeiten, habe schon einiges fertig geschrieben, ich habe ein eigenes Zimmer jetzt und daher tags und nachts Ruhe. Ich lese auch etwas, eben eine gerade erschienene Biographie von Tyndall,[462] den ich doch so sehr liebe. Wir haben auch Radio und Zeitungen, aber die Nachrichten aus der Heimat geben kein klares Bild über den Umfang des Elends und die Art des schweren Lebens, sie vermehren meist nur die quälenden Sorgen.

Am ersten August habe ich an die vergangenen 20 Jahre gedacht, was Du mir all die Zeit gewesen bist (und hab' ganz schöne Blumen zu Deinen Bildern gestellt). Gute Du, wir haben so gelebt, wie wir es vor unserem Gott verantworten können, wir werden auch weiter so leben und uns treubleiben – – ich weiss so genau, dass Du am Geburtstag dasselbe gedacht hast. So können wir auch ruhig in die Zukunft blicken, zusammen werden wir mit allem fertig, nicht wahr?

Ich umarme Dich, gieb mir fest deine Pfote, Du meine Ruth, immer ganz Dein Has!

---

460 Handschriftlicher Vermerk: „erh. 21. 8. 45".

461 Eduard Rüchardt wirkte seit 1920 am Physikalischen Institut der Universität München, ab 1926 als Professor und Kollege Gerlachs (Gerlach 1962).

462 Eve 1945.

5 Walther Gerlach an Ruth Gerlach, Okt. 1945

Im Oktober 1945[463]

Meine Gute, innigen Dank für den Brief; Du kannst Dir denken, wie traurig ich war, dass Du wegen der Eile nicht mehr schreiben konntest. Vielleicht kommt dieser Brief noch vor Vaters Geburtstag[464]; sag' ihm wie traurig ich bin, dass ich zum ersten Mal seit vielen Jahren nicht bei ihm sein kann. Hoffentlich seid Ihr beide gesund, sodass Ihr einen ruhigen Abend haben könnt; ich kann mir ja gar nicht denken, wie Ihr lebt und wie die Tage dahingehen. Du bist wohl noch in der Klinik? Wie danke ich Gott, dass Du für Dich sorgen kannst und wie sehr wünschte ich, dass ich es wieder für Dich tun könnte. Hast Du noch die Möglichkeit Musik zu machen? Du meine Ruth, wenn ich nicht bei Dir bin, musst Du unseren Simeon[465] allein dahinziehen lassen – ich höre es dann sicher.

Meine Tage gehen so gleichmässig dahin; an manchen arbeite ich von früh bis spät, dann lese ich mal wieder und manchmal höre ich stundenlang Radio (kannst Dir das wohl schwer vorstellen!), teils Musik teils Nachrichten in französisch, englisch und italienisch, um die Sprachkenntnisse zu erhalten, dann kommt wieder einmal Waschen, Wäsche ausbessern, Strümpfe stopfen, Knöpfe annähen. Die Wäsche ist noch sehr ordentlich, hast mir ja alles so gut gegeben. – Die letzten Tage waren trotz kalter Nächte ungewöhnlich warm. Körperlich geht's mir gut, nur hab ich mir vor einigen Wochen im linken Bein offenbar einen kleinen Muskelriss geholt, ich kriegs aber schon wieder in Ordnung. Mit den Zähnen hab ich etwas Sorgen, aber gar keine akuten. Ich bade jeden Morgen kalt wie immer, Seife, Rasierseife usw. die alle waren, habe ich bekommen, auch 2 Paar wollene Strümpfe. Die Ernährung ist gut, zu Rauchen habe ich auch, sei also deswegen beruhigt!

Ob im Institut noch gearbeitet wird, ob noch jemand da ist, was wohl die Rüchardts, Sommerfelds, die Tem[esvary] usw machen? Grüss' sie alle, ganz besonders aber Vater und Kätter.

Du meine Gute, komm, gar nichts sagen – – –

Dein ganz ferner Has.

---

463 Handschriftlicher Vermerk: „erh. 29. XI. 45".

464 26. November.

465 Wahrscheinlich ist der Hauskater gemeint.

6 Brief von Walther Gerlach an Ruth Gerlach vom November 1945 [466]

Du meine liebe Gute, wie schön ist es, dass ich Dir zu Weihnachten schreiben kann.* Nachdem mir heute mitgeteilt wurde, dass auch dafür gesorgt wird, dass Du Heizmaterial bekommst, ist mir die schwerste Sorge genommen. Wenn ich nur wieder einmal einen Brief von Dir haben könnte! Der lange Brief aus dem Mai kam an – da meintest Du noch, es sei alles nicht so schlimm weil wir wenigstens brieflich in Verbindung blieben. All unsere vielen Jahre ist kein Tag, an dem wir getrennt waren, vergangen ohne dass wir uns geschrieben haben – nun fast ein Jahr, ohne dass wir uns schreiben konnten. Aber Du wirst aus dem Päckle sehen, dass ich Dein alter Has geblieben bin, und ich kann die Hoffnung nicht aufgeben, dass wir wieder zusammen sein werden. Ich denke dran, dass auch bald Dein Geburtstag[467] ist und welche besondere Bedeutung der Tag für uns zwei hat. Wie hoffnungsvoll waren wir vor 6 Jahren, wie sind wir damals aufgelebt,[468] wie frisch konnte ich da arbeiten, was hab ich in dem Frühjahr und Sommer nicht alles gemacht – Hanau[469], Warschau[470], Frankreich[471], dann die

* Es wird mir eben gesagt, dass das Päckle doch nicht geschickt werden darf; aber Ihr werdet auf anderem Weg etwas bekommen!

---

466 Handschriftlicher Vermerk: „erhalten 15. XII. 1945 mit Kalender“.

467 18. April.

468 Das Jahr 1939 war für Gerlach persönlich ein Art Schicksalsjahr, denn nach fast 15-jährigem Zusammenleben und langem Warten auf die gerichtliche Anerkennung der Trennung seiner ersten Ehe konnte endlich im Frühjahr 1939 geheiratet werden.

469 Im März 1939 gab es eine mehrwöchige Reise Gerlachs, eventuell die Hochzeitsreise, die ihn u.a. nach Hanau geführt hatte. Der Grund konnte nicht ermittelt werden, doch befand sich in Hanau mit der Firma Heraeus eines der führenden Technologie- und Rüstungsunternehmen des Dritten Reiches, mit dem es eine langjährige Zusammenarbeit gab.

470 Anfang Mai 1939 war Gerlach zu einer längeren Studien- und Vortragsreise durch Polen gereist und hatte dabei auch Warschau besucht.

471 Ende Mai 1939 hatte Gerlach am internationalen Studientreffen „Magnetismus-Metamagnetismus“ in Straßburg teilgenommen.

grosse Feier am 1.8.[472] und dann die drei Wochen im Hotzenwald[473], wo wir das Buch schrieben[474]; mehr wie je muss ich an die letzten zwei Nächte dort oben auf unserer Waldwiese denken und an das was wir sprachen. Wie erschrecklich wahr ist alles geworden – aber dass es so schwer würde, habe auch ich damals nicht gedacht. Du weisst *alles* was ich gemacht habe, Dir habe ich *alles* gesagt was ich wollte und dachte und deshalb musst Du auch beruhigt sein, dass ich alles wie vor Dir so vor jedem andern verantworten kann. Du verstehst dass ich Dir das gerade jetzt wieder zu Weihnachten und zum Neuen Jahr sage – es ist der Boden auf dem wir unsere Hoffnung für die Zukunft gebaut haben; und es ist fest und ich weiss dass Du das auch sagst.

[S. 2]Wie mag Dein Leben dahingehen? Hast Du denn Geld? Bezahlt die Universität noch etwas von meinem Gehalt? Was ist das für ein Glück dass Du selbst so tüchtiges leisten kannst. So hat dein Leben doch jetzt einen Zweck und Du kannst mit Deiner Arbeit Geld verdienen – aber auch genug? Das ist immer die quälende Sorge. Wenn Du kannst, schreibe mir bitte wie es gerade *damit* steht; und ob Du noch Klavier spielen kannst, ob Du die Kätter noch hast. Bist Du denn noch kräftig? Sind noch die Mirzl[475] und die Stöberin[476] und die tüchtige Frau … (ich vergesse alle Namen –) mit Dir in der Klinik zusammen? Und wie geht es Väterchen? Dieser Tage war sein Geburtstag[477], gib ihm einen lieben Kuss von mir. Sein Bild steht bei Deinem, dazwischen seit Wochen Veilchen, die bei dem milden Wetter noch immer blühen, und immer wieder mal eine Rose aus dem Garten – das mag Dir ganz unwirklich vorkommen.

Mir ist es die letzten Wochen nicht so recht gut gewesen. Weisst Du, die absolute Eintönigkeit im eigenen Leben und die aufregenden Mitteilungen über das Leben draussen machen die besten Nerven kaput. Ich habe seit Wochen ein Exem, erst an den Beinen, dann im Gesicht und auf dem Hinterkopf im Nacken, jetzt auch am Arm. Das Bein und Gesicht

472 Gerlachs 50. Geburtstag.

473 Region im Südschwarzwald, wo sich das Familien-Refugium, der Spatzenhof, befand.

474 Es geht um das unpubliziert gebliebene Buchmanuskript über die Nutzung spektralanalytischer Methoden in der Medizin.

475 Annemarie Kessel, eng befreundete Kinderärztin.

476 Elisabeth Stöber, Leiterin der Rheuma-Kinderklinik in Garmisch-Partenkirchen.

477 Valentin Gerlach feierte am 26.11.1945 seinen 97. Geburtstag.

sind wesentlich besser; ich konnte es einmal einem Arzt zeigen, der mir Sublimatlösung zum Desinfizieren und eine sehr gute ölartige Lösung (Calamus?) gab und eine Quecksilbersalbe. Das Jucken war oft scheusslich; mit Gewalt habe ich „nicht daran gedacht". Ich habe halt auch zu wenig freie Bewegungsmöglichkeit; seit der Muskelriss geheilt ist, turne ich wieder und spiele auch Tischtennis, das mich ein besonders netter junger Frankfurter (ein Koch)[478] gelehrt hat. Aber die meiste Zeit sitze ich doch an meinem Tischchen und arbeite oder lese oder grübele. Mein Zimmerchen halte ich peinlich sauber, habe es mir auch ein bisle nett gemacht, z. B. einen Lampenschirm aus gepressten Blättern gedrechselt; auch einen Adventskranz hab ich [S. 3] nicht vergessen und die Kerzen hab ich mit roten Beeren geschmückt. Ich habe ja Zeit – so unendlich viel Zeit, dass mir oft davor schaudert, wenn ich denke, was man in der Zeit heute leisten könnte. Ich stehe noch immer um 7 auf und gehe zwischen 12 und 1 ins Bett; und die 6–7 Stunden schlafe ich immer gut, meist ohne Aufwachen. Meine Physikarbeit – das heisst, was ich mir zur Auswertung mitnahm von den Versuchen mit der Temesvary – geht so langsam ihrem Abschluss entgegen, wo wieder die experimentelle Arbeit beginnen sollte. Ich hab etwas Angst, wie das sein wird, wenn ich dieses Stimulans nicht mehr habe. Ich suche mir eben andere Probleme aus, aber es fehlt eben die Literatur und die gesammelten Notizen aus 25 Jahren – wo die sein mögen? Und meine schöne Bibliothek? Ist aus Schöngeising[479] etwas zurückgekommen oder ist noch etwas dort? – Weißt Du noch, wie wir mit Elmire[480] nach dem „grünen Strahl"[481] guckten? Mit dessen Theorie beschäftige ich mich eben.

Nun Du meine ganz Gute, komm zu mir; ist kein rechter Weihnachtsbrief – keine Hasen in Sicht! Vom Winde verweht. Alle Vergangenheit wie alle Zukunft im Nebel; nur das kleine eigenen Lichtchen – wie ich Deines

---

478 Heinrich Baus, der als deutscher Kriegsgefangener zum Service-Personal von Farm Hall gehörte.

479 Ort bei Fürstenfeldbruck östlich von München, wohin Teile des Physikalischen Instituts ausgelagert waren.

480 Die Identität der Person konnte nicht aufgeklärt werden, möglicherweise Elmire Meisenheimer.

481 Der grüne Strahl ist wegen hoher Luftverschmutzung und anderer Störungen ein seltenes atmosphärisches Himmelsphänomen, das beim Sonnenauf- oder -untergang kurzzeitig als „grüner Schein" oder „Strahl" am oberen Sonnenrand auftritt.

sehe, so fällt auch auf Dich ein Strahl von meinem. Halte es wach; stell es in unser Krippelein und *glaube* dass es wieder einmal die Sonne wird, die uns einst so glücklich gemacht hat. Komm, schnell hole uns alles weg. – wir sind im öffentlichen Lokal.

Und grüss mir den guten Vater, die Kätter, die Rüchardts und die Sommerfelds, die Temesvary, die Kapplers,[482] den Bühl, den Lorenz,[483] die Weltz[484] (die Arme hat auch wohl auch schwere Sorgen?), den Gora[485] – oder ob alle weit verstreut sind? Dass wenigstens die Rüchardts ihre drei Buben wiederbekommen haben, wie wunderschön. Und an die Friedel denke ich und ans Mümmele[486] und an Wolfgang und Werner[487] – ich will lieber gar nicht anfangen zu fragen. Wie viel Menschen werden sich an Dich hängen, und Deinen Rat und Deine Hilfe suchen – kannst so vielen etwas sein. Aber alles bist Du Deinem […?].

7 Walther Gerlach an Ruth Gerlach, Januar 1946

Alswede (Januar 1946)

Mein Tiede!

Ich darf Dir nun schreiben, welchen Weg ich in 8 ½ Monaten gemacht habe. Da ich nur 3 Stück Papier habe, muss ich so klein schreiben,

482 Eugen Kappler, Mitarbeiter Gerlachs, der 1931 bei ihm an der Münchner Universität promoviert hatte.

483 Albert Lorenz, Mitarbeiter Gerlachs, der unmittelbar nach Gerlachs Rückkehr an die Universität München 1948 mit einer Arbeit über den Entmagnetisierungsfaktor promoviert wurde.

484 Hildegard Weltz hatte noch kurz vor Kriegsende im April 1945 mit magnetischen Untersuchungen bei Gerlach an der Münchener Universität promoviert.

485 Edwin K. Gora war ein polnischer Physiker und Jesuit, den Gerlach wohl während seiner polnischen Vortragsreise im Frühling 1939 kennengelernt hatte. Wegen seiner deutschen Mutter konnte er die deutsche Staatsbürgerschaft reklamieren und so nach der deutschen Besetzung Polens an Gerlachs Institut in München eine Anstellung finden; in der Nachkriegszeit emigrierte er in die USA.

486 Helene Krell-Probst, die Mutter von Ruth Gerlach.

487 Seine Zwillingsbrüder Wolfgang und Werner Gerlach.

obwohl Du es nicht leiden kannst. Also einfach die Hauptstationen historisch.

Am 3. Mai in dem offenem Jeep bei schwerstem Schneesturm über zerstörte Strassen, Felder, Kahnbrücken bei Ulm, Notbrücken, durch plündernde Mengen, amerikanische Nachschubkolonnen ohne Unterbrechung bis Heidelberg; mich fuhr der grosse amerik. Major. Ankunft 5^h. In H. lagen alle Brücken im Neckar, auch die schöne alte Steinbrücke. Nach langem Stehen auf der Strasse, von 5 Maschinenpistolen bewacht in die Villa Rodenwaldt[488] (Hygieniker). Kellerzimmer direkt über Dach des phys. Instituts. Essen, 8^h im Schlafsack und milit. Decke im Bett ohne Kissen u. s. w. gelegt. Wache vor der Tür. Am 4. kam Heisenberg. Am 7. kurzer Besuch von Goudsmit. Haus nicht zu verlassen, im Wohnzimmer immer 2 Posten mit angelegter Masch. Pist. 9. Mai, ½ 9^h plötzlicher Aufbruch, im Auto ohne Stop nach Paris, an ½ 9 Abends, fürchterlich schmutzig. Nach einer Stunde Warten auf Boulevard Haussmann wieder weiter, durch viele Vororte wieder zurück, weil niemand mich wollte. In Büro auf Avenue Bineau[489] abgeliefert, Pritsche in einer Ecke im Dachraum. Nächste Tage einige Verhöre über das was ich 33 – 39 gemacht habe. Am 11. Mai nach Le Vésinet gebracht, kl. Villa, zuerst fensterlose Dachkammer, nachher Feldbett in kl. Wohnzimmer. Amerik. Zeitschriften. Mehrfach zu Verhören nach Paris gebracht.

Am 22. Mai mit Auto abgeholt und in ein W-C-Camp (de Grand Chesnay)[490] gebracht. Kleines Kammerchen, Stroh und eine Decke, Stacheldraht, offene Tür, Anfangs Sprechverbot mit anderen Gefangenen, ½ 7 Aufstehen aus Zelle, Gang (Anfangs auch Lokus) reinigen, 1 Wasserhahn für 15 Mann, bei heissem Wetter gar kein Wasser. Gegen Ende der 3 ½ Wochen etwas mehr Bewegungsfreiheit auf Hof und Garten, der an sich herrliche

488 Ernst Rodenwaldt, Hygeniker und führender deutscher Tropenmediziner, der seit 1935 an der Ruprecht-Karls-Universität Heidelberg wirkte; Generalarzt der Wehrmacht.

489 Boulevard Bineau.

490 Das W-C-Camp Château Le Grand Chesnay bei Versailles (auch „Dustbin“ engl. für Mülltonne genannt) war ein Sammellager für höhere NS-Funktionäre und Funktionsträger des Dritten Reiches.

Blick aus der Unterkunft Walther Gerlachs des Internierungslagers „Dustbin“ im Château Le Grand Chesnay bei Versailles, Zeichnung vom 27. Mai 1945.

alte Bäume hatte. Tisch 50 × 50 cm, Schrank. Den ganzen Tag gearbeitet, bis Abends ½ 11, früheres Schlafen vor dem Abendappell nicht erlaubt.

Am 14. Juni 11^h Befehl zu packen, innerhalb 10' in ein Auto (sehr heiss und schönes Wetter) und „Fahrt ins Blaue" – Versailles, Paris, Reimes, Rethel (ich bekomme gesagt, ich käme nach Belgien „to meet some of your friends")" Dinant, Namur – um 7^h in einem Schlösschen[491]; Ein *englischer* Major[492] lehnt meine Annahme ab, ich sehe Heisenberg und Weizsäcker die mich erkennen, aber sofort weggeholt werden. Nach einer Stunde etwa darf ich aussteigen, ich darf hier bleiben. Obwohl auf engem Raum hinter Stacheldraht bewacht, war das wie im Paradies. Sogar ein Bett, allerdings ohne Wäsche und Kissen. 4 deutsche PoW[493] zum Kochen, gute Verpflegung. Ich war ziemlich abgemagert. Die ersten Tage fast nur geschlafen, ich konnte gar nicht mehr sprechen, es war zuerst ziemlich schlimm. Dann im Garten erholt, viel Sonne. Wir waren 10 Prof. Jeden Dienstag und Freitag Mittag Colloquium, bis heute noch durchgeführt. 24./26. Juni sehr kritische Tage über die Zukunft – ob Amerika oder England.[494]

3. Juli bei schlimmem Unwetter von Lüttich nach Mittelengland geflogen, nach Godmanchester (gesprochen Gunchester) in Huntingdonshire (15 Miles von Cambridge) auf ein Landgut (Farm Hall) gebracht. Und dort genau ½ Jahr bis 3. Januar 46. Einziger Auslauf eine Wiese; ich allein hatte die Bevorzugung im abgetrennten Garten mitarbeiten zu dürfen, habe ausserdem unseren Garten gepflegt und das Haus immer mit Blumen geschmückt. Gottseidank hatte ich ein Zimmer für mich, Militärbett, aber mit guter weisser Wäsche. Grosse Küche, 2 engl. Offziere[495]. 8 Mann (nachher 5) zur Bewachung, 5 deutsche PoW für Haus und Küche,

491 Château Le Facqueval auf den Hängen der Maas bei Huy und ca. 40 km von Lüttich entfernt.

492 Wahrscheinlich Major T. H. Rittner.

493 „Prisoners of War", Kriegsgefangene.

494 Zu den politischen Hintergründen der damaligen Diskussionen und der Entscheidung, die deutschen Atomforscher in England zu internieren oder in die USA zu bringen, siehe Powers 1993, S. 580 f.

495 Major T. H. Rittner und Hauptmann P. L. C. Brodie.

10 Prof.[496]; anfangs 2 entzückende Hunde – aber warten, warten; immer mal wieder bedrohliche Zukunftsaussichten, Ende November fast hoffnungslos. Am 22. XII. Mitt., dass wir am 3. I. nach Deutschland kommen, aber erneut „nur beschränkt frei". Ich war einmal im Auto in London als mein Ausschlag so schlimm war, dass ich mich nicht mehr waschen konnte. Längere Fahrt durch London – bis auf ein recht kleines Areal der City um St. Paul's[497] herum eine praktisch unzerstörte Stadt; da und dort wahllos einmal ein Haus oder ein paar zusammengebrochen, aber im ganzen gesehen nicht der Rede wert.

Verpflegung einschl. Thee und Café ausserordentlich reichlich, gegen Schluss kamen Einschränkungen, z. B. seit Dez. kein Café mehr. Jede Woche 50 gr. Tab und täglich 2 Zigarren. Zigaretten à discretion. Sport im Garten, innerhalb dessen wir frei waren, auch die Posten ohne Gewehr. Aber eine masslose seelische Qual wegen der unsicheren Zukunft und des Verbots mit zu Hause Briefverkehr zu haben oder zu schreiben wo wir sind. Zeitungen und Radio hatten wir (hier haben wir beides nicht mehr), aber bzgl. unserer Fragen erhielten wir keinerlei Auskunft. Alkohol anfangs sonntags, später fast nichts mehr.

Im Dez. habe ich ganz heimlich eine *ganz grosse* Weihnachtskrippe gemacht – nur Papier, ein kl. Stück Pappdeckel, Zigarettenpackungen, Flaschenverschlüsse, Leim und Sachen aus dem Garten: bayr. Bauernhaus, Hirtenlager, Stall und Krippen, Werkstatt des Josef u. s. w.; weit über 50 Figuren.[498] Am 6. Dez. hab ich ganz überraschend den Nikolaus gemacht; und mit Weizsäcker ein so wunderbares Weihnachtsfest[499], dass Du mit mir zufrieden sein kannst – bin noch nicht „ärmlich im Geist!" – mit Weihnachtsliedern, Kerzengiessen, Weihnachtsbaum und lauter selbstgemachten Schmuck, Weihnachtsevangelium, Musik (Heisenberg) usw. Und in meinem Zimmer war aus ein paar Zweigen ein Bäumchen

496 Eigentlich waren unter den Internierten nur sechs Professoren: Gerlach, Hahn, Harteck, Heisenberg, Laue, Weizsäcker. Zur internen Rangordnung der Internierten vgl. die Tagebuchaufzeichnungen von Hahn auf S. 447 f.

497 St.-Pauls-Kathedrale, Sitz des Bischofs von London, liegt im Zentrum der Stadt und unweit der Themse.

498 Weitere Details siehe S. 455.

499 Siehe S. 512.

Weihnachtskrippe in Farm Hall, Zeichnung von Walther Gerlach, Dezember 1945.

zusammengebunden mit Lichtle und musizierenden Engeln und Deinem Bilde aus Veilchen aus der letzten Rose aus dem Garten und vielen blühenden duftenden Zweigen, die bei dem milden Klima dort im freien blühen. [S. 2]Ich hab einen ganzen Strauss davon, auch frische Veilchen, mitgenommen, sie blühen und duften auch hier in meinem Zimmer. Für Dein Bild habe ich schon [in] Chesnay Rahmen gemacht.

In Farm Hall hab ich viel im Haus gearbeitet; Polstermöbel geflickt, auf Sauberkeit geachtet (was einen nicht immer beliebt macht!) Man machte zu Sylvester folgenden Vers (eine irische Versart, genannt Limerick) auf mich (von Weizsäcker verfasst)[500]

Da war ein Professor aus München
Der leibte die Blumen und Hündchen
Doch gefürchtet im Hause
Von Laue zu Bause
War – erlaubt mir den Ausdruck – sein Mündchen.

Auch hab ich bei Tisch das Essen geleitet, bemerkt wenn sich einer zu viel nahm, sodass die anderen nichts bekamen usw.

500 Weitere Limericks und Gedichte von Weizsäcker, siehe Weizsäcker 1992, S. 1012–1028.

Zweimal waren unsere PoW's einen Tag fort, da hab ich mich morgens ½8 in die Küche gestellt und für 15–20 Personen gekocht! Ja, Has! Und zwar grosses Menu: geb. Roastbeef, geb. Kartoffeln, Bohnen und gefüllte Omelette als Nachtisch – alles allein von Kartoffelwaschen an.

Mein Farm Hall Zimmerchen hab ich peinlich sauber gehalten, jeden Tag ge[?], jede Woche einmal alles mit warmen Wasser ab- und aufgewaschen. Ging immer ein Tag herum dabei, und dann Wäsche und Stopfen usw. … Ich habe nur ein Teil in Benutzung genommen, die ist allerdings ziemlich abgebraucht. Wir haben eine graue Hose und eine Jacke erhalten und 4 paar Strümpfe, die Jacke passte mir so schlecht, dass ich sie jetzt dem einen PoW geschenkt habe, der heute entlassen wurde.

Verloren habe ich noch nichts bis heute, nur eine Netzjacke ist zerstört. Dagegen habe ich in Chesnay einem *sehr guten alten Freund*, der auch dort gefangen war und *nichts* hatte, einen Pullover, eine Krawatte und vielleicht sonst noch was geschenkt, ich glaube Kragen und Knöpfe.

Ja – also am 3. Jan. ganz früh zu einem Flugplatz und um ½11 GMT[501] (bei Euch ½12) Start. Bis auf kurzes Sturmgebiet sehr glatter Flug. ½2 Landung, dann noch 1 Stunde Autobusfahrt hierher. Und nun beginnt die Geduldsprobe aufs neue. Unseren „Haushalt" führt eine Frau von …, ich bin der Hausherr, nicht so einfach bei diesem Kreise. Mein Zimmerchen ist voll Blumen, die ich mir auf der Gärtnerei kaufte, fleissige Lieschen und Calla und blühenden Weihnachtskaktus. Ich arbeite fest Physik. Recht oft habe ich gezeichnet, bekam (leider spät) ein paar primitive Farbstifte. Auch hier machte ich schon einige Skizzen. Auch aus der < > habe ich Skizzen.

501 Greenwich Mean Time, Zeit am Greenwicher Nullmeridan, gegenüber der deutschen (Winter-)Zeit minus 1 Stunde Differenz.

Otto Hahn erhält am 10. Dezember 1946 die Urkunde und Medaille zum Nobelpreis aus den Händen des schwedischen Königs Gustav V.

Otto Hahn

Zeichenerklärung (nur für die nachfolgenden Tagebuchauszüge von Otto Hahn)[502]

Text (wellig unterstrichen)	Nachträglicher Einschub.
Text Text (doppelt wellig unterstrichen)	Einschub in einen Einschub.
~~Text~~	Im Text durchgestrichen.
Text (unterstrichen)	Unterstreichung im Text.

1 Tagebuchauszug Otto Hahn 6. – 10. August 1945[503]

[Bl. 25]Tag der „Uranbombe"!![504]

Mo. 6. Aug.

Nachts starker Regen, Gewitter.

Wir machen unsere Briefentwürfe, die morgen vom Major *[Rittner]* nach London gebracht werden sollen.

Fast bei allen werden einige Formulierungen gestrichen. Mir wird gestrichen, dass wir 2 mal wöchentlich ein Kolloquium haben, ebenso meine Frage, ob im Institut gearbeitet werden kann. Wenn nun nur das andere ankommt! –

Montag vor dem Abendbrot kommt plötzlich die grosse Sensation: der Major klopft an mein Zimmer, hat eine Flasche Gin in der Hand und zwei

502 Handschriften wurden von Ralf Hahn übertragen.

503 Archiv der Max-Planck-Gesellschaft, III. Abt., Rep. 14 (Nachlass O. Hahn), Nr. 6820, Bl. 24 – 32.

504 Vermutlich nachträglich hinzugefügt, vgl. Faksimile auf S. 443.

Dieter Hoffmann (Hrsg.): Operation Epsilon.
 DOI: <https://doi.org/10.47261/1508>.

Gläser und teilt mit: Präsident Truman hat soeben im Rundfunk mitteilen lassen, dass die Amerikaner eine „Atombombe" auf eine japanische Stadt haben fallen lassen. Ich will es nicht glauben, aber der Major betont, dies sei keine Reporternachricht, sondern eine amtliche Nachricht des Präsidenten der Vereinigten Staaten. Ich verliere fast wieder etwas die Nerven bei dem Gedanken an das neue grosse Elend; bin aber andererseits sehr froh, dass [Bl. 25v] nicht wir deutsche sondern die Alliierten Anglo-Amerikaner dieses neue Kriegsmittel gemacht und angewandt haben. Beim Essen grosse Aufregung und Diskussion. Heisenberg glaubt die Nachricht nicht, sagt: „dies ist eine Zeitungsente",[505] Wirtz glaubt sie, Gerlach ist tief erschrocken. Um 9 Uhr hören wir dann alle am engl. Radio die ausführliche Mitteilung, die gemeinsame Erklärung Roosevelt-Tru~~e~~man-Churchill über die Bombe,[506] wir hören die Namen der wichtigsten Mitarbeiter; wir hören, dass etwa 180 000 Mann daran beschäftigt waren, dass jetzt noch 64 000 Mann damit befasst sind, dass die Kosten 500 Millionen Pfund = 2 Milliarden Dollar ~~gekostet~~ betragen haben.[507] Ein Zweifel ist nicht mehr möglich. Der Major *[Rittner]* und der Hauptmann *[Brodie]* entfernen sich taktvoller Weise. Wir diskutieren.

Korsching macht einige Bemerkungen über die Unzulänglichkeit, die Eifersüchtelei unserer interessierten Stellen. Gerlach, der sich betroffen fühlt, aber wohl kaum getroffen werden sollte, [Bl. 26] regt sich sehr auf. Ich gehe aus dem Zimmer. Später macht Korsch[ing] noch irgend eine Bemerkung, Gerlach verlässt wütend das Zimmer.[508]

Der Major + Hauptmann sind offenbar ängstlich wegen meiner; dass ich mich als der unschuldige Anlass solch eines Mordinstruments fühlen

---

505 Vgl. S. 167.

506 Warum Hahn von einer gemeinsamen Erklärung Roosevelt-Truman-Churchill spricht, ist unklar, da am 6. August Roosevelt bereits vier Monate tot und auch Churchill nicht mehr britischer Premierminister war; dieser hatte in den Wahlen zum britischen Unterhaus am 26. Juli 1945 sein Amt an Clement Attlee von der Labor Party verloren. Gemeint ist die Rundfunkrede des amerikanischen Präsidenten Harry Truman am Abend des 6. August 1945, die auch von der BBC verbreitet wurde.

507 Zu den genannten genannten Kosten des Manhattan-Projektes siehe <https://www.brookings.edu/the-costs-of-the-manhattan-project/>.

508 Zur Auseinandersetzung Korsching-Gerlach siehe auch S. 174 ff.

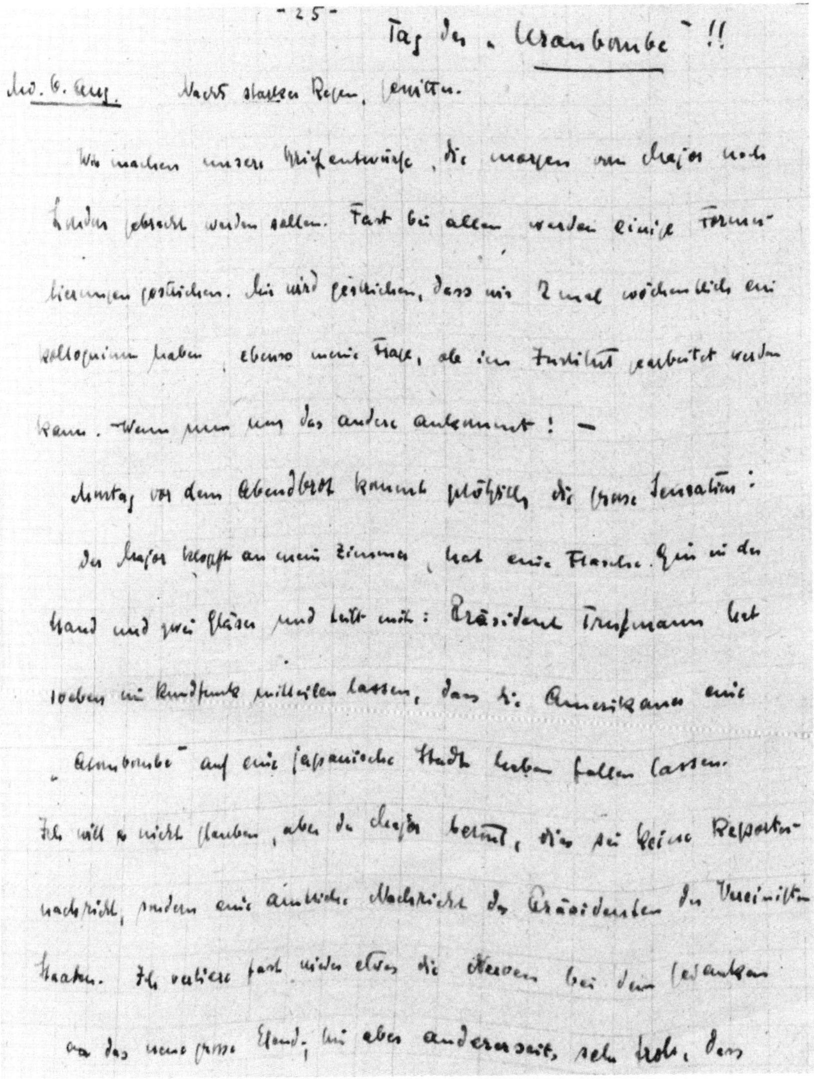
-25-

Tag der „Uranbombe"!!

Mo. 6. Aug. Nachts starker Regen, Gewitter.

Wir machen unsere Briefentwürfe, die morgen vom Major nach London gebracht werden sollen. Fast bei allen werden einige Formulierungen gestrichen. Mir wird gestrichen, dass wir 2mal wöchentlich ein Kolloquium haben, ebenso meine Frage, ob im Institut gearbeitet werden kann. – Wenn man nur das andere aufnimmt! –

Montag vor dem Abendbrot kommt plötzlich die grosse Sensation: Der Major klopft an mein Zimmer, hat eine Flasche Gin in der Hand und zwei Gläser und teilt mit: Präsident Truman hat soeben im Rundfunk mitteilen lassen, dass die Amerikaner eine „Atombombe" auf eine japanische Stadt haben fallen lassen. Ich will es nicht glauben, aber der Major betont, dies sei keine Reporternachricht, sondern eine amtliche Nachricht des Präsidenten der Vereinigten Staaten. Ich verliere fast wieder etwas die Nerven bei dem Gedanken an das neue grosse Elend, bin aber andererseits sehr froh, dass

Otto Hahns Tagebuch, erste Seite des Eintrags vom 6. August 1945.

könne. Sie sprechen mit Laue, der sie beruhigt. Laue kommt zu mir wegen Gerlach, desgl. Bagge. Ich gehe zu Gerlach, ihn zu beruhigen. Er ist verzweifelt, fühlt sich offenbar ein bisschen als geschlagener Feldherr. Andererseits meint er, wir würden, wenn in Deutschland zurück, vom Wehrwolf[509] als Saboteure umgebracht werden, weil wir die Bombe in Deutschland nicht genügend forciert hätten; er ist ausserdem wütend über Korsching, den er, als er sich entschuldigen wollte, hinausgeworfen hatte. Ich rede Gerlach so gut ich kann gut zu; Harteck unterstützt mich dabei. – Später gehe ich auf mein Zimmer. Gerlach und ich werden aber gebeten, doch hinunter zu kommen und so tun wir's auch. Der Major und Hauptmann werden geholt zum Bridge + Skat. Ich spiele [Bl. 26v] nicht mit, aber Gerlach spielt. Gehe bald auf mein Zimmer um mich bald schlafen zu legen. Da kommt noch Heisenberg, um sich mit mir zu unterhalten. Er war offenbar vom Major geschickt. Ich brauche aber eigentlich keinen Trost. Schliesslich habe ich das gute Gewissen, dass ich weder bei der Entdeckung, noch später, die Uranspaltung als Kriegsmittel einsetzen wollte; dass ich ja erst glücklich war, als ich (1939 oder) 1940 hörte, eine Bombe könne erst nach einer laufenden Maschine kommen, und dass ~~erst~~ Jahre notwendig seien, bis man an eine laufende Maschine denken könne. – Ich freue mich jetzt, dass wir keine Mittel und Wege hatten, eine Bombe zu entwickeln, denn hätte man sie in Deutschland während des Krieges machen können, dann wäre man wohl gezwungen worden, sie gegen England einzusetzen. Mir ein unerträglicher Gedanke.

Den Ruhm lasse ich neidlos den Amerikanern. [Bl. 27] Von ihnen und den Engländern verstehe ich es vielleicht. Sie glauben für eine gute Sache zu kämpfen. Weniger erbaut bin ich, dass deutsche Emigranten Peierls und Simon,[510]

509 Der Werwolf war eine nationalsozialistische Untergrund-Organisation, deren Kommandos Sabotageaktionen gegen die Besatzungstruppen und Anschläge auf deutsche Deserteure und Kollaborateure durchführen sollte. Der Umfang der Werwolf-Aktivitäten war in der Nachkriegszeit gering, so dass der Werwolf vor allem ein Propagandaphänomen blieb.

510 Neben den genannten Rudolph Peierls und Franz Simon leisteten auch noch zahlreiche andere deutsche Emigranten wie Hans Bethe, James Franck oder Klaus Fuchs wichtige Beiträge bei der Entwicklung der amerikanischen Atombombe. Vgl. Rhodes 1988.

dass der Meldung nach auch Bohr mitgewirkt haben.[511] Das letztere fällt mir schwer zu glauben.

Dienstag 7. Aug.

Der Major fährt mit unseren Briefen nach London. Er hat auch welche von unseren Kriegsgefangenen mitgenommen, so weit diese Briefe nicht ins russisch besetzte Gebiet gehen sollten. –

Nach – trotz Adalin[512] – unruhiger Nacht gehe ich, wie alle anderen noch vor, vor allem nach dem Frühstück an das Studium der Morgenblätter, die voll sind von der „Atombombe".

Die von England nach U. S. A. gekommenen Engländer sind mir meistenteils bekannt. In einer Zeitung steht Lise Meitner „eine aus Deutschland emigrierte „Jüdin" da als diejenige, die zuerst die Idee hatte. [Bl. 26v]Natürlich beziehen sich alle Gespräche auf die Bombe. Wir kommen zu dem Ergebnis, dass die Amerikaner eine Möglichkeit hatten, eine grosse Menge U 235 aus U 238 abzutrennen und daraus eine „Bombe" zu entwickeln. Während in Deutschland die Arbeit auf die Entwicklung einer „Maschine" ging, wozu das „schwere" Wasser gebraucht wurde etc. Ich glaube, wir sollten froh sein, dass wir diese unsere Anwendung der Spaltung in Richtung Maschine jederzeit beweisen können. Wir haben ja auch alles mögliche publiziert, den anderen war alles verboten; sie waren kaserniert in ihrer „Uranstadt". – Die Meinung bei uns hier ist die, dass unser Name, etwa meiner, der von Heisenberg etc. nicht genannt wurde aus Rücksicht auf uns. Wird er genannt, dann wären wir bei den Engländern die Menschen, die „V3"[513] vorbereiteten, also „war criminals", in Deutschland dagegen Menschen, die offenbar den Alliierten in den letzten Monaten geholfen haben, also „wehrwolfreif" sind.

[Bl. 28]Gerlach sieht darin noch immer sehr schwarz, ist sehr ängstlich deshalb. – Trotzdem ist Nachmittags das übliche Kolloquium: Bagge über Berechnung angeregter Atomzustände. Es wird aber um 6 Uhr unterbro-

511 Niels Bohr wurde nach der Flucht aus Dänemark im Herbst 1943 über Schweden und England in die USA gebracht, wo er für das Manhattan-Projekt als Berater tätig wurde, jedoch an speziellen Forschungsaktivitäten nicht beteiligt war. Vgl. Röseberg 1985, S. 244 ff.

512 Ein heute nicht mehr hergestelltes Schlafmittel von Bayer.

513 Neben der Flugbombe V1 und der V2-Rakete wäre die Atombombe wohl die Vergeltungswaffe V3 des Dritten Reichs gewesen.

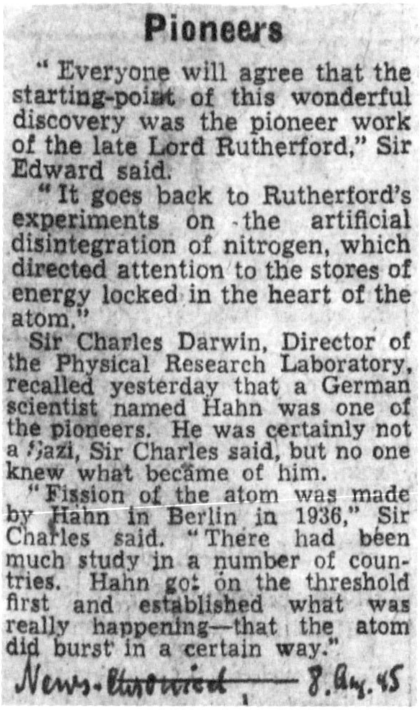

Pioneers

" Everyone will agree that the starting-point of this wonderful discovery was the pioneer work of the late Lord Rutherford," Sir Edward said.

" It goes back to Rutherford's experiments on the artificial disintegration of nitrogen, which directed attention to the stores of energy locked in the heart of the atom."

Sir Charles Darwin, Director of the Physical Research Laboratory, recalled yesterday that a German scientist named Hahn was one of the pioneers. He was certainly not a Nazi, Sir Charles said, but no one knew what became of him.

" Fission of the atom was made by Hahn in Berlin in 1936," Sir Charles said. " There had been much study in a number of countries. Hahn got on the threshold first and established what was really happening—that the atom did burst in a certain way."

News-Chronicle, — 8. Aug. 45

Der in Hahns Tagebuch eingeklebte Artikel aus „News-Chronicle" vom 8. August 1945.

chen durch eine neue Rundfunkmeldung des Leiters der „Atombomben-kommission".[514] –

Mi. 8. Aug.

Die Zeitungen sind voll von der „Atombombe"; alle möglichen sachlichen und unsachlichen Mitteilungen, Interviews und Bilder von „Atombombensachverständigen" werden gebracht. Lise Meitner „the jewish mathematician" sind heute in mehreren Blättern.

Ihr Anteil an der Entdeckung wird nicht richtig dargestellt; sicher ist auch ihr diese Zerrung an die Öffentlichkeit nicht recht, falls sie die Zeitungen in die Hand bekommt. Der Major bittet mich, etwas über die wahren Tatsachen 1938, unter denen Lise wegging, und wann und was sie zu der Entdeckung beigetragen hat, ihm aufzuschreiben; ich tue es, und bemühe mich, so objektiv wie möglich zu sein.[515] [Bl. 28v]Hauptsächlich bittet uns aber auch der Major, einen sachlichen Bericht über die Arbeiten in Deutschland über Uran im Hinblick auf den Krieg zusammenzustellen, weil er es in unserem Interesse für sehr wünschenswert hält, dass amtliche Stellen unsere objektive Einstellung und unser Arbeitsziel erfahren.[516] Wir haben auf die „Maschine", nicht auf die „Bombe" gearbeitet. Uns ist auch keine ernst zu nehmende Stelle bekannt, wo der Versuch zu einer „Bombe" in Angriff genommen werden konnte. Da nämlich in Deutschland technisch nicht die Möglichkeit bestand 235 in grosser Menge abzutrennen oder

514 Mitteilung von John Anderson, britischer Schatzkanzler und der politisch Verantwortliche für die britische Beteiligung am Manhattan-Projekt, zur Entwicklung und dem Einsatz der Atombombe über BBC am 7.8.1945. Siehe auch S. 198 f.

515 Vgl. Hahns Bericht an Major Rittner, S. 460 f.

516 Siehe auch S. 200 ff.

durch einen Mechanismus El. 93 oder 94 in grosser Menge zu gewinnen, so war für Deutschland eine Bombe nicht möglich. Erst nach lange gelaufener Maschine hätten wir 93 und 94 herstellen können. Hauptsächlich von Weizsäcker, Heisenberg wird das Memorandum abgefasst. In 2 Teilen: der eine populär [Bl. 29] für höhere Laienstellen, der 2te Teil mit einigen technischen Erläuterungen. In gemeinsamer Besprechung einigen wir uns auf den genauen Wortlaut und legen ihn dem Major vor. Laue schreibt ihn in mehreren Durchschlägen. Der Major liefert ausserdem noch eine Übersetzung, da wir deutsch schreiben. Fast der ganze Tag geht mit diesem Memorandum und dem Lesen der Zeitungsberichte vorbei.

Am Abend kommt der Hauptmann aus London zurück; er bringt wieder Kleider + Wäsche. Ich bekomme graue Hose und bläuliche Jacke, ausserdem einen Pullover und 2 kurzärmelige Sporthemden. – Russland erklärt Japan den Krieg. Die Wirkung der „Atombombe" auf Hiroshima in Japan muss schrecklich gewesen sein.

Später am Abend giebt es noch Schwierigkeiten wegen der Unterschriften. Mein Name kommt zuerst. Dann schreibt sich Laue drauf. Dann sollten [Bl. 29] Gerlach, Heisenberg, Weizsäcker, Wirtz, Bagge, Korsching, Diebner kommen. Wirtz ist böse, wie er mir persönlich sagt, dass Laue sich hingeschrieben hat, dabei noch an den Anfang; wo er doch nie etwas über die Arbeiten gewusst habe. Ich versuche zu beruhigen; der Name Laue könne der ganzen Gruppe sehr dienlich sein; Laue selbst bekommt gesagt, er stelle sich damit in die Reihe der Urangruppe, was vielleicht verhindern werde, dass er als Unbeteiligter vor uns entlassen werde. Diebner ist gekränkt, dass er wieder als letzter kommt. –

Wir versuchen einen neuen Weg: Nur 4 Namen: Hahn, Heisenberg, Gerlach, Harteck als Unterschriften dem Major vorzuschlagen: die 4 Leiter von Instituten. Der Major möchte aber alle Namen haben, weil man sonst meinen könne, die 4 Unterschriebenen hätten keine „Bombe" entwickelt, aber vielleicht hätten es die anderen versucht. – In der Nacht überlegt sich Laue einen kurzen Brief an den Major, dass er als „Mitgefangener" [Bl. 30] die Erklärung unterschrieben habe, obgleich er an der ganzen Entwicklung nicht beteiligt gewesen war. ~~Am~~ So kommt allmählich der:

Do. 9. Aug.

Laue liest vor dem Frühstück seinen kurzen Brief Heisenberg und mir vor. Wir stimmen zu. Nachher wird aber beschlossen, dass Laue in dem offiziellen Bericht eine Anmerkung über seine Nichtbeteiligung macht, aber an der Richtigkeit unserer Angaben überzeugt ist. Nachdem der deutsche Text von allen in der gestern angegebenen Reihenfolge unterschrieben ist, Laue seine kurze Bemerkung dazu geschrieben hat, fährt der Major mit diesem Bericht und seiner, in der Nacht gemachten englischen Übersetzung nach London. Den Bericht soll London und Washington bekommen. –

Russland hat Japan den Krieg erklärt! (Leichenfledderer).[517]

Eine zweite „Atombombe" wurde geworfen![518] Der Papst hat den [Bl. 30v] Mut, diese Unmenschlichkeit offen zu verurteilen.[519] –

In (unten eingeklebt)[520] einer Zeitung steht ein Interview mit Lise Meitner, das im Wesentlichen korrekt ist. Einige Sätze müssten umgestellt werden; dann wäre alles richtig. In der angegebenen Fassung bietet es noch Anlass zu Missverständnissen.

[Bl. 31]Bei uns selbst herrscht über die „Bombe", unser Memorandum, die Unsicherheit unseres Schicksals in England wie auch in Deutschland (Angst einiger vor Wehrwolf), eine gespannte Stimmung einzelner gegen einzelne,

---

517 Am 8. August 1945 erklärte die Sowjetunion Japan den Krieg und Truppen der Roten Armee marschierten in die Mandschurei ein und besetzten den Süden der Inseln Sachalin sowie die nördlichen Kurilen.

518 Am 9. August 1945 erfolgte der Abwurf der zweiten amerikanischen Atombombe auf die japanische Stadt Nagasaki.

519 Hahns Feststellung ist historisch nicht belegbar, denn weder durch Papst Pius XII. noch von einem anderen hochrangigen Vertreter der katholischen Kirche, namentlich in den USA, gab es eine entsprechende Stellungnahme zur Atombombe.

520 Die genaue Quelle des Interviews von Lise Meitner, auf das sich Hahn bezieht, konnte nicht verifiziert werden, da der „unten eingeklebte Zeitungsausschnitt" abhanden gekommen ist. Da die Internierten in Farm Hall ausschließlich englische Zeitungen zur Lektüre erhielten, könnte das protokollierte Interview entweder per Telefon erfolgt sein oder eine (Teil-)Übersetzung des Meitner-Interviews in der kleinen schwedischen Lokalzeitung Leksand alu-Kuriren vom 8. August 1945 (siehe Lise Meitner 1945 und auch Sime 2001, S. 402 f.), das als Urquelle anzusehen ist.

die ich mich, soweit wie möglich, bemühe, abzustellen. Man könnte alle möglichen Kombinationen machen. Manches sind prinzipielle Fragen, die sehr delikat sind; z.B. die Stellung Diebners am und im Kriege, seine wissenschaftliche Beurteilung, sein Aufenthalt bei uns etc. Diebner hält seine Leistungen, auch die rein wissenschaftlichen für besser oder mehr als die von Korsching oder Bagge. Trotzdem kommt sein Name als letzter. – Nach dem Mittagessen kommt Diebner noch einmal zu mir, und wir sprechen uns freundschaftlich aus.

Das Wetter ist trostlos; Regen und Kälte. Ich friere, obgleich ich den neuen Pullover und dicke etwas zu blaue, Jacke anhabe, die ich gestern bekommen habe. Die grauen Hosen sind sehr schön, leider etwas zu lang. Aber ich schone damit meine anderen Anzüge.

[Bl. 31v] Am Nachmittag zeigt mir Gerlach den hier eingeklebten kurzen Artikel aus der „News-Chronicle":[521] Eine Bemerkung von Sir Darwin[522]. Es ist erstaunlich unparteiisch geschrieben. Persönlich kenne ich Darwin nicht, oder ~~habe~~ bin höchstens 1939 bei meinem Vortrag in London ihm vorgestellt worden.

In einem Interview von Chadwick, der ebenfalls in Amerika die Bombe mitgemacht hat,[523] sagt dieser: „manche von ihnen hätten vielleicht innerlich gewünscht, dass keine solche Bombe zustande käme." Ich ~~hoffe~~ hoffe, dass noch mehr Menschen in England u. U. S. A. so denken: Einige „Eingesandte" im Daily Telegraph bringen das auch zum Ausdruck.[524]

521 News-Chronicle vom 8.8.1945 (siehe Faksimile auf S. 446).

522 Charles Galton Darwin war ein Schüler von Ernest Rutherford und seit 1938 Direktor des National Physics Laboratory; als solcher war er am Manhattan-Projekt beteiligt, u. a. als Koordinator der Zusammenarbeit zwischen den britischen, amerikanischen und kanadischen Wissenschaftlern.

523 Gemeint ist die von James Chadwick geleitete britische Mission beim Manhattan-Projekt, dessen Mitglieder vielfach Schüler E. Rutherfords waren; auch O. Hahn, der 1905/1906 bei Rutherford in Montreal gearbeitet hatte, fühlte sich dieser „Rutherford-Familie" verbunden und kannte viele von ihnen persönlich. Siehe Herbig 1979, S. 57.

524 Vgl. The Daily Telegraph vom 7.8.1945, S. 1 und das Faksimile auf S. 196.

[Bl. 32] Freit. 10. Aug.

Wetter besser.

Der Major fährt wieder nach London, bleibt dann zum week-end dort. Er erzählte, schon gestern, dass die Briefe von uns nun sicher befördert würden. Allerdings sei nicht der uns bekannte U. S. A.-Leutnant der Kurier, sondern ein anderer Leutnant. Der sei aber, was werde, ausdrücklich instruiert, eine Antwort mitzubringen, also den Empfänger unbedingt persönlich zu treffen. Hoffentlich gelingt dies nun endlich!

Am Nachmittag ist Kolloquium: Bagge beendet sein Referat über die Berechnung angeregter Kernzustände. Dann hören wir, dass sich Japan ergeben will, aber den Kaiser behalten.[525] Es sieht also so aus, als ob durch die beiden Bomben auf Hiroshima und Nagasaki der Krieg beendigt wird. Dann hätten die Atombomben trotz ihrer Fürchterlichkeit doch vielleicht etwas gutes gebracht. – Der Hauptmann bringt eine Flasche Gin als Siegespreis.

2 Tagebuchauszug Otto Hahn 15. – 17. November 1945[526]

Do., 15. Nov.

In der Nacht ist es unter Null Grad! Die Bäume am nebligen Vormittag mit schönem Rauhreif besetzt. Bei dieser Temperatur werde ich meine Morgenläufe wohl einstellen oder einschränken. Sowohl Gerlach wie Heisenberg (er war ~~leichtatlet~~ leichtathletisch früher sehr aktiv)[527] meinen, die kalte Luft bei dem schnellen, wohl meist Mundatmen, sei nicht gut. – Im Haus wird es jetzt empfindlich kalt, denn die einzelnen Räume werden ja nur elektrisch oder mit Gas geheizt. Ich selbst kann mein Gasöfchen nicht ganz aufdrehen, sonst schlägt die Flamme zurück. Die nie dicht schlies-

525 Am 15. August 1945 gab Kaiser Hirohito schließlich in einer Rundfunkansprache den japanischen Truppen den Befehl zur Feuereinstellung und am 2. September erfolgte die Unterzeichnung der japanischen Kapitulationsurkunde, womit alle Kampfhandlungen und damit der 2. Weltkrieg auch offiziell beendet waren.

526 Archiv der Max-Planck-Gesellschaft, III. Abt., Rep. 14, Nr. 6821, Bl. 35 – 37.

527 Der junge Heisenberg hatte sich auch als Leichtathlet betätigt und u. a. die Bedingungen für das Sportabzeichen des Deutschen Reichsausschusses für Leibesübungen erfüllt, siehe Cassidy 1992, S. 33 f.

senden engl. Schiebefenster in diesem >200 Jahre alten Hause lassen einen dauernden kalten Luftstrom ins Zimmer. Im Zimmer ist es also recht kalt; aber in der Nähe des Kamins, wo der ~~[?]~~ Gasofen steht, ist die Strahlung sehr schön stark. Je nachdem, ob ich im bequemen Stuhl lese oder am Tisch schreibe, schiebe ich meinen Sitz in die Nähe der „Strahlung". Richtige Öfen sind im ganzen Haus nicht vorhanden. Hoffentlich hat es Edith[528] in Tailfingen jetzt nicht zu kalt. An den Winter in Deutschland kann man kaum denken. –
Am Nachmittag hören wir wieder Mozarts Haffner-Symphonie und nach dem beschleunigten Tee die 7. Beethovensymphonie. Es ist erstaunlich und erfreulich, wie ~~viel~~ viel deutsche Musik, vor allem hier in England, geboten wird. Hauptm. Brodie ist um ½ 9 Uhr Vorm. wieder nach London gefahren, kommt spät in der Nacht zurück.

[Bl. 36] **Freitag, 16. Nov.**

Beim Lesen der Morgenzeitungen findet einer im „Daily Telegraph" eine kurze Meldung, ich habe den Nobelpreis für 1944 (als „radiologist") bekommen.[529] Grosse Aufregung bei allen; ich selbst wundere mich, weil Westgre ja geschrieben hatte, wegen der Unruhe über die Atombombe könnten sie mich dieses Jahr nicht nach Schweden einladen. Heisenberg zeigt den Satz dem Hauptmann Brodie, der mir aber auch beim Mittagessen nichts sagt. Später höre ich, dass er doch in London angefragt hat, aber eine offizielle Bestätigung nicht bekam. Am Mittag fährt er wegen einer Unterschrift von Heisenberg (wegen Geld-

Meldung des Daily Telegraph vom 16. November 1945, S. 3, über die Nobelpreise der Jahre 1944 und 1945.

16.11.1945 S.3

NOBEL AWARDS FOR 2 YEARS

From Our Own Correspondent
STOCKHOLM, Thursday.

The Swedish Academy of Science announced to-day Nobel Prize awards for 1944 and 1945. Among the prizes awarded were:

Physics: 1944. Prof. OTTO HAHN, 66, of Germany, for splitting heavy atom nuclei. He is reported to be in England.

Physics: 1945. Prof. WOLFGANG PAULI, an Austrian, for research on atomic energy. He is at present at Princeton University in the United States.

Chemistry: 1945. Prof. ARTTURI WIRTANEN, 50, of Finland, for agricultural research.

Literature: 1945. Senorita LUCILA GODOY Y ALCAYAGA, 56, Chilean authoress and poetess. She writes under the nom de plume of Gabriela Mistral.

528 Frau von Otto Hahn.

529 The Daily Telegraph vom 16.11.1945, S. 3 (Faksimile oben). Siehe dazu auch den Anhang des achtzehnten Berichts S. 375.

abhebungsmöglichkeit für seine Frau) nach London. Er erkundigt sich bei der Times und beim Daily Telegraph. Er hört nichts endgültiges; aber es sei sehr wahrscheinlich. Er bittet telefonisch, dass wir auf ihn warten möchten mit dem Abendbrot, weil er gerne eine Flasche Wein mit uns trinken möchte. – Mittlerweile wird die Nachricht im deutschen (aus England gesendeten?) Rundfunk bestätigt;[530] nichts aber im englisch sprechenden mitgeteilt. Man scheint aber die Sache für wahr zu halten, und die Aufregung ist gross, wie sich die Engländer nun verhalten werden. – Zum Essen bringt dann der Haupmann eine Flasche Gin und Rotwein. Beim Essen giebt es Ölsardinen mit Toast und Butter als Vorspeise, dann das übliche Fleischgericht mit Gemüse, Kartoffeln und danach kommen zwei schöne Torten, die eine mit „herzlichem Glückwunsch", die andere mit N. P. gezeichnet. Der nach diesen Torten noch vorgesehene Käse + Butter wird von niemand mehr berührt: zu viel.

[Bl. 36v]Zwischen den einzelnen Gängen giebt es dann eine richtig festliche Folge von Vorträgen und Ulkgesängen etc.[531] Alles in den wenigen Nachmittagsstunden vorbereitet, ohne dass ich eine Ahnung davon hatte. – Laue hält zunächst eine ernste Ansprache in der er meine Arbeiten derartig herausstreicht, dass ich mich genieren muss. Den Fleiss gebe ich zu, aber die „Genialität" durchaus nicht. Am Schluss gedachte er Edith. Das Ganze regte mich doch so auf, dass ich am Schluss das Heulen bekam; ich konnte es eben nicht unterdrücken. Und Laue selbst weinte ebenfalls. Aber sehr bald habe ich mich wieder in der Gewalt. Und dann kamen zunächst von Heisenberg und von Weizsäcker (und wohl auch Wirtz) „Berichte aus den Zeitungen des In- und Auslandes". Darunter ein langer aus der „Frankfurter Zeitung" mit der Überschrift: „Von Goethe zu Otto Hahn". Ganz ausgezeichnet. Auch ein Bericht des „Moose-Jaw"-Herald war ungemein witzig. (In Moose-Jaw – Canada hatte ich mir einmal mit Eiern den Kopf waschen lassen; resp. Ich konnte es nicht verhindern). Später ~~[!?]~~ sang Diebner ein langes Lied nach der Melodie: Studio auf einer Reis, das immer mit dem Passus endete: „Und fragt man, wer ist schuld daran, so ist die Antwort Otto Hahn". – Dann kam Bagge mit einem langen „amtlichen" Bericht über unsere bisherigen Erlebnisse, bei denen die Adjek-

530 Gemeint ist wohl das deutsche Programm der BBC.

531 Siehe S. 373 ff.

tive zu den Substantiven ohne Kenntnis des Textes durch etwa 10 malige Rundfrage nach Adjektiven ohne Wahl, der Reihenfolge nach in den Text eingeschrieben wurden. Das gab z.B. die „alkoholischen detainers" etc. [Bl. 37]Nach diesen Vorführungen kam dann noch unser Kramer aus der Küche[532] – Friseur, Schauspieler, Schneider und Taschenspieler – und machte eine Anzahl verblüffender Zaubertricks. An Skat oder Bridge war nicht zu denken. Kurz vor 12 Uhr trennten wir uns und ich nahm ein Sedormid[533], um zu schlafen.

Sa., 17. Nov.

Vergessen habe ich zu sagen, dass wir spät am Abend noch alle zusammen den französischen Text der Heisenberg-Erklärung, an eine Bank zur Geldabholung für seine Frau zusammenbrauten, die der Hauptmann mit der gleich~~zeitig~~falls beiliegenden englischen Erklärung heute nach London bringt. Um aus einer deutschen Bank von einem deutschen Konto deutsches Geld zu bekommen, nützt eine deutsche Erklärung offenbar nichts; sie muss englisch und französisch abgefasst sein!

Jeder stürzt sich (ausser mir) heute auf die Morgenblätter. Aber in keinem steht ein Wort von mir. Vielleicht ist alles garnicht wahr. Aber dann hatten wir zumindest gestern ein schönes Fest.

Nachzutragen ist auch noch von gestern, dass Wirtz den III. Teil seines Kolloquiums über Eiweissstoffe, Hypothese der konjugierten Wasserstoffbindungen vortrug. Damit war die Zeit von ¾ 5 bis nach ½ 7 Uhr festgelegt. Es ist erstaunlich, wie dabei die schönen Vorträge etc. produziert werden konnten.

532 Harry Kramer, der als deutscher Kriegsgefangener zum Service-Personal von Farm Hall gehörte.

533 Ein heute nur noch in Japan gebräuchliches Schlafmittel von Hoffmann-La Roche.

3 Tagebuchauszug Otto Hahn Weihnachten 1945 bis 3. Januar 1946[534]

So. 23. Dez. 45.

Am Vormittag noch allerhand Unterhaltungen mit den beiden Amerikanern, die gegen 12 Uhr wieder nach London fahren.[535] Dazwischen natürlich dauernd Hoffnungen, Vermutungen, Entwürfe über unsere nächste Zukunft in Münster.[536] Wir sollen in Begleitung des „Commanders" und des Lt. Warner von einem Flugplatz hier irgendwo in der Nähe – es sind ja gerade in dieser Gegend sehr viele Flugplätze gewesen – vermutlich mit einer Lancaster-Maschine nach Bückeburg fliegen. Von da dann per Wagen nach Münster. – Noch allerhand Besprechungen wegen des morgigen „Heiligen Abends".

(Statt um 8 Uhr schon um 7 Uhr Abendbrot am 24. Danach „Stille Nacht", Weihnachtsevangelium durch [Bl. 7]Weizsäcker und kurze Ansprache.[537] Danach „Bescherung" und gemeinsames Zusammensein, ausserdem etwas Musik von Heisenberg.) kommt erst am 24. XII.[538] – Max Laue macht mir wieder Sorge. Er vergrübelt sich zu sehr; kommt immer wieder auf frühere Erlebnisse zurück mit Vater, Stiefmutter, Schwester und legt dies auch im Brief an seinen Sohn nieder, der aber wohl jetzt nicht zum Abschicken gedacht ist.

Mo. 24. XII. „Heiliger Abend"

Da es in Deutschland mit meinen Dauerläufen wohl aus sein wird, mache ich heute vorm Frühstück noch einen besonders langen Dauerlauf. In 67,4 Min. laufe ich 37 Runden à 310 m: also fast 11,5 km, die längste Strecke, die ich in meinem Leben gelaufen bin. Nachher tun mir aber die

---

534 MPG-Archiv, III. Abt., Rep. 14 Nr. 6822, Bl. 6–8, 11–14.

535 Colonel Dean und Leutnant Warner, siehe S. 405.

536 Als Internierungsort in Deutschland war zunächst das westfälische Münster vorgesehen. Da man dort aber kein geeignetes Quartier für den zehnten deutschen Wissenschaftler fand, ging es schließlich in das ostwestfälische Alswede bei Minden, wo sie in einem beschlagnahmten Kaufhaus einquartiert wurden.

537 Vgl. S. 512 ff.

538 Klammern und nachträglicher Einschub in roter Tinte.

Füsse weh, und es fehlt nicht viel am Wundlaufen. Damit dürfte mein Ehrgeiz gedeckt sein. –

Die 9 ^{30} Records[539] behandeln diese Woche zu meiner Freude Tschaikowsky. Gerlach schliesst aber den drawing-room[540] (mit dem Radio) für seinen Weihnachtsaufbau ab. Seit 7 Uhr früh arbeitet er schon wieder daran. Er hat fast 50 Figuren: heilige Familie, hl. 3 Könige, Hirten, Schafe, Elefanten, etc. etc. gezeichnet, ausgeschnitten und aufgeklebt. Sein Bauernhaus mit Stall, Örtchen, Feuerglocke, hl. Jungfrau Maria etc. gefällt mir noch besser als die Krippe. Auch mit dem kl. Weihnachtsbaum gibt er sich viel Mühe, ihn mit eigens hergestellten Sachen zu schmücken. –

[Bl. 7v]Unser Weihnachtsessen ist schon um 7 Uhr sehr üppig: klare Suppe mit Einlagen, Truthahn oder Ente, süsse Speise, Käse + Butter.[541] Dazu für uns 16 Personen die beiden letzten Flaschen franz. Rotwein. Getränk kam also nicht an das Essen heran.

Dann machte die Küche schnell Ordnung; die 5 boys zogen sich um (Scholz[542] z. B. bekam meinen Brintsky-Anzug), und dann gingen wir in den Drawing Room, wo das Bäumchen (respektive Lichter) schon angezündet war und andere kl. Kerzen die Krippe und die anderen Gerlachschen Sachen beleuchteten. Weizsäcker hielt eine schöne, gutdurchdachte Ansprache über den Sinn des Weihnachtsfestes und las das Weihnachtsevangelium vor.[543] Vorher hatten wir alle (16 Personen) „Stille Nacht" gesungen. Nachher spielte Heisenberg einen sehr schönen Satz aus der Waldsteinsonate von Beethoven. Dann wurde das el. Licht angedreht und jeder sah auf dem grossen runden Tisch seinen Namen – von Gerlach entworfen – mit seinen Weihnachtsgeschenken, die der Oberst Hptm. Brodie für jeden von uns und die 5 boys rangeschafft hatte. Für die Wissenschaftler hatte er je ein Buch (über Musik, Geschichte, engl. Leben etc.); ausserdem für jeden einen Taschenkalender 46.

539 Thematische Klassik-Sendung der BBC.

540 Salon bzw. Aufenthaltsraum von Farm Hall.

541 Siehe auch Faksimile der Speisekarte auf S. 44.

542 Scholz gehörte als deutscher Kriegsgefangener zum Service-Personal von Farm Hall.

543 Vgl. Dokumentenanhang S. 512 ff.

Wir waren dann alle zusammen, ohne Bridge oder Skat, ruhig und nachdenklich um Baum und Krippe versammelt. Die 5 boys zogen sich nach oben zurück. Kurz nach 12 Uhr löste sich die Gesellschaft auf, nachdem wir aus Basel im Rundfunk gut übertragen, die Christmesse angehört hatten.

[Bl. 8] Als ich dann um 1 Uhr Nachts noch lesend im Bett lag, – bei dem warmen Wetter bei offenem Fenster – hörte ich plötzlich vor unserem Haus: Rufe, die nicht nachliessen. Da auch der Name unseres Küchen Kam[eraden] Wolf[544] fiel, ging Laue, der das Rufen ebenfalls gehört hatte, hinauf zu Wolf. Es stellte sich heraus: Lt. Warner war mit dem amerik. Flieger und dessen Braut von London hergefahren um uns die von dem Flieger aus Deutschland gerade gebrachte Post so schnell wie möglich zu überbringen. Ich begrüsste die freundlichen, etwas angeheiterten Postüberbringer in Pyjama + Mantel und dankte ihnen herzlich. Mittlerweile war auch der „Kommander" aufgestanden, holte die Amerikaner zu sich ins Office, blieb mit ihnen noch einige Zeit zusammen, (bei der Flasche Whisky, die er uns für den 25. XII. zugedacht hatte, schickte sie dann nach London zurück und machte sich daran, die ganze Post durchzulesen, so dass wir sie gleich am Morgen bekommen könnten. Wie er später erzählte, hatte er mit dem Lesen bis 6 Uhr vorm. zu tun.

Dienstag: 1. Weihnachtstag

Wolf bringt uns schon vor dem Frühstück die Post. Der „Commander" bleibt noch im Bett, weil er ja kaum geschlafen hatte. Es haben fast Alle Nachricht bekommen. Ich sehr viel: Edith[545], Hanno[546], Ilse[547], Frankfurt[548], Papa Pletz[549], Mattauch[550] etc. Von Hanno ein sehr hübsches Photoalbum mit Photos seiner Hochzeitsfeier auf dem Mühlberg, wo Dank der

544 Alwin Wolf, der als deutscher Kriegsgefangener zum Küchenpersonal von Farm Hall gehörte; siehe den Vorbericht vom 5. Mai 1945, S. 89.

545 Edith Hahn, geb. Junghans, seit 1913 Ehefrau Otto Hahns.

546 Hanno Hahn, Sohn Otto Hahns.

547 Ilse Hahn, geb. Pletz, Schwiegertochter Otto Hahns.

548 Da Otto Hahn und seine Familie aus Frankfurt stammte, werden wohl Familienangehörige gemeint sein.

549 Arthur Pletz, Vater der Schwiegertochter Ilse.

550 Josef Mattauch war während der Internierung Hahns dessen Vertreter als Institutsdirektor des KWI für Chemie in Hechingen.

Hilfe der Familie Pletz eine ungeheure Kuchenorgie stattgefunden hatte nach der kirchlichen Trauung in Berkersheim.[551] Pletzens waren im Auto von Otto auf den Mühlberg gebracht worden.

[Bl. 11v] [Montag, 31. Dezember 1945]

[…] wo anders hin,[552] es habe also keinen Zweck ~~ihn~~ die Sachen überhaupt nach Münster zu bringen. Diese Dinge werden uns gesagt, nachdem der Hptm. mit dem „Commander" telefoniert hatte. Vorher war keine Rede davon gewesen. Ich kann eine gewisse Verstimmung nicht loswerden. So sind z.B. 10 dicke grosse Riegel Kernseife nicht verbraucht worden, dass leicht jeder von uns einen hätte mitnehmen können, und es wäre noch immer genug zurückgeblieben. Warum diese harten Bestimmungen sein müssen, wo man uns dreiviertel Jahr hier festhält, verstehe ich nicht ganz. Wir sind halt Deutsche! – Den letzten Abend im Jahr wollen wir aber trotz allem noch ein kleines bisschen feiern. Das geschieht denn auch. Essen schon um 7 Uhr: sehr gut, aber nicht so stopfend. Dann versammeln sich alle um 10 Uhr am Weihnachtsbaum und der Krippe. Die Kerzenreste brennen. Es giebt Kaffee und Tee und Berliner Pfannkuchen. Gerlach hält eine kleine Ansprache an den Hauptmann, es giebt ein bisschen Musik. Weizsäcker trägt einige von ihm gemachte, neue „Limericks" vor; dann macht Kramer,[553] der Allerweltskünstler aus der Küche einige Vorführungen. Um 12 Uhr hören wir „Big Ben" schlagen und stossen mit Whisky für ein besseres 1946 an. Später wird noch gesungen, nach 12 Uhr sind auch alle drei Wachen mit uns, und es wechselt bei beliebig viel Pfannkuchen und beliebig vielen Apfelsinen und genügend aber nicht zu viel Whisky, den immer nur einige trinken, engl. und deutscher Gesang ab. Nachts ½ 3 Uhr ist Schluss.

551 Hanno Hahn und Ilse Pletz hatten am 19. Mai 1945 in Frankfurt a. M. geheiratet.

552 Ursprünglich war Münster als Internierungsort geplant, siehe Anm. 536 auf S. 454.

553 Siehe Anm. 532 auf S. 453.

[Bl. 12]Von den hübschen Weizsäckerschen „Limericks“[554] schreibe ich einige hier auf.

1 Es war ein König in Thule
Der plauderte wie aus der Schule
Und wenn Euch das wundert
Wett ich eins gegen hundert:
Es gab keine Schule in Thule

2 Es war ein Kollegium in Schweden
Das verleiht seinen Preis nicht an jeden.
Doch kriegt man ihn mal,
So ist’s auch noch fatal,
Denn man kommt nicht von Farmhall nach Schweden.

3 There was a big man at Farm-hall,
Who said, when the Swedish did call:
No, I have here my leisure
At his Majesty’s pleasure
And shall surely not move from Farmhall.

4 Es waren zehn Forscher in Farm-Hall
Die galten als fürchterlich harm-voll.
Beim jüngsten Gericht
Erschienen sie nicht,
Denn sie sassen noch immer in Farmhall.

5 S’war ein Spalter atomischer Sphären,
Den wir alle aufs höchste verehren.
Und fragt man: wozu
Denn das ganze Getu?
S’ist nur wegen unserer Karrieren.

554 Weitere Gedichte und Limericks Weizsäckers finden sich in Weizsäcker 1992, S. 1012 – 1028.

[Bl. 13v][Mittwoch, 2. Januar 1946]

[…] auf die Ankunft des Brigadiers Spe~~ll~~dding, Lt. Warner und des „Commanders"[555], die uns bei unserem Fluge begleiten sollen und bei uns übernachten. Nachdem wir mit dem Essen fertig sind, kommen die Herren an. Das Schmerzenskind der ganzen Aktion: das viele Gepäck wurde mit sehr kritischen Blicken angesehen und vom Commander wurde immer wieder versichert, dass wir nicht mehr [als] 30 Pfund pro Kopf mitnehmen dürften wegen Überlastung der Maschine. Wir hatten erheblich viel mehr an Gewicht. Dann hiess es, es würden ev. eine Anzahl Gepäckstücke zurückgelassen, wenn sich am Flugzeug die zu grosse Belastung nach dem Gutachten des Piloten herausstellt. – Es gab am Abend zum Abschied noch ein Glas Gin. Mit Ausnahme des Commanders und einiger, die nicht loskamen, gingen wir nach 11 Uhr ins Bett. Denn wir hatten einen anstrengenden Tag vor uns.

Donnerstag, der 3. Januar:

Abflug von England, genau 6 Monate nach unserer Ankunft in Farmhall (Godmanchester) am 3. Juli 1945.[556]

Alswede den 3. I.

Ab 5 Uhr früh ist Unruhe im Haus. Um 6 Uhr stehen wir auf, haben um ¾ 7 Uhr einfaches Frühstück (nur Toast, Butter, Marmelade). Es muss ja in der Küche noch Ordnung gemacht werden etc. Ab 8 Uhr stehen wir abfahrtbereit da. Das viele Gepäck ist unter dem dauernden Schelten des Commanders per Van schon zum Flugplatz unterwegs. Wir warten auf die Rückkehr des Vans für unseren Transport. Zwischendurch ziehen wir die Mäntel wieder aus, da Verzögerung gemeldet wird. Jeder bekommt ein Esspaketchen: 1 Käsewasserweck
2 Apfelsinen.

[Bl. 14]Schliesslich ist alles so weit: 2 grosse Privatwagen und der Van bringen uns 19 Personen zu dem selben Flugplatz, auf dem wir vor 6 Monaten

555 Eric Welsh war Mitglied des anglo-amerikanischen Ausschusses für die kernphysikalische Abwehr und der verantwortliche Kontaktmann für die internierten deutschen Atomphysiker in Farm Hall.

556 Der Zeitraum von exakt 6 Monaten folgte einem englischen Gesetz, siehe S. 32.

angekommen sind:[557] Abschied von Farmhall um 9 ^{30}. Auf dem Flugplatz zankt der Commander, wir hätten nicht 30 Pfund sondern im Durchschnitt 72 Pf., also viel zu viel. Es wird aber dennoch alles verstaut. Vielleicht war es ein Glück für uns, dass sehr schönes Wetter war und kein Nebel. Am Abend sagte [er], soweit ich verstanden habe, es hätten deshalb 2000 Liter oder Pfund oder sonst ein Maß an Benzin wieder abgelassen werden können. – Abflug genau 10 ^{30}. Gegen 12 ^{15} holländische Küste, Zuidersee über Minden etc. An auf Flugplatz bei Bückeburg[558] um 1 ^{30}. Wir hören, dass wir nicht in das ursprüngl. für uns vorgesehene „Schloss" in oder bei Lübbe[c]ke können, weil dort das el. Licht nicht funktioniere. Wir fahren vielmehr an der Porta Westphalica vorbei nach dem kl. Städtchen Alswede[559], wo wir in dem Manufaktur-Warenhaus eines Herrn Albersmeyer untergebracht werden. Das Haus ist gut im Stande, 1938 gebaut. Herr Albersmeyer wurde offenbar wegen uns aus dem Haus entfernt; es war aber wohl vorher auch schon anderweitig benutzt. Grosser schöner Raum, wo wir gemeinsam essen und verteilt auch sitzen können. Der eigentliche Laden: gute Zentralheizung, die uns nach dem kalten Flug und der kalten Autofahrt ungemein wohl tut. Im 1. Stock bekommen – wenn Hptm. Brodie und Lt. Warner in einigen Tagen fortgehen – jeder ein Zimmer für sich. Anfangs ist der Hauptbestand ein eisernes Bett mit dickem „Deckbett", keine Woll-Decken, was viel angenehmer war.

4 Bericht von Otto Hahn über Lise Meitner vom 8. August 1945[560]

Farmhall, 8. Aug. 45. An Major Rittner.

Prof. L. Meitner und die Spaltung des Urans.

Prof. L. Meitner war lange Jahre Abteilungsleiter am K. W. I. f. Chemie in Berlin-Dahlem. Da sie Österreicherin war, und daher bis 1938 als Aus-

557 Militärflugplatz Tempsford bei Bedford.

558 Britischer Militärflugplatz in Ostwestfalen.

559 Ostwestfälische Kleinstadt unweit des Mittellandkanals, heute Ortsteil der Kleinstadt Lübbecke.

560 Archiv der Max-Planck-Gesellschaft, III. Abt., Rep. 14 A, Nr. 6176, Bl. 1. Transkription des auf S. 461 reproduzierten handschriftlichen Dokuments.

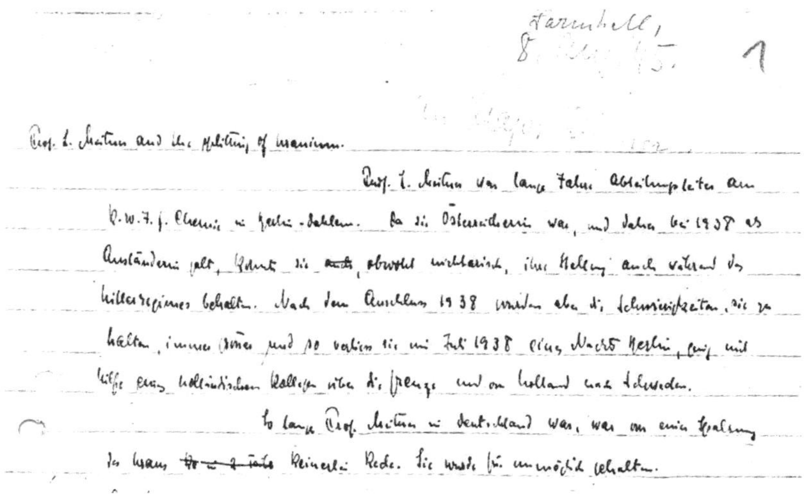
Farm Hall, 8. Aug. 45.   1

Prof. L. Meitner and the splitting of uranium.

Prof. L. Meitner war lange Jahre Abteilungsleiter am K.W.I. f. Chemie in Berlin-Dahlem. Da sie Österreicherin war, und daher bis 1938 als Ausländerin galt, konnte sie ~~auch~~, obwohl nichtarisch, ihre Stellung auch während des Hitlerregimes behalten. Nach dem Anschluss 1938 wurden aber die Schwierigkeiten, sie zu halten, immer grösser und so verliess sie im Juli 1938 eines Nachts Berlin, ging mit Hilfe eines holländischen Kollegen über die Grenze und von Holland nach Schweden.

So lange Prof. Meitner in Deutschland war, war von einer Spaltung des Urans ~~in zwei Teile~~ keinerlei Rede. Sie wurde für unmöglich gehalten.

Otto Hahns Bericht „Prof. L. Meitner and the splitting of uranium" vom 8. August 1945 an Major Rittner.

länderin galt, konnte sie ~~auch~~, obwohl nichtarisch, ihre Stellung auch während des Hitlerregimes behalten. Nach dem Anschluss 1938 wurden aber die Schwierigkeiten, sie zu halten, immer grösser und so verliess sie im Juli 1938 eines Nachts Berlin, ging mit Hilfe eines holländischen Kollegen[561] über die Grenze und von Holland nach Schweden.[562]

So lange Prof. Meitner in Deutschland war, war von einer Spaltung des Urans ~~[?] in zwei Teile~~ keinerlei Rede. Sie wurde für unmöglich gehalten. Auf Grund von ~~einzelnen~~ ausführlichen, chem. Untersuchungen über die bei der Bestrahlung des Urans mit Neutronen auftretenden chemischen Elemente wurden Ende des Jahres 1938 Hahn und Strassmann ~~fast [?]~~ zu der Annahme ~~eines Zerfalls des Urans~~ gezwungen, dass ~~b~~ bei diesen Vorgängen das Uran in zwei Teile zerplatzt, von denen ein Teil, das chem. Element Barium, sicher nachgewiesen wurde.

Diese Entstehung von Barium aus Uran wurde im Dezember 1938, noch vor der Veröffentlichung in Deutschland, Prof. Meitner ~~in~~ nach Stockholm

561 Dirk Coster, der lange Zeit an der Universität Lund und bei Niels Bohr in Kopenhagen gearbeitet hatte und seit 1924 Professor der Universität Groningen war.

562 Zur Flucht Meitners siehe Sime 2001, S. 237 ff.

in mehreren Briefen mitgeteilt. Mit ihrem Neffen, Dr. O. R. Frisch, gab sie eine Erklärung für diese von Hahn und Strassmann experimentell gefundene, bisher für unmöglich gehaltene „Atomspaltung".[563] ~~Die [?] die Versuche, die [?] durch die Meitner und Frisch zu ihrer [?] Auffassung über die~~ Die erste Mitteilung von Hahn und Strassmann erschien im Januar 1939.[564] Die Meitnersche Erklärung der Versuche kurz darauf in der „Nature".[565]

Eine objektive und eingehende Darstellung der ersten Arbeiten über „nuclear fission" über das Jahr 1939 findet sich in der „Review of modern Physics", Januar 1940, von L. A. Turner.[566]

5 Bericht über die deutsche Kernforschung 1946[567]

Die deutschen Arbeiten über Atomkernenergie.

Im Zusammenhang mit der Atombombe sind mehrfach die Namen deutscher Wissenschaftler genannt worden, darunter auch mein Name. Ich will hier nicht auf die vielen einander widersprechenden Meldungen und Gerüchte eingehen, sondern kurz schildern, welche Arbeiten in Deutschland über Atomkernenergie tatsächlich gemacht worden sind.

Arbeiten im Frieden.

Die Beschäftigung mit den Atomen war bis vor wenigen Jahren eine Angelegenheit der reinen Wissenschaft und frei von technischen Zielsetzungen. Zwar wusste man, dass in den Atomkernen ungeheure Energiemengen stecken, aber man sah keinen Weg, diese Energien freizumachen. Die radioaktiven Atomkerne geben einen Teil ihrer Energie von selbst ab, aber nur in Beträgen, die zu klein sind, um technische Bedeutung zu gewinnen. Seit Arbeiten von Rutherford 1919 konnte man einzelne Atomkerne auch künstlich, durch Bestrahlung, zur Energieabgabe veranlassen; dabei war aber

563 Zur Entdeckungsgeschichte der Urankern-Spaltung siehe auch: Krafft 1981, S. 263 ff.

564 Siehe Hahn und Straßmann 1939.

565 Siehe Frisch und Meitner 1939 sowie Frisch 1981, S. 148 ff.

566 Turner 1940.

567 Archiv der Max-Planck-Gesellschaft, III. Abt., Rep. 14 A, Nr. 6183, Bl. 1 – 4. Siehe auch das von den Internierten verfasste Memorandum, S. 205.

stets zur Bestrahlung ein Energieaufwand nötig, der viel grösser war als der erzielte Energiegewinn. Diese Versuche zur „Atomzertrümmerung“ waren daher ein sehr wichtiges Mittel der Erkenntnis, aber nicht der Technik. Die technische Anwendung wäre nur möglich gewesen, wenn man eine „Kettenreaktion“ gefunden hätte, d.h. einen Vorgang, der das Mittel, das ihn auslöst, selbst wieder erzeugt; so wie z.B. das Feuer dadurch erhalten bleibt, dass die Wärme, welche brennendes Holz erzeugt, weiteres Holz zum Brennen bringt.

Ich selbst habe seit 1905 über die Chemie radioaktiver Elemente gearbeitet, seit Ende 1907 in Zusammenarbeit mit Frau Prof. Lise Meitner. Als sie 1938 Deutschland verliess, hatten wir uns in Gemeinschaft mit Dr. F. Strassmann schon seit einiger Zeit mit der Bestrahlung des Elements Uran durch eine besondere Art von Teilchen, den sog. „Neutronen“, beschäftigt. Nach ihrer Abreise wandte ich mich mit Dr. Strassmann vor allem der Untersuchung einer merkwürdigen Reaktion zu, die bei dieser Bestrahlung stattfand, und von der wir uns im Dezember 1938 zu unserer grossen Überraschung überzeugen mussten, dass sie Barium hervorbrachte. Der Atomkern von Barium ist nur wenig mehr als halb so gross wie der von Uran. Also war offenbar das Uran in zwei etwa gleich grosse Teile gespalten [S. 2] worden. Man hatte bis dahin nicht vermutet, dass ein derartiger Prozess möglich sei.

Sofort nach der Veröffentlichung im Januar 1939 wurde dieser Vorgang, den wir chemisch gefunden hatten, in vielen Laboratorien der Welt durch physikalische Methoden bestätigt, erweitert und gedeutet. Lise Meitner in Stockholm und R. Frisch in Kopenhagen gaben zuerst eine theoretische Erklärung des Vorgangs und wiesen auf die grosse Energie hin, die dabei frei wird. F. Joliot in Paris veröffentlichte wohl als erster die wichtige Entdeckung, dass bei dem Vorgang auch Neutronen aus dem zerfallenden Atomkern ausgestossen werden.

Sehr rasch machte man sich auch auf der ganzen Welt klar, dass gerade diese letzte Tatsache Aussicht gab, nun die Energie der Atomkerne technisch auszunützen. Denn wenn bei der Spaltung eines Kerns Neutronen freiwerden, so können diese neue Kerne spalten, aus denen wiederum Neutronen freiwerden usw.; man hat die gesuchte Kettenreaktion. Ehe diese Möglichkeit näher untersucht war, kam der Krieg, und der internationale Austausch wissenschaftlicher Erkenntnisse hörte auf.

Arbeiten im Krieg.

In Deutschland übernahm zuerst das Heereswaffenamt, später der Reichsforschungsrat die Oberaufsicht über die Arbeiten. Die Frage, ob eine Energiegewinnung durch eine Kettenreaktion möglich sei, ist physikalischer Natur; sie wurde von einer Gruppe von Instituten bearbeitet, deren wichtigste das Kaiser Wilhelm-Institut für Physik in Berlin-Dahlem unter der Leitung von Prof. Heisenberg und das Institut für Physik im Kaiser Wilhelm-Institut für medizinische Forschung in Heidelberg unter der Leitung von Prof. Bothe waren. Mein eigenes Institut (das Kaiser Wilhelm-Institut für Chemie in Berlin-Dahlem) übernahm mit der Billigung der massgebenden Stellen vorzugsweise die rein wissenschaftliche chemische Untersuchung der Elemente, die bei der Uranspaltung entstehen; über diese Frage konnten wir auch im Krieg mehrere Arbeiten veröffentlichen. Über die Parallelarbeiten in England und Amerika erfuhren wir während des Krieges nichts. Heute wissen wir aus den Veröffentlichungen der alliierten Regierungen, dass das Problem in beiden Ländern zunächst etwa im selben Umfang wie in Deutschland in Angriff genommen worden ist.

[S. 3]Dort wie hier war man etwa in der Mitte des Jahres 1942 zu dem Ergebnis gekommen, dass es sicher möglich sein werde, Atomkernenergie technisch zu gewinnen. Es gab dafür zwei Möglichkeiten: eine „Energieliefernde Maschine" („pile" in der Ausdrucksweise der Amerikaner) und die Bombe. Es war klar, dass für eine energieliefernde Maschine ein beträchtlicher, aber nicht ausserordentlicher technischer Aufwand erforderlich sein würde, während der für die Herstellung einer Bombe nötige Aufwand ungeheuer sein musste.

Die Amerikaner standen damals vor der Frage, ob sie versuchen wollten, Atombomben für den Einsatz in diesem Krieg zu bauen. Sie haben sich dazu entschlossen. Es wurden, wie man erst jetzt erfahren hat, 2 Milliarden Dollar für die Entwicklung der Bombe ausgegeben, abgelegene Gebiete von über 2500 Quadratkilometern Fläche für die Produktion beschlagnahmt, Energieerzeugungsanlagen von der Grössenordnung der grössten vorhandenen Kraftwerde gebaut und Tausende von Wissenschaftlern und Ingenieuren und Hunderttausende von Arbeitern beschäftigt. Die erste Bombe ist offenbar kurz nach der deutschen Kapitulation fertiggeworden.

Die Deutschen hatten diese Wahl nicht. Denn die deutsche Industriekapazität, die der amerikanischen ohnehin unterlegen und damals schon aufs äusserste angespannt war und durch die beginnenden Luftangriffe bedroht wurde, wäre zu einer solchen Leistung neben der normalen Rüstungsproduktion nicht fähig gewesen. Ich bekenne, dass ich froh war, nicht vor diese Wahl gestellt zu werden. Als mögliche und überaus wichtige Aufgabe blieb die technische Ausnützung der gewaltigen Energiemengen der Atomkerne durch die Entwicklung einer energieliefernden Maschine. Wir hielten es für richtig, diese Entwicklung so rasch wie möglich zu fördern. Die zuständigen Dienststellen billigten diese Ansicht und unterstützten die Arbeiten bis zum Schluss des Krieges. Doch kam die technische Produktion der notwendigen Materialien (Uranmetall und Schweres Wasser) vor allem durch die Luftangriffe vorzeitig zum Erliegen. Am Kriegsende war das Problem des Baus der energieliefernden Maschine grundsätzlich gelöst, aber die vorhandenen Materialien reichten zum wirklichen Bau noch nicht aus.

Gegen Kriegsende wurden Gerüchte verbreitet, Deutschland besitze als letzte Geheimwaffe Atombomben. Wegen der Geheimhaltungsvorschriften konnten wir diesen Gerüchten damals nicht entgegentreten. Ich möchte deshalb heute die erste Möglichkeit zur öffentlichen [S. 4] Äusserung benützen, um ausdrücklich zu erklären, dass diese Gerüchte falsch sind. Deutschland hat nie Atombomben oder Anlagen zur Erzeugung von Atombomben besessen.

Vorgänge nach dem Krieg.

Sofort nach der Besetzung der süddeutschen Verlagerungsstellen unserer Institute wurden 10 Mitarbeiter unseres Kreises, unter denen ich mich befand, von amerikanischen und englischen Militärstellen zuerst nach Frankreich und Belgien und schliesslich nach England gebracht und dort 8 Monate festgehalten. Es handelt sich offenbar um eine reine Sicherheitsmassnahme, denn wir sind nicht aufgefordert worden, für die Alliierten über Atomenergie zu arbeiten, und haben über die Arbeiten der Alliierten erst, nachdem die Atombomben gefallen waren, das erfahren, was der Öffentlichkeit darüber bekannt gegeben worden ist. Wir haben stets den Wunsch ausgesprochen, nach Deutschland zurückzukehren und am Wiederaufbau der deutschen Wissenschaft mitzuarbeiten; denn wir sind überzeugt, dass hier heute unser Platz ist. Schliesslich entsprachen die alliierten Behörden unserer Bitte, und wir befinden uns seit Januar 1946 wieder in Deutschland.

Alswede, den 2. Februar 1946

(Otto Hahn)

Faksimile eines Berichts der Münchener Tageszeitung „Die Neue Zeitung" vom 14. Januar 1946, S. 4, über die Rückkehr Otto Hahns nach Deutschland, der das „Rätselraten über den Aufenthalt des Gelehrten" beendete.

Rückkehr Professor Otto Hahns

Der deutsche Nobelpreisträger aus England eingetroffen

LONDON, 13. Januar (AP.)

Der berühmte deutsche Atomforscher und Nobelpreisträger Professor Dr. Otto *Hahn* ist, wie hier soeben bekannt wird, nach Deutschland zurückgekehrt. Professor Hahn hat längere Zeit in England verbracht, wo er über die Fortschritte, die das nationalsozialistische Deutschland im Bau der Atombombe gemacht hatte, Bericht erstattete. Die Familie des Nobelpreisträgers lebt augenblicklich in der französischen Zone Deutschlands.

*

NZ. Die Meldung, daß Professor Dr. Otto *Hahn*, der bekanntlich im November 1945 den Nobelpreis für Chemie für das Jahr 1944 erhielt (siehe „Neue Zeitung", 1. Jahrgang, Nr. 10), nach Deutschland zurückgekehrt ist, setzt dem Rätselraten über den Aufenthaltsort des Gelehrten ein Ende. Dr. Otto Hahn hat bekanntlich mit einigen Mitarbeitern zusammen die Spaltung des schweren Atomkerns gefunden, eine Entdeckung, die die Entwicklung der Atombombe möglich gemacht hat. Professor Hahn, der dem Nationalsozialismus ablehnend gegenüberstand, war Leiter des Kaiser-Wilhelm-Institutes für Chemie in Berlin. Er wurde von den Alliierten nach England gebracht und dort ausführlich einvernommen.

Wie unser Berichterstatter erfährt, haben die Mitteilungen Prof. Hahns jene Tatsachen bestätigt, die dem alliierten Geheimdienst während des Krieges über den Fortschritt der deutschen Atomforschung bekannt waren. Der alliierte Geheimdienst verwies während des Krieges wiederholt darauf, daß die nationalsozialistische Regierung die Bedeutung der Atomforschung nicht erkannt und ihre Auswertung für Kriegszwecke vernachlässigt habe. In diesem Zusammenhang ist der Bericht des amerikanischen Physikprofessors Dr. Samuel A. Goudshmit von Bedeutung, der mit einer Kommission von dreißig Wissenschaftlern nach Deutschland gekommen war, um Beobachtungen über den Stand der deutschen wissenschaftlichen Forschungen zu sammeln. Er stellte fest, daß die *deutsche Atomforschung*, die zugleich mit der amerikanischen im Jahre 1939 begonnen hatte, am Ende des Krieges noch keineswegs in der Lage war, die grundlegenden Erkenntnisse von Professor Otto *Hahn* über die Atomenergie praktisch auszuwerten. Der „New York Herald Tribune" stützt sich auf die Mitteilungen von Dr. Goudshmit und berichtet, daß zu Beginn des Krieges zwei Gruppen deutscher Wissenschaftler getrennt voneinander mit der Erforschung der praktischen Möglichkeiten der Atomenergie beschäftigt waren. Eine Gruppe habe im Kaiser-Wilhelm-Institut unter Professor *Heisenberg*, die andere im Heereszeugamt unter Dr. Erich *Schumacher* gearbeitet. Daß der deutsche Staat der Atomforschung nur eine geringe geldliche Unterstützung gewährte, hätte die Arbeit erheblich gehemmt. Den deutschen Forschern habe während des ganzen Krieges nur eine Summe von insgesamt 7,5 Millionen Mark zur Verfügung gestanden, während man in Amerika allein in den Jahren 1944 und 1945 eine Milliarde Dollar dafür ausgegeben habe. Man habe in Deutschland diese Forschungen nicht ernst genommen, was auch daraus hervorgehe, daß man sie nicht genügend geheimzuhalten suchte. Deutsche Regierungs- und Parteistellen seien an der Lösung von Phantasieprojekten, wie etwa der Idee des Abschusses feindlicher Flugzeuge mit Röntgenstrahlen oder der Benutzung von infraroten Strahlen zur Sprengung von Munitionslagern, interessiert gewesen.

Werner Heisenberg

1 Werner Heisenberg an Fritz Schumacher[568] vom 6. Mai 1945 [569]

Lieber Fritz!

Da dies wahrscheinlich der erste Brief ist, den Du direkt aus Deutschland bekommst, will ich Dir ausführlich über das Ergehen der Familie schreiben, soweit es mir bekannt ist. Deine Eltern[570] leben mit Edith und ihren beiden Kindern[571] in Überlingen[572]. Die < > hatte ich etwa 14 Tage vor dem Einmarsch der Franzosen; damals ging dort alles gut, nur waren Deine Eltern begreiflicherweise sehr deprimiert, besonders Deine Mutter. Der Einmarsch hat sich dort sehr schnell vollzogen, sodass aller Wahrscheinlichkeit nach nichts Schlimmes dabei passiert ist. Aber ich habe seitdem keine Nachricht. Hermann[573] wird in Norwegen sein und dort mit seinen < > in Gefangenschaft geraten. Ediths Mann[574] hat in Brest mitgekämpft u. ist dort gefangen genommen worden. Vielleicht hast Du schon Verbindung mit ihm. Tante Giesela *[Pütter]*[575] scheint mit < > in

---

568 Fritz Schumacher, Ökonom und Bruder von Heisenbergs Frau Elisabeth, war 1937 nach England ausgewandert. Dort stieg er während des Zweiten Weltkriegs und in der Nachkriegszeit zum Wirtschaftsberater der britischen Regierung auf.

569 Nachlass Otto Hahn, Tgb.-Nr. 1468/2019.

570 Hermann und Edith Schumacher (geb. Zitelmann).

571 Edith Kuby (geb. Schumacher), Bildhauerin, und die Kinder Thomas und Gabriele.

572 Kleinstadt am Bodensee.

573 Hermann Schumacher, älterer Bruder von Fritz Schumacher.

574 Erich Kuby.

575 Giesela Pütter, geb. Zittelmann, Tante von Fritz Schumacher.

Dieter Hoffmann (Hrsg.): Operation Epsilon.
© 2023 GNT-Verlag GmbH, Berlin, Germany. DOI: <https://doi.org/10.47261/1508>.

der Nähe von Halle zu leben, Edith Pütter[576] war noch sehr spät in Wildpark im Beckerschen (?) Hause[577]. Ob sie dort noch beim Einmarsch der Russen war, weiß ich nicht. Ich selbst bin bis zum Tag des Einmarsches der Franzosen bei meinem verlagerten Institut in Hechingen (Württemberg) gewesen, dann in drei Tagen u. zwei Nächten mit dem Fahrrad nach Urfeld gefahren. Dort hab ich mit der ganzen Familie, der es an den Umständen gemessen gut geht, den Einmarsch der Amerikaner miterlebt.[578] Ein paar Tage sah die Lage für uns sehr ernst aus, aber schließlich hat sich alles zum Guten gewendet. Wir waren dort mehrere Tage von jeder Lebensmittelzufuhr abgeschnitten, in Mitten noch kämpfender Truppen u. SS-Verbände, außerdem wurde Wolfgang[579] am kritischsten Abend recht schwer krank, wir befürchteten akute Blinddarmentzündung und wir haben den Buben in dieser Nacht bei Schneesturm und über zerstörten Straßen hinweg ins Militärlazarett bringen müssen. Zum Glück erwies sich doch die Operation dort als unnötig, aber Du wirst Dir denken können, dass es keine leichte Zeit war. Elisabeth hat sich fabelhaft tapfer gehalten, aber es ging erheblich über ihre Kräfte. Es war ein Segen, dass ich zu Hause sein konnte. Am Tag nach der Besetzung wurde ich von einem amerikanischen Oberst[580] in Schutzhaft genommen. Das hängt sicher mit den wissenschaftlichen Arbeiten zusammen, die im Kriege in Deutschland durchgeführt worden sind. Ich muss dazu sagen, dass ich ganz ausgezeichnet behandelt wurde, ich wohne sehr nett u. bekomme mehr zu essen als seit 5 Jahren, außerdem hat sich der Oberst unserer Familie angenommen und hilft uns bei der Ernährung. Was mit mir geschehen wird, soll ich erst später erfahren. Vermutlich werde ich weiter nach Westen gebracht. Wenn ich bei den Verhandlungen, die dann kommen, etwas dafür tun kann, dass in Deutschland wieder aufgebaut wird, in erster Linie im wissenschaftlichen Sektor, so ist das ja ein Ziel, für das sich viele

576 Edith Pütter, Cousine von Fritz Schumacher.

577 Gemeint ist wohl das Haus des ehemaligen Preußischen Kultusministers Carl Heinrich Becker in Potsdam-Wildpark.

578 Siehe Heisenberg 1969, S. 160.

579 Wolfgang Heisenberg, ältester Sohn der Familie Heisenberg.

580 Oberst Boris Pash, militärischer Kommandeur der ALSOS-Mission.

Opfer lohnen. Aber ich hoffe sehr, dass ich endlich bald für dauernd mit der Familie zusammenleben kann.

Deutschland sieht, wie Du wohl weißt, trostlos aus. Alle großen Städte, mit Ausnahme von Heidelberg, etwa zu 80 % zerstört. Dazu die Mentalität des Volkes durch zwölf Jahre Propaganda hoffnungslos verdreht. Aber es hilft ja nichts, darüber zu jammern, man muss wieder von vorn aufbauen. Sollte ich nächstens nach London kommen, so würde ich Dich gerne sprechen. Wird das möglich sein?

In der nächsten Zeit wird für alle Teile der Familie die Hauptsache die Ernährung sein. Deine Eltern sind schon sehr durch Hunger geschwächt. Wenn Du da etwas helfen kannst, wäre es ein Segen. Nun Euch allen die besten Wünsche! Vielleicht auf baldiges gutes Wiedersehen! Dein Werner!

2 Werner Heisenberg an Niels Bohr, Farm Hall im Oktober 1945 [581]

Lieber Bohr!

In einigen Tagen feierst Du, wenn meine Zeitrechnung richtig ist, Deinen 60-sten Geburtstag,[582] und Du weißt, mit wieviel freundlichen Wünschen wir dabei an Dich denken. In normalen Zeiten wäre sicher eine Festschrift für Dich geschrieben worden,[583] aber die Zeiten sind eben anders. Da sich nun die Gelegenheit ergibt, Dir durch einen Bekannten einige Arbeiten zu schicken, die Herr v. Laue, v. Weizsäcker und ich geschrieben haben, möchte wir Dich bitten, wenigstens diese als Zeichen unserer Freundschaft und Dankbarkeit anzunehmen. Wir hoffen, dass diese Arbeiten irgendwann einmal in deutschen Zeitschriften erscheinen können;[584] einstweilen ist es vielleicht ganz gut, wenn Du die Arbeiten bekommst

581 Niels Bohr Archive, University of Copenhagen.

582 Geboren am 7.Oktober 1885 in Kopenhagen.

583 Mit dem Band 22 der Mathematisch-Physikalischen Mitteilungen der Dänischen Akademie der Wissenschaften gab es doch eine Festschrift, die sich allerdings auf dänische bzw. skandinavische Autoren beschränkte, siehe Matematiske-Fysiske Meddelelser 1945.

584 Das geschah auch mit: Heisenberg 1946 a und b, 1947, Laue 1946 und Weizsäcker 1948.

und Gelegenheit hast, sie anderen Physikern zu zeigen, damit sie nicht ganz in der Schublade vergessen werden.

Von den zwei Arbeiten, die ich Dir schicke, ist die eine ein Versuch, im Andenken an frühere Kopenhagener Diskussionen das alte Problem der Supraleitung aufzugreifen.[585] Eine wirkliche Theorie ist es einstweilen nicht, dazu wäre wahrscheinlich viel schwierige Mathematik nötig, aber vielleicht ist wenigstens die Stelle gefunden, wo man nach der Theorie suchen soll. Bei der zweiten Arbeit über die Elementarteilchen bin ich meiner Sache viel sicherer.[586] Dieses Manuskript ist eine Zusammenfassung von vier Arbeiten, die ich teils veröffentlicht habe, teils veröffentlichen wollte, und referiert ausserdem Resultate der schönen Arbeit von Møller und die Überlegungen von Kramers.[587] Ich hoffe, dass Møllers Arbeit inzwischen erschienen ist; mein Briefwechsel mit Møller ist leider im vergangenen Herbst durch die äusseren Katastrophen zum Stillstand gekommen; ich bitte Dich aber, Møller zu grüssen und ihm zu sagen, dass ich hoffe, dass der Briefwechsel bald wieder aufgenommen werden kann. Diese zweite Arbeit habe ich übrigens in (schlechtem) English geschrieben, teils zur Übung, teils weil ich hoffe, sie gelegentlich englischen oder amerikanischen Physikern zeigen zu können. Die Citate sind in beiden Arbeiten weggelassen, weil ich die dazu nötige Literatur nicht zur Verfügung hatte.

3 Werner Heisenberg an Niels Bohr, Urfeld, 25. April 1946 [588]

Lieber Bohr!

Da die Postsperre nach dem Ausland aufgehoben ist, will ich versuchen, wieder mit Dir und Deinem Institut in Verbindung zu treten. Vielleicht soll ich Dir zuerst berichten, wie es uns seit unserer Rückkehr nach Deutschland gegangen ist. Wir kamen am 3. Januar zurück und wurden

585 Heisenberg 1946 b und auch 1947.

586 Heisenberg 1946 a.

587 Es geht hierbei um Heisenbergs Arbeiten zur S-Matrix-Theorie, vgl. Cassidy 1992, S. 583 ff.

588 Niels Bohr Archive, University of Copenhagen.

zunächst in einem kleinen westfälischen Dorf, in der Nähe des englischen Hauptquartiers, festgehalten. Ende Februar kamen Hahn und ich nach Göttingen, einige Wochen später folgten die anderen: v. Laue, v. Weizsäcker, Wirtz, Bagge, Korsching. (Unsere Adresse dort ist: Bunsenstr. 10, AVA). Der Plan der englischen und amerikanischen Behörden ist, dass ich das Kaiser Wilhelm-Institut für Physik in der AVA (Aerodynamische Versuchsanstalt) wiederaufbauen soll; nach Berlin sollen wir nicht zurückkehren, das Institutsgebäude dort ist von amerikanischen Truppen beschlagnahmt, nachdem es vorher durch russische Truppen alle Apparate und die ganze Inneneinrichtung verloren hatte. Der grössere Teil der Apparaturen war zum Glück vorher noch während des Krieges nach Hechingen in Württemberg verlagert worden, dort hatten wir ein kleines behelfsmässiges Institut aufgebaut, in dem ich sehr gerne gearbeitet habe und in dem auch unsere Versuche über die Ausnützung der Atomenergie für Maschinen[589] durchgeführt worden sind. Leider dürfen wir auch dorthin nicht zurückkehren. Trotz der freundlichen Unterstützung durch die englischen Behörden wird es nun in Göttingen manche Schwierigkeiten geben, da die französischen Behörden wohl das Institut in Hechingen behalten werden.[590] Aber wir wollen den Mut nicht verlieren und mit dem Wiederaufbau in Göttingen bald beginnen. Meine Familie wohnt einstweilen noch hier in Urfeld, bis wir in Göttingen eine Wohnung gefunden haben. Ich habe über die Ostertage die Erlaubnis bekommen, die Familie hier zu besuchen.

An wissenschaftlicher Arbeit ist natürlich in den letzten Monaten nicht mehr allzuviel geschehen. Nach unserem gemeinsamen Brief an Dich habe ich zusammen mit Weizsäcker, in Verfolgung seiner Arbeiten über die Entwicklung der Sternsysteme,[591] über das Turbulenzproblem gearbeitet; da glauben wir ein gutes Stück weiter gekommen zu sein.[592] Die beiden Arbeiten haben wir Taylor in Cambridge geschickt, mit dem

589 Gemeint sind die Versuche für eine kritische, energieliefernde Reaktoranordnung, vgl. Walker 1990, S. 30 ff.

590 Vgl. Balcar 2019, S. 37 ff.

591 Weizsäcker 1948.

592 Heisenberg 1948.

wir uns über diese Fragen beraten hatten.[593] In der Zeit habe ich wieder versucht, die Theorie der Supraleitung zu fördern, bin aber noch nicht weit über das hinausgekommen, was ich Dir seinerzeit aus England schrieb. In Göttingen haben wir auch zusammen mit der Beckerschen Gruppe[594] die < >-Matrix aufgenommen. Becker hat eine sehr elegante Methode zur Lösung solcher Probleme im Hilbertraum ausgearbeitet.[595] Hat Møller in diesen Fragen Fortschritte erzielt?[596] Ich würde sehr gerne mit Dir über diese und viele anderen Fragen mündlich sprechen und hatte gehofft, gelegentlich der geplanten Reise Hahns nach Stockholm,[597] bis Kopenhagen mitfahren zu können. Leider haben diese Pläne aber noch keine greifbare Form angenommen. Würde es Dir irgendwann in diesem Jahre recht sein, wenn ich Dich kurz besuchte, und wann würde Dir das passen? (Ich kann es natürlich auch gut verstehen, wenn Du fändest, dass man solche Besuche einstweilen noch aufschieben sollte).[598]

Dir und Deiner Familie und allen Freunden vom Institut die herzlichsten Wünsche von Deinem Werner Heisenberg.

---

593 Wahrscheinlich im Rahmen des Besuchs von Hahn, Laue und Heisenberg bei der Royal Society in London Anfang Oktober 1945, vgl. S. 328.

594 Es geht um Richard Becker und sein Institut für theoretische Physik an der Universität Göttingen.

595 Siehe Becker, Leibfried 1946 und 1948.

596 Vgl. Brief an Bohr vom Oktober 1945, S. 470.

597 Es geht um die Aushändigung des Preises an Otto Hahn, die dann im Rahmen der turnusmäßigen Feiern am 10. Dezember 1946 erfolgte (siehe Abb. auf S. 440). Heisenberg konnte Hahn nach Stockholm nicht begleiten und besuchte auch Niels Bohr erst im August 1947 in Kopenhagen bzw. Tisvilde in Begleitung des britischen Geheimdienstoffiziers Ronald Fraser. Dieser Besuch war zugleich Heisenbergs erste Auslandsreise nach Ende des Zweiten Weltkriegs, siehe Heisenberg 1969, S. 174f. und Cassidy 1992, S. 627.

598 Diese Nachfrage bezieht sich wohl auch auf den verunglückten Kopenhagen-Besuch von Heisenberg und Weizsäcker im September 1941, vgl. Frayn 2001.

Max von Laue

1 Max von Laue an Theodor von Laue[599] vom 7. August 1945[600]

Huntingdon (England), 7.8.1945

Lieber Theodor!

Dieser Brief bezieht sich auf ein weltgeschichtliches Ereignis von unabsehbarer Tragweite. Bin ich auch weit von Hiroshima entfernt gewesen als dort die Uranbombe platzte, so habe ich doch die Nachricht davon inmitten von Kollegen erlebt, die an dem Uranproblem seit Jahren gearbeitet haben und gleich wir alle unter ganz exceptionellen Umständen, nämlich „detained for His Majesty's pleasure",[601] leben.

Bevor ich aber auf die Bombe näher eingehe, muss ich Einiges nachholen, das sich seit meinem letzten, im Juni geschriebenen Briefe bei uns ereignet hat.

Wir sind nämlich am 3. Juli von Facqueval[602] nach England überführt worden. Wir fuhren bis Lüttich, oder richtiger bis zu dem Militärflugplatz bei dem Dörfchen Ans, mit amerikanischen Militärautos, von dort flogen wir in einer Dakotamaschine herüber bis in die Nähe von Cambridge. Wir kamen in ein altes Besitztum in dem jetzt zu Huntingdon gehörenden Dorf Godmanchester, und sind dort sehr gut untergebracht, in mancher Beziehung besser noch als in Facqueval – doch hatte Facqueval eine schönere Lage. Wir haben hier nach wie vor vortreffliche Verpflegung (wie

599 Theodor von Laue, Sohn von Max und Magdalene von Laue (geb. Degen), war 1937 zum Studium in die USA gegangen – nicht zuletzt auf Wunsch seines Vaters, um sich der nationalsozialistischen Indoktrination zu entziehen.

600 Lemmerich 2011, S. 241 – 243.

601 Ironische Paraphrase auf das Gesetz, das die juristische Grundlage für die Internierung der deutschen Atomforscher bot. Vgl. S. 56.

602 Gemeint ist das belgische Schloss über der Maas, siehe Vorbericht S. 101 f.

Dieter Hoffmann (Hrsg.): Operation Epsilon.
© 2023 GNT-Verlag GmbH, Berlin, Germany. DOI: <https://doi.org/10.47261/1508>.

englische Militärpersonen, also besser als die englische Zivilbevölkerung), haben Bücher, Zeitungen, Rundfunk, ein Klavier, einen Sportplatz hinter dem Hause. Wir bekamen kürzlich neue Kleidungsstücke und, soweit Bedarf war, Schuhe. Also es geht uns ausgezeichnet, abgesehen davon, dass wir keinerlei Nachricht von unseren Familien bekommen haben, und auch erst heute Briefe dorthin mit einiger Aussicht auf Beförderung absenden konnten. Die Briefe, die wir am 18. Juni schrieben, gingen zwar bis zu einer Kontrollstelle in Paris, dort aber haben die Amerikaner sie festgehalten. Wir haben das als eine Härte empfunden, die uns bisher ganz unverständlich war. Was nun geschehen ist, wirft freilich darauf und überhaupt auf unsere Detainung einiges Licht.

Um 19.45 Uhr begann gestern, wie stets, unser Abendessen, an dem auch die beiden uns bewachenden englischen Offiziere, Major Rittner und Captain Brodie, regelmäßig teilnehmen (in Facqueval aß Major R., der Captain war noch nicht da, nicht mit uns, sondern mit den amerikanischen Offizieren, welche dort die Bewachung hatten, und die wegen „Nonfraternisation" sich von uns entfernt halten mussten). Vorher schon hatte der Major dem Kollegen Hahn etwas von einer Rundfunkmeldung angedeutet, dass die Amerikaner eine Atombombe benutzt hätten. Bei Tisch ergänzte er diese Mitteilung und es erhob sich natürlich sogleich eine lebhafte Diskussion. Wir wollten nicht recht daran glauben. Einige Stimmen meinten, wenn überhaupt etwas Wahres daran wäre, so bedeutete der Name „Atombombe" eben Etwas Anderes, als was wir darunter verständen; mit Uranspaltung könne diese Sache jedenfalls nichts zu tun haben.

Dann aber hörten wir die englischen Rundfunknachrichten um 21 Uhr. Und da wurde nun ja klipp und klar gesagt, dass Engländer und Amerikaner in gemeinsamer, jahrelanger, mühseliger und überaus kostspieliger Entwicklungsarbeit die Uranspaltung zur Konstruktion einer Bombe ausgearbeitet hätten. Ich brauche auf die Meldung nicht näher einzugehen. Du hast sie ja auch, wenn nicht gehört, so doch heute in der Zeitung gelesen. Dass die Kommentare, welche die Journalisten teilweise neben die offiziellen Darlegungen Churchills setzten, die historischen Zusammenhänge nicht ganz richtig darstellen, ist kein Wunder. Es ist vielleicht gar ganz gut, dass Hahns Name nicht genannt ist, weil man nicht übersehen kann, welche Wirkungen die Nennung in Deutschland gehabt hätte. Nach einem solchen Kommentar, überschrieben „A Jewess found the Clue“[603], wäre Lise Meitner die Entdeckerin der Uranspaltung.

Die Wirkung dieser Meldung auf die hier versammelten deutschen Physiker war natürlich eine sehr tiefgehende.[604] Zwar war ich – wenn ich mit mir einmal beginnen darf – verhältnismäßig unbeteiligt; habe ich doch bei der ganzen Uranspaltungsforschung immer nur die Rolle eines Beobachters gespielt, den die Beteiligten manchmal, aber keineswegs immer, auf dem Laufenden hielten. Auch Otto Hahn, um dessen Stimmung sich Major Rittner ernstliche Sorgen machte, blieb ganz ruhig und sagte nur, er freue sich, an der Konstruktion einer solchen Mordwaffe unbeteiligt zu sein. Aber sehr erregt war Walter [sic] Gerlach, der sich als ehemaliger „Bevollmächtigter des Reichsmarschalls für Kernphysik“,[605] etwa wie ein geschlagener Feldherr vorkam und zudem durch ein paar unvorsichtige Bemerkungen eines der Jüngeren unter uns peinlich berührt war. Harteck, Hahn, ich und Heisenberg suchten ihn gestern Abend und auch heute Morgen zu beruhigen, was denn auch gelang. Aber die Stimmung blieb bei ihm und auch bei anderen unserer Runde doch nicht unbeeinflusst. Die Bombe beherrschte heute doch so ziemlich das Gespräch und die Zeitungen wurden nur so „verschlungen“. Heisenberg stellte noch mehrfach fest, dass man sich auf Grund der hier vorliegenden Kenntnisse und bisherigen Berichte kein genaues Bild von den Vorgängen in der Bombe machen könne. Die Berichte sind ja auch absichtlich so gehalten, dass dies nicht möglich ist.

Die Hauptfrage ist natürlich, warum wir in Deutschland nicht zu der Bombe gekommen sind. Darauf ist zu sagen: 1) Die deutschen Physiker hätten niemals solche Mittel bewilligt erhalten, wie sie England und USA zu diesem Zwecke zur Verfügung gestellt haben. Weder die Arbeitskräfte noch das Geld wäre in einem annähernd so großen Maße verfügbar gewesen. Darum schon hat kein Physiker ernstlich an die Beantragung solcher Mittel gedacht. Dass die an Stärke dauernd zunehmende Verbombung aller Städte ein weiteres Hindernis gewesen wäre, geht ja auch aus Churchills Erklärung

603 „Eine Jüdin fand den Hinweis“.

604 Siehe Vierter Bericht.

605 Walther Gerlach war im Oktober 1943 in der Nachfolge von Abraham Esau zum Leiter der Fachsparte Physik des Reichforschungsrats und zum Bevollmächtigten des Reichsmarschalls für Kernphysik ernannt worden. Damit stand er dem sogenannten Uranverein vor und koordinierte dessen Arbeiten.

hervor, dass man die Herstellung der Atombombe der Luftgefahr wegen nicht nach England verlegt hat. 2) Die ganze Uranforschung war bei uns auf die Schaffung einer Uranmaschine als Energiequelle gerichtet, einmal weil niemand an die Möglichkeit einer Bombe in absehbarer Zeit glaubte, zweitens, weil im Grunde niemand von uns eine solche Waffe in die Hände Hitlers legen wollte. Was die Zeitungen von deutschen Bestrebungen zur Konstruktion der Bombe schreiben, ist reine Phantasie, und was sie über die Störung solcher Bestrebungen durch die Überfälle auf das norwegische Kraftwerk Rjuland berichten,[606] ist nicht viel besser. Das „schwere Wasser", das das KWI für Physik von dort bezog, eignet sich gar nicht, wenn man eine schnell ablaufende Uran-Explosion erzielen will, wohl aber für den bei uns beabsichtigten langsamen Reactionsablauf in der Uranmaschine.

Die an der Bombe beteiligten Kollegen kennen wir zum größten Teil persönlich. Dass Niels Bohr darunter ist, wundert uns etwas.[607] Wir halten auch in der Beziehung die Zeitungsmeldungen nicht für ganz zuverlässig.

Viel geschlafen hat in der letzten Nacht wohl keiner von uns. Aber das heute, wie an jedem Dienstag, stattfindende Kolloquium lassen wir nicht ausfallen, Bagge spricht über angeregte Kern-Zustände.

Eine ungeheure Macht ist durch diese erste praktische Anwendung der Uran-Spaltung in die Hände von Menschen gelegt, Gott gebe, dass sie nie in andere als *reine* Hände kommt!

Mit herzlichem Gruß an Dich und Hilli[608], sowie an alle meine Kollegen[609],
Dein Vater Max Laue

---

606 Gemeint ist das norwegische Wasserkraftwerk Vemork bei Rjukan, dem eine Elektrolyse-Anlage angeschlossen war, die schweres Wasser produzierte und im Februar 1943 von einem norwegisch-britischen Kommando zerstört wurde, um Deutschland seiner wichtigsten Quelle für schweres Wasser zu berauben. Nachdem die Anlage schnell wieder instand gesetzt werden konnte, fanden im Herbst 1943 massive Bombardements der britischen Luftwaffe statt, die zur Aufgabe der dortigen der Schwerwasser-Produktion führten. Siehe Rhodes 1988, S. 461 ff.

607 Siehe S. 197.

608 Hilli Lax, die Verlobte von Theodor von Laue. Die Heirat erfolgte am 23.10.1945.

609 Gemeint waren wohl vor allem Rudolf Ladenburg, der 1932 von Berlin an die Princeton University gewechselt war, aber auch Albert Einstein, der seit 1933 am Institute for Advanced Study in Princeton wirkte. Beide hielten auf Wunsch des Vaters engen Kontakt zu Theodor von Laue, während dieser an der Princeton University Geschichte studierte.

2 Max von Laue an Paul Rosbaud[610] vom 4. April 1959[611]

Berlin-Dahlem, den 4.4.1959

Lieber Rosbaud!

Gestern kam mir der Newsletter der Society for Social Responsibility in Science vom Dezember 1958 (No. 80) in die Hand.[612] Ich habe ihn mit größtem Interesse gelesen und möchte Einiges selbst dazu sagen; zwar nicht öffentlich, wohl aber Ihnen mit der Bitte, diese Äußerungen bis zu gegebener Zeit aufzubewahren. Zu meinen Lebzeiten dürfen sie jedenfalls nicht weiteren Kreisen zugänglich gemacht werden.

In den Kritiken an Jungk's Buch *Heller als tausend Sonnen,*[613] die jener Newsletter enthält, fällt mir nämlich auf, dass sie alle die Gruppe der deutschen Kernphysiker, die im zweiten Weltkriege wirkten, wie eine Einheit betrachten; nur einmal wird eine versuchte Sonderaktion Heisenbergs[614] erwähnt (von Edward Condon[615]). Tatsächlich waren doch aber die Meinungen individuell verschieden, wie sich das ja von selbst versteht. Aus diesem Grund möchte ich Ihnen hier berichten, was aus der Zeit des Zweiten Weltkrieges und darauf folgenden Gefangenschaft[616] mir in Erin-

610 Paul Rosbaud, ein promovierter Chemiker und Mitarbeiter des Springer-Verlags, der zum Berliner Bekanntenkreis Max von Laues gehörte. Während des Dritten Reichs und insbesondere im Zweiten Weltkrieg war er Informant des britischen Geheimdienstes. Siehe Kramish 1987.

611 Archiv der Universität Frankfurt a. M., Nachlaß M. v. Laue.

612 SSRS (Society for Social Responsibility in Science) Newsletter Nr. 80 vom Dezember 1958, mit (kritischen) Stellungnahmen von amerikanischen Physikern und Wissenschaftsjournalisten (u. a. H. Bethe, E. Condon, R. R. Wilson) zur im Oktober 1958 erschienenen amerikanischen Ausgabe von Jungks Buch „Brighter Than a Thousands Sun“ (Jungk 1958).

613 Jungk 1956.

614 Gemeint ist wohl der Besuch Heisenbergs und Weizsäckers bei N. Bohr in Kopenhagen. Zur Vielschichtigkeit bzw. Zwiespältigkeit dieses Besuchs siehe Frayn 2001.

615 Edward Condon war ein einflussreicher amerikanischer Quantenphysiker, der während des Zweiten Weltkriegs an der Entwicklung der amerikanischen Atombombe und des Radars beteiligt war.

616 Gemeint ist die Internierung in Farm Hall.

nerung geblieben ist. Ich bin überzeugt, dass mein Gedächtnis noch recht gut ist. Außerdem habe ich nicht allzuviel zu berichten.

Wie Sie wissen, habe ich nie den Ehrgeiz gehabt, Kernphysiker zu sein; erst die West-Allierten haben mich 1945 dazu ernannt. Einmal wurde ich – ich weiß nicht mehr, ob 1941 oder 1942 – zu einer Sitzung des „Uranvereins" in Berlin zugezogen[617] und hatte da nur den Eindruck einer etwas komischen Geheimhaltung (Uran wurde nur als „Metall" in den Diskussionen bezeichnet) sonst den einer ziemlich planlos verfahrenen Sache. Daran änderte sich nicht viel nach der Verlagerung des Kaiser-Wilhelm-Institutes für Physik nach Hechingen.[618] Allerdings war ich einmal in dem Felsenkeller in Haigerloch, der den versuchten Uranpile vor den Bomben schützen sollte. Aber was ich dort erfuhr, änderte nichts an dem geschilderten Eindruck.

Nach der Besetzung Hechingens durch die Franzosen und des Kaiser-Wilhelm-Institutes durch das Unternehmen Groves (Alsos[619]) untersuchten Mitglieder des Letzeren das Institut nach Unterlagen für die vermu-

617 Bezieht sich auf die Tatsache, dass Laue kein Mitglied des deutschen „Uranvereins" war und auch keine kernphysikalische Forschungen betrieben hat. Er gehörte deshalb nicht – allein aus Sicherheitsgründen – zu den Teilnehmern der sogenannten Atomkonferenzen (Hachtmann 2007, S. 902). Es wird also eher ein Arbeitsbesprechungen oder ein informelles Treffen des Uranvereins gewesen sein, zu dem man ihn hinzugezogen hatte. Wann und weshalb dies erfolgte, ließ sich nicht ermitteln, da keine Protokolle solcher Treffen überliefert sind. Zu den Gründen seiner Internierung und den Forschungen Laues im Dritten Reich, siehe Hoffmann 2010.

618 Das KWI für Physik war mit Ausnahme der Tieftemperaturabteilung 1943/44 wegen der zunehmenden alliierten Bombenangriffe auf Berlin nach Tailfingen und Hechingen in Baden-Württemberg evakuiert worden. Die Reaktoranordnung wurde erst Anfang 1945 aus dem Dahlemer „Atombunker" in einen Keller in Haigerloch, einem Nachbarort von Hechingen an der Schwäbischen Alb, evakuiert und dort wieder aufgebaut, ohne jedoch kritisch zu werden. Vgl. Walker 1990, S. 184, sowie Atom-Museum 1982.

619 Leslie Groves veranlasste als militärischer Leiter des Manhattan-Projekts auch den Aufbau der ALSOS-Mission und berief Oberst Boris T. Pash zum militärischen Leiter der Mission. Die ALSOS-Mission führte als operative Geheimdiensteinheit Spezialeinsätze aus, teilweise vor der vorrückenden Front, um Informationen und Gerätschaften, aber auch die führenden Wissenschaftler des deutschen Uran-Projektes zu sichern (vgl. S. 12 ff.) Bereits am 23. April 1945 war

tete Entwicklung unserer Deutschen in Richtung auf die Atombombe, fanden aber nicht viel. Nur die Vorräte schweren Wassers, die in Haigerloch versteckt worden waren, fanden sie bald. Sie teilten unseren Institutsmitgliedern dies aber nicht mit sondern sie veranstalten ein Verhör über den Verbleib dieses Wassers, an dem Otto Hahn, Weizsäcker, Wirtz sicher aber Bagge und ich teilnehmen mussten. Nur Wirtz und Weizsäcker waren von Heisenberg (der vorher an den Walchensee gegangen war) in das Geheimnis des Verstecks eingeweiht worden, sodass das ganze Gespräch sich zwischen zwei Allierten Offizieren und diesen Beiden abspielte. Und nun geschah etwas sehr Unerfreuliches. Beide Weizsäcker und Wirtz leugneten etwas darüber zu wissen. Erst nach stundenlangem Ausweichen auf alle möglichen Vorwände gaben sie endlich zu, wo der Versteck sich befand. Worauf die Allierten erwiderten: „Das stimmt, wir haben es nämlich schon seit einigen Tagen gefunden."

In der darauf folgenden Gefangenschaft wurde von Kernphysik und Atombomben kaum gesprochen, wenigstens nichts, was mir in Erinnerung geblieben wäre. Wir glaubten alle, die Herstellung der Bombe wäre an anderen Stellen ebensowenig gelungen wie bei uns. Als am 6. August 1945 mittags die British Broadcasting Corporation [BBC] in London verkündete, dass eine Atombombe über Hiroshima abgeworfen wäre, hielten wir es für einen Propaganda-Trick.[620] Allerdings versammelten wir uns alle des Abends um den Rundfunkapparat und hörten dort die Ansprache Attlees, der eine noch von Winston Churchill aufgesetze Erklärung[621] verlas, aus der zweifelsfrei hervorging, dass es sich um eine wirkliche Uran-Bombe handelte. Der Eindruck war natürlich bei uns allen ein ungeheurer.

Aber er war doch individuell sehr verschieden. Otto Hahn sagte tief erschüttert: „Damit habe *ich* nichts zu tun." Der englische Major Rittner,

man in Tailfingen und Hechingen vor Ort, wogegen die regulären französischen Truppen das Gebiet erst am folgenden Tag besetzten.

620 Siehe S. 165 ff.

621 Nach dem Sieg der Labour Party in den Unterhauswahlen von Juli 1945 hatte Clement Attlee am 27. Juli 1945 von Winston Churchill das Amt des britischen Premierministers übernommen, so dass dieser die noch von Churchill verfasste öffentliche Regierungserklärung zum Atombombenabwurf im Rundfunk verlas.

der uns mit Captain Brodie zusammen brachte und betreute, rief mich zu einem Gespräch unter 4 Augen beiseite und bat mich, dafür zu sorgen, dass sich Hahn kein Leid antäte. Ich erwiderte, dass ich in der Beziehung gar keine Besorgnis habe, ich aber bei Gerlach für nötig hielte, ihn in dieser Nacht etwas zu überwachen.[622] Ich sprach in demselben Sinne mit Heisenberg und Weizsäcker, die gemeinsam ein dem Gerlachschen benachbartes Schlafzimmer bewohnten. Sie dachten über Gerlachs Gemütszustand ruhiger, obwohl dieser einen richtigen Nervenzusammenbruch mit vielen Tränen gehabt hatte. Sie behielten zum Glück recht.

Nach diesem Tage war viel von den Bedingungen für eine Atomexplosion bei uns die Rede. Heisenberg trug darüber in einem der physikalischen Kolloquien vor, die wir Gefangenen uns eingerichtet hatten.[623] Allmählich entwickelte sich dann auch, in Tisch-Gesprächen, die Lesart, die deutschen Kernphysiker hatten die Atombombe gar nicht haben wollen, sei es, weil sie es während der zu erwartenden Kriegsdauer für unmöglich hielten, sei es, weil sie überhaupt nicht wollten. Führend bei diesen Diskussionen war Weizsäcker. Ethische Gesichtspunke habe ich dabei nicht gehört. Heisenberg saß zumeist stumm dabei.

Soweit mein Bericht. Das zitierte Buch von Jungk habe ich nur stückweise gelesen und dann mit dem Bemerken fortgelegt, dass ich in ihm viel nachweislich Unrichtiges gefunden habe und mich daher auch auf das Andere nicht verließe. Ich wundere mich jetzt, dass es bei Amerikanern vielfach eine so milde Kritik gefunden hat,[624] wie es jener Newsletter[625] erkennen lässt.

Mit recht herzlichem Gruß
Ihr M. v. Laue

---

622 Siehe S. 179 ff. sowie S. 475.

623 Am 14. August 1945, siehe S. 257 ff.

624 Robert Jungks Buch „Heller als Tausend Sonnen“ (Jungk 1956) war 1958 auch in amerikanischer Übersetzung bei Harcourt, Brace, and Company in New York erschienen (Jungk 1958).

625 Siehe S. 477.

3 Max von Laue an Paul Rosbaud vom 17. April 1959[626]

Berlin-Dahlem, den 17.4.1959

Lieber Rosbaud!

Haben Sie allerherzlichsten Dank für Ihre freundliche Antwort vom 12.4.59. Ich möchte meinen vorhergehenden Brief heute noch etwas ergänzen. Während ich diesen, um ihn vor unbefugten Lesern zu sichern, in Charlottenburg 2 aufgab, nehme ich den heutigen morgen mit auf eine Reise nach der Bundesrepublik.[627] Dort ist er jedenfalls sehr sicher; denn viel mehr als den Postbestellbezirk Steglitz, zu dem Dahlem gehört,[628] können jene Leser denn doch nicht überwachen, um auf meine Briefe Jagd zu machen. Das war schon unter Hitler so. Nun, Sie kennen das ja.

In der von Ende April 1945 bis Anfang Januar 1946 dauernden Gefangenschaft hatte ich am Meisten zu leiden unter meinen Mitgefangenen, inbesondere unter Weizsäcker.[629] Der kam schon mit einem Vorurteil gegen mich in jene Zeit hinein, sie verstärkte sich bei dem Verhör wegen des schweren Wassers, von dem ich das letzte Mal schrieb, und brach in offene Feindschaft aus, als ich in den ersten Tagen, die uns der englische Major Rittner bewachte, in Hinblick auf die Röhm-Affäre[630] und den „Sieg" Hitlers den Busch-Vers zitierte: „Der größte Lump bleibt obenauf.".

626 Archiv Prof. Dr. Gerald Holton, Harvard University Cambridge, Mass.

627 Laue hatte den (begründeten) Verdacht, dass er in der Enklave West-Berlin, in der er seit seiner Berufung zum Direktor des Fritz-Haber-Instituts der MPG im Jahre 1951 (wieder) lebte und wo noch in vielen Bereichen Besatzungsrecht galt, vom amerikanischen oder einem anderen (westlichen) Geheimdienst überwacht würde.

628 Charlottenburg, Steglitz und Dahlem sind Stadtteile im Westen Berlins.

629 Zum gespannten Verhältnis zwischen Laue und Carl Friedrich von Weizsäcker, die im Übrigen in Göttingen in einem Haus gewohnt hatten, siehe auch S. 302.

630 In der sogenannten Röhm-Affäre von Ende Juni / Anfang Juli 1934 ließ Hitler seinen innerparteilichen Widersacher und einstigen Vertrauten Ernst Röhm ermorden und entledigte sich in diesem Zusammenhang auch anderer politischer und persönlicher Gegner. Vgl. Mau 1953.

Darauf wurde Weizsäcker sogleich ausfallend, sagte u. a., einen solchen Ausdruck nehme man überhaupt nicht in den Mund u. s. w.

Seinem Einfluß, den er ja auf jeden auszudehnen versteht, der gerade die Macht hat, schreibe ich es zu, daß Rittner, sonst ein ganz freundlicher Mann, ein paar Tag später vom Mili[t]arismus der Deutschen zu sprechen anfing, wobei ich ihm, wie Ihnen schon bekannt, erwiderte, der Satz „Right or wrong, my Country“ stamme jedenfalls *nicht* aus Deutschland.[631] Ich sagte das etwas erregt und mit lauter Stimme, und dies hat mir Rittner nie verziehen. So hatte Weizsäcker sein Ziel erreicht und Unfrieden zwischen Rittner und mir hervorgerufen. Auch andere wandten sich gegen mich. Dr. Horst Korsching nannte mich einmal einen „Verräter.“ (Korsching war als Assistent Heisenbergs mit in die Gefangenschaft gekommen). Aber recht schlimm würde die Lage erst, als der stimmgewaltige Kollege Gerlach zu uns stieß – das geschah erst im Juni, in Faqueval (Belgien).[632] Der hatte anscheinend geheimes Material aus deutschen Heeresbeständen gegen mich mitgebracht, sodass nun der erboste Rittner auch darauf zurückgreifen konnte. Gerlach hatte schon in der Kriegszeit eine Wut auf mich gefasst, weil ich ihm auf seinen Ausruf: „Wir müssen siegen“ die Antwort verweigert hatte. Gerlach hetzte auch unsere Burschen, deutsche Kriegsgefangene, gegen mich auf. Einmal gab ich eine Hose dem einen Burschen zum Bügeln und erhielt sie mit zwei großen Brandflecken zurück, sodass ich sie nie wieder tragen konnte; das war angeblich „aus Versehen“ geschehen.

---

631 Auch wenn Laue in Opposition zum Nationalsozialismus stand, war seine politische Einstellung konservativ und national geprägt. Diese wurzelt in seiner Erziehung im Wilhelminischen Deutschland, wo zudem Laues Vater ein hochrangiger Militär-Jurist war. (Siehe Lemmerich 2020, S. 15 ff.).

632 Am 14. Juni 1945, siehe S. 105 und S. 436. Allerdings scheinen die Animositäten für Gerlach nicht so prägend gewesen zu sein, denn in den Briefen an seine Frau (S. 423 ff.) finden sich keine pejorativen Erwähnungen zu Laue.

Nun das alles ist nun vergeben und vergessen, auch, dass Gerlach mir die ganze Zeit nach der Gefangenschaft Schwierigkeiten innerhalb des Verbandes Deutscher Physikalischer Gesellschaften machte.[633] Namentlich hetzte er die Süddeutschen Kollegen mir auf, weil ich angeblich ein Vorurteil gegen sie habe. Die Wahrheit ist, dass er selbst sich manchmal recht abfällig über „die Preußen" geäußert hat. Wie es unter seinem (und Karl Wolfs)[634] Einfluss mit den von Westphal[635] und mir entworfenen Satzungen des Verbandes gegangen ist, muss ich Ihnen einmal mündlich erzählen. Die Hauptsache ist: Sie wurden nach jahrelangen Mühen schließlich von der Mitgliederversammlung angenommen.

Entschuldigen Sie bitte diesen Herzenserguss. Ich muss dabei denken an Einsteins Antwort an eine ihm Unbekannte, die ihm ihr Herzleid aus Schulzeit berichtete. Er riet ihr dringend von der beabsichtigten Veröffentlichung ab, weil jeder, der sich über vergangene Leiden beklagt, in ein schiefes Licht geriete. Aber Sie werden die Sache schon richtig auffassen.

Mit herzlichem Gruß
Ihr M. v. Laue

---

633 Der 1951 gegründete Verband Deutscher Physikalischen Gesellschaften war bis 1963 der Dachverband der regionalen Physikalischen Gesellschaften in Deutschland, in dem Laue eine zentrale Rolle spielte und dessen erstes Ehrenmitglied er 1951 wurde. Gerlach gehörte zu den führenden Vertretern der Bayerischen Physikalischen Gesellschaft und war von 1956 bis 1957 Vorsitzender des Verbandes (siehe Walcher 1995, S. 121). Welches Geheimmaterial Gerlach gegen Laue gesammelt und Major Rittner übergeben haben soll, ist unklar.

634 Der Heidelberger Industriephysiker Karl Wolf hatte in der Nachkriegszeit maßgeblich zum Wiederaufbau der Physikalischen Gesellschaft im Südwesten Deutschlands beigetragen, wobei es bei den Diskussionen um die Art und Weise des Zusammenschlusses der in der Nachkriegszeit entstandenen Regionalgesellschaften zum Verband der Deutscher Physikalischen Gesellschaften ging; im Jahre 1950 hatten sich Reibereien zwischen diesen zugespitzt. Siehe Walcher 1995, S. 114 ff.

635 Wilhelm Westphal, dessen akademisches Leben weitgehend auf Berlin fokussiert war, gehörte zum engeren Bekanntenkreis von Max von Laue und hatte sich um die 1951 erfolgte Neugründung der Physikalischen Gesellschaft zu Berlin verdient gemacht. (Nelkowski, S. 146 ff.).

Otto Hahn, Carl Friedrich von Weizsäcker und Max von Laue (von links nach rechts) auf der Tagung der Nobelpreisträger in Lindau am Bodensee, Juli 1959.

Carl Friedrich von Weizsäcker[636]

1 Carl Friedrich von Weizsäcker an Gundalena von Weizsäcker[637] vom 18. Juni 1945[638]

An Freifrau Gundalena von Weizsäcker, Hechingen/Hohenzollern

Geliebte Gundi – nach langer Zeit können wir wieder einmal schreiben. Wie mag es Dir gehen? Habt Ihr genug zu essen? Hast Du die Wohnung ungeschmälert? Hast Du von Verwandten, Freunden gehört? Du hast es viel schwerer als ich, da Du nun ohne Kinder und Mann allein in Deutschland geblieben bist; ich habe doch meine Arbeit immer mit mir. Und ich kann Dir nichts darüber sagen, wie lange es noch dauern wird. Sollte man es Dir ermöglichen, zu den Kindern in die Schweiz zu gehen,[639] so ist es mir

636 Abdruck sämtlicher Briefe mit freundlicher Genehmigung der Familie von Weizsäcker.

637 Gundalena von Weizsäcker, geb. Wille stammte aus einer angesehenen Züricher Familie und war nach einem Geschichts-Studium und der Promotion als Journalistin in Berlin tätig gewesen, wo sie Carl Friedrich von Weizsäcker kennenlernte; 1937 heirateten beide (Raiser 2011).

638 Es gibt drei nahezu identische Versionen dieses Briefes datiert auf den 17. bzw. 18.6., ausgewählt wurde die letzte Version vom 18.6.1945.

639 Carl Friedrich von Weizsäcker hatte Heisenberg im Dezember 1944 zu einem Vortragsbesuch an die ETH Zürich begleitet und dabei die Kinder zu seinem Schwiegervater Ulrich Wille nach Feldmeilen, einem Vorort von Zürich direkt am Zürichsee gelegen, gebracht. Seine Frau Gundalena durfte allerdings nicht mitreisen und blieb in Deutschland. Die Kinder lebten bis zum Oktober 1948 bei ihrem Großvater, der als deutschfreundlich und als Sympathisant der Nationalsozialisten galt, wobei im Juni 1945 dann auch ihre Mutter ausreisen konnte und nach Feldmeilen kam; in den Jahren 1946 bis 1948 pendelte sie zwischen Feldmeilen und Göttingen.

Dieter Hoffmann (Hrsg.): Operation Epsilon.
 DOI: <https://doi.org/10.47261/1508>.

natürlich recht; ich kann dafür momentan nichts tun. Wie es sei, Du wirst den Mut behalten und es wird gehen – Wir wohnen nach mehrfachem Ortswechsel in einem Landschlösschen,[640] in bergiger Gegend, auf einer Höhe, fern von Ortschaften. Vor meinem Fenster ist ein Rosengarten, in dem ich manchmal arbeite, dahinter ein tief eingeschnittenes bewaldetes Tal mit einem kleinen Fluss, etwa wie auf dem einen unserer blauen Teller. Das Gelände, das wir betreten dürfen, ist gross genug zu sportlichen Übungen (könntest Du, bitte, dem Boten, wenn er es mitnimmt, ein Paar Turn- oder Tennisschuhe und einige strapazierfähige Socken mit etwas Stopfgarn mitgeben? Wir leben bisher aus dem Koffer). Ringsherum sind Wachmannschaften und ein Stacheldraht mit dreisprachigen Schildern, die der Bevölkerung die Annäherung verbieten. Das Essen ist gut und reichlich; ich bin erheblich dicker geworden. Ich arbeite viel: Hegel, ein Aufsatz über deutsche Geistesgeschichte, Kosmogonie. Abends sitzen meist zwei Bridgerunden in der Halle. Auch Klavier und Schach werden gespielt. Aber schliesslich gehen die Gedanken immer wieder hinüber zu Dir oder geradewegs weiter zu Grossmama[641], oder in den Osten[642], oder zu den Eltern[643] – zu wie vielen, von denen man nichts weiss. Aber wir bleiben verbunden. Ich lese jetzt das Johannes Evangelium und denke, Du liest es vielleicht gerade auch. – Sei tausendmal gegrüsst mein Liebstes

Dein Carl Friedrich.

---

640 Schloss Facqueval in Huy bei Lüttich, wo die Internierten vom 4. Juni bis 2. Juli 1945 einquartiert waren (siehe S. 101 ff.).

641 Paula von Weizsäcker, geb. von Meibom, Witwe des württembergischen Ministerpräsidenten Karl Hugo von Weizsäcker.

642 Gemeint ist wohl die Familie der Grafen zu Eulenburg, die in Ostpreußen das Gut Wicken (heute: Klimowka, Oblast Kaliningrad, Russland) bewirtschafteten und in die Adelheid von Weizsäcker, jüngere Schwester von Carl Friedrich von Weizsäcker, 1938 eingeheiratet hatte.

643 Ernst von Weizsäcker und Marianne von Weizsäcker, geb. v. Graevenitz. Ernst von Weizsäcker war von 1943 bis 1945 deutscher Botschafter beim Heiligen Stuhl und lebte zuletzt in der exterritorialen Vatikanstadt in Rom. Vgl. Weizsäcker 1950, S. 367 ff.

2 Carl Friedrich von Weizsäcker an Gundalena von Weizsäcker vom August 1945[644]

Geliebte Gundi, Dein Brief vom 3.8., den ich vor etwa vierzehn Tagen bekam, war eine ganz grosse Freude. Es war freilich nicht die erste Nachricht, denn ich hatte inzwischen schon aus Hechingen Deinen Brief an Otti[645] vom 20.7. bekommen und noch auf anderem Wege gehört, Du seist in der Schweiz[646] und es gehe Dir gut. Ich habe mit der Antwort ein wenig gezögert, weil ich hoffte, Dir das Ergebnis schwebender Verhandlungen über unsere Zukunft mitteilen zu können. Bis jetzt hat sich ergeben, dass wir nach Deutschland zurück kommen sollen, aber nicht nach Hechingen. Ort und Zeitpunkt sind noch nicht festgelegt, sollen aber nun wohl bald bestimmt werden. Die Gespräche wurden, nachdem sie einmal begonnen hatten, in sehr verständnisvoller Weise geführt, und ich glaube, dass wir bei dem Versuch, die deutsche Wissenschaft wieder aufzubauen, allen guten Willen seitens unserer Kollegen auf der alliierten Seite finden werden. Es wird aber noch einige Zeit dauern, bis wir ein klares Bild von der Zukunft haben. Jedenfalls scheint es mir aber klar, dass die Kinder bis zu einer Besserung der deutschen Ernährungslage in der Schweiz bleiben sollten, wenn das von dort aus möglich ist. Also wohl mindestens bis Sommer 1946.[647] Es ist wohl richtig, dass Du zunächst bei Ihnen bleibst. Aber es könnte sein, dass ich Dich bitten würde, inzwischen einmal nach Deutschland zu kommen (wenn es genehmigt wird), etwa wenn sich herausstellen sollte, dass ein Umzug aus Hechingen gemacht werden müsste, dass ich aber nicht dorthin könnte. Vorläufig ist das alles noch nicht zu übersehen.

Dieses halbe Jahr war im Grunde für mich eine sehr reiche und gute Zeit. Der Gedanke, dass vielleicht viele Menschen zu Hause auf mich warten,

644 Der Brief stammt wahrscheinlich vom August 1945.

645 Ottonie Wirtz, geb. von Ziegner, Frau von Karl Wirtz. Die Familien von Weizsäcker und Wirtz waren eng befreundet.

646 Gundalena von Weizsäcker konnte im Juni 1945 endlich zu ihren Kindern in die Schweiz reisen, wo diese seit Dezember 1944 im Hause ihres Großvaters Ulrich Wille in Feldmeilen lebten, siehe Anm. 639 auf S. 485.

647 Tatsächlich kehrten die Kinder erst im Oktober 1948 nach Deutschland bzw. nach Göttingen zurück.

während ich hier untätig sitze, ist freilich fast quälend, und Nachrichten wie die von der Austreibung der Millionen aus dem Osten erfüllen[648] die Gedanken in diesem Zustand vielleicht fast noch mehr als wenn man näher den Ereignissen für die kleinen täglichen Nöte zu sorgen hätte. Das Fehlen Deiner und der Kinder Nähe, die Sorge um so viele, viele Menschen – was das heisst, weisst [Bl. 1v]Du. Aber wie Du den Spruch vom Stillesein und Hoffen, habe ich einen Vers von Milton gefunden (Ende eines Sonnets über seine Blindheit): „They also serve who only stand and wait."[649] Ich glaube, dass mich die völlige Musse zum Durchdenken vieler Dinge recht gut für die Aufgaben der Zukunft vorbereitet hat. Dazu habe ich wirklich viel gearbeitet. Es macht mir Spass, es einmal aufzuzählen: Ich habe Hegels „Phänomenologie des Geistes" durchgearbeitet, einen Aufsatz über die deutsche Geistesgeschichte geschrieben, in der Kosmogonie ziemlich viel herausgebracht, darüber eine Arbeit geschrieben und eine zweite angefangen,[650] eine gute Geschichte Englands (G. M. Trevelyan[651]) und allerhand andere englische Literatur gelesen und schliesslich sogar einige Gedichte gemacht, die ich Dir einmal schicken will. Ferner habe ich mich – um diese Seite des Lebens nicht zu vergessen – in Bridge und Faustball sehr und in Schach, Skat und Pingpong ein wenig vervollkommnet und die Anfangsgründe des Billard erlernt. Körperlich strotze ich von Gesundheit, so sehr, dass ich alle Pyjamas sprenge (dafür habe ich aber auch Flicken und Strümpfestopfen zu hoher Vollkommenheit gebracht); dabei hat das Wachstum der Muskeln dem des Fetts Schritt gehalten und Du würdest mich nach dem etwas jämmerlichen Bild, das ich im letzten Winter bot, kaum wiedererkennen. Sollte ich jetzt nach Deutschland kommen, so würde ich doch einige der erforderlichen Kalorien innerhalb meiner Haut importieren.

Von Hechingen sind nicht durchweg befriedigende Nachrichten gekommen. Bopp und anscheinend auch Höcker sind eine Woche in Haft

---

648 Gemeint sind die Zwangsumsiedlungen der deutschen Bevölkerung aus den Gebieten östlich der Oder, aus dem Sudetenland sowie anderen deutschsprachigen Siedlungsgebieten in Europa als Folge des Potsdamer Abkommens.

649 John Milton: On his Blindness. Z. B. in Quiller-Couch 1919, Poem Nr. 318.

650 Weizsäcker 1948.

651 Wahrscheinlich Trevelyan 1944.

gewesen,[652] und Schüler hat sich auf nicht ganz durchsichtige Weise zum Chef machen lassen,[653] was dort wie hier gleichen Ärger hervorgerufen hat. Schließlich sind Bopp und Schüler an einen anderen Ort eingeladen worden und jetzt führt Menzer das Institut. In Taiflingen ist hingegen offenbar alles normal verlaufen, und Joliot scheint sich der Institute anzunehmen[654] – unsere Wohnung hat Jacobs[655] beschlagnahmt; die Möbel seien im Rathaus untergebracht. Danckelmanns[656] scheinen bei Otti[657] zu wohnen oder mindestens zu essen. Nach letzter [Bl. 2]Nachricht ist Otti nach Bayern gefahren, um ihre Mutter und Großeltern zu holen. Alle Deine Nachrichten sind mir wichtig und ich bin begierig auf neue. Richards[658] Rückkehr ist mir täglich neu ein Anlass zur Freude und zur Hoffnung. Wenn das geschehen ist, was kann nicht noch geschehen! Von den Eltern habe ich bisher keine direkte Nachricht. Ich las nur vor etwa 1 ½

652 Fritz Bopp, von Heisenberg als Interimsdirektor des KWI für Physik eingesetzt, und Karl-Heinz Höcker, der zusammen mit Carl Friedrich von Weizsäcker aus Straßburg nach Hechingen gekommen war, hatte man kurzzeitig nach Frankreich verbracht; wahrscheinlich um Druck auszuüben und ihnen die Zustimmung für die Verlegung des Instituts nach Frankreich abzunötigen, was aber nicht gelang. Vgl. Lässing 2013, S. 110.

653 Hermann Schüler, Leiter der Abteilung Spektroskopie, wurde vom französischen Hochkommissar für Atomenergie Frederic Joliot-Curie (1900 – 1958), der für die KWIs in Hechingen und Tailfingen zuständig war, im Juni 1945 als Direktor des KWI für Physik eingesetzt, was zu lang nachwirkenden Spannungen im KWI für Physik führte.

654 Frederic Joliot-Curie, der zusammen mit seiner Frau Irène Curie die künstliche Radioaktivität entdeckt hatte, wofür sie den Chemie-Nobelpreis 1935 erhalten hatten, nahm als französischer Hoher Kommissar für Atomenergie starken Einfluss auf die Besatzungspolitik in der französischen Besatzungszone, namentlich bezüglich der Kaiser-Wilhelm-Institute für Chemie und Physik.

655 Unleserlich, evtl. auch: Jacobi.

656 Bernhard Danckelmann hatte wie Carl Friedrich von Weizsäcker bis 1944 an der Reichsuniversität Straßburg gewirkt und ihre Ehefrauen hatten sich angefreundet.

657 Ottonie Wirtz, Frau von Karl Wirtz.

658 Der jüngere Bruder Carl Friedrich von Weizsäckers, Richard, war in der Endphase des Zweiten Weltkriegs an der Ostfront verwundet worden und konnte sich während eines Genesungsurlaubs zum Gut der Großmutter, der „Halde“ bei Lindau im Bodensee absetzen, wo er das Kriegsende erlebte. Vgl. Wein, S. 490 ff.

Monaten in der Zeitung, Papa[659], Kessel[660] und Braun[661] haben sich den Alliierten zur Verfügung gestellt und würden als Zeugen im Nürnberger Prozess vernommen werden.[662] So aus dem Zusammenhang gerissen gibt diese Meldung Anlass zu vielem Nachdenken ohne klares Ergebnis. Der Abschnitt aus Teddys[663] Brief ist schön und sicher wahr. Wie gut, dass Adelheides Schwiegereltern auf der Halde angekommen sind.[664] Hast Du von Sigrid[665] gehört? Ist die Halde amerikanisch oder französisch besetzt?[666] Habt Ihr neue Nachricht aus Frohnau[667]? Ist Friedrich[668] aus der Gefangenschaft zurück? Es ist gut, wenn Du Gerstenmaier[669] siehst und auch Lucy[670] und ihre Freunde < >. Wie geht es all den Leuten, die

---

659 Ernst von Weizsäcker war bis 1943 1. Staatssekretär im Auswärtigen Amt und danach deutscher Botschafter beim Vatikan in Rom, wo er auch nach der deutschen Kapitulation bis zum Sommer 1946 verblieb.

660 Albrecht von Kessel, Legationsrat im Auswärtigen Amt bzw. Gesandtschaftsrat an der deutschen Botschaft beim Vatikan und Vertrauter Ernst von Weizsäckers.

661 Sigismund Freiherr von Braun, älterer Bruder des Raketenforschers Wernher von Braun, war seit 1943 Legationssekretär an der deutschen Botschaft beim Vatikan gewesen und enger Mitarbeiter Ernst v. Weizsäckers.

662 Im August 1946 kehrte Ernst von Weizsäcker, wie auch seine Mitarbeiter, nach Deutschland zurück, um als sogenannter freier Zeuge in den Nürnberger Kriegsverbrecherprozessen auszusagen. Im Sommer 1947 wurde er dennoch verhaftet und im Rahmen des sogenannten Wilhelmstraßen-Prozesses wegen Mitwirkung an der Deportation französischer Juden als Kriegsverbrecher verurteilt. Vgl. Conze 2010, S. 389–401.

663 Spitzname von Albrecht von Kessel.

664 Siegfried Graf zu Eulenburg und seine Frau Jeanne hatten sich in einer mehrmonatigen Fahrt mit einer Kutsche aus Ostpreußen bis zum Gut der Weizsäcker-Großmutter am Bodensee durchgeschlagen.

665 Siegrid Gräfin Eulenburg, Diakonissin, war die Schwester von Botho-Ernst Graf zu Eulenburg, dem Ehegatten von Adelheid von Weizsäcker.

666 Die Stadt Lindau und damit auch deren Vorort Halde gehörte zur französischen Besatzungszone.

667 Die ältere Schwester von Gundalena, Elisabeth Wille, war mit dem Chemiker Ernst Albers-Schönberg verheiratet, die in Berlin-Frohnau lebten.

668 Friedrich von Bodelschwingh, der mit der älteren Schwester von Gundalena, Jutta Wille, verheiratet war.

669 Eugen Gerstenmaier, der zum Weizsäckerschen Freundeskreis und als Mitglied des Kreisauer Kreises zum Widerstand gegen Hitler gehörte.

670 Lucy Rudolph, Schweizer Freundin von Gundalena.

mich im Dezember noch so gut bei meiner Reise[671] aufgenommen haben? Von Albrechts Tod[672] habe ich durch die Zeitungen erfahren. Es hat mich sehr bewegt. Wie mögen seine letzten Tage gewesen sein? Wenn Du von Werner v. Trott[673] etwas sicheres erfahren könntest, wäre ich sehr froh.[*] Hast Du je etwas von Hanael[674] gehört? Er wollte nach Überlingen, St. Leonhardstr. 22, bei Frau Kramer, ziehen; ich habe aber von dort von ihm keine Nachricht mehr bekommen. Was für Dohnas[675] wohnen bei Euch? Wissen sie etwas von der Brunsschen Dohna und ihrer Schwester. Weisst Du etwas von Marion Dönhoff?[676] Von den Haeblers? So könnte man immer weiter fragen. Aber Du wirst mir ja schreiben, was Du weis[s]t.

Gut ist alles, was Du von den Kindern schreibst. Du musst ihnen allen einen Kuss von mir geben. An den Ernst Ulrich[677] denke ich manchmal fast mit ein wenig Rührung, und ich kann mir schon denken, dass er auch manchmal von mir spricht. Ich kann mir so viele der kleinen Probleme, vor die ihn der Kontakt mit der Welt stellt, von meiner eigenen [Bl. 2v]Kindheit her ausmalen und meine manchmal, dass es nicht viele Menschen gibt, die ihn darin verstehen können. Wann kommt er in die Schule? Aber die Gedanken

671 Bezicht sich auf die Reise Weizsäckers gemeinsam mit Heisenberg nach Zürich im Dezember 1944, siehe Anm. 639 auf S. 485.

672 Albrecht Haushofer, Geograph und enger Freund Carl Friedrich von Weizsäckers, der dem Widerstand gegen Hitler angehörte, war nach dem Attentat auf Hitler verhaftet worden und wurde noch im April 1945 hinterrücks erschossen.

673 Werner von Trott zu Solz, Bruder des 1944 hingerichteten Widerstandskämpfers Adam von Trott zu Solz, war mit Carl Friedrich von Weizsäcker befreundet und gehörte zu den frühen Gegnern des nationalsozialistischen Regimes.

674 Hans-Henning von Voigt, Pseudonym Hanael Alastair, war Schriftsteller und Illustrator und gehörte zu den engsten Freunden Carl Friedrich von Weizsäckers.

675 Die Dohnas waren ein weit verzweigtes deutsches Adelsgeschlecht, dessen ostpreußische Vertreter wahrscheinlich nach ihrer Flucht bei den Willes im schweizerischen Feldmeilen gestrandet waren.

676 Marion Gräfin Dönhoff, die spätere Herausgeberin der Hamburger Wochenzeitung „Die Zeit", gehörte zum Bekanntenkreis Carl Friedrich von Weizsäckers und war ebenfalls aus ihrer ostpreußischen Heimat vor der heranrückenden Roten Armee geflohen. Vgl. Hofmann 2019.

677 Ernst Ulrich von Weizsäcker, zweitältester Sohn Carl Friedrich von Weizsäckers.

gehen von einem zum andern. Es ist sicher gut, dass Elisabeth[678] jetzt in einem geordneten Haus ist. Wenn ihre Sensibilität nur behütet wird, wird sie schon genug gesunde Kraft haben, richtig weiter zu wachsen. Ich kann mir denken, dass es gerade für sie besonders wichtig ist, dass Du da bist. Deshalb möchte ich Dich, auch wenn ich dann noch eine Zeit allein hausen muß, nicht ohne Not von den Kindern trennen. Der Gedanke an Chrigel[679], an seine kindliche Männlichkeit, bringt überall hin Glanz und Hoffnung. Du musst ihn auch in meinem Namen loben, weil er schwimmen gelernt hat. Kommandiert er die ganze kleine Schar, oder ist er von der Schule zu sehr absorbiert? Wie haben sich Christoph und Steffi[680] entwickelt? Das Bild, das Du in Deinem Brief versprachest, lag nicht bei, als ich ihn erhielt. Hast Du die Schwester behalten, die damals die Kinder übernommen hat?[681] Hast Du von Hilla und sonst aus Rickelshausen gehört?[682]

Grüsse E[683] sehr und Jutti[684], wenn sie noch da ist, und Papa[685] und die Brüder[686] und Jürgli[687], von dem Du nichts geschrieben hast. Deine Grüsse sind ausgerichtet und werden herzlich erwidert. Versuche auch Otti[688] zu grüssen. Nun habe ich immerzu von mir und von anderen Menschen geschrieben. Aber vor und nach allem kommt die Frage: Wie geht es Dir selbst? Dass unsere Gedanken sich treffen, ist sicher. Aber was mag es im einzelnen sein, was Du mir jeden Abend zu sagen hast, oder was Dich tags während der Arbeit im Innern beschäftigt? Den Divan[689] habe ich nicht

678 Elisabeth von Weizsäcker, Tochter Carl Friedrich von Weizsäckers, ab 1967 verheiratete Raiser.

679 Spitzname für Carl-Christian von Weizsäcker, der älteste Sohn Carl Friedrich von Weizsäckers.

680 Christoph von Bodelschwingh und Stefanie Albers-Schönberg, Neffe und Nichte Gundalena von Weizsäckers.

681 Madeleine, Kindermädchen im Hause Wille in Feldmeilen.

682 Gut Rickelshausen bei Radolfzell am Bodensee, wo die mit Weizsäckers verwandte Familie Bothmer wohnte.

683 Elisabeth Albers-Schönberg, älteste Schwester von Gundalena.

684 Jutta von Bodelschwingh, jüngere Schwester von Gundalena.

685 Ulrich Wille.

686 Gundalena hatte drei Brüder.

687 Georg Albers-Schönberg, Neffe von Gundalena.

688 Ottonie Wirtz, die aber in Hechingen war.

689 Gemeint ist Goethes Gedichtsammlung „West-östlicher Diwan“ (Goethe 1819).

da, aber ich glaube, ich kann die Gedichte noch auswendig. Und das Wort vom Bundesgenossen, das wir eben jetzt vor 10 Jahren[690] gefunden haben, ist nicht vergessen. Vielleicht wird die Zukunft von dieser Bundesgenossenschaft noch viel verlangen, aber ich sehe mit Zuversicht auf das, was kommt.

Immer D. C. F.

[Bl. 2]* Weißt Du jemanden, der einmal in Urfeld[691] nach dem Rechten sehen könnte? Für eine Frau allein muss dieses Haus jetzt schwer zu führen sein.

3 Brieffragment von Carl Friedrich von Weizsäcker an Gundalena von Weizsäcker vom August 1945[692]

[Bl. 2]< > von den allierten Behörden ist uns nie vorgeschlagen worden, für sie wissenschaftlich oder technisch zu arbeiten und wir haben es auch nicht getan. Wir versuchen jetzt, nach unserer Rückkehr, am Wiederaufbau der deutschen Wissenschaft mitzuarbeiten.[693]

Zur zukünftigen Entwicklung: Ich persönlich halte es für ein Unglück für die Menschheit, dass die Atombombe entwickelt worden ist. Ich vermute zwar, dass jetzt eine Zeitspanne des Friedens kommen wird, aber ich sehe keine Garantie für den Frieden; und welches Mass an Zerstörung ein neuer Krieg bringen würde, kann man sich nicht ausmalen. Es ist deutlich, dass die Menschheit auf die Ausbeutung der Atomkernenergie nicht verzichten will. Für die Wissenschaftler und Techniker können höchstens versuchen als das best mögliche daraus zu machen, indem sie die grossen

690 Bezieht sich auf die Verlobung mit Gundalena, die zehn Jahre zurück lag.

691 Gemeint ist das Haus der Familie Heisenberg in Urfeld am Walchensee in den bayerischen Alpen, wo Elisabeth Heisenberg nach dem Tod ihrer Schwiegermutter inzwischen allein mit ihren damals sechs Kindern lebte.

692 Der Brief stammt wahrscheinlich vom August 1945, Anfang und Schluss des Briefes fehlen; das markierte „PS“ wurde bereits in der Edition der Briefe von Elisabeth und Werner Heisenberg (Heisenberg 2011, S. 316) publiziert.

693 Bezieht sich wahrscheinlich auf die Besuche hochkarätiger englischer Physiker in Farm Hall, u. a. von Sir Charles Darwin (Bericht 5.IV, S. 257 ff.) und Patrick Blackett (Bericht 7.II, S. 275 ff.) sowie das Treffen in der Royal Institution (Bericht 11, S. 339 ff.).

friedlichen Anwendungsmöglichkeiten dieser Energieform erschliessen. Was sie damit stiften können, würde ich freilich nur Nutzen, und nicht Segen nennen. Das eigentliche Problem liegt wohl im moralischem oder in Wirklichkeit im religiösem Gebiet. Es ist der Apfel von Adam und Eva. Uns Menschen ist mit der Erkenntnis eine Macht zugefallen, der unsere moralische Natur nicht gewachsen ist. Ich sehe nicht, wie wir die Katastrophen vermeiden können, die daraus immer wieder folgen, und die immer grösser werden. Aber vielleicht ist es das einzige Gute, dass diese technische Entwicklung gebracht hat, dass wir alle die verzweifelte Lage deutlicher sehen können, in die wir uns selbst unablässig bringen. Und es gibt wohl nichts, was überhaupt auf die Dauer wichtig ist, als die Arbeit und der gute Wille an diesem Punkte unserer Natur. Du weisst, dass es mir, wenn mit etwas, dann damit ernst ist.

[Bl. 2v]P. S. Es ist in der Presse wohl noch viel mehr mündlich so viel von unserem angeblichen Anteil an der Atombombe die Rede gewesen, dass Du sicher auch viele Fragen ausgesetzt warst.

P. S. Du bist sicher oft nach unserem angeblichen Anteil an der Atombombe gefragt worden. Ich bin froh, dass Du im wesentlichen weisst, was wir wirklich gemacht haben und was wir darüber gedacht haben. Du weisst ja, wie ich über diese Fragen grundsätzlich gedacht habe, aber vielleicht ist es Dir doch recht, wenn ich Dir zu den Hauptpunkten ausdrücklich etwas sage.

Zu unserem Arbeiten im Krieg: Die schwere moralische Entscheidung, ob wir eine Atombombe bauen sollten, ist uns erspart geblieben. Die technischen und organisatorischen Möglichkeiten, die wir in Deutschland hatten, hätten den Aufwand, der in Amerika auf für dieses Problem betrieben wurde, keinesfalls zugelassen: Wir haben uns auf die Vorarbeiten für die kleinere Aufgabe des Baus einer energieliefernden Maschine beschränkt, auf Bahnen, die offenbar den in Amerika hierfür verfolgten ähnlich waren, und sind dem endgültigen Erfolg bei Kriegsende nahe gewesen. Wir haben damit getan, was in unseren Kräften stand, um unserem Land den nötigen Anteil an einer unvermeidlichen technischen Entwicklung zu sichern.

Zur Zeit seit unserer Verhaftung: An der Atombombe, die in Hiroshima fiel, hatten wir natürlich keinerlei Anteil. Wir erfuhren von ihr erst aus der Zeitung. Von den konstruktiven Einzelheiten und der Herstellungsweise der Bombe haben wir nicht mehr Informationen als jeder Zeitungsleser. Unsere Verhaftung war offenbar eine reine Sicherheitsmassnahme der alliierten Behörden. Wir haben wenige Wissenschaftler der alliierten Staaten gesehen und mit ihnen nie über die technischen oder wissenschaftlichen Probleme der Bombe gesprochen. Von < >[694]

4 Korrespondenz von Weizsäckers Mutter Marianne von Weizsäcker mit Niels Bohr[695] vom Oktober/November 1945

Telegramm von Marianne von Weizsäcker an Niels Bohr vom 13. Oktober 1945

An Prof. Bohr,
Citta Vaticano, 13.10.1945.[696]

Relying on your kindness always shown to our son I beg to ask you to transmit him if feasible greetings and information that his family Feldmeilen Zuerichsee and we all are quite well STOP Sincerely grateful also for eventual reply = Marianne von Weizsaecker Vatican City.[697]

---

694 Rest des Briefes fehlt.

695 Niels Bohr zählt zu den maßgeblichen Pionieren der Quantenmechanik und sein Kopenhagener Institut wurde zum Zentrum einer hochkarätigen, international ausgerichteten Physikergemeinschaft, zu der auch Carl Friedrich von Weizsäcker gehörte.

696 Ernst von Weizsäcker war nach seiner Entlassung als Staatssekretär des Auswärtigen Amtes im Sommer 1943 zum deutschen Botschafter beim Heiligen Stuhl ernannt worden. Nach der Besetzung Roms durch amerikanische Truppen im Juni 1944 war er zusammen mit seiner Frau aus der Botschaftsresidenz in die exterritoriale Vatikanstadt übergesiedelt, was einer (komfortablen) Internierung gleichkam.

697 „In Anbetracht Ihrer steten Freundlichkeit unserem Sohn gegenüber bitte ich Sie, ihm, falls möglich, Grüße und die Information zu übermitteln, dass seine Familie [in] Feldmeilen Zürichsee [ist] und es uns recht gut geht. Aufrichtig dankbar, auch für eine mögliche Antwort. Marianne von Weizsäcker, Vatikanstadt".

Telegramm von Marianne von Weizsäcker an Niels Bohr vom 16. Oktober 1945

An Mrs. Marianne Weizsäcker,
Vatican City, 16.10.1945.

Informed that your son is safe but have had no direct contact with him. Attempting transmit your message and will let you know about reply Niels Bohr.[698]

Telegramm von Marianne von Weizsäcker an Niels Bohr vom 17. Oktober 1945

An Prof. Bohr,
Citta Vaticano, 17.10.1945.

Deeply grateful = Marianne Weizsaecker.[699]

Brief von Marianne von Weizsäcker an Niels Bohr vom 20. November 1945

An Prof. Bohr
Vatikan, 20.11.1945

Verehrter Herr Professor,

Ihr gütiges Antworttelegramm auf meine Anfrage hat mich sehr bewegt. Nicht nur, dass sie uns die erste Nachricht von unsrem Sohn brachte, sondern auch, weil sie mir ein Zeichen Ihrer gleichgebliebenen Gesinnung war. Das wird mir im Gedächtnis bleiben.

Für den Fall, dass es Ihnen möglich ist, unseren Sohn etwas zukommen zu lassen, lege ich ein Blatt für ihn bei. Es würde mich freuen, wenn es ihn erreichen könnte, ist aber nicht so wichtig, dass es Ihnen irgend eine Schwierigkeit bereiten dürfte. Wir dürfen ja annehmen, dass es ihm gut geht und es nur noch einiger Geduld bedarf, bis sich seine Bande lösen.

698 „Ich bin darüber unterrichtet, dass Ihr Sohn sicher ist, habe aber keinen direkten Kontakt zu ihm gehabt. Versuche Ihre Nachricht zu übermitteln und unterrichte Sie über Antwort. Niels Bohr".

699 „Zutiefst dankbar. Marianne Weizsäcker".

In Dankbarkeit verbleibe ich, Ihre
Marianne von Weizsäcker

Beigelegtes Blatt: Brief von Marianne von Weizsäcker an Carl Friedrich von Weizsäcker vom 20. November 1945

Vatikan, 20.11.1945

Geliebter Sohn,

Vielleicht ist es möglich, dass dieses Blatt in deine Hand kommt; vielleicht auch kann Dir nur mitgeteilt werden, was darauf steht deshalb will ich mich ganz kurz fassen.

Wir sind dankbar, durch eine gütige Vermittlung erfahren zu haben, dass es Dir gut geht und kürzlich auch durch Gundi[700] die Nachricht bekommen zu haben, dass Du viel gearbeitet hast und guter Zuversicht seiest. Wir wussten es schon, dass Deine Zeit auch in Deiner jetzigen Lage nicht verloren sein würde.

Ich hoffe, dass Du von Gundi direkt Nachricht hast, aber das Wichtige will ich für alle Fälle wiederholen: dass es Gundi und den Kindern gut geht; dass Gundi und Adelheid[701] sich 2 mal an der Grenze sehen konnten; dass es auf der Halde[702] den Umständen entsprechend gut geht. Welch ein Himmelsgeschenk ist es, dass Richard[703] in letzter Minute gerettet worden ist und sich bis auf die Halde durchschlagen konnte und dass auch die Eltern von Botho Ernst nach einer ½ jährigen Wagenfahrt aus Ostpreussen dort landeten.[704] Von Siegfried[705] wissen wir nichts, Onkel

700 Gundalena von Weizsäcker.

701 Adelheid Gräfin zu Eulenburg, Schwester Carl Friedrich von Weizsäckers.

702 Gut der Großmutter Paula von Weizsäcker bei Lindau und damals quasi der „Familiensitz" der Weizsäckers.

703 Richard von Weizsäcker, der jüngere Bruder, siehe Anm. 658 auf S. 489.

704 Botho-Ernst Graf zu Eulenburg, der der Ehemann von Adelheid, galt seit 1944 als vermisst. Zur Flucht der Familie Eulenburg, siehe Anm. 664 auf S. 490.

705 Lies: Siegrid, Schwester von Botho-Ernst Graf zu Eulenburg.

Viktor[706] wieder in Heidelberg arbeiten; von Eckart[707] ist seit dem Ende des Krieges noch keine Nachricht gekommen.

Wir sind noch hier. Unser eigentliches Leben aber führen wir mit denen in der Heimat.[708]

Der Papa hat eine Denkschrift nach Nürnberg geschickt.[709]

Sei Gott befohlen, geliebter Sohn. Mögest Du in nicht zu ferner Zeit mit den Deinen wieder vereint werden und uns ein Wiedersehen geschenkt werden.

(S) In Liebe Deine Mama.

5 Carl Friedrich von Weizsäcker an Niels Bohr, November 1945

Lieber, verehrter Herr Professor Bohr!

Vor kurzem erhielt ich die Abschrift der Telegramme, die Sie mit meiner Mutter gewechselt haben. Ich bin Ihnen sehr dankbar dafür, dass Sie diese Vermittlung übernommen haben. Zwar habe ich schon vor einiger Zeit einen Brief an meine Eltern schreiben können. Aber offenbar hatten sie ihn zur Zeit der Telegramme noch nicht erhalten. Vielleicht kommt dieser Brief früher in Ihre Hand als der andere in die Hand meiner Eltern; dann werden meine Eltern sicher sehr froh sein, von Ihnen zu erfahren, dass es mir gut geht. Ich bin gut untergebracht, gut ernährt, habe so viel Zeit zum Arbeiten, wie ich es mir wünsche, und nütze sie aus. Über meine Zukunft ist noch nicht entschieden, ich hoffe aber, nach Deutschland zurückzu-

706 Viktor von Weizsäcker, Arzt und Onkel Carl Friedrich von Weizsäckers, hatte nach der Flucht aus Breslau und kurzzeitiger amerikanischer Kriegsgefangenschaft im Sommer 1945 die kommissarische Leitung des Physiologischen Instituts der Universität Heidelberg übernommen.

707 Eckard von Weizsäcker, jüngster Sohn Victor von Weizsäckers, der kurz vor Kriegsende in Süddeutschland gefallen war und zum damaligen Zeitpunkt noch als vermisst galt.

708 Bezieht sich auf die Internierung in der Vatikanstadt.

709 Es ist unklar, auf welches der vielen Memoranden und politischen Ausarbeitungen Weizsäckers aus dieser Zeit sich diese Bemerkung bezieht.

kommen. Aus den Telegrammen entnehme ich, dass meine Mutter noch in Rom ist, aber nichts Sicheres über meinen Vater. Von meiner Frau habe ich einen Brief bekommen und sehe daraus, dass es ihr und den Kindern gut geht.

Wir alle sind sehr froh darüber, dass Sie nun haben nach Hause zurückkehren können.[710] Es war uns im Krieg ein besonderer Schmerz, dass wir Ihnen den Dank, den wir Ihnen als Ihre Schüler für so viel Mühe, Belehrung und menschliche Anteilnahme schuldig geworden sind, so schlecht erstatten konnten, und dass wir nicht einmal verhindern konnten, dass Sie aus Ihrer Heimat vertrieben wurden.[711] Hoffentlich kann ihr Institut nun eine lange, ungestörte Zeit der Blüte erleben, so wie damals, als wir so gern seine Gäste waren.

Wie ich höre, haben Sie die Arbeit über Kosmogonie, die ein Gruß zu Ihrem 60. Geburtstag sein sollte, erhalten.[712] Wenn es einmal möglich sein wird, würde es mich interessieren, auch das Urteil der Astronomen darüber zu hören. Ich arbeite weiter über diese Fragen.

Darf ich Sie bitten, Ihre Frau[713] und Ihre Söhne[714] und alle am Institut herzlich von mir zu grüßen? Wenn Fräulein Thalbitzer[715], bei der ich

710 Bezieht sich auf Bohrs Flucht aus Kopenhagen Ende September 1943 und seine Emigration, die ihn über Schweden und England schließlich in die USA führte, wo er sich beratend am Manhattan-Projekt beteiligte; im Herbst 1945 war er nach Kopenhagen und an sein Institut wieder zurückgekehrt, Vgl. Röseberg 1985, S. 241 ff.

711 Die Beziehungen Weizsäckers, aber auch die Heisenbergs zu Bohr waren in den Jahren der nationalsozialistischen Gewaltherrschaft und insbesondere während der deutschen Besatzung Dänemarks durch Missverständnisse und Irritationen getrübt; der Kopenhagenbesuch beider im September 1941 hatte sogar den Bruch ihrer engen Freundschaft zur Folge. Vgl. Walker 1995, S. 173; Frayn 2001.

712 Siehe den Brief Heisenbergs an Bohr vom Oktober 1945, S. 469 f.

713 Margarethe Bohr, geb. Nørlund.

714 Niels und Margarethe Bohr hatten sechs Söhne, von denen Carl Friedrich von Weizsäcker aber nur Hans Henrik, Erik, Aage und Ernest kannte. Christian und Harald waren früh verstorben.

715 Ellen Thalbitzer, bei der neben Carl Friedrich von Weizsäcker auch andere Gäste während ihres Forschungsaufenthaltes am Bohrschen Instituts zur Untermiete wohnten.

seinerzeit gewohnt habe, noch lebt und Sie ihr einen Gruß übermitteln könnten, würde sie sich sicher freuen.

Mit allen guten Wünschen für die kommende Zeit
Ihr Carl Friedrich v. Weizsäcker

6 Carl Friedrich von Weizsäcker an Gundalena von Weizsäcker, Dezember 1945 [716]

L. G., kaum hatte ich meinen Brief abgeschickt, da kam Dein langer Brief vom 28.10/1.11. mit den Bildern und den Briefen der Kinder und dem der E. Nun will ich versuchen, noch ein Blatt hinter meinem Brief herzuschicken als Dank und Antwort. Am liebsten würde ich auf jede Einzelheit ausführlich eingehen, aber vielleicht reist der Brief schneller, wenn ich ihn heute abschliesse. Deshalb nur einiges in Eile.

Ich weiss nicht, was das Schönste in der Sendung ist, vielleicht sind es aber doch die Bilder der Kinder. Chrigel finde ich am wenigsten verändert; er ist immer er selbst. Ernst Ulrich habe ich auf dem Einzelbild („Maquis") zuerst gar nicht erkannt; sein Gesicht scheint mir mehr ins Lange, Schmale gegangen zu sein, und er ist sehr viel mehr „Bub" und weniger „Kind", als ich ihn in Erinnerung hab. Auf anderen Bildern ist er freilich so „batzlich"[717] versonnen wie er wohl sein Leben lang zuzeiten sein wird. Elisabeth sieht wirklich sehr graevnitzich[718] aus und, wenn ich so sagen darf, sehr „distinguiert". Man hat das Gefühl, dass sie die „Wirtshausszenen" nur mit grosser innerer Distanz an sich geschehen lässt. Lustig und weder von Vätern noch von ihren Müttern her recht erklärlich ist, wie pyknisch Christoph und Steffi neben den unseren momentan aussehen. Sicher ist es vor allem für Chrigel sehr schön, ausser den Eigenbrötler Ernst

---

716 Die Datierung ist unklar, wahrscheinlich Dezember 1945 , denn am Ende des Briefes wird Gundalenas Geburtstag (30. November) erwähnt, der „zu einem kleinen Fest" für Weizsäcker wurde (S. 503).

717 Familien-Idiom für eine originelle, aber auch schwierige, anstrengende Sache.

718 Bezieht sich auf Carl Friedrich von Weizsäckers Mutter, Marianne von Weizsäcker, geb. von Graevenitz.

Ulrich auch einen richtigen Gefolgsmann zu haben, und für Elisabeth, dass sie in dem Kreis nicht das einzige Mädchen ist. Steffi sollte Elisabeths gelegentliche Labilität wohl ein wenig auffangen und ausgleichen. Sehr bewundert habe ich die Schreibkunst meiner Söhne. Ich füge nun, da Chrigel schon einen Geburtstagbrief bekommt, noch einen kleineren Brief an den Ernst Ulrich an. Sein Brief hat etwas von einer alten Inschrift im Aussehen. Sag aber dem Chrigel, dass ich ihm auch für seinen Brief besonders danke.

An E …[719] möchte ich auch, um der Zensur keine Sorgen zu machen, zunächst durch Dich für ihren Brief danken. Deine und ihre Grüsse sind bestellt und werden herzlich erwidert. Sehr dankbar sind wir natürlich für Deine Aktion für [Bl. 1v]Urfeld.[720] Ich glaube das ist wirklich ein gutes Werk. Sag der E, dass ich mich nachträglich erinnere, die Zeile von Milton von ihr oder Dir schon gehört zu haben. Sehr froh bin ich, dass die Nachrichten aus Frohnau soweit gut sind. Im Grunde übersehe ich die dortige Lage wohl noch weniger als Ihr, denn Deine Briefe sind fast das einzige Detail, das ich aus Deutschland erfahre. Ich würde aber den Frohnauern[721] mindestens nicht abraten, wenn sie versuchen, wegzugehen. Sollte ich in absehbarer Zeit zurückkommen, so würde ich mich sehr gern um Heinz[722] kümmern; ich werde aber auch dann mit der größten Wahrscheinlichkeit nicht nach Berlin gehen können.[723] Aber Ihr könnt auf mich zunächst nicht rechnen.

Für dic Fülle Deiner Nachrichten nur Dank. Aber schreib auch einmal von Dir selbst. Ein paar Fragen bleiben immer noch. Kannst Du irgendwie

719 Elisabeth Albers-Schönberg, Schwester von Gundalena. Siehe Anm. 667 auf S. 490.

720 Gemeint ist die von Carl Friedrich von Weizsäcker erbetene Hilfe (siehe Anm. 691 auf S. 493) für Elisabeth Heisenberg und ihre Kinder. Gundalena hatte im Spätsommer 1945 eine Sendung mit Lebensmitteln und vor allem mit Obst aus Hechingen nach Urfeld geschickt.

721 Gemeint sind Ernst und Elisabeth Albers-Schönberg und die unsichere politische Situation der Viersektoren-Stadt Berlin. Diese lag inmitten der sowjetischen Besatzungszone und man befürchtete über kurz oder lang die Integration in den sowjetischen Machtbereich; Frohnau war Teil des französischen Sektors und in seiner geographischen Lage besonders exponiert.

722 Bezieht sich auf Heinz Albers-Schönberg, ältester Sohn von Gundalenas Schwester Elisabeth, der Physik studierte.

723 Offenbar war schon im Herbst 1945 entschieden, dass die internierten deutschen Atomphysiker nach ihrer Entlassung für eine Übergangszeit in der britischen Besatzungszone verbleiben mussten.

etwas über den Verbleib von Scholz[724] erfahren? In Göttingen, wohin er zuletzt strebte, scheint er nicht zu sein, und die Universität in Münster ist anscheinend noch nicht wieder eröffnet. Weisst Du, ob unter den Leipzigern, die nach dem Westen gekommen sind, auch Bonhoeffer (Prof. für Physikalische Chemie)[725] war? Ist Frau Nikolas[726] noch bei Hanael? Weisst Du ob Hanael und Go[727] noch mein Manuskript über Geschichte bekommen haben? Weisst Du etwas von der Universität Freiburg? Wie es Heidegger[728], Heiss[729], Furdlich [?] geht? Wie geht es meinem Patenkind in Kressbronn.[730] Kann man von Sigrid nichts Neueres erfahren, etwa durch Ernst? Nicht als ob Du nicht alle sehr, sehr grüssen solltest, aber schreib bitte dem Go gelegentlich, dass mein Aufenthalt hier ein fortgesetztes Gespräch mit ihm ist. Ist zu übersehen, ob Jacobs[731] Bergarbeit befristet ist? Weiss man (etwa Hanael) etwas von Heinz Förster[732]? Schuster ist übrigens nicht mehr in Urfeld; wo er ist weiss ich nicht. Weisst Du etwas

---

724 Heinrich Scholz. Philosoph und Logiker, der von 1928 bis zu seiner Emeritierung 1952 als Professor an der Universität Münster forschte und lehrte.

725 Karl Friedrich Bonhoeffer, Physikochemiker, der von 1934 bis 1945 an der Universität Leipzig gewirkt hatte, wechselte nach Kriegsende zunächst von Leipzig an die Berliner Universität; gleichzeitig übernahm er die Leitung des KWI für physikalische Chemie in Berlin-Dahlem. 1949 wurde er Direktor des neu gegründeten MPI für physikalische Chemie in Göttingen.

726 Frau Nikolas war die Haushälterin von Hans-Henning von Voigt, alias Hanael Alastair, siehe Anm. 674 auf S. 491.

727 Gemeint ist Georg Picht, Pädagoge und enger Freund Carl Friedrich von Weizsäckers.

728 Martin Heidegger, einer der einflussreichsten Philosophen des 20. Jahrhunderts und Parteigänger der Nationalsozialisten, war 1928 als Professor für Philosophie an die Freiburger Universität berufen worden und wirkte dort bis zu seinem Tode. Carl Friedrich von Weizsäcker wurde in seinem philosophischen Denken von ihm stark beeinflusst.

729 Robert Heiß, Psychologe, der seit 1942 an der Universität Freiburg wirkte.

730 Gemeint ist Michael Becker, Sohn von Helmut Becker, der an der Universität Straßburg Assistent des Verfassungsrechtlers Ernst Rudolf Huber war und im gleichen Haus wie die Familie Weizsäcker lebte.

731 Jacob Reissner, Kunsthistoriker und Freund Carl Friedrich von Weizsäckers aus dem Hanael-Kreis.

732 Heinz Förster, Arzt und Freund der Familie Weizsäcker.

vom jüngeren Seemann?[733] Nebeneinander stehen in Deinem Brief das Glück von Li[734] und das Unglück von Sophie Unger; zu beidem gibt es keine Worte. Ich sorge mich ein wenig um den Schwager der Brunsschen Dohna. Hast Du einmal Brunner[735] und Balthasar[736] gesehen? Wie geht es Max[737]? Die Gedichte schicke oder gebe ich Dir später einmal. Was hast Du von Hölderlin gelesen?

[Bl. 3]Damit bin ich bei Dir. Du musst auch einmal mehr von Dir selbst schreiben. Du weißt, wie wichtig mir jede einzelne Nachricht von den Andern ist, aber von Dir möchte ich doch am meisten wissen. Die Trennung bestätigt freilich das Zusammengehören, auch ohne Worte, aber dann möchte man doch die vielen kleinen Dinge aus dem Leben des Andern wissen, und man möchte wissen, was den Andern gerade am meisten bewegt. Dein Geburtstag[738] wurde hier zu einem kleinen Fest für mich. Morgens hatte ich mich gut angezogen und es kam heraus warum. Darauf bekam ich nachmittags eine Torte mit der Inschrift „Gundi gratuliert". Und am Abend, kurz vor 12 (nach Eurer Zeit muss der Tag gerade schon zu Ende gewesen sein) kam Dein dicker Brief. Du kannst Dir denken, dass mein Schlaf etwas abgekürzt wurde.
Also noch einmal viele Grüsse an alle und vielen vielen Dank.

Lieber Ernst Ulrich[739]! Du hast mir einen schönen Brief geschrieben. Ich danke Dir sehr für den Brief und die Herzchen. Weil Du schon so gut

733 Gemeint ist der Bruder des Kirchenmusikers und Pianisten Carl Seemann aus Straßburg.

734 „Li" bzw. Elisabeth von Hassell, Tochter des Diplomaten und Widerstandskämpfers Ulrich von Hassell, die im Zusammenhang mit der Ereignissen des 20. Juli 1944 in Sippenhaft genommen wurde und deren Kinder in ein Kinderheim verbracht wurden; nach Kriegsende konnten die Kinder nach einer dramatischen Suchaktion der Großmutter Ilse von Hassell gefunden und in die Familie zurückgebracht werden, siehe Hassell 1993. Worin dagegen das Unglück von Sophie Unger bestand, einer Bekannten von Carl Friedrich von Weizsäcker, konnte nicht entschlüsselt werden.

735 Emil Brunner, evangelischer Theologe und Professor an der Universität Zürich.

736 Hans Urs von Balthasar, katholischer Theologe und Kulturphilosoph.

737 Max Spoerri, schweizer Theologe und Freund Carl Friedrich von Weizsäckers.

738 Gundalena war am 30. November 1908 geboren worden.

739 Ernst Ulrich v. Weizsäcker, der zweitälteste Sohn Carl Friedrich von Weizsäckers.

schreiben kannst, bist Du ein tüchtiger Bub, und ich freue mich über Dich. Wenn ich wiederkomme, musst Du mir alles aus dem Löwenbuch erzählen. Kannst Du auch bauen und Schneeballen werfen und Schlittenfahren? Ich kann hier keine Schneeballen werfen, denn es gibt hier noch keinen Schnee. Ich schicke Dir und der ganzen kleinen Gesellschaft viele Grüsse. Wenn Du mir wieder einmal einen Brief schreibst, machst Du mir eine Freude und ich schreibe Dir auch wieder.

Dein Vater.

7 Carl Friedrich von Weizsäcker an Gundalena von Weizsäcker, November 1945 [740]

Nov. 45

Geliebte Gundi! Nun ist Dein Geburtstag[741] fast da, und es ist Zeit, dass ich versuche, Dir zu Weihnachten zu schreiben. Ich habe seit Deinem Brief an Otti vom Juli, den sie mir schickte, und Deinem Brief an mich vom August, keine direkte Nachricht mehr von Dir erhalten, nur die Abschrift eines Telegramms der Mama an Bohr vom Oktober,[742] das besagt, dass es allgemein gut gehe, und aus dem ich sehe, dass jedenfalls sie damals noch in Rom war. Ich selbst habe Dir nach Feldmeilen bisher zwei Briefe geschickt, im September einen, der aus Hechingen zurückgekommen war, und im Oktober einen, in dem ich Deinen Brief vom August beantwortete. So habe ich nichts Neues von Dir zu beantworten, und von mir ist kaum Neues zu erzählen. Das Leben hier hat nun ganz feste, durch Gewohnheit geheiligte Formen angenommen. Die Mahlzeiten sind so regelmäßig wie seinerzeit im Ambronenhaus auf Amrum[743], und so reichlich, wie man irgend wünschen kann. Durchschnittlich viermal in der Woche spiele ich über eine Stunde Faustball. Der Rasen ist jetzt immer feucht und das Wetter oft nebelig und kühl, aber das Spiel leidet darunter nicht. Ich habe

740 Der Brief stammt wahrscheinlich vom November 1945.

741 Am 30. November.

742 Siehe S. 495 f.

743 Das 1911 erbaute Ambronenhaus auf Amrum war Teil des Seehospiz der Diakonissenanstalt Sarepta aus Bethel / Bielefeld, wo man im Urlaub gewesen war.

es darin zu einer Fertigkeit gebracht, die ich nie von mir erwartet hätte. Immerhin bin ich kein Champion, sondern werde in ernsthaften internen Wettspielen vorzugsweise als Schiedsrichter verwendet. Das habe ich wohl von Richard[744] geerbt, der bei den Schiwettläufen seiner Klasse in Bern immer eifrig beteiligt war, aber als Zeitnehmer. Jedenfalls ist aber der erwünschte Erfolg eingetreten, dass ich so gesund bin wie vielleicht noch nie. Ich habe trotz mehrerer kleiner Anläufe noch keinen einzigen wirklichen Schnupfen gehabt; vergleiche das mit meiner Bettliegerei vor einem Jahr. Nur ein wenig zu dick würdest Du mich wohl finden.

Ausser den Mahlzeiten, dem Sport und dem Bridgespiel, das jeden zweiten Abend stattfindet (hätte ich mir vor 10 Jahren träumen lassen, dass ich einmal so herunterkommen würde, ein regelmässiger Kartenspieler zu werden!) gehört mir meine Zeit allein. Diese viele freie Zeit [Bl. 1v] ist wohl für manche ein Problem. Aber Du weisst, wie sehr ich mir mit einem Teil meines Wesens immer gewünscht habe, ein Mönch zu sein. Mir ist diese Zeit oft noch zu kurz. Ich sitze viele Stunden lang fast ohne mich zu bewegen an meinem kleinen Tisch am Fenster, sehe auch das Rosenlaub auf die Wiesen und die grossen Bäume, die jetzt kahl sind, und komme der Fülle dessen nicht nach, was sich im Innern bewegt und ich gedacht, gefühlt, gesehen sein möchte. Wenn ich zur Mahlzeit gerufen werde, bin ich dann traurig und suche das Bridge und selbst das Ballspiel zu meiden. An der Kosmogonie arbeite ich geheim, aber wie mir scheint noch viel zu wenig, weil zu viele andere Gedanken ihr Recht fordern. Ich weiss jetzt besser als je, dass ein Mönch oder ein Einsiedler nicht allein ist, sondern die ganze Welt bei sich hat. Mit jedem Einzelnen von Euch draussen habe ich lange Gespräche. Ich kann nicht leugnen, dass diesen Gesprächen oft etwas zu viel Traurigkeit beigemischt ist. Ich sehe die Not, in der jeder Einzelne am Ende ist, und meine Unfähigkeit zu helfen. Ich höre Deine Fragen, sehe die Kinder heranwachsen und bin nicht dabei. Ich sehe, was ich früher versäumt habe und nicht mehr nachholen kann. Es gibt Tage, an denen das ganze ungeheure Unglück der Welt, das vergangene, gegenwärtige und zukünftige den Raum um mich erfüllt, trockene, unausweichliche Tatsachen, ein leidender Mensch neben dem anderen,

744 Gemeint ist Richard von Weizsäcker, der jüngere Bruder Carl Friedrich von Weizsäckers, der zeitlebens sportlich sehr aktiv war.

ein scheiternder Plan nach dem anderen, ein triumphierendes Unrecht nach dem anderen. Über ein eigenes Unglück kann man weinen und dann nimmt man es langsam in sein Wesen auf und ist wieder froh und ein wenig reifer als vorher. Über das Unglück in der Welt zu weinen, wäre lächerlich, denn wem hilft man damit? Und es wäre möglich, der Welt zu helfen, aber es wird nicht geholfen, weil die, denen es gut geht, sich nie vorstellen können, wie es denen zumute ist, denen es schlecht geht.

Aber Du musst nicht meinen, dass ich etwa in Trübsinn versinke; ich möchte sagen, gerade im Gegenteil. Diese Zeit, in der mich nichts hindert, allen Gedanken, auch den [Bl. 2]schwarzen, so weit nachzugehen wie es überhaupt gegenwärtig in meiner Kraft steht, ist für mich eine unverhoffte Gnade. Man kann nicht in die Höhe bauen, wenn nicht in der Tiefe jeder Stein befestigt ist. Die meisten Menschen können in der Notwendigkeit, täglich zu handeln, die Begrenztheit ihres Standpunkts und die Brüchigkeit des Bodens, auf dem sie stehen, nicht sehen. Sie sollen es vielleicht auch gar nicht. Aber sicher wollen sie es auch nicht und fliehen oft in einen Optimismus oder eine Gleichgültigkeit, die doch nur Formen der Feigheit sind. Ich weiss, dass ich das selbst oft getan habe und tue. Aber jedenfalls gehört es zu mir, dass ich das, was allgemein getan wird, nicht nur tue, sondern auch überdenke und vielleicht ist es für die Anderen schliesslich gut, wenn jemand es so überdenkt. Viele Fäden, die im Vordergrund zerrissen oder verwirrt erscheinen, zeigen sich sinnvoll geordnet, wenn man sich nicht mehr scheut, Schuld und Leiden so oder so als Tatsachen anzuerkennen wie sie es wirklich sind – zumal die Schuld bei sich selbst und im eigenen Kreis und das Leiden da, wo man es nicht sieht. Ich bekomme als Belohnung für jeden Gedanken, den ich, auch wenn er mir unangemessen ist oder ich ihn fürchte, verfolge eine Einsicht in die Zusammenhänge, die selbst ein grosses Glück ist. Und es könnte doch sein, dass etwas dauerhaft Gutes, soweit es das gibt, nicht wird gebaut werden können ohne Menschen, die etwas von diesen verborgenen Zusammenhängen zu sehen bekommen haben.

Man kann nicht immer den ganzen Tag intensiv nachdenken. Meine Zeit ist aber auch sonst reichlich ausgefüllt. Ich verfolge die Zeitungen recht genau. Abends lese ich viel. Ich habe mich mit der Geschichte der angelsächsischen Länder und ganz laienhaft, mit nationalökonomischen

Fragen beschäftigt. Ferne habe ich Miltons „Paradise Lost"[745] gelesen, und lese jetzt viel Shakespeare. Das ist eine Welt, die mich immer wieder verzaubert. Ich denke dann daran, wie wir miteinander Romeo und Julia lasen oder wie ich Dich vor 10 Jahren bei mir selbst mit der Porzia aus [Bl. 3]dem Kaufmann von Venedig verglichen habe. Jetzt lese ich vor allem die grossen politischen Stücke, Macbeth, Julius Caesar und die Königsdramen. In der Bibel lese ich das Buch Hiob. Ich habe nebeneinander die Luthersche und die englische Übersetzung und sehe daran, wie viele Stellen des Textes offenbar von strittiger Bedeutung sind. Ich würde sehr gerne einmal später die Übersetzung des Alten Testaments von Kautzsch[746] besitzen, die der des Neuen Testaments von meinem Urgrossvater[747] entspricht. Könntest Du uns die wohl gelegentlich besorgen und aufbewahren. Auch die Vulgata[748] hätte ich gern.

Das sind die Tage. Nachts träume ich immer häufig von Dir, von den Kindern und den Eltern. Neulich ergriff ich im Traum eine Hand und drückte sie fest, da war es Deine. Im selben Augenblick wusste ich, dass ich nun nicht aufwachen dürfe, denn dann könne es ja nicht mehr wahr sein. Als ich aufwachte, war es so als wäre es doch wahr gewesen. Du denkst jetzt sicher genau wie ich daran, dass es gerade 10 Jahre sind, seit Du mich in Leipzig[749] besuchtest und unser Gisalter [?] anfing. Inzwischen hat sich alles Unglück erfüllt, das wir damals vorausahnten, und vielleicht noch etwas mehr. Trotzdem bin ich jetzt viel glücklicher als ehe wir uns kannten und als ich es in der Zeit der ersten Schwierigkeiten unseres Zusammengehörens war. Damals schien die Welt aussen noch ruhig und die Not war in uns selbst. Jetzt ist die Welt voller Not, und die eigene Not ist, dass man nicht helfen kann; aber in uns selbst ist im tiefsten Grunde alles ganz ruhig und gut. Wir hatten vielleicht nie so wie inmitten der

745 Episches Gedicht des englischen Dichters John Milton, das biblische Themen wie den Sündenfall von Adam und Eva und ihre Vertreibung aus dem Paradies abhandelt; siehe auch S. 488.

746 Emil Kautzsch, deutscher (evangelischer) Theologe und Bibelkritiker.

747 Carl Heinrich Weizsäcker, evangelischer Theologe, der an der Universität Tübingen wirkte.

748 Die lateinische Übersetzung der Bibel.

749 Carl Friedrich von Weizsäcker war zwischen 1933 und 1936 Assistent Heisenbergs an der Universität Leipzig.

Zerstörung lernen können, dass es etwas gibt, das nicht zerstört werden konnte, sondern immer weiter gewachsen ist. Vielleicht habe ich sonst nichts, aber ich habe Dich und Du hast mich. Und dass wir uns haben, ist eine Geschenk des Dritten, das wir damals über uns auch anerkannt haben. Lass es so bleiben.

Es wäre noch viel nach Eurem Leben zu fragen, und nach dem Ergehen aller Freunde. Aber davon wirst Du mir schreiben, sobald es möglich ist, und ich muss jetzt [Bl. 4]schliessen. Ich füge hier schon einen Brief an den Chrigel[750] zu seinem Geburtstag an, denn ich bin ein wenig misstrauisch gegen das Tempo unserer Postbeförderung.*

Über unserer Zukunft weiss ich nichts Neues. Die Dinge dauern ja oft länger, als man vorher vermutet, und es bleibt nichts als abzuwarten. Jedenfalls kannst Du für unser persönliches Schicksal zuversichtlich sein. Leb wohl. Alle guten Gedanken mit Dir.

*Du kannst ihn dann ja abschneiden und ihm gesondert geben.

[Bl. 4v]Lieber Carl Christian! Heute wirst Du 8 Jahre alt. Jetzt bist Du schon ein grosser Bub. Weil ich Dir zum Geburtstag nichts schenken kann, schreibe ich Dir einen Brief. Den kannst Du sicher schon selbst lesen. Ich wünsche Dir, dass Du im nächsten Jahr immer gesund bleibst und noch grösser wirst und viele schöne Sachen lernst, die Dir Freude machen. Die Mami hat mir geschrieben, dass Du im letzten Sommer schwimmen gelernt hast. Das hat mich sehr gefreut. Sicher kannst Du jetzt auch schon gut Schlitten fahren und vielleicht auch schon Schilaufen. In der Schule hast Du sicher auch viel gelernt. Manchmal denke ich, wenn ich Dich wiedersehe, bist Du vielleicht schon so gross wie ich und kannst schon so schwierige Sachen rechnen wie ich. Ich spiele jetzt oft mit anderen Leuten Ball, mit einem grossen schweren Ball. Denk, der Onkel Karl[751] hat gesagt, wenn ich hinter dem Ball herlaufe, sehe ich gerade so aus wie Du. Darauf war ich sehr stolz. Was hast Du wohl zu Deinem Geburtstag geschenkt bekommen? Heute musst Du viel Kuchen essen, und der Mami kannst Du einen besonderen ganz langen Kuss geben und dazu sagen: „Der ist

750 Carl Christian, ältester Sohn Carl Friedrich v. Weizsäckers, wurde am 28. Januar 1938 geboren.

751 Karl Wirtz.

vom Vater." Und im nächsten Jahr musst Du immer lieb zur Mami sein und ihr immer folgen, und wenn sie traurig ist, musst Du sie trösten. Dem Ernst Ulrich und der Elisabeth musst Du auch einen Kuss von mir geben und Du musst immer gut auf den Ernst Ulrich und die Elisabeth und die Steffi aufpassen, dass sie keine dummen Sachen machen, dass Ihnen nichts passiert. Denn Du bist der Älteste und der Stärkste, und deshalb musst Du auch der Vernünftigste sein.* Und wenn Du manchmal an mich denkst, freut es mich. Denn ich hab Dich sehr lieb. Das ist ein grosser Kuss von Deinem Vater.

Dem Grosspapa und der Tante Elisabeth und der Meme und allen anderen Onkels und Tanten und dem Gass und der Schwester, wenn sie noch da ist, sag viele Grüsse von mir.

[Bl. 4]* Du würdest sagen, ich feiere Orgien im „bazzeln"[752]. Ich habe das Gefühl, dass ich diese Orgien noch sehr nötig habe, gerade wenn ich später einmal ein aktives Leben führen soll.

8 Carl Friedrich von Weizsäcker an Gundalena von Weizsäcker, Ende Dezember 1945

Ende Dezember 1945

Geliebte Gundi – heute nur die Nachricht, dass wir in wenigen Tagen nach Deutschland zurückkehren sollen. Eine Adresse kann ich Dir noch nicht angeben, und das künftige Mass meiner Bewegungsfreiheit ist mir noch nicht bekannt. Ich hoffe, es wird sich entwickeln. Man hat mir versprochen, dass Du mir zunächst noch auf den alten Weg schreiben kannst. Solltest Du demnächst eine Weile keine Nachricht von mir bekommen, so schiebe es bitte nur auf die mit meinem Ortswechsel verbundenen organisatorischen Änderungen. In Bezug auf mein persönliches Schicksal bin ich in allem optimistisch, bis auf eine [Bl. 1v]gewisse Skepsis gegenüber dem Tempo der Fortschritte. Eine kleine Weihnachtsrede, die ich in unserm

752 Familien-Idiom: liebevoll-belustigende Charakterisierung für eine etwas zu weit ausholende Beschreibung einer Sache. Siehe auch Anm. 717 auf S. 500.

Kreis am brennenden Baum gehalten habe.[753] Es war ein schönes Fest.[754] Wie mag Eures gewesen sein?

Sonst nichts Neues. Weiss Elisabeth noch, dass Sie mir mit Deinem letzten Brief ein selbst gezeichnetes Haus geschickt hat. Ich habe zu spät gemerkt, dass es von Ihr war, und wenn sie es noch weiss, danke ich Ihr noch nachträglich. Hat sie es auch selbst ausgeschnitten?

Ich träume jetzt fast jede Nacht von der Schweiz. Du bist fern und doch so nah, wie vielleicht noch nie. D. B.

9 Carl Friedrich von Weizsäcker an Gundalena von Weizsäcker, 6. Januar 1946

Alswede (Kreis Lübbecke, Westfalen) 6.1.45 [sic!]
Haus Albersmeyer

Geliebte Gundi – das Bild ändert sich, seit 3 Tagen sind wir in Deutschland. Wir hatten einen kurzen ruhigen Flug nach Bückeburg, jetzt sitzen wir auf dem Land im tiefsten Westfalen und sollen allmählich über die britische Besatzungszone verbreitet werden. Hahn und Heisenberg werden versuchen, ihre Institute nach Göttingen oder Hamburg zu bringen.[755] Ich will, wenn ich dabei gebraucht werde, versuchen, beim Neuaufbau des KWI f. Physik zu helfen. Jedenfalls ist mir eine Stelle irgendwo in der britischen Zone zugesagt. Ich versuche, Dich auf dem Laufenden zu halten. In die anderen Zonen können wir vorläufig nicht, hoffen das aber, wenigstens für die zwei anderen westlichen Zonen mit der Zeit zu lockern. Dich und die Kinder werde ich ja wohl noch einige Zeit nicht sehen, aber man hat nun doch die Umrisse einer Zukunft vor sich und kann – was die Hauptsache ist – aktiv an ihr mitarbeiten. Einige Wochen werden wir wohl noch hier sitzen, solange die organisatorischen Vorarbeiten laufen. Ich werde

753 Abgedruckt im Dokumentenanhang S. 512 ff.

754 Siehe auch die Berichte von Walther Gerlach (S. 437 f.), Erich Bagge (S. 420) und Otto Hahn (S. 454 ff.).

755 W. Heisenbergs KWI/MPI für Physik wurde schließlich in Göttingen neu gegründet; O. Hahn zog sich aus der aktiven Forschung zurück und übernahm die Präsidentschaft der KWG / MPG.

versuchen, Bodelschwinghsche und andere Beziehungen[756] wieder oder neu aufzunehmen. Welcher Genuss, nach 8 Monaten wieder unbewacht Schritte zu tun, kilometerweit über Land zu gehen!

[Bl. 1v]Alswede, [wahrscheinlich 6.1.1946]

Gel. G[undi], statt des Briefes, der mit dieser Sendung gehen sollte, schreibe ich Dir nun einen anderen. Das Bild hat sich geändert: seit 3 Tagen bin ich wieder auf dem Kontinent und zwar im tiefsten Westfalen. Es ist ein hübscher kleiner Ort mit grossen Bauernhöfen, 6 km westlich von Lübbecke. Die unmittelbare Umgebung ist flach wie Schlüsselburg. Aber etwa eine Stunde Wegstunde im Süden beginnt das westfälische Bergland, das sich von der Porta Westfalica nach Osnabrück hinüberzieht. Es ist nicht sehr kalt. Schnee liegt nicht, aber der Boden ist gefroren. Wir sind warm untergebracht und haben gut zu essen. Es ist ein unsagbarer Genuss, wieder unbewachte Schritte über das freie Feld zu tun; ich bin schon stundenlang im Zickzack ringsum den Ort gelaufen. Vorläufig müssen wir nachts immer wieder hierher zurückkehren; so ist die Reichweite noch nicht sehr gross. Ich hoffe aber, den Kreis so weit ziehen zu können, dass er irgendwelche Bodelschwinghs oder Ledeburs[757] enthält, und in nicht zu ferner Zeit auch Jutti[758], Bethel[759] und Sandfort[760] zu besuchen. Wir werden hier wohl wenigstens einige Wochen stationiert sein bis unsere endgültige Unterbringung organisiert ist. Wo das sein wird, weiss ich noch nicht. Am wahrscheinlichsten ist im Augenblick Göttingen oder Hamburg. Wir werden dort wieder reine Physik machen. Die Formen, unter denen das geschehen kann, werden wohl zu einem guten Teil von unseren eigenen Initiativen abhängen. Aber die Behörden, mit denen wir bisher zu

756 Jutta, die ältere Schwester von Gundalena, war mit dem Theologen Friedrich von Bodelschwingh, der Gundalena und Carl Friedrich auch 1937 getraut hatte, aus Bethel bei Bielefeld verheiratet, das sich nur etwa 40 km entfernt von Alswede befand.

757 Westfälische Adelsfamilie, mit dem man ebenfalls verwandtschaftlich verbunden war.

758 Jutta von Bodelschwingh, die Schwester von Gundalena.

759 Gemeint sind die Bodelschwinghschen Anstalten Bethel in Bielefeld.

760 Haus Sandfort, ein Wasserschloss im münsterländischen Olfen, das zu den Besitztümern der Familie Bodelschwingh gehörte.

tun hatten, sind unseren Absichten gegenüber wohlwollend und hilfsbereit. Die britische Zone werden wir vorerst nicht verlassen können. Ich gebe Dir Nachricht, wenn ich [Bl. 2]Deine Hilfe brauche. Ergründe doch, ob Du ohne Schwierigkeit hin- und herreisen könntest. Denn bis wir die Kinder nach Deutschland holen können, wird wohl noch einige Zeit vergehen. Ferner bitte ich Dich, die Postmöglichkeiten zu erforschen. Mir sagte man hier auf der Post, man könne nicht in die Schweiz schreiben. Die Leute, die bisher unsere Briefe vermittelt haben,[761] haben mir freundlicherweise angeboten, auch diesen und Deine Antwort noch zu befördern; ich weiss aber nicht, ob wir diese Vermittlung auch weiterhin in Anspruch nehmen können, da ich jetzt in einem anderen Zuständigkeitsbereich übergegangen bin.

Einen ausführlichen Bericht über die letzten 8 Monate gebe ich Dir später einmal; jetzt will ich den Brief nicht damit belasten. Hier nur eine Weihnachtsansprache, die ich noch am alten Ort in unserem Kreis[762] gehalten habe. Vielleicht kann sie Dir am besten sagen, wie sehr Du in meinen Gedanken immer „mit dabei" bist. Und jetzt sieht man doch die Umrisse einer Zukunft vor sich, auch wenn man sich über das Tempo ihrer Realisierung und die Welt auf die lange Sicht keine völlige Stabilität zutraut. Jetzt liegt eine Aufgabe vor uns und die wollen wir schon angreifen.

10 Weihnachtsansprache 1945 von Carl Friedrich von Weizsäcker in Farm Hall

Wir feiern dieses Weihnachtsfest unter Umständen, die wir uns nicht ausgesucht haben. Unser erster Gedanke geht zu unsern Angehörigen zu Hause, zu unsern Frauen und unsern Kindern, zu unsern Eltern und Geschwistern, zu unsern Freunden. Wir möchten mit ihnen vereint sein. Wir haben jetzt die Hoffnung, sie bald wiederzusehen, aber gerade heute

761 Für die in Farm Hall internierten deutschen Wissenschaftler wurde der Briefverkehr mit ihren in Deutschland lebenden Familien durch englische Militärangehörige bzw. Geheimdienstmitarbeiter besorgt – wohl nicht nur weil der Postverkehr damals kaum funktionierte, sondern vor allem aus geheimdienstlichen Überwachungsgründen.

762 Gemeint ist Farm Hall und der Kreis der internierten Wissenschaftler mitsamt dem kriegsgefangenen Dienstpersonal.

fehlen sie uns, und wir wissen, dass wir auch ihnen fehlen. Für viele von ihnen wird dieses Fest in eine Zeit der Not fallen, so wie sie sie vielleicht noch nie bisher erlebt haben. Wir möchten ihnen helfen und können es bis jetzt nicht. Wir möchten wenigstens wissen, wie ihnen in diesem Augenblick zumute ist, aber wir wissen wenig davon. Wenn sie jetzt traurig sind, können wir sie nicht trösten, und wenn sie jetzt froh sind, so sehen wir doch ihre Freude nicht.

Aber jeder von uns hat wohl auch in diesen 8 Monaten erfahren, dass eine wirkliche Zusammengehörigkeit durch die Trennung nicht aufgehoben, sondern bestätigt wird. Es ist eben so, dass unser erster Gedanke heute von selbst zu den Menschen geht, die uns angehören. Und wir dürfen glauben, dass auch ihr erster Gedanke heute zu uns geht, ihr erster und ihr letzter. Dessen gewiss zu sein, ist viel. Und wo Kinder sind, wird heute Abend auch Freude sein, vielleicht sehr große Freude. Wo ernsthafte erwachsene Menschen sind, wird heute auch ein guter Gedanke sein, ein Gedanke der Liebe zu den Mitmenschen. Wenn wir an unsre Angehörigen denken, so wollen wir an die Freude der Kinder, an die guten Gedanken der Erwachsenen denken.

Aber wie wollen wir selbst in unsrem Kreis hier Weihnachten feiern? Vor ein paar Tagen hatten wir wohl alle noch ein wenig Angst vor dem kommenden Fest. Wir hatten Angst, es werde zu traurig und nicht weihnachtlich sein. Jetzt haben wir die Hoffnung auf die Heimkehr. Das hat allem, was wir tun und sehen, eine hellere Farbe gegeben. Wir freuen uns an den brennenden Kerzen, an dem Baum, der Krippe und den Geschenken auf diesem Tisch. Wir danken denen, die uns dies geschenkt oder mit eigener Hand gemacht haben, von Herzen für die viele Mühe, die sie daran gewendet haben. Jede Einzelheit ist schön, in der wir den guten Willen fühlen. Aber freilich füllt dies allein den Abend noch nicht aus. Wie feiern 16 erwachsene Männer miteinander Weihnachten? Fühlen wir uns nicht ein wenig wie Kinder, die für den Nikolaus zu groß geworden sind und es sich doch nicht recht eingestehen wollen? Es fehlen uns eben doch die Frauen und Kinder, die sonst mit ihrem beweglicheren und vielleicht gläubigeren Gemüt dem Fest die Farbe und die Wärme geben. Wir möchten es gerne feiern, wie wir es seit der Kindheit getan haben, aber wir sind keine Kinder mehr.

Ich möchte dieser Frage ausdrücklich nicht ausweichen. Weihnachten ist doch ein ernsthaftes Fest, und mir jedenfalls würde etwas fehlen, wenn ich mich an diesem Abend nicht wenigstens für eine Viertelstunde fragte, was wir eigentlich feiern. Wir feiern doch nicht nur die Erinnerung an die Kindheit, sondern eine Sache. Wir haben aber kaum mehr eine gemeinsame Sprache, in der wir diese Sache ausdrücken könnten. Unser Kreis ist verhältnismäßig zufällig zusammengekommen; z. T. verbindet uns ein gemeinsamer Beruf, z. T. auch das nicht. Es gibt unter uns Gläubige und Ungläubige, Lustige und Schwerblütigere, es gibt Fanatiker, Skeptiker und Spötter. Eigentlich ist jeder von uns dies alles zugleich in einer Mischung, die von einem zum Andern verschieden ist. Vor allem ist jeder von uns mit einem Teil seines Wesens gläubig, mit einem anderen ungläubig. Die wirklichen Feste fangen aber erst da an, wo man etwas gemeinsam glauben kann. Bitte erlauben Sie mir, dass ich deshalb doch versuche, heute Abend von einigen Dingen zu sprechen, von denen man an den übrigen Tagen des Jahres schweigt. Ich weiß, dass ich zur Kategorie der Fanatiker gehöre, aber ich will versuchen, mich zu zügeln und nicht zu sagen, was uns nicht gemeinsam sein kann. Freilich muss ich es auf meine Weise sagen.

Als Kind musste ich jahrelang am Weihnachtsabend für meine Eltern und Geschwister das Weihnachtsevangelium vorlesen, und wenn ich jetzt bei meiner Frau und meinen Kindern wäre, würde ich es für sie wieder tun. Ich habe mir lange überlegt, was ich tun soll, aber ich möchte es nun doch auch hier vorlesen. Danach möchte ich dann einige Dinge sagen, die sich nicht auf eine ferne Vergangenheit, sondern auf unsre Gegenwart und unsre Zukunft beziehen.

Luk. 2, 1 – 14.[763]

763 „[1]Es begab sich aber zu der Zeit, daß ein Gebot von dem Kaiser Augustus ausging, daß alle Welt geschätzt würde. [2]Und diese Schätzung war die allererste und geschah zu der Zeit, da Cyrenius Landpfleger von Syrien war. [3]Und jedermann ging, daß er sich schätzen ließe, ein jeglicher in seine Stadt.

[4]Da machte sich auch auf Joseph aus Galiläa, aus der Stadt Nazareth, in das jüdische Land zur Stadt Davids, die da heißt Bethlehem, darum daß er von dem Hause und Geschlechte Davids war, [5]auf daß er sich schätzen ließe mit Maria, seinem vertrauten Weibe, die ward schwanger. [6]Und als sie daselbst waren, kam die Zeit, da sie gebären sollte. [7]Und sie gebar ihren ersten Sohn und wickelte ihn

In dieser Erzählung berührt uns alle ein Wort unmittelbar: Friede auf Erden. Wir wissen, was Krieg ist. Wir haben Jahr für Jahr dieses Fest gefeiert und gewartet, dass einer kommt und sagt: Es *ist* Friede auf Erden. Wir wollen heute nicht vergessen, dass die Menschen so nicht nur in Deutschland gewartet haben, sondern ebenso in England, in Amerika, in Russland, auf der ganzen Welt. Heute wird das erste Weihnachten gefeiert, seit der Krieg zu Ende gegangen ist. Ueberall sind die Menschen dafür dankbar und hoffen, dass der Friede dauern werde. Uns Deutschen ist es schwer, dankbar zu sein. Der Krieg ist zwar für uns zu Ende, aber wir warten noch auf den Frieden. Die Folgen des verlorenen Krieges wird jeder von uns viele Jahre lang zu tragen haben, vielleicht sein ganzes Leben lang. Aber im Grunde warten auch die Anderen noch auf den wirklichen Frieden. Der Friede ist nicht gesichert. Wir wissen, wie furchtbar ein nächster Krieg sein müsste, wir wissen nicht, was nach ihm von der Menschheit übrig bliebe. Die Menschen warten noch immer darauf, dass dieses Wort, das seit 2000 Jahren unter ihnen ist, einmal erfüllt wird, dass einmal der Friede kommt, der nicht das Vorspiel eines neuen Krieges ist.

Der Satz „und den Menschen ein Wohlgefallen" heißt im Urtext anders. Lateinisch heißt er: „et in terra pax hominibus bonae voluntatis" - „und Friede auf Erden den Menschen des guten Willens". Unsere Uebersetzung beruht auf der Deutung, dass Gott gegen die Menschen guten Willens sei. Aber man kann sicher auch einfach sagen: „Friede auf Erden für die Menschen, die guten Willens sind." Der gute Wille gehört zum Frieden.

---

in Windeln und legte ihn in eine Krippe; denn sie hatten sonst keinen Raum in der Herberge.

[8]Und es waren Hirten in derselben Gegend auf dem Felde bei den Hürden, die hüteten des Nachts ihre Herde. [9]Und siehe, des Herrn Engel trat zu ihnen, und die Klarheit des Herrn leuchtete um sie; und sie fürchteten sich sehr. [10]Und der Engel sprach zu ihnen: Fürchtet euch nicht! siehe, ich verkündige euch große Freude, die allem Volk widerfahren wird; [11]denn euch ist heute der Heiland geboren, welcher ist Christus, der Herr, in der Stadt Davids. [12]Und das habt zum Zeichen: ihr werdet finden das Kind in Windeln gewickelt und in einer Krippe liegen. [13]Und alsbald war da bei dem Engel die Menge der himmlischen Heerscharen, die lobten Gott und sprachen: [14]Ehre sei Gott in der Höhe und Friede auf Erden und den Menschen ein Wohlgefallen." (Aus der revidierten Luther-Fassung von 1912).

Das gilt schon im Kleinen. Wir alle haben in diesen 8 Monaten, in denen wir auf recht engem Raum zusammengedrängt gelebt haben, erfahren, wieviel guten Willen man aufwenden muss, um Frieden zu halten, und um wieviel guten Willen man auch den Andern bitten muss, damit er die Fehler erträgt, die man an sich selbst kennt und doch so schwer ablegen kann, und die Fehler, die man hat und nicht kennt. Zwischen den Nationen gilt dasselbe. Es ist der Lauf des Schicksals, dass ein Krieg meist mit dem Sieg einer Partei endet. Aber der Sieg ist noch nicht der Friede. Der größte Fehler, der in Deutschland in diesem Krieg gemacht wurde, war wohl, dass man nur an den Sieg dachte und nicht an den Frieden. Jetzt haben wir einen Frieden, den wir nicht gewollt haben. Jetzt ist dieselbe Frage an die Sieger gestellt. Denn der Friede auf Erden ist ein Friede nicht nur für die Sieger, er ist ein Friede für Sieger und Besiegte. Er setzt einen grenzenlosen guten Willen von beiden Seiten voraus. An diesen Frieden des guten Willens denken wir an diesem Weihnachtsfest, ihm muss unsre Arbeit in der Zukunft gelten.

Es heißt: Ehre sei Gott in der Höhe. Es würde uns vielleicht nahe liegen, zu sagen: „Ehre sei den Menschen, die guten Willens sind u. die den Frieden machen.“ Aber gerade solche Menschen würden wohl antworten: Nein, diese Ehre steht uns nicht zu. Wir arbeiten zwar für den Frieden, aber es hängt nicht von uns ab, ob er kommt. Fast alle Menschen haben den Frieden gewollt, viele haben ihr Äußerstes getan, um ihn zu erhalten, in Deutschland ebenso wie in den anderen Ländern, und trotzdem ist der Krieg gekommen. Der einfache Mann, der den Krieg nicht wollte, musste hinausziehen und gegen Andre kämpfen, die den Krieg auch nicht gewollt hatten; er wusste nicht, wann der Krieg zu Ende gehen würde und hatte keinen Einfluss darauf. Der gute Wille ist notwendig, aber er ist gleichsam nur eine Frage, eine Bitte. Wenn wir die Antwort, den Frieden bekommen, so ist das eine Gnade. Jeder, der ein Stück Schicksal hinter sich hat, erkennt eine Macht an, über die wir nicht Herr sind, sondern die über uns Herr ist. Wenn diese Macht uns den Frieden gewährt, so wird jeder gern sagen: „Ehre sei Gott in der Höhe.“

Bitte erlauben Sie mir, dass ich noch einen Schritt weitergehe. Ich habe das Gefühl, als hätte ich das, was mit Weihnachten eigentlich gemeint ist, noch nicht gesagt. Ich habe zuerst vom Menschen gesprochen, von dem

Frieden unter den Menschen, der den guten Willen der Menschen voraussetzt. Aber der gute Wille ist eben oft nicht vorhanden und oft misslingt unser Versuch, ihn uns selbst zu geben. Dass zum Frieden guter Wille gehört, ist eine moralische Wahrheit, die wir alle kennen. Aber sie allein hilft uns noch nicht, und sie ist nicht das, was wir an Weihnachten feiern. Weihnachten ist nun einmal ein religiöses Fest. Ich habe deshalb dann von dem Satz „Ehre sei Gott in der Höhe" gesprochen. Aber da erschien Gott als die Macht des Schicksals, die uns sehr fern ist, deren Pläne wir nicht kennen, und von der wir manchmal meinen möchten, sie sei blind. Wir können sie verehren, aber nicht lieben; wir feiern ihr kein Fest der Freude. Was die Menschen von jeher am Weihnachtsfest gefeiert haben, ist gerade, dass Gott und Mensch einander näher gerückt sind; wenn ich einmal die alte, genaue christliche Formel gebrauchen darf, dass Gott zu uns gekommen ist, dass Gott Mensch geworden ist. Kann ein solches Wort einem Menschen von heute, der nüchtern bleiben will, noch etwas bedeuten?

Ich möchte darauf nur durch einen Vergleich antworten. Weihnachten ist das Fest der Kinder. Es feiert die Geburt eines Kindes. Das Kind ist das Wesen, das uns zeigt, was Gnade ist. Sein ganzes Dasein ist Gnade. Es hat sich nicht selbst gemacht. Es lebt nicht nach einem Plan. Es wächst unbewusst und und unbewusst wachsen ihm seine Fähigkeiten zu. Es kann sich nicht selbst erhalten. Alles, was es empfängt, ist ein Geschenk. Aber nun sind wir Menschen so eingerichtet, dass wir unsern Kindern gern schenken. Ihre Freude ist unsere größte Freude. Hier ist einmal der gute Wille keine mühsame, unerfüllbare moralische Forderung, sondern ein Teil unserer Natur. Die Gnade besteht eben darin, dass wir den guten Willen haben und in ihm glücklich sind.

Das Kind sollte uns ein Gleichnis sein. Der Friede unter den Menschen beruht sicher darauf, dass wir den andern Menschen die Dinge, die sie brauchen, ebenso gönnen, wie wir sie unsern Kindern gönnen. Es gibt das Wort, das Himmelreich bestehe darin, dass wir werden wie die Kinder. Das heißt aber nicht, dass wir kindisch werden, dass wir aufhören, bewusste Menschen zu sein. Sondern es heißt, dass unser unbewusster Wille mit dem bewussten einig wird, und dass wir es so vermögen, guten Willens zu sein. Diese Einigkeit kann keine Anstrengung des Willens erzwingen, aber etwas von ihr kann uns begegnen. Gnade, zumal die Gnade des Friedens, ist kein äußeres Ereignis, sondern das innere Ereignis, dass uns dies begegnet. Ich glaube, genau dies feiern wir an Weihnachten. Weihnachten ist die Erinnerung daran, dass ein Mensch geboren wurde, der dies uns vorgelebt hat und bewahrt bis zum Tod und über den Tod hinaus.

Den Frieden, der jetzt kommen muss, müssen wohl die Menschen tragen, denen dies begegnet ist, oder die doch bewusst darauf warten. Dieser Friede ist selbst wie ein neugeborenes Kind, hilflos, auf das Äußerste an Liebe angewiesen. Liebe heisst hier nicht nur Gefühl, sondern Anstrengung und bewusste Arbeit. Er wird heranwachsen und wird Schicksale haben, die keiner von uns heute kennt. Es ist sehr leicht möglich, dass er schließlich in neuen Katastrophen zugrundegehen wird. Aber danach haben wir jetzt nicht zu fragen. Nichts, was an Liebe aufgewandt worden ist, geht verloren. So wie wir uns im äußersten Unglück noch an die Liebe unsrer Mutter erinnern, so bleibt unter den Menschen das, was wirkliche Liebe getan hat, am längsten.

Farm Hall und das deutsche Uranprojekt

Ein Gespräch mit Carl Friedrich von Weizsäcker Köln, 3. Juni 1992

Was empfindet man als Beteiligter heute, fast ein halbes Jahrhundert später, beim Lesen der Protokolle? Erkennen Sie sich in den Texten wieder? Waren Sie sich des Lauschangriffs bewusst, und haben Sie sich entsprechend verhalten?

WEIZSÄCKER: Die dritte Frage kann ich, was meine Person betrifft, klar beantworten: dass ich mir des Lauschangriffs nicht bewusst war. Jedenfalls kann ich mich nicht positiv erinnern, dass wir darüber gesprochen hätten, dass wir vielleicht heimlich abgehört werden.

Laut Protokoll hat Heisenberg im Gespräch mit Diebner diese Möglichkeit kategorisch ausgeschlossen: Das seien Gestapomethoden. Haben Sie mit Heisenberg über diesen Punkt gesprochen?

WEIZSÄCKER: Ich erinnere mich nicht genau. Ich weiß aber, dass mein Vater, wenn er einen Besucher hatte, sich so setzte, dass eine Abhöreinrichtung nach Möglichkeit nicht besonders erfolgreich war. Für uns war das Abgehört werden seitens der Gestapo eine Selbstverständlichkeit. Genauso haben wir damals jeden Brief so geschrieben, dass die Gestapo ihn lesen konnte. Wir hatten zum Beispiel die Verabredung: Wenn hinter einem Satz ein

Carl Friedrich von Weizsäcker.

Dieter Hoffmann (Hrsg.): Operation Epsilon.
 DOI: <https://doi.org/10.47261/1508>.

Gedankenstrich steht, heißt das, ich meine das Gegenteil. So sehr waren wir darauf eingestellt, abgehört und abgelesen zu werden. Hingegen, wenn man nach England kam, zwar *detained at His Majesty's pleasure*, aber nicht mehr in der Hand der Nazis und auch nicht in der Hand der Kommunisten, dann war es für mein Gefühl eigentlich keine Frage, ob man abgehört wurde oder nicht. Ich kann mich jedenfalls nicht erinnern, dass ich darüber intensiv nachgedacht hätte. Andererseits kann ich nicht ausschließen, dass ich mit Heisenberg und mit Wirtz – vor allem mit diesen beiden, mit denen ich immerfort alles Mögliche beredet habe – auch *darüber* mal gesprochen habe. Was Heisenberg zu Diebner sagt, klingt für mich so: „Ich bin nicht ganz so naiv, dass ich das für unmöglich halte, aber wie auch immer, ist doch wurscht." Das war eigentlich auch meine Stimmung.

Und das berühmte Rosenbeet? Wenn die Internierten Vertrauliches reden wollten, heißt es, dann gingen sie immer zum Rosenbeet.

WEIZSÄCKER: Das Rosenbeet hatte ich schlicht vergessen. Jetzt, wo Sie es erwähnen, fällt es mir wieder ein. Sie ersehen daraus, dass mir die Frage, ob wir abgehört wurden, nicht wahnsinnig aufregend erschien. Aber ich gebe nachträglich zu, nachdem Sie mich auf das Rosenbeet angesprochen haben, dass wir soviel Vorsicht doch hatten, dass wir sagten, wenn es etwas gibt, was diese Engländer besser nicht hören, gehen wir in den Garten.

Sehr konsequent wurde das allerdings nicht praktiziert, denn es wurden ja oft auch prekäre technische Details frei in den Zimmern erörtert.

WEIZSÄCKER: Die technischen Details waren doch kein Geheimnis. Kaum war die englisch-amerikanische Gruppe in Hechingen, und kaum haben wir gesehen, dass das vernünftige Leute sind, haben wir unsere Akten, die wir vorher in einer Sinkgrube versteckt hatten, herausholen lassen, um sie ihnen zu geben; wir fanden, jetzt sind endlich die Menschen da, mit denen man über diese Dinge offen reden kann. Jedenfalls hatten wir keinen Grund, etwas Schlimmes zu denken. Erst später haben wir uns gefragt, wie wir uns jetzt gegenüber den Engländern verhalten sollen, nachdem sie uns so lange festhalten, während sie uns gegenüber eigentlich den Eindruck erweckt hatten, das sei nur eine kurze Sache. Um solche Dinge zu besprechen, ist man vielleicht ans Rosenbeet gegangen, aber sicher nicht wegen technischer Dinge, von denen wir geradezu wünschten, dass sie das wussten. Das ist vielleicht eine interessante Motivation, die mir bei der Lektüre der Papiere aufgefallen ist: Bis zum Abend von Hiroshima, sogar noch einige Tage danach, waren wir selbstverständlich überzeugt, dass wir in Bezug auf eine Uranmaschine Fortschritte gemacht hatten, die allem Vermuten nach sonst in der Welt nicht gemacht worden sind, so dass wir da den Engländern etwas Nützliches mitzuteilen hatten. Deshalb hatten wir keine Hemmungen, ihnen unser technisches Wissen zu erzählen oder unsere Papiere zu geben. Denn wenn wir an der Uranmaschine weiterarbeiten wollten, war eine selbstverständliche Voraussetzung, dass wir das mit Billigung der Sieger tun.

Aus den Farm-Hall-Protokollen geht deutlich hervor, dass Heisenberg dabei besonderes Vertrauen in Goudsmit setzte, während umgekehrt Goudsmit – wie man heute weiß – Heisenberg für einen ausgemachten Lügner hielt. Das hat Heisenberg überhaupt nicht gemerkt, wie er ja oft nicht einzuschätzen vermochte, wie seine Gesprächspartner – vor allem, wie im Fall Goudsmit, emigrierte Juden – wirklich reagierten. Später, als Goudsmits Buch „Alsos“ herauskam, hat er es gemerkt; wenn ich mich recht erinnere, hat es ihn ungeheuer verwundert, dass Goudsmit, mit dem er doch offen gesprochen hatte, etwas so Unsinniges behauptete. Nun war Goudsmit anscheinend wirklich der Meinung, Heisenberg hätte den Unterschied zwischen einem Reaktor und einer Bombe nicht verstanden. Dafür habe ich nachträglich eine hypothetische Erklärung gefunden, nämlich, dass Bohr das nicht verstanden hat. Als Bohr in Kopenhagen mit Heisenberg sprach, wusste er so wenig über die Sache, dass er diesen Unterschied nicht sah und aus Heisenbergs schwachen Andeutungen so etwas entnahm wie: die Deutschen arbeiteten an einer viele Tonnen wiegenden Bombe. So hat es Bohr dann wohl wahrscheinlich den Amerikanern gesagt, und erst die Amerikaner haben Bohr darüber belehrt, was der Unterschied ist. Sie folgerten, dass Bohr das von Heisenberg hatte, während umgekehrt

Heisenberg im Gespräch mit Bohr überhaupt nicht auf die Idee kam, dass dieser es so missverstehen könnte.

Es gibt ein Papier, das vermuten lässt, dass auch Gerlach von der irrigen Annahme ausging, die Maschine wäre schon so etwas wie eine Bombe.

WEIZSÄCKER: Gibt es ein Papier von Gerlach, in dem er …

Es stammt aus dem Frühjahr 1944, etwa drei bis vier Monate nach Gerlachs Amtsantritt. Er macht sich darin Gedanken, wie es nun mit dem Uranprojekt weitergeht, und äußert alle möglichen unausgegorenen Ideen.

WEIZSÄCKER: Wenn man mir sagt, aus Gerlachs Text vom Frühjahr 1944 geht hervor, dass er diesen Unterschied nicht verstanden hat, dann kann ich dem nicht widersprechen. Meine Erwartung wäre gewesen, dass er das natürlich verstanden hat.

Die Frage ist deshalb von einem gewissen Interesse, weil Gerlach am Abend von Hiroshima so furchtbar verzweifelt war. Da gibt es die Äußerung, an eine Bombe hätten wir nie gedacht, statt dessen lieferten wir der Menschheit die Uranmaschine. In diesem Moment hat Gerlach offenbar, sogar vor den Ohren des englischen Lauschgeräts, diesen Unterschied gemacht.

In diesem Zusammenhang gibt es noch eine andere Frage. Beider Diskussion des Heisenberg-Vortrags vom 14. August, in dem er die Wirkungsweise der Bombe erklärt, fällt auf, dass im Grunde nur vier Leute wirklich in die Diskussion eingreifen: Sie, Wirtz, Hahn und Harteck. Alle anderen sind – überspitzt gesagt – mehr oder weniger in der Rolle der Schüler, denen erklärt wird, wie die Bombe funktioniert.

WEIZSÄCKER: Nun, da war Laue, der wirklich nichts davon wusste und mit Recht schwieg; dann Gerlach – das ist der Punkt, auf den Sie hinauswollen, den gebe ich zu. Bagge, Diebner und Korsching waren meines Erachtens jedoch sehr an dieser Frage interessiert. Bagge beschwert sich zum Beispiel darüber, dass ich behauptet habe, wir hätten im Grunde alle die Bombe gar nicht gewollt; er sagt zu Diebner: Also, für Weizsäcker kann das ja zutreffen, aber doch nicht für uns.

Wenn Bagge nach dem Vortrag von Heisenberg schwieg, hat das möglicherweise damit zu tun, dass er in seiner konkreten Arbeit, die sich auf

Isotopentrennung bezog, mit dem, was Heisenberg machte, nicht viel zu tun gehabt hat. Dass ihm der Unterschied von Maschine und Bombe an sich klar war, ist aber vorauszusetzen. Das gilt auch für Diebner.

Hahn sagt in der Diskussion am 6. August: „Ich bin dankbar, dass wir nicht die ersten waren, die die Uranbombe abwarfen." Und Gerlach antwortet: „Sie können ihre Entwicklung nicht verhindern. Ich hatte Angst, an die Bombe zu denken, aber ich habe sie mir als eine Sache der Zukunft vorgestellt und dass derjenige, der mit dem Einsatz der Bombe drohen konnte, alles würde erreichen können." Kann man denn so weit gehen, dass es in Farm Hall – etwas polemisch ausgedrückt – eine „Bombenfraktion" gab, wozu man Diebner, Bagge, Harteck und Gerlach rechnen könnte?

WEIZSÄCKER: Gerlachs Äußerung, die Sie soeben zitierten, besagt, dass Gerlach die große Hoffnung hatte, dass wir die Maschine hinkriegen, zumal andere, wie er wohl annahm, wahrscheinlich nicht ein mal daran arbeiteten. Hingegen war Gerlach sich darüber im klaren, dass wir an der Bombe nicht arbeiten, das auch nicht anstrebten; wie er hier auch sagt, das war für ihn eine Sache der Zukunft. Wenn wir freilich in der Zukunft die Bombe bekämen, könnten wir uns unabhängig machen von den Alliierten. Ich würde sagen, Gerlach war einer jener deutschnationalen Konservativen, die die Nazis unter anderem wegen ihres „linken" Gehabes unerträglich fanden.

Es wird immer gesagt, dass auch Heisenberg ein national denkender Mensch war …

WEIZSÄCKER: Bei den Leuten, die über die Sache schreiben, zum Beispiel bei Walker, kommt sehr häufig die Formel vor: Er war ein Nationalist. Würde man sagen, er war ein Patriot, so wäre das richtiger. Er war gerade kein Nationalist. Wie ich die Sache einschätze: Heisenberg stammte aus einem eher konservativen Professorenmilieu. 1919 gehörte er zu jenen Truppen, die aufgestellt wurden, um die Räterepublik niederzuwerfen. Er war bei den Weißen und dann lag er bekanntlich auf dem Dach des Priesterseminars und las Platon. In diesem Sinne kann man den jungen Heisenberg zu den Nationalkonservativen zählen. Heisenbergs Verhältnis zu Hitler ist mir sehr präsent aus dem

Gespräch, das ich mit ihm am 30. Januar 1933 geführt habe. Am Abend besuchte er mich zufällig in meiner Studentenbude. Da kam die SA vorbei, mit Fackeln, und feierte die Ernennung Hitlers zum Reichskanzler. Wir sahen uns das an und sagten – ich weiß nicht, wer diese Formel zuerst in den Mund genommen hat –: „Ist das nicht schrecklich! Diese vielen netten jungen Leute, dass die alle diesem Scharlatan nachlaufen!" So etwa – das Wort „Scharlatan" meine ich in Erinnerung zu haben. Dass Hitler ein völlig unglaubwürdiger Flunkerer war, hat Heisenberg gewusst, seit er den Marsch von Hitler am 9. November 1923 in München miterlebt hat; seither war er sich darüber im klaren, dass Hitler jemand ist, der aus irgendeiner nationalistischen Motivation heraus die Republik kaputtmachen will. Insofern war Heisenbergs Einstellung zu Hitler damals – 1933 – schon mindestens neun Jahre lang eine klar negative. Ich glaube nicht, dass er darin irgendwo geschwankt hat. Dann sagte er mir aber: „Du, hör mal, man muss doch hoffen, dass hinter ihm bessere Leute stehen. Und dass schließlich diese Besseren dann auch etwas Vernünftiges daraus machen werden. Man könnte doch gar nicht verstehen, dass er es so weit gebracht hat wie jetzt, wenn nicht bessere Leute hinter ihm stünden." Was ist ein nationaler Patriot? Heisenberg würde dies in diesem Kontext nicht verwendet haben. Er würde, wenn man ihn gefragt hätte: Bist du ein Patriot? gesagt haben: Was ist das für ein feierliches Wort? Ich bin halt ein Deutscher.

Was bedeutete das hinsichtlich seiner Einstellung zum Uranprojekt?

WEIZSÄCKER: Das ist an sich natürlich eine sehr wichtige Frage, die aber durch verschiedene Phasen ging. Ich werde häufig gefragt: Was hat Hahn gedacht, was hat Heisenberg gedacht, was haben Sie gedacht? Und dann sage ich: alle drei etwas Verschiedenes. Bei Hahn weiß ich es genau. Ich ging zu Hahn – ich denke, das war im September 1939, ich war bereits im Uranprojekt drin – und sagte zu ihm: „Ich glaube, Sie würden guttun, mit Ihrem Institut auch in dieses Uranprojekt einzusteigen. Dann können Sie weitermachen, was Sie bisher gemacht haben – und damit bewahren Sie auch Ihre Institutsmannschaft vor Abwerbung und Verschickung. Sie retten damit möglicherweise das Leben Ihrer Mitarbeiter und auch das gute Gewissen Ihrer Mitarbeiter." Hahn hat

damals, wenn ich mich recht erinnere, etwas nachdenklich gesagt: „Ich glaube, Sie haben recht, ich glaube, ich folge Ihrem Rat." Dann wurde er sehr erregt und sagte in großer Erregung: „Aber wenn aus meiner Entdeckung eine Atombombe für Hitler entsteht, dann bringe ich mich um!" Und das kommt wieder am Hiroshima-Abend, was übrigens auch Rittner sieht. Der Punkt ist: Hahn sagte 1939, ich bringe mich um, wenn Hitler eine Bombe kriegt. Am Hiroshima-Abend war herausgekommen, dass die Amerikaner die Bombe gemacht hatten. Und von neuem hatte Hahn das Gefühl, ich muss mich eigentlich umbringen. Schuld zu sein am Tod von 60.000 oder 100.000 Menschen war für Hahn so schrecklich, dass es ganz gleichgültig war, ob es der von ihm immer verabscheute Hitler tat oder ob es die Leute taten, auf deren Sieg er gehofft hatte. Dass sie nun genau das taten, wovon Hahn dachte, nur jemand wie Hitler tut das, war für ihn in gewisser Weise fast noch schlimmer. So etwa interpretiere ich die Empfindungen von Hahn damals.
Zu Heisenberg bin ich gegangen, um ihm zu sagen, er solle beim Uranprojekt mitmachen. Ich bin damals nach Leipzig gefahren und habe mit ihm gesprochen. Heisenberg hat mir damals gesagt – bitte, ich gebe nur meine Erinnerung wieder, ich habe kein Tagebuch geführt –: „Ja, ich glaube du hast recht, das müssen wir tun. Hitler hat jetzt einen Krieg angefangen, das ist ein Schachendspiel mit einem Turm weniger, das wird er in einem Jahr verlieren. Danach wird es ungeheuer wichtig sein, was mit Deutschland geschieht. Ein großer Teil der deutschen politischen Tradition wird weltweit diskreditiert sein – auch die konservative –, aber die Wissenschaft wird möglicherweise nicht diskreditiert sein. Und mit ihr wird man die internationalen Beziehungen wiederherstellen können." Das war nach den Gesprächen, die er im Sommer 1939 in Amerika geführt hatte, wo man ihn überreden wollte, da zu bleiben, aber er hat gesagt, nein, mein Platz ist in Deutschland. Sein Motiv war also ein politisches in Bezug auf Deutschland nach dem Krieg.
Mein Motiv war anders. Für mich war die erste Zeit von etwa anderthalb oder zwei Jahren eine Zeit, in der ich mich auf etwas eingelassen habe, wovon ich nachher sagen würde, das hätte ich lieber nicht tun sollen, das würde ich bei nochmaligem Erleben nicht mehr tun. Ich war eigentlich technisch an der Bombe gar nicht interessiert und am

Reaktor auch nicht. Heisenberg wollte sehr gern am Uran weiterarbeiten, ich nicht, da ich mich für die Bombe und die Uranmaschine technisch überhaupt nicht interessiert habe. Das war eine Pflichtarbeit, die ich gemacht habe. Mein Interesse war rein politisch. Es war der träumerische Wunsch, wenn ich einer der wenigen Menschen bin, die verstehen, wie man eine Bombe macht, dann werden die obersten Autoritäten mit mir reden müssen, einschließlich Adolf Hitlers. Ob ich nicht den Hitler rumkriege, eine vernünftige Politik zu machen. Wenn man Hitler überzeugt, hat man gewonnen. Wenn man nur andere Leute überzeugt und Hitler nicht, dann hat man nichts erreicht.

Wie haben Sie sich das konkret vorgestellt?

WEIZSÄCKER: Ich rede mit Hitler, ich rede spontan mit ihm und will mal sehen, was da kommt. Wie das Gespräch läuft, kann ich nicht vorher wissen. Aber ich habe mir zum Beispiel erträumt, Hitler könnte den Franzosen doch eine Konferenz in Aachen anbieten, in der Stadt Karls des Großen, der der Herrscher beider Länder war, damit die beiden Länder sich verbünden für eine friedliche Ordnung in Europa.

Das impliziert aber, dass Sie Hitler nicht grundsätzlich als Verbrecher einstuften?

WEIZSÄCKER: Also bitte, ich kann der Frage nicht entgehen, wenn ich über meine Vergangenheit rede. Allerdings ist es eine Frage, die mit den Farm-Hall-Texten nichts zu tun hat. Ich rede mal einen Augenblick nicht von mir, sondern von einem Mann wie Martin Heidegger, weil man an Heidegger etwas illustrieren kann. Heidegger ist bekanntlich im Jahre 1933 zu seiner eigenen Überraschung zum Rektor der Universität Freiburg gemacht worden. Ich erinnere mich, dass im Winter 1933 / 34, ehe Heidegger zurücktrat, ein Freund meines Freundes Georg Picht und insofern indirekt auch von mir, Ital Gelzer, auch ein Altphilologe, mich in Leipzig besuchte. Wir sprachen über die Situation, im ersten Winter der Nazizeit, und Gelzer sagte etwas schmunzelnd: „In Freiburg haben sie jetzt den Freiburger Nationalsozialismus erfunden. Der heißt: das Dritte Reich hat noch gar nicht angefangen, das kommt erst, das machen *wir*.“ Heidegger war ein Philosoph, der eine damals ziemlich verbreitete Meinung auf individuelle Weise vertrat, nämlich die Meinung, dass die abendländische Welt, wie sie sich entwickelt hat, mit ihrem Rationalismus, mit ihrem Aberglauben an die Technik, im Begriff ist, sich und die ganze Erde zugrunde zu richten – eine Auffassung, die man heute manchmal bei Grünen findet. Diese Meinung war damals ziemlich verbreitet, und wenn ich mir Dichter ansehe, die damals geschrieben haben – Stefan George, der eine große Bedeutung für die Jugend hatte –, dann finde ich das bestätigt. Heidegger nannte es dann „Seinsvergessenheit". Es ist möglich, dass diese Entwicklung wirklich die Menschheit zugrunde richtet. Es ist aber auch denkbar, dass die Menschen darauf kommen, dass mit dem Rationalismus allein nichts zu leisten ist, sondern dass entscheidend ist, das wahre Sein des Menschen zu erfahren. Die Vokabeln, die ich hier gebrauche, stammen in etwa aus der Heideggerwelt. Und dann kommen die Nazis und sind gegen all das, wogegen Heidegger auch ist. Das heißt nicht, dass sie für das sind, wofür Heidegger ist, aber er sieht, die wollen nicht diesen westlichen Rationalismus, die wollen nicht diesen Aberglauben an Demokratie und ähnliches. Es könnte doch sein, dass ich, Martin Heidegger, mit anderen philosophisch denkenden Menschen, die das gut verstehen, den Nazis klarmachen kann, was sie eigentlich motiviert, was sie selber gar nicht verstanden haben. So Heidegger 1933.

Ich war sehr jung, 20 Jahre alt, und teilte in gewissem Umfang diese zivilisationskritische Haltung. Vor diesem Hintergrund kann ich erläutern, was ich mir gedacht habe, was möglicherweise passieren könnte, wenn ich mit Hitler rede. Und jetzt kommt Ihre Frage nach dem Verbrecher. Meine Schwierigkeit während der ganzen Nazizeit war, dass ich einerseits dachte, es könnte ja sein, dass diese Leute bewegt werden können, das zu tun, was vielleicht auch Heidegger sich vorgestellt hat; andererseits, wenn ich die Realität ansehe, tun sie unablässig das Gegenteil. Aber diese Art von Hin-und-her-Empfindung war eben da. Und als dann die Uranbomben-Geschichte anfing, hatte ich das Gefühl, es ist ja nicht völlig ausgeschlossen, dass es mir zufällt, derjenige zu sein, der Hitler gerade noch davor rettet, sich selber umzubringen, damit er das ermöglicht, was er eigentlich ermöglichen sollte. Diese Vorstellung ist dann relativ bald wieder kaputtgegangen; als wir miteinander bei Bohr waren, hatte ich diese Gedanken wahrscheinlich nicht mehr. Am Schluss konnte man nur hoffen, dass Hitler sich selbst zugrunde richtet, damit Deutschland überlebt.

Wann ist Ihre Meinung gekippt?

WEIZSÄCKER: Das würde ich so nicht sagen. Natürlich gibt es Kipp-Punkte in meiner historischen Erinnerung. Einer ist die Synagogenverbrennung. Ich lebte damals in Berlin, und die Eltern meines Freundes Friedensohn fielen mir ein, der seinerzeit, 1931, nach Palästina ausgewandert war. Die habe ich besucht. Ich habe zwei Dinge an den Nazis niemals ertragen: Das eine war ihr Umgang mit den Juden, und zwar nicht, dass sie zum Schluss Millionen Juden umgebracht haben, was kein Mensch ahnte, sondern allein, wie sie sich am 1. April 1933 gegen jüdische Geschäfte benommen haben oder dass meine jüdischen Freunde alle verjagt wurden. Antisemitismus mitzumachen war mir einfach unmöglich. Das andere war, dass mein Vater mir sagte, hör mal, trau dem Hitler nicht. Und das war für mich wichtig, denn mein Vater war in der Politik für mich immer eine Autorität. Er sagte, Hitler ist verrückt, später sagte er, er ist ein Narr, und noch später, spätestens nach dem 30. Juni 1934, sagte er, er ist ein Verbrecher. Obwohl ich mit meinem Vater eigentlich immer sehr offen geredet habe, habe ich ihm meine Hoffnung, Hitler zu bekehren, nicht erzählt. Ich dachte, er würde mich auslachen – womit er recht gehabt hätte. Diese zwei Dinge machten, dass ich eine echte Zustimmung zu Hitler eigentlich nicht aufbringen konnte. Aber Hitler war das Schicksal, und wenn man das Schicksal beeinflussen kann, hat man die verdammte Pflicht, es zu tun.

Darauf zielte meine Frage. Gab es einen Punkt, wo sich Ihre innere Einstellung zur Bombe …

WEIZSÄCKER: Die Frage der Bombe und die Frage nach Hitler, das sind zwei getrennte Fragen. Und da muss ich noch etwas sagen, was ich bisher nirgendwo gelesen habe – was mich vielleicht nicht wundern sollte, aber doch ein bisschen wundert. An jenem Abend Ende Februar oder Anfang März 1933, als ich von Hahn hörte, dass er von Joliot erfahren hatte, dass die Sekundärneutronen existieren, und zwar so viele, dass eine Kettenreaktion möglich ist, bin ich zu Georg Picht gegangen, und wir haben eine halbe Nacht lang darüber geredet, was das denn bedeutet. Ich habe das nun öfter erzählt, deshalb ist meine Erinnerung stilisiert. Wenn Atombomben möglich sind, wird es jemanden geben auf der Welt, der sie macht, ganz einerlei, was wir tun. Und wenn es diese Bombe geben wird, wird es jemanden geben, der sie einsetzt. Und dann bleibt der Menschheit nur die Alternative, entweder das Motiv, solche Bomben zu machen und sie einzusetzen, völlig zu eliminieren, das heißt, den Krieg als Institution abzuschaffen – nicht die Bombe, sondern den Krieg –, oder sich selber zugrunde zu richten. Und diese Alternative empfinde ich im Grunde noch heute. Nur waren wir junge Leute, und die unterschätzen immer die Zeiträume. Natürlich, da gibt's auch noch den Hitler, und der fängt jetzt einen Krieg an – nun, Hitler wird vergehen, aber die Bombe wird bleiben. Dass wir uns vielleicht auch noch überlegen mussten, was wir tun, wenn etwa Hitler die Bombe in die Hand bekäme, war eine sekundäre Frage – das Wahrscheinliche war es nicht, so schnell würde es die Bombe wohl nicht geben.

Es hat nichts damit zu tun, dass man die Frage vielleicht verdrängt hat? Ich meine den Zusammenhang zwischen Bombe und Hitler.

WEIZSÄCKER: Da Verdrängung laut Sigmund Freud etwas ist, was das Bewusstsein nicht weiß, kann es sein, dass, wenn ich aus meinem Bewusstsein heraus erzähle, ich noch immer unter der Verdrängung stehe. Aber das glaube ich deshalb nicht, weil wir natürlich darüber geredet haben, was die Bombe mit Hitler zu tun hat. Nur unsere eigentliche Aufregung war im Grunde größer als die Aufregung über Hitler. Die Bombe ist ein Menschheitsschicksal, Hitler ist ein Zwischenfall, etwas, was jetzt gerade in Deutschland passiert. Dass man so denken konnte, habe ich nirgendwo in der Literatur gefunden, offenbar kann kein Mensch sich vorstellen, dass man nicht nur auf fünf Jahre vorausdenkt, sondern auf fünfzig Jahre. Und wenn ich einen Menschen zu kennen meine, der im Grunde von den ersten Anfängen an und früher als ich so gedacht hat, dann ist es Leo Szilard. Szilard hat vom ersten Augenblick an gesehen, dass diese Bombe ein Menschheitsschicksal ist. Es gibt eine Geschichte, die mir Szilard selbst erzählt hat. Als er noch nicht in Amerika war, sondern in England in einem Institut arbeitete und mit dem Direktor dieses Instituts sprach, was man tun müsse – das war noch vor Hahns Entdeckung –, habe der Direktor sich dafür eigentlich nicht interessiert, sondern gesagt: „Wissen Sie, ich bin dafür verantwortlich, dass dieses Institut hier steht und was dieses Institut tut, das ist meine Aufgabe." Und Szilard antwortete: „Und ich bin dafür da, um Ihnen mitzuteilen, dass dieses Institut in wenigen Jahren nicht mehr stehen wird." Als ich Szilard nach dem Krieg kennenlernte, hatte ich sofort das Gefühl, wir zwei verstehen uns. Wir haben beide in der Vergangenheit allerhand Irrtümer begangen, aber wir verstehen uns genau in dem Punkt, dass es sich hier um ein welthistorisches Problem handelt und nicht nur um das Problem Hitler, der ja im Grunde nichts anderes war als ein Rückfall in eine Sache, die nie hätte passieren sollen.

Also doch eine Verdrängung?

WEIZSÄCKER: Nein, ich würde sagen, wir waren die einzigen, die das Problem überhaupt verstanden haben. Wir wussten natürlich, dass Hitler sehr schlimm ist, aber man kann doch nicht nur deshalb, weil man im Augenblick mit einer großen Gefahr konfrontiert ist, beschließen, alles andere, was man intelligent genug ist zu wissen, nicht anzuschauen. Denn mit Hitler wird man irgendwie fertig werden, aber mit der Bombe sind wir bis heute nicht fertig geworden. Also wir haben damals recht gehabt.

Haben solche allgemeinen Diskussionen, die Sie mit Freunden oder Vertrauten führten, auch im Uranverein eine Rolle gespielt?

WEIZSÄCKER: Ich habe während des Krieges mit Heisenberg weitgehend offen gesprochen, obwohl ich ihm möglicherweise nicht gesagt habe, dass ich mir sogar vorstellen könnte, vielleicht mal mit Hitler zu reden. Ich habe mit Wirtz sehr offen geredet, vielleicht noch weitergehender als mit Heisenberg, weil Wirtz und ich gemeinsam das Gefühl hatten, wir beide müssen diese Sache nun wirklich in die Hand kriegen. Wir waren auch gut befreundet. Ich erzähle in diesem Zusammenhang schnell eine kleine taktische Geschichte, die bisher, glaube ich, nicht erzählt ist. Eines Tages – Diebner war unser Chef geworden, ich nehme an, das war 1940 – kommt Wirtz zu mir und sagt: „Hör mal, wir müssen Diebner loswerden. Da gibt es eine Möglichkeit. Wir können doch zusehen, ob wir nicht Heisenberg zum Direktor des Instituts machen. Dann sind wir Diebner los." Wir redeten hin und her und kamen zu der Folgerung: Wir müssen zuerst Diebner bewegen, dass er es zu Heisenbergs Pflichten macht, jede Woche mehrere Arbeitstage im Institut zu sein. Ich ging zu Diebner und sagte ihm, es wäre doch für unsere Arbeiten ausgezeichnet, wenn wir Heisenberg in dieser Form immer zur Verfügung hätten, und der gute Diebner ist darauf reingefallen und hat zugestimmt. Wir hielten Diebner für einen opportunistischen Nazi – das Wort „opportunistisch" ist in diesem Zusammenhang wichtig. Auch wenn Diebner in Farm Hall gesagt hat, er sei in Wirklichkeit nie Nazi gewesen, sondern Freimaurer und dergleichen, so war er immerhin Parteimitglied. Unser Gefühl war, der ist nicht einmal ein aufrichtiger Nazi, nicht einmal das.

Darf ich daran erinnern, dass Diebner zu dieser Zeit sich auf das Administrative beschränkte, da sehr umsichtig, in gewisser Weise sogar geschickt agierte und sich noch nicht besonders für die inhaltlichen Dinge interessierte. Er hatte alle Hände voll zu tun, wollte auch Direktor spielen, und Heisenberg war durchaus eine neue Blume in seinem Garten.

WEIZSÄCKER: Diebner war gelernter Physiker, aber vor allem jemand, der sich in der Verwaltung auskannte. Er wusste, dass sein persönlicher Erfolg davon abhing, dass das Institut erfolgreich war. Und dass mit Heisenberg der Erfolg größer sein würde, lag auf der Hand. Also hatte Diebner in seinem Sinne ein objektives Interesse daran. Nur wusste er nicht, dass da eine Verschwörung zwischen Wirtz und mir im Gange war, die dann, als Heisenberg vielleicht ein Jahr bei uns war, damit endete, dass ich, wiederum im Einverständnis mit Wirtz und natürlich auch mit Heisenberg, zu den Kaiser-Wilhelm Institutsdirektoren ging, zu Hahn, Kühn, auch zu Butenandt – etwas zaudernder als zu den beiden anderen –, aber nicht zu Thiessen, und sagte: „Hören Sie, es gibt jetzt die Chance, dass wir Heisenberg zum Direktor machen. Würde die Kaiser-Wilhelm-Gesellschaft das wollen?" Und die sagten ja, großartiger Gedanke, haben das dann miteinander in der KWG vorgebracht und durchgesetzt, und dann plötzlich war klar, dass Diebner weg ist. Erst da hat Diebner möglicherweise verstanden, dass das eine Verschwörung war, vielleicht hat er es auch nie verstanden.

Lassen Sie mich noch einmal auf meine Ausgangsfrage zurückkommen: Sind Sie von den Engländern richtig verstanden worden? Wie sind die freigegebenen Texte zu werten, was sagen sie aus, was nicht? Oder direkt: Was empfindet ein Beteiligter heute beim Lesen der Protokolle?

WEIZSÄCKER: Als ich die ersten Auszüge las und diese Charakterisierungen sah, fand ich, dass die Charakterisierungen bemerkenswert gut sind; man kann mal eine Nuance ein wenig anders machen. Ferner fand ich bestätigt, dass Rittner offenbar wirklich ein so netter Mann war, wie wir immer gefunden haben. Das Verhältnis zu Brodie war nicht so gut. Ich erinnere mich an eine Äußerung von Brodie in einem Gespräch nach Hiroshima und Nagasaki. Ich sagte: „Das ist doch ganz entsetzlich, dass man das getan hat." Daraufhin Brodie: „Aber das beendet doch den Krieg." – „Aber doch nicht mit solchen Mitteln!" – Darauf er: „Das Leben von einem unserer Boys ist mehr wert als das von 60.000 Japsen!" Das habe ich noch im Ohr. Zu Brodie standen wir sehr viel distanzierter; auch die Texte, die er redigiert hat, sind meinem Eindruck nach weniger gut, schlecht redigiert. Zwar haben wir uns mit Brodie auch nicht gezankt, aber zu Rittner hatte man ein – ich würde beinahe sagen – freundschaftliches Verhältnis. Drittens ist es doch sehr angenehm, dass eigentlich alles, was wir öffentlich zu diesem Thema gesagt haben, in den Protokollen bestätigt wird. Es wundert mich gar nicht, denn ich weiß ja, dass es so war. Aber es ist nicht unangenehm, wenn das auf diese Weise auch Dritten noch klar wird. Was ich mich frage, ist, wie vollständig sind die Texte, was ist die Struktur dieser Texte. Da gibt es längere Auslassungen von Rittner, dann gibt es auch mal einen Bericht über zwei oder drei Schreibmaschinenseiten, aber ein großer Teil der Texte ist so angelegt, dass jeder ein bis zwei Sätze hat, und dann redet der nächste. Das passt immer so gescheit zusammen, wie es in einem wirklichen Gespräch gar nicht vorkommt. Kaum hat man von Hiroshima gehört, geht sofort die Diskussion los: Wie haben die's gemacht? Ich halte es für ganz unwahrscheinlich, dass das Gespräch genau so gelaufen ist.

Es gibt in der Tat große Schnitte. Obwohl gerade die Gespräche nach dem 6. August sehr detailliert aufgenommen wurden.

WEIZSÄCKER: Aber wenn wir an diesem Abend auch nur mindestens zwei Stunden geredet haben, lässt sich das nicht auf so wenig Schreibmaschinenseiten unterbringen. Also erhebt sich die Frage: Was wird hier eigentlich dargestellt und was möglicherweise nicht? Dargestellt wird meiner Meinung nach das, und nur das, was die Vorgesetzten von Rittner thematisch interessieren konnte. Alles Übrige kommt eigentlich gar nicht vor. Und wenn ich mich heute frage: Wie war denn eigentlich Farm Hall? dann würde ich sagen, sehr gemischt, man hat lange Zeit über vielerlei Sachen geredet, man hat aber auch Faustball gespielt, man hat Karten gespielt, die Gespräche waren zum Teil unglücklich, zum Teil vergnügt, zum Teil heiter usw. All dies ist den Texten natürlich nicht zu entnehmen. Ich habe in meinem Buch „Zeit und Wissen", das im vergangenen Jahr [1992] erschienen ist, elf Sonette veröffentlicht, die ich in Farm Hall geschrieben habe. Die sind nicht uncharakteristisch dafür, was ich wirklich empfunden habe.

Farm Hall

Mein Fenster ist bedeckt vom wilden Grün
Des Rosenstrauches, wuchernd bis zur Decke.
Kastanienschatten unsres Hauses Ecke,
Das Dorf verhüllend und der Menschen Mühn.

Der Rasen ist in Wind und Sonnenglühn
Täglicher Spiele abgemessne Strecke.
Den Weg und Blick begrenzt die Brombeerhecke.
Ich weiß nicht, welche Blumen jenseits blühn.

Doch rinnt bei Nacht das Mondlicht durch die Ranken,
So strömt herein das Leiden ohne Ende,
Hunger, Verzweiflung, Rache, falsches Wähnen,

Tod auf dem Weg, Schrei der verlassnen Kranken –
Die Stirn gepresst auf die verschränkten Hände
Harr ich vergebens auf den Trost der Tränen.

So in etwa habe ich Farm Hall erlebt. Am Tag diese Spielwelt, diese schöne, blühende Welt, und wenn ich allein nachts dasitze, dieses. Ich hatte zwar keinen Anlass, Angst zu haben, meine Kinder waren in der Schweiz, von meiner Frau durfte ich hoffen, dass sie es fertigbringen würde, in die Schweiz zu kommen; ich hatte weniger Sorge um meine Angehörigen als alle anderen. Aber das Grunderlebnis war: Man ist in einer fantastischen äußeren Situation gleichzeitig Zeuge einer welthistorischen Katastrophe. So ähnlich habe ich es jedenfalls erlebt. Und davon kommt natürlich in den Protokollen nichts vor.

Auch der Charakter des Zusammenlebens in Farm Hall geht in den Protokollen natürlich weitgehend verloren. Hat sich irgendwann ein bestimmter Gruppencharakter herausgebildet, oder versuchte jeder für sich, das Beste aus der Gefangenschaft zu machen?

WEIZSÄCKER: Ich habe immer leisen Anstoß genommen an der Formulierung, dass wir in Hechingen „gefangengenommen“ worden seien. Denn die Form, in der dies geschah, war eine freundliche Einladung, mitzukommen – allerdings mit der Nebenbemerkung: Sie werden nicht die Möglichkeit haben, es abzulehnen. Aber in der Form war es so nah an freundlicher Höflichkeit, wie es in einer solchen Situation überhaupt nur sein kann. Sie können Papiere mitnehmen, Sie können auch ein, zwei Bücher mitnehmen … Ich habe drei Bücher mitgenommen: die Bibel, Hölderlins Werke und Hegels „Phänomenologie des Geistes“. Was nun die Gruppe der zehn Wissenschaftler betrifft, gab es natürlich Unterschiede, vielleicht auch mal Animositäten. Aber meine subjektive Erinnerung ist, dass man sich recht gut vertragen hat. Selbst Diebner, den wir ja hatten rausmanövrieren wollen, war integriert; so lese ich jetzt in den Protokollen, dass Heisenberg, Wirtz und ich zum Schluss zueinander gesagt haben: Dem Diebner muss man doch helfen. Im Grunde hat das Zusammenleben die Beziehungen freundschaftlicher gestaltet, als sie es von Natur aus vielleicht gewesen wären.

Es gab natürlich persönlich nahe Beziehungen. Hahn und Laue standen auf du, Gerlach mit keinem, Harteck war auch eine Nummer für sich, Heisenberg, Wirtz und ich waren ein Team, und Bagge und Diebner waren wohl im Zimmer zusammen und kamen, nach den Texten zu schließen, auch gut mit einander aus.

Es hatte also nicht jeder ein Einzelzimmer?

WEIZSÄCKER: Nein, es gab Doppelzimmer. Ich war mit Wirtz in einem Doppelzimmer, Bagge mit Diebner, mehr weiß ich nicht; vielleicht auch Harteck und Korsching.

Jetzt noch einmal zu der Frage von vorhin: Gab es eine Bombenfraktion?

WEIZSÄCKER: Ich kann das nicht so präzise beantworten; ich weiß, dass Heisenberg, Wirtz und ich, natürlich auch Hahn und Laue, fanden: Gott sei Dank haben wir keine Bombe zu machen versucht, und es ist auch keine entstanden. Das war selbstverständlich. Bei Gerlach gab es eine gewisse Enttäuschung darüber, dass sie bei den anderen schon da war, und Harteck hatte wohl anfangs, schon im April 1939, entsprechende Initiativen ergriffen. Aber davon war in Farm Hall, soweit ich mich erinnern kann, keine Rede, wir haben einfach nicht darüber gesprochen. Von Hartecks Brief vom April 1939 haben wir in Dahlem nichts gewusst, das ist ein Thema für sich. Bei Diebner hatten wir das Gefühl, er ist ein bisschen ein Fremdkörper in unserer Gruppe, aber dann war er eben da, und wir haben uns mit ihm eigentlich ganz gut zurechtgefunden. Ich muss auch sagen, er hat sich klug verhalten. Er hat in der Gruppe viel weniger kleine Skandale gemacht als Gerlach, der aufbrauste, oder Korsching, der einfach Lust hatte, die Leute zu ärgern. Diebner sah wohl, dass es für ihn wichtig war, nicht aufzufallen, und er war immer klug genug, sich entsprechend zu verhalten.

Der Name Laue ist noch gar nicht gefallen, Es gibt ja diesen Brief an Rosbaud vom April 1959, wo Laue sagt, alle Leute wären seine Feinde, speziell Sie.[764] *In den Protokollen heißt es, dass Laue anscheinend von allen nicht sehr gemocht wurde: „Von Laue scheint abgehörten Gesprächen zufolge bei seinen Kollegen nicht beliebt zu sein.“*

WEIZSÄCKER: Ja, nun die Sache Laue, ich weiß nicht, wie ich die behandeln soll. Laue hat ja, wahrscheinlich insbesondere durch das Votum von Einstein, in der offiziellen Literatur der Nachkriegszeit, vor allem in Amerika und England, den Ruf gehabt, ein Mann allerersten charakterlichen Ranges zu sein, weil er wirklich den Mut gehabt habe, gegen

764 Vgl. die Briefe im Dokumentenanhang S. 477 ff.

die Nazis zu sein, während die anderen entweder den Mut nicht hatten oder vielleicht sogar selber Nazis waren. Einstein hat sich ja nach dem Krieg geweigert, Deutsche zu empfangen oder zu sehen, mit ganz wenigen Ausnahmen, und eine davon war Laue. Andererseits herrschte in dem Milieu, in dem ich groß wurde und lebte, dem Physikermilieu, über Laue die Meinung, er sei zweifellos ein sehr guter Physiker und wirklich ein humaner und sehr netter Mann, aber erstens im täglichen Leben tolpatschig und zweitens in der Wissenschaft doch recht einseitig. Er ist ein guter Relativitätstheoretiker, aber die Quantentheorie mag er im Grunde nicht. Es gibt eine Stelle in den Gesprächen, wo Heisenberg, Wirtz und ich darüber sprechen, was geschehen wäre, wenn man Laue allein zuerst nach Hechingen geschickt hätte, um dort das Institut zu leiten. Wir fürchteten, er hätte dann vielleicht de facto bei allem guten Willen das Institut in gewissem Sinne kaputtgemacht, weil er dafür gesorgt hätte, dass an nichts, was wir wirklich interessant fanden, überhaupt noch gearbeitet werden konnte. Das war die Stimmung, es war nichts von Feindschaft, das Wort Feindschaft hat Laue später benutzt. Aber es war in der Tat so, dass wir sowohl während des Krieges als auch in Farm Hall Laue das allermeiste, was wir taten oder dachten, überhaupt nicht erzählt haben.

Also war er doch etwas isoliert?

WEIZSÄCKER: Ja, er war isoliert. Nur Hahn und Laue standen auf du miteinander. Ich höre noch Hahn, als wieder mal was Komisches mit Laue passiert war, einen alten Schlager aus der Zeit vor 1914 vor sich hin singen: „O du mein Max, mein Max, mein Max … Wangen wie Wachs, wie Wachs, wie Wachs …“ Dies war die Art, wie Hahn seine Stimmung über Laue zum Ausdruck brachte. Zum Glück war Hahn ein paar Monate älter als Laue, so dass er unser Senior war und nicht Laue. Mit Hahn sprach Rittner immerzu, und Hahn war wirklich ganz hervorragend. Ich habe wenig Menschen, an die ich mich so liebend gern erinnere wie Hahn. Er hatte Humor, er hat die schlechte Stimmung, die immer mal wieder aufkam, fast jedes Mal abbrechen können, indem er noch einen blöden Witz erzählte oder von seinen Reisen in Kanada. Wir nannten die Geschichten die Hahnenerzählungen – „Cock tales“.

In einem zweiten Brief an Rosbaud, ebenfalls vom April 1959, erhebt Laue den Vorwurf, dass Sie in Farm Hall die Legende von der deutschen Atombombe initiiert hätten. Die Legende nämlich, dass die deutschen Atomwissenschaftler zwar gewusst hätten, wie die Bombe funktioniert, deren Bau aber bewusst hintertrieben hätten.

WEIZSÄCKER: Nun, es gibt aber auch den Brief an seinen Sohn aus Farm Hall, in dem er genau dies als seine Meinung wiedergibt, was er nachher als meine Version schildert.[765] Was mich betrifft, so habe ich nicht eine Legende erzeugen wollen, sondern gesagt, was ich meinte. Aber wenn es heute heißt, aus dem, was ich damals gesagt habe, sei dann eine Legende geworden, dann muss ich mich damit auseinandersetzen. Zum Beispiel ist daraus unter anderem die Darstellung Robert Jungks entstanden, die ich niemals für genau zutreffend gehalten habe, sondern für eine – für Jungk sehr typische – Überziehung von etwas, was, wenn man es vorsichtiger ausdrückt, sogar wahr ist.

Wenn Sie sagen, dass Sie diese Meinung für überzogen halten, vermisst man doch eine dezidierte Äußerung in diesem Sinne nach dem Erscheinen von Jungks „Heller als tausend Sonnen" 1956. Ich finde in Ihren schriftlichen Äußerungen diese ausgewogene Haltung, die Sie jetzt einnehmen, erst Mitte der achtziger Jahre.

WEIZSÄCKER: Bitte, Sie müssten mir da meine sämtlichen Äußerungen von damals zeigen, damit man das beurteilen kann. Meine Erinnerung ist, dass ich das Buch von Jungk, als es erschien, insofern mit einer gewissen Freude begrüßt habe, als nach einem so scheußlichen Buch wie „Alsos" von Goudsmit und vielem, was in ähnlicher Richtung gesagt worden war, endlich jemand sagte, wir hätten's richtig gemacht. Wenn ich mit Freunden sprach oder etwas zu schreiben hatte – meines Erachtens habe ich niemals eine Besprechung über Jungks Buch geschrieben –, dann habe ich immer gesagt: Der übertreibt zwar, aber ... In einer Sache war ich dezidiert anderer Meinung als er, in seiner scharfen Kritik an Oppenheimer und Teller. Die Deutschen haben's richtig gemacht, und die Amerikaner haben das Böse gewollt und getan, das ist ja Jungks Ausgangspunkt. Ich bin mit Teller

765 Max von Laue an seinen Sohn 7. August 1945, vgl. Dokumentenanhang S. 473 ff.

seit seiner Studienzeit bis zum heutigen Tag befreundet, und Oppenheimer hatte ich, als das Buch von Jungk herauskam, gerade kennengelernt. Was Jungk über diese beiden sagte, war für mich Beweis dafür, dass Jungk das wirkliche Problem überhaupt nicht gesehen hat. Und dann ist verständlich, dass er uns eine Verschwörung unterschob, die in Wirklichkeit eine – allerdings sehr seriöse – Absprache zwischen drei Personen war, nämlich Heisenberg, Wirtz und mir. Es gab nicht eine Verschwörung der deutschen Physiker, es gab lediglich eine feste Handlungsgemeinschaft zwischen Heisenberg, Wirtz und mir. Jungk ist meinem Eindruck nach ein Autor, der oft wichtige Dinge wahrnimmt und sie dann so übertreibt, dass sie in der Übertreibung falsch werden. Ich hatte keine Lust, mich mit Jungk darüber zu streiten, sondern habe halt nichts gesagt, weder ja noch nein.

Was würden Sie sagen, wenn man Ihnen für diese Haltung, sich nicht öffentlich zu äußern, den Vorwurf machte, das sei auch ein Stück Opportunismus?

WEIZSÄCKER: Ich bin der Opportunist, der nicht alles tut, was man von ihm verlangt, weil er dann siebzehn Leben haben müsste. Nun muss ich hier sagen, im Grunde wäre ich am allerzufriedensten gewesen, wenn man mich nach 1946 überhaupt nicht mehr gefragt hätte, was wir früher getan haben, sondern nur, was wir künftig tun wollen. Warum soll ich unablässig über die Vergangenheit reden? Ich habe gesagt, was ich zu sagen habe. Es kann sein, dass ich irgendwo bewusst gelogen habe, es kann sein, dass ich verdrängt und unbewusst gelogen habe. Ich bin kein vollkommener Mensch. Aber ich sollte doch jetzt darüber reden, was heute in Russland passiert, und nicht immer wieder darüber, was vor fünfzig Jahren in Farm Hall passiert ist. Was ist denn das für eine Fixierung! Geschichte ist etwas, das vielleicht im Grunde erst geschrieben werden kann, wenn alles so lange vorbei ist, dass niemand mehr lebt, der ein aktuelles Interesse daran hat, wie es gewesen sein *sollte.*

Goudsmit hatte allerhand Zeug geschrieben, dazu habe ich mich auch nicht unter Nennung des Namens Goudsmit öffentlich geäußert, sondern nur zur Sache. Jungk hat dasselbe getan, nur andersrum, warum sollte ich mich da äußern? Ich werde doch lebende Personen nicht ohne Not öffentlich verurteilen. Mögen sie's gesagt haben, aber warum soll ich mich fortgesetzt in Streitereien einmischen? Dann war ich jedoch gezwungen, Jungk aus einigen konkreten Gründen explizit zu widersprechen. Einer davon war, dass ich erst in den achtziger Jahren gelernt habe, was Bohr eigentlich über sein Gespräch mit Heisenberg dachte. Darauf müssen wir noch kommen. In dem Zusammenhang habe ich auch gelernt, dass bei vielen Physikern in Amerika die Meinung herrschte, Jungk habe sein Buch im Auftrag von Heisenberg und mir geschrieben. Das war mir ein vollkommen neuer Gedanke. Tatsächlich habe ich mit Jungk, glaube ich, zweimal eine Stunde geredet, nicht mehr, und dann bekam ich das fertige Buch. Deshalb hatte ich erst später Anlass, darüber öffentlich zu reden. Dazu kam, dass Jungk aufgrund seiner Weltanschauung plötzlich ganz gegen uns war und dann unter anderem wahrscheinlich auch deswegen sein Buch revoziert hat, als er merkte, dass wir für Kernenergie waren. Weil für ihn Atombomben und Reaktoren gleich teuflisch sind. Wenn nun plötzlich Jungk sein Buch revoziert, dann, dachte ich, kann es sein, dass ich genötigt bin, Jungks Buch gegen Jungk in Schutz zu nehmen. Die einzige Schwierigkeit bei Jungk ist meinem Empfinden nach dies: Er ist im Grunde seiner Seele gar kein Historiker, sondern er ist ein Wollender. Er will politisch wirken. Und dann schreibt er über Geschichte so, wie das in seinen Willen passt. Das kann ich ihm nicht weiter übelnehmen.

Das Bohr Heisenberg-Gespräch im September 1941 …

WEIZSÄCKER: Ja, zu Bohr möchte ich Folgendes sagen: Zunächst einmal zur Genesis, denn das ist etwas, was in der Literatur genauso nicht vorkommt, und daran bin eigentlich ich mit schuld, weil ich darüber nicht öffentlich geredet habe.

Dass Heisenberg nach Kopenhagen fahren wollte, war von dem Moment an, in dem die Deutschen Dänemark besetzt hatten, ein sehr plausibler Wunsch. Ich erinnere mich, dass Heisenberg damals versucht hat, aus Kopenhagen zu erfahren, wie es Bohr geht, und dass er dann erfahren hat, es gehe ihm eigentlich nicht schlecht, es sei ihm nichts passiert, sein Institut laufe weiter. So war das 1940. Im Jahre 1941 bekam ich eine Einladung nach Dänemark, eigentlich durch eine Nazigruppe. Ich sollte da einen Vortrag halten, und ich habe diese Einladung ange-

nommen; wenn ich mich recht erinnere, habe ich sie angenommen, weil ich fand, bei dieser Gelegenheit kann ich auch das Problem Bohr klären. Ich habe Bohr auch gesehen und habe mit dem deutschen Gesandten gesprochen, Herrn von Renthe-Fink, der zu jenem Kreis von Diplomaten gehörte, die meinem Vater nah verbunden waren, und das war eo ipso, wenngleich schweigende, innere Opposition. Ich habe mit ihm darüber gesprochen, dass man doch für Bohr etwas tun müsse, dass er eine deutsche Anlaufstelle in Kopenhagen habe, an die er sich wenden könne, wenn irgendwas schiefgeht. Herr von Renthe-Fink sagte mir, daraus werde nichts, denn Bohr halte sich von allen Kontakten mit Deutschen absolut zurück. Wir haben auch darüber gesprochen, dass wir zusehen, Heisenberg einmal nach Kopenhagen zu bringen.
Ich muss hier eine kleine Zwischengeschichte aus der jüngsten Vergangenheit einflechten, nämlich meine Kontroverse mit Mark Walker über diese Sache. Walker hatte geschrieben, dass Heisenberg seit 1941 im Ausland unablässig Kulturpropaganda für Hitler gemacht habe. So habe er auch in Kopenhagen Kulturpropaganda gemacht, und da Bohr zufällig auch in Kopenhagen lebte, habe er ihn dort gesehen. Später habe Heisenberg daraus dann die Fiktion gemacht, er habe das alles um Bohrs Willen getan, und insbesondere, um die Atombombe zu verhindern. Nein, sagte ich Walker, so war das nicht. Daraufhin schickte mir Walker, der damals in Berlin war, Akten aus dem Rustschen Ministerium als klaren Beweis für die Richtigkeit seiner These. Das waren interne Papiere des Kultusministeriums, die Walker gefunden hatte und in denen stand, dass das Auswärtige Amt an das Kultusministerium herangetreten sei, man solle in Kopenhagen eine astrophysikalische Tagung veranstalten und da den berühmten Physiker Werner Heisenberg einladen, dessen Name eine besonders gute kulturpropagandistische Wirkung haben würde. Sie sehen daraus, schrieb mir Walker, es ist genau, wie ich gesagt habe. Daraufhin habe ich Walker geantwortet: Sie haben mir endlich den schriftlichen Beweis für die Richtigkeit meiner Darstellung gegeben. Denn dieser Brief des Auswärtigen Amts war veranlasst durch den deutschen Gesandten in Kopenhagen – auch das geht aus den Akten hervor –, und der hatte vorher mit mir verabredet,

dass man diesen Weg wählen würde. Walker hat mir dann zugestanden, ich hätte recht.

Heisenberg und ich fuhren also zusammen zu dieser Astrophysiker-Tagung, die übrigens mit Bengt Strömgren verabredet war, der den Deutschen nicht so negativ gegenüberstand wie zum Beispiel Bohr, nach dem Kriege hatte er deshalb unter seinen Kollegen international ziemliche Schwierigkeiten. Heisenberg und ich haben besprochen, dass Heisenberg mit Bohr einen Spaziergang nach der Langen Linie machen und dabei die Frage mit den Atombomben vorbringen wollte. Außerdem verabredeten wir, dass Heisenberg Bohr sagt, er solle sich mit dem deutschen Gesandten in Verbindung setzen, denn das sei ein Mann, mit dem man wirklich reden könne. Erst 1985, bei Bohrs 100. Geburtstag in Kopenhagen, habe ich erfahren, was Bohr über diese Sache unter seinen Freunden und Verwandten erzählt hat. Und das war, dass Heisenberg begonnen habe, ihn aufzufordern, mit den Deutschen zusammenzuarbeiten. Dass Bohr das so aufgefasst hatte, hat Heisenberg überhaupt nicht kapiert. Ich hätte dahinterkommen können, als ich 1949 oder 1950 drei Tage in Princeton war – es war mein erster Aufenthalt in Amerika, wo ich auch Oppenheimer gesehen habe. Bohr hat sehr freundlich mit mir geredet, wie er ja überhaupt ein sehr freundlicher Mann war. Dann dachte ich, jetzt muss ich das mal ansprechen, und fing an: „Heisenberg hat doch im Krieg mit Ihnen einmal ein Gespräch geführt. Könnten wir darüber nicht einen Moment reden." Darauf sagte mir Bohr: „Ich weiß doch ganz genau und erkenne vollkommen an, dass jeder Mensch im Krieg eine erste Priorität der Verpflichtung gegenüber seiner eigenen Nation hat. Das nehme ich Heisenberg doch nicht übel. Reden wir nicht darüber." Wenn ich angefangen hätte, zu argumentieren, wir waren bei Ihnen, damit wir darüber reden, ob man vielleicht die Atombombe verhindern kann, hätte Bohr gesagt, jetzt fängt der Mann an zu lügen, obwohl ich es ihm so leicht gemacht habe, nicht zu lügen. Daraufhin habe ich es gelassen. Hinterher sagte ich mir, ich hätte vielleicht insistieren müssen, dann hätte ich damals erfahren, wie Bohr das Gespräch mit Heisenberg verstanden hat. Das wird in dem Buch von Thomas Powers jetzt alles recht gut dargestellt. Powers hat das sehr gut analysiert. 1941 sagte mir Heisenberg, als er zum Eigentlichen habe kommen wollen, nämlich, ob man nicht die Atombombe verhindern könnte, sei Bohr so aufgeregt gewesen, dass überhaupt eine Bombe möglich ist, dass er nicht in der Lage war, mit ihm darüber zu reden. Was Heisenberg eigentlich hatte sagen wollen, wurde überhaupt nicht ausgesprochen.

Was meine eigenen Motive betrifft, so gehört das zu denselben Wahnideen – ich nenne es so – wie die, mit Hitler zu reden. Aber ich muss es sagen, denn es war bei mir so. Ich hatte damals, nach dem Gespräch mit Picht, das Gefühl, dass man nicht wird verhindern können, dass Bomben gemacht werden und dass sie dann auch eingesetzt werden. Es könnte doch sein, sagte ich mir, dass die Physiker der Welt sich verhalten wie ein religiöser Orden, dass sie miteinander ausmachen, was sie tun wollen, und das dann als Orden geschlossen tun. Ich war damals von Ordensideen bewegt und dachte, vielleicht könnten die Physiker das so machen. Und mit wem konnte man darüber überhaupt reden? Nur mit Bohr. Er war der einzige, der das allgemeine Vertrauen genoss. Als dann das Gespräch zwischen Heisenberg und Bohr so schiefgegangen war, habe ich gesehen, dass das eben ein Irrtum war. Das heißt nicht, dass Heisenberg mit Bohr sofort darüber sprechen wollte, wie man erreichen könne, dass man in Amerika keine Atombomben baut, sondern dass er zunächst mit Bohr darüber sprechen wollte, wie die Situation ist, ob nicht die Physiker dieser Welt – trotz des Kriegs, der es ihnen so schwer machte, miteinander zu reden – aufgrund ihrer Gemeinsamkeiten sich veranlasst sehen könnten, gemeinsam zu beschließen, dafür zu sorgen, dass es nicht gemacht wird, da sie die einzigen sind, die das können.

Wann ist dieser Gedanke endgültig aufgegeben worden?

WEIZSÄCKER: Ich würde sagen, nach dem Scheitern von Heisenbergs Gespräch mit Bohr habe ich diesen Gedanken nicht mehr verfolgt. Das heißt also nun, dass ich mir in dieser Sache eine relativ starke kausale Rolle zuschreibe. Heisenbergs Motivation war sehr stark von der Fürsorge für Bohr bestimmt und dezidiert auch von dem Wunsch, man könnte vielleicht die Atombombe verhindern. Meine Motivation war elementar in Bezug auf die Frage der Bombe. Natürlich musste man auch Bohr helfen.

In Farm Hall sagten Sie: Die Geschichte wird festhalten, dass die Amerikaner und die Engländer eine Bombe bauten, und zur selben Zeit die Deutschen unter dem Hitler-Regime eine funktionsfähige Maschine herstellten. Mit anderen Worten: Die friedliche Entwicklung der Uranmaschine fand in Deutschland statt, während die Amerikaner und Engländer diese grässliche Kriegswaffe entwickelten. Wann haben Sie diese Unterscheidung zum ersten Mal getroffen?

WEIZSÄCKER: Die Feststellung war insofern völlig irrig, als sie nur gemacht werden konnte in den wenigen Tagen, in denen wir noch nicht wussten, dass die Amerikaner auch den Reaktor haben. Ich glaube, unmittelbar nach Nagasaki wusste man das bereits.

Meine Frage zielt weniger auf das Technische, sondern auf das Moralische: Die schlechte Sache wurde von den Guten gemacht und die gute Sache von den Schlechten.

WEIZSÄCKER: Das ist jetzt eine Analyse einer bestimmten Tendenz, die es bei mir geben mag, eine Art dialektischer Betrachtung. Aber zunächst sage ich, die faktische Voraussetzung für eine solche Betrachtung konnte überhaupt nur etwa fünf Tage in meinem Gemüt sein. Danach wusste ich, dass die Amerikaner die Maschine ebenfalls hatten. Ich erinnere mich an meine Reaktion, dass die Amerikaner etwas Schreckliches gemacht hatten, das ist ja dokumentiert. Nun war Hahns Reaktion darauf eigentlich ein tiefer Schmerz: Ich habe die ganze Hitler-Ära hindurch, besonders seit Kriegsbeginn, gehofft, dass Hitler verschwindet, und im Krieg habe ich deshalb gewünscht, dass der Westen siegt. Jetzt haben die Leute, deren Sieg ich gewünscht habe, das getan, wovon ich nur gefürchtet hatte, ein so schrecklicher Mensch wie Hitler würde das tun. Das ist doch furchtbar. Und dann fühlte Hahn sehr stark: Und ich bin schuld. Ich habe Hahn für wenige seiner mir immer sehr sympathischen Äußerungen so sehr wirklich geliebt wie dafür, dass er das gesagt hat. Dass man als Naturwissenschaftler sagen muss, was man gefunden hat, ist in seinen Folgen zugleich die Verantwortung dessen, der es gefunden hat. Er kann nicht sagen, das verantworten nun andere, nicht ich. Auch ich habe mich ja immer dafür eingesetzt, dass die Wissenschaftler sich auch politisch um die Konsequenzen ihres Tuns aktiv kümmern, und zwar als Wissenschaftler, nicht indem sie plötzlich Politiker werden. Das gehört zur Pflicht des wissenschaftlichen Berufs, das ist meine Meinung. Bei Hahn war es also einfach der große Schmerz, und er hat sich meines Erachtens zum Teil dadurch getröstet, dass er sagte, aber wenigstens gibt es die Uranmaschine, das heißt die Lösung der Energieprobleme für die Menschheit.

Dass ich dann so dialektisch geredet habe, wie die Protokolle ausweisen, ist mir nicht in Erinnerung, aber natürlich die Gefühlslage. Ich hatte zu Amerika keine so positive Beziehung wie Hahn, ich war nie dort gewesen. Das heißt, ich fand die Skepsis gegenüber der Selbsteinschätzung des Westens, die ich vorher zitiert habe, als ich von Heidegger sprach, jetzt noch einmal bestätigt. Dass wir ein verbrecherisches Regime hatten, das ist wahr. Zur Zeit von Hiroshima wusste man schon, dass Millionen Juden umgebracht worden sind. Ich konnte also das Hitler-Regime wahrhaftig nicht verteidigen. Aber ich kann mich nachträglich hineinfühlen in mein Empfinden damals: Die Leute im Westen meinen, alles was sie machen, ist gut, und was wir gemacht haben, ist alles böse – so simpel ist das nun nicht.

Unter meinen Sonetten gibt es eines, das ich in diesem Zusammenhang gern zitieren möchte:[766]

Schuld.

Oh bricht denn niemals der Dämonen Kraft?
Sieht niemand denn: die Schuld ist in uns allen?
Wo Unrecht fiel, seh ich sich Unrecht ballen,
und Schuldige von Schuldigen bestraft.

Wer Schuld geduldet, ist in ihrer Haft.
Wer Schuld mit Schuld vergilt, ist ihr verfallen.
O wollen wir, der Finsternis Vasallen,
den Himmel nicht, den nur die Liebe schafft?

Ich ließ mit sehendem Aug in dunklen Jahren
schweigend geschehn Verbrechen um Verbrechen.
Furchtbare Klugheit, die mir riet Geduld!

766 Vgl. Faksimile auf S. 546.

Der Zukunft durft ich meine Kraft bewahren,
allein, um welchen Preis! Das Herz will brechen.
O Zwang, Verstrickung, Säumnis! Schuld, o Schuld!

1945

Das war mein damaliges Empfinden. Und wenn nun die Amerikaner plötzlich sagen, der Krieg, den wir gewonnen haben, rechtfertigt, dass wir unser Verhalten für das richtige erklären und die Leute verurteilen, die es nicht so machen wie wir, dann sind sie fast so schuldig wie die Leute, die von ihnen verurteilt werden. Nicht ganz, aber sie sind nicht unschuldig.

Aber die Frage, die Sie mir hier gestatten müssen, lautet: Es waren ja nun nicht die Amerikaner, die den Krieg angezettelt haben …

WEIZSÄCKER: Nein, aber die Amerikaner waren es, die 60.000 Japaner mit der Bombe umgebracht haben.

Gewiss. Aber erhebt sich da nicht die Frage, wie nahe steht man einem System? Wie nahe steht man seiner Nation? Wo bin ich nicht mehr bereit, Schuld auf mich zu nehmen? Auch wenn man von der systematischen Judenvernichtung spät, vielleicht erst nach dem Krieg gehört hat, so ist doch schon der Überfall auf Polen und was danach folgte, unter moralischen Gesichtspunkten nicht eben das normale Handlungsmuster.

WEIZSÄCKER: Nein, Schuldige werden von Schuldigen bestraft. Ich leugne nichts von der Schuld der Bestraften. Aber ich sage, die anderen, die die Strafe aussprechen, sind nicht mehr im Zustand der Unschuld. Ich möchte das noch ein bisschen weiter ausführen: Als ich 1949 nach Amerika kam, hatte ich nach kurzer Zeit das Gefühl, ich bin ein alter Ägypter, der zu den Griechen gekommen ist. Wir Ägypter wissen, dass die Pharaonen seit Jahrtausenden regiert und Verbrechen begangen haben. Das ist halt so. Wenn man bei den Griechen in eine vornehme Familie kommt, ist der Urgroßvater schon ein Gott. Alles ist neu. Alles muss neu gemacht werden. Und was wir neu machen, das ist gut. Dies war mein Empfinden. Herrlich, von Amerikanern empfangen zu werden, unmittelbare Freundlichkeit zu erleben – ich war eigentlich ungeheuer glücklich dort. Aber ich hatte immer das Gefühl, über Politik werde ich

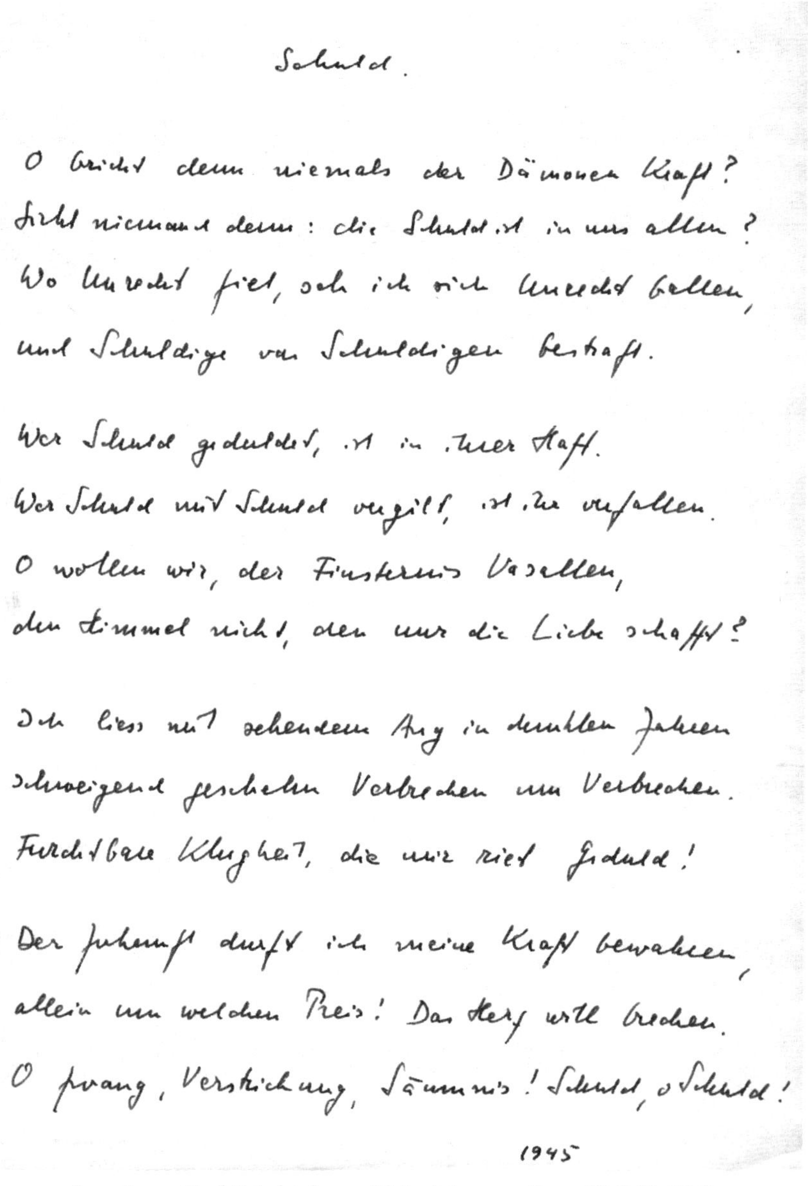

Schuld.

O bricht denn niemals der Dämonen Kraft?
Sieht niemand denn: die Schuld ist in uns allen?
Wo Unrecht fiel, sah ich sich Unrecht ballen,
und Schuldige von Schuldigen bestraft.

Wer Schuld geduldet, ist in ihrer Haft.
Wer Schuld mit Schuld vergilt, ist ihr verfallen.
O wollen wir, der Finsternis Vasallen,
den Himmel nicht, den nur die Liebe schafft?

Ich liess mit sehendem Aug in dunklen Jahren
schweigend geschehn Verbrechen um Verbrechen.
Furchtbare Klugheit, die mir riet Geduld!

Der Zukunft durft ich meine Kraft bewahren,
allein um welchen Preis! Das Herz will brechen.
O Zwang, Verstrickung, Säumnis! Schuld, o Schuld!

1945

Sonett von Carl Friedrich von Weizsäcker aus Farm Hall (S. 544).

mit ihnen erst dann erfolgreich reden können, wenn sie all die Fehler, die zu vermeiden der Sinn ihres Staates ist, gemacht haben werden und sie begreifen, dass auch sie es nicht geschafft haben. Dafür war Hiroshima für mich ein Anfang. Aber Gespräche darüber konnte man mit den Amerikanern eigentlich erst nach Vietnam führen. Die Schwierigkeit bis dahin war die naive Selbstgerechtigkeit des guten Willens.

Ich sage das nur, um begreiflich zu machen, in welchem Sinne ich mir diese Äußerung, an die ich mich nicht erinnere, nachträglich erkläre. Diese guten Leute haben zu Recht den Krieg gewonnen, aber schon fangen sie an, Dinge zu tun, für die sie, wenn sie so weiter machen, eines Tages verdient einen Krieg verlieren. Später war ich jedes Jahr drüben und habe mich sehr schnell verbündet gefühlt mit denjenigen amerikanischen Intellektuellen, die an der amerikanischen Politik auch Kritik übten. Ich fand überhaupt nicht, dass wir Europäer besser sind.

Ich möchte zum Schluss gern auf die Nachkriegsentwicklung in Deutschland zu sprechen kommen, insbesondere auf den Wiederaufbau der Naturwissenschaften, und Sie fragen, inwieweit bereits in Farm Hall Weichenstellungen vorgenommen wurden.

WEIZSÄCKER: Natürlich waren unter den zehn ein paar wenige, wie Hahn, Laue, Heisenberg, die führende Positionen zu Hause hatten und, wenn sie zurückkamen, auch wieder kriegen würden. Insofern ist klar, dass das, was in Farm Hall geredet wurde, für die spätere Entwicklung in Deutschland wichtig war. Andererseits habe ich dann in Deutschland das Gefühl gehabt, alles entwickle sich gemäß seiner inneren Logik. Dass wir wieder arbeiten konnten, war sehr angenehm, es hätte auch schlimmer kommen können. Dass wir nach Göttingen kamen, haben die Engländer beschlossen. Dass man zuerst nicht über Uran arbeiten durfte, hat Heisenberg und Wirtz ein wenig gewurmt, mich deshalb nicht, weil mich die Sache inhaltlich nicht interessierte. Ich wollte viel lieber Astrophysik machen oder Prinzipien der Quantentheorie analysieren. Ich habe im Krieg, kaum dass ich wusste, dass die Bombe nicht gemacht wird, nur noch formal an der Sache mitgearbeitet, um meine UK-Stellung nicht zu verlieren und meine persönlichen Beziehungen zu Heisenberg und Wirtz auf einem auch sachlich vertretbaren Niveau zu halten. Aber es hat mich einfach nicht interessiert. Ich bin faktisch nie an Technik interessiert gewesen.

Meine Frage zielte weniger in physikalische Richtung, sondern mehr auf die wissenschaftspolitische Implikation. Sie wurden mit dem Vertrauen der Engländer in die britische Zone entlassen und waren sozusagen der Kern, um den sich die wissenschaftliche Forschung kristallisieren sollte.

WEIZSÄCKER: Wenn in Deutschland die Wissenschaft wieder in Gang kommen sollte, wie es vor allem Heisenberg sehr gewünscht hat, dann waren Leute wie er oder Hahn wichtige Personen, die, wenn sie ihre Chance bekamen, das Richtige tun würden. Diese Chance bekamen wir de facto durch die Engländer, die sich offenbar relativ früh die Meinung gebildet hatten, wir seien wichtig für den Aufbau einer demokratischen Ordnung in Deutschland. Die Amerikaner, so wurde uns damals erzählt, fanden zunächst, man müsse uns erst mal für fünf Jahre nach Alaska oder sonst wohin bringen, bis unsere Kenntnisse so veraltet wären, dass sie auch den Russen nichts mehr nützen. Wenn das stimmt, dann war zwischen den Engländern und den Amerikanern ein gewisser Unterschied in Bezug auf unsere Verwendung. Uns wurde damals gesagt, es sei ein persönliches Telefongespräch zwischen Truman und Attlee nötig gewesen, damit die Amerikaner dem englischen Plan zustimmten, uns nach Deutschland zurückzubringen – unter der Bedingung, dass es uns verboten war, andere Zonen zu betreten als die britische.

Von der Internationalität der Wissenschaft, wie sie vor dem Krieg bestand, konnte also offenbar nicht die Rede sein. Waren die in Farm Hall immer wieder geäußerten Hoffnungen, am Status quo ante anknüpfen zu können, wirklich so illusionär?

WEIZSÄCKER: Wir gehörten ja alle zum Kreis um Bohr, und Bohrs Institut in Kopenhagen war vor dem Krieg eine völlig internationale Angelegenheit. Mein erster Eindruck von Physik, nachdem ich Bohr kennengelernt hatte, war, Physik ist eine internationale Angelegenheit, eine internationale kleine Elite, eine Familie. Als die politischen Probleme durch Atomenergie so groß wurden, musste diese Internationalität auch politische Wirkung zeigen: Wenn die Physiker sich vertragen, sollen sich auch die Nationen, denen die Physiker angehören, vertragen. Das war die Stimmung.

Das gilt sicher für das Jahr 1940/41. Ich frage jedoch nach dem Sommer 1945. War diese Internationalisierung nicht auch der Strohhalm, an den sich die in Farm Hall Internierten klammerten, um wieder Forschung an vorderster Front machen zu können?

WEIZSÄCKER: Wir waren überzeugt, dass wir nur bei einer richtigen Regelung wirklich florieren werden. Also Egoismus und Wunsch nach dem objektiv Richtigen waren, wie so oft in der Politik, deckungsgleich. Im übrigen war und ist die Naturwissenschaft meines Erachtens ihrer Struktur nach internationaler als alle andern Wissenschaften. 1974 war ich mit meiner Frau drei Wochen in Japan und sprach mit den Philosophen, die mich nach Kyōto eingeladen hatten. Sie hatten Heidegger und Hegel gelesen, und mit ihnen konnte man wunderbar reden über den möglichen Zusammenhang der deutschen Tradition mit der japanischen. Mit den Physikern sprach ich englisch, und es wurde überhaupt nicht über irgendeine nationale Tradition gesprochen, sondern über Physik.

Gab es so etwas wie den „Geist von Farm Hall"?

WEIZSÄCKER:

Es waren zehn Forscher in Farm Hall
die galten für fürchterlich harmvoll.
Beim jüngsten Gericht
erschienen sie nicht,
denn sie saßen noch immer in Farm Hall.

Und als Sie nicht mehr in Farm Hall saßen?

WEIZSÄCKER: Es mag sein, dass das Zusammensein in Farm Hall und das Reden dort den Weg, den wir nachher gegangen sind, ein bisschen leichter gemacht hat. Man kannte sich. Nun kannte man sich eben besser.

Das Gespräch wurde am 3. Juni 1993 in Köln im Rahmen der Editionsarbeiten für die Farm-Hall-Protokolle geführt. Die Fragen stellten Dieter Hoffmann, Helmut Rechenberg† und Tilman Spengler.

Literatur

Albrecht, Helmuth, A. Hermann: Die Kaiser Wilhelm-Gesellschaft im Dritten Reich (1933 – 1945). In: R. Vierhaus, B. v. Brocke (Hrsg.): Forschung im Spannungsfeld von Politik und Gesellschaft. Geschichte und Struktur der Kaiser-Wilhelm- / Max-Planck-Gesellschaft. Stuttgart 1990.

Albrecht, Ulrich; Heinemann-Grüder, Andreas; Wellmann, Arend: Die Spezialisten. Deutsche Naturwissenschaftler und Techniker in der Sowjetunion nach 1945. Berlin: Dietz 1992.

Allies Invent Atomic Bomb: First Dropped on Japan. The Daily Telegraph 4 A. M. v. 7.8.1945, S. 1.

Atom-Museum Haigerloch. Haigerloch 1982.

Baechler, Christian, François Igersheim, Pierre Racine (Hrsg.): Les Reichsuniversitäten des Strasbourg et de Poznan et les résistances universitaires, 1941 – 1945. Strasbourg: Presses Universitaires 2005.

Bagge, Erich: Fünfzig Jahre als Physiker in Deutschland. Ein Rückblick. In: Fusion 6 (1985), H. 6, S. 26 – 34.

—; Diebner, Kurt; Jay, Kenneth: Von der Uranspaltung bis Calder Hall. Hamburg: Rowohlt 1957.

Balcar, Jaromir: Die Ursprünge der Max-Planck-Gesellschaft. Preprint Nr. 7 des Forschungsprogramms Geschichte der Max-Planck-Gesellschaft, Berlin 2019.

Baldwin, George C.; H. W. Koch: Threshold Measurment on the Nuclear Photo-Effect. Physical Review 67 (1945), S. 1 – 5.

Ball, Philip: Serving the Reich. The Struggle for the Soul of Physics Under Hitler. Chicago/London: University of Chicago Press 2014.

Barkleit, Gerhard: Manfred von Ardenne. Selbstverwirklichung im Jahrhundert der Diktaturen. Berlin 2006.

Becker, Richard, G. Leibfried: On the Method of Second Quantization. Physical Review 69 (1946), H. 1 – 2, S. 34.

—: Zur Methode der Quantisierung von Wellengleichungen. Zeitschrift für Physik 125 (1948), S. 347 – 358.

Bernstein, Jeremy: Hitler's Uranium Club. The Secret Recordings at Farm Hall. Introduction by David Cassidy. Woodbury, New York 1996. (New York: Springer, 2nd ed. 2001).

Dieter Hoffmann (Hrsg.): Operation Epsilon.
 DOI: <https://doi.org/10.47261/1508>.

—: Il club dell'uranio di Hitler. I fisici tedeschi nelle registrazioni segrete di Farm Hall. Italian translation by Alessia Fabbri and Marta Fabbri. Translations from German by Monica Winters. Milano: Sironi Editore 2005.
Beyerchen, Alan D.: Wissenschaftler unter Hitler. Physiker im Dritten Reich. Köln 1982.
Boag, John W., P. E. Rubinin, D. Shoenberg (Hrsg.): Kapitza in Cambridge and Moscow. Cambridge 1990.
Bohr, Niels: Politics, Popularization and People. Prepared by Finn Aaserud. Elsevier 2005.
Born, Max: Faraday-Jahrhundertfeier und British Association in London. Die Naturwissenschaften 22 (1931), S. 932–933.
Calmthout, Martijn van: Sam Goudsmit and the Hunt for Hitler's Atom Bomb. New York: Prometheus Books 2018.
Cassidy, David C.: Werner Heisenberg. Leben und Werk. Heidelberg 1992.
—: Beyond Uncertainty. Heisenberg, Quantum Physics, and the Bomb. New York: Bellevue Literary Press 2009.
—: Farm Hall and the German Atomic Project of World War II. A Dramatic History. Cham: Springer International 2017.
Conze, Eckart, Norbert Frei, Peter Hayes, Moshe Zimmermann: Das Amt und die Vergangenheit. München 2010.
Crawford, Elisabeth; Sime, Ruth; Walker, Mark: Die Kernspaltung und ihr Preis. In: Kultur & Technik (1997), H. 2, S. 31–35.
Dahl, Per F.: Heavy Water and the Wartime Race for Nuclear Energy. Bristol, Philadelphia 1999.
Dale, Henry: Science in War and Peace. The Atomic Bomb – Secrecy or Freedom of Research. In: The Times, No. 8, 1945, S. 5.
Deichmann, Ute: Flüchten, Mitmachen, Vergessen. Chemiker und Biochemiker in der NS-Zeit. Weinheim u. a.: Wiley-VCH 2001.
Diener, Leander: Das Jungfraujoch. Eine Geschichte der Hochalpinen Forschungsstation 1922–1955. Zürich 2022.
Eckart, Wolfgang U.: Ferdinand Sauerbruch – Meisterchirurg im politischen Sturm. Eine kompakte Biografie für Ärzte und Patienten. Wiesbaden 2016.
Eckert, Michael: Die Deutsche Physikalische Gesellschaft und die „Deutsche Physik". In: D. Hoffmann, M. Walker (Hrsg.): Physiker zwischen Autonomie und Anpassung. Die Deutsche Physikalische Gesellschaft im Dritten Reich. Weinheim 2007; S. 139–172.
—: Weizsäckers Kosmogonie, Farm Hall und die Entstehung der modernen Turbulenztheorie. In: Hentschel, Hoffmann 2014, S. 101–116.
Einstein, Albert: Über den Frieden. Weltordnung oder Weltuntergang? Hg. von Wonatran und Heinz Norden. Bern: Herbert Lange und Co. 1975.
Eve, A. S. : Life and Work of John Tyndall. London 1945.

Forstner, Christian: Alltagsphysik statt Atombomben. Ein erneuter Blick auf den deutschen Atomverein. In: Physik, Militär und Frieden – Physiker zwischen Rüstungsforschung und Friedensbewegung, hrsg. von Christian Forstner und Götz Neuneck. Wiesbaden: Springer Fachmedien 2018, S. 51 – 68.

—: Kernphysik, Forschungsreaktoren und Atomenergie. Wiesbaden 2019.

Forum. Farm Hall – Another Look. Berichte zur Wissenschaftsgeschichte 45 (2022), H. 1 – 2, S. 200 – 264.

Fowler, Ralph Howard: Notes on the Theory of Absorption Lines in Stellar Spectra. In: Monthly Notices of the Royal Astronomical Society 85 (1925), No. 9, S. 970 – 977.

Frayn, Michael. Copenhagen. New York City: Random House 2000.

—: Kopenhagen. Stück in zwei Akten. Mit zehn wissenschaftsgeschichtlichen Kommentaren. Göttingen: Wallstein 2001.

Frenkel, Viktor Y., D. Hoffmann: Dmitri D. Iwanenko zum Gedenken. Physikalische Blätter 51 (1995), H. 6, 528.

Frisch, Otto Robert; Lise Meitner: Disintegration of Uranium by Neutrons: A New Type of Nuclear Reactions. In: Nature 143 (1939), S. 239 f.

—: Woran ich mich erinnere. Stuttgart 1981.

Gentner, Wolfgang: Gespräche mit Frederic Joliot-Curie im besetzten Paris 1940 – 1942. Heidelberg: MPI für Kernphysik 1980.

Gerlach, Walther: Eduard Rüchardt †. In: Physikalische Blätter 18 (1962) 7, S. 326.

—: Otto Hahn 1879 – 1968. Ein Forscherleben unserer Zeit. Ergänzt und herausgegeben von Dietrich Hahn. (Große Naturforscher, Band 45). Stuttgart: Wissenschaftliche Verlagsgesellschaft 1984.

Gimbel, John: Science, Technology and Reparations. Exploiutation and Plunder in Postwar Germany. Stanford 1990.

Goethe, Johann Wolfgang von: West-östlicher Divan. Stuttgart 1819.

Goudsmit, Samuel A.: Alsos. New York: H. Schuman 1947. [Reprint: History of modern physics, 1800 – 1950, vol. 1, Los Angeles 1983.]

Gowing, Margaret: Independence and Deterrence. Britain and Atomic Energy 1945 – 1952. Volume 1: Policy Making. London: Palgrave Macmillan 1988. [Reprint der Erstausgabe von 1974.]

Grau, Conrad: Die Preußische Akademie der Wissenschaften zu Berlin. Heidelberg 1993.

Groves, Leslie R.: Now It Can Be Told: The Story of The Manhattan Project. New York: Harper 1962.

—: Jetzt darf ich sprechen. Die Geschichte der ersten Atombombe. Köln, Berlin: Kiepenheuer & Witsch 1965.

Hachtmann, Rüdiger: Wissenschaftsmanagement im „Dritten Reich“. Geschichte der Generalverwaltung der Kaiser-Wilhelm-Gesellschaft. Göttingen 2007.

Hahn, Dietrich (Hrsg.): Otto Hahn. Begründer des Atomzeitalters. Eine Biographie in Bildern und Dokumenten. München 1979.

Hahn, Otto; Straßmann, Fritz: Über den Nachweis und das Verhalten der bei der Bestrahlung des Urans mittels Neutronen entstehenden Erdalkalimetalle. In: Die Naturwissenschaften 27 (1939), S. 11 – 15.
—, Fritz Straßmann: Über die Isolierung und einige Eigenschaften des Elements 93. Die Naturwissenschaften 30 (1942), S. 256 – 260.
—: Erlebnisse und Erkenntnisse. Düsseldorf; Wien: Econ 1975.
—: Mein Leben. München: Bruckmann 1986.
—: Beziehungen zu Nichtariern 1933 – 1945. In: Keiser 2018, S. 245 – 270
Hahnenkampf im Labor. In: Der Spiegel 45 (1991), Nr. 14 vom 1.4.1991, S. 222 – 224, online verfügbar unter <https://www.spiegel.de/spiegel/print/d-13487814.html>.
Hassell, Fey von: Niemals sich beugen. Erinnerungen einer Sondergefangenen der SS. München: Piper 1990.
Heisenberg, Elisabeth: Das politische Leben eines Unpolitischen. Erinnerungen an Werner Heisenberg. München, Zürich: Piper, 2. Aufl. 1983.
Heisenberg, Werner: Kosmische Strahlung. Berlin: Springer 1943.
—: Der mathematische Rahmen der Quantentheorie der Felder. In: Zeitschrift für Naturforschung 1 (1946), S. 608 – 622. [a]
—: Zur Elektronentheoie der Supraleitung . In: Physikalische Blätter 2 (1946), S. 220. [b]
—: Zur Theorie der Supraleitung. Zeitschrift für Naturforschung 2a (1947), S. 185 – 201.
—: Zur statistischen Theorie der Turbulenz. In: Zeitschrift für Physik 124 (1948), S. 628 – 657.
—: Der Teil und das Ganze. Gespräche im Umkreis der Atomphysik. München: Piper 1969.
—: Deutsche und Jüdische Physik. Herausgegeben von Helmut Rechenberg. München; Zürich: Piper 1992. [a]
—: Über die Uranbombe. In: Physikalische Blätter 48 (1992), Heft 12, S. 994 – 1001. Online verfügbar unter <https://doi.org/10.1002/phbl.19920481206>. [b]
—, E. Heisenberg: „Meine liebe Li". Der Briefwechsel 1937 – 1946. Herausgegeben von Anna Maria Hirsch-Heisenberg. St. Pölten: Residenz 2011.
Hentschel, Klaus: „Operation Epsilon" oder ...: Von der Konvergenz der Bühnenfassung der Farm-Hall Protokolle gegen Null. Physikalische Blätter 52 (1996), H. 1, S. 12.
—, D. Hoffmann (Hrsg.): Carl Friedrich von Weizsäcker (1912 – 2007): Physik – Philosophie – Friedensforschung. NAL Nr. 63. Stuttgart: Wissenschaftliche Verlagsgesellschaft 2014.
Herbig, Jost: Kettenreaktion. Das Drama der Atomphysiker. München: Deutscher Taschenbuch-Verlag 1979.
Hermann, Armin: Die Jahrhundertwissenschaft. Stuttgart 1977.
—: Karl Wirtz – Leben und Werk. Stuttgart 2006.

Hoffmann, Dieter: Ein Physiker per se. Zum 100. Geburtstag von Walther Bothe. Wissenschaft und Fortschritt 41 (1991), H. 5, S. 162 – 165.
—: Operation Epsilon. Die Farm-Hall-Protokolle oder: Die Angst der Alliierten vor der deutschen Atombombe. Berlin: Rowohlt 1993. [a]
—: Nobel-Feier in Farm Hall. Physikalische Blätter 49 (1993), H. 7 / 8, S. 676 f. [b]
—, R. Stutz: Grenzgänger der Wissenschaft: Abraham Esau als Industriephysiker, Universitätsrektor und Forschungsmanager. In: U. Hoßfeld, J. John, O. Lemuth, R. Stutz (Hrsg.): „Kämpferische Wissenschaft". Studien zur Universität Jena im Nationalsozialismus. Köln, Weimar, Wien: Böhlau 2003, S. 136 – 179.
—: Der letzte Beweis fehlt. In: Süddeutsche Zeitung vom 15.3.2005.
—: Ein Physiker als Naturalist. In: D. Hoffmann, U. Schmidt-Rohr (Hrsg.): Wolfgang Gentner. Festschrift zum 100. Geburtstag. Heidelberg 2006, S. 1 – 61. [a]
—: Peter Debye (1884 – 1966) – Ein typischer Wissenschaftler in untypischer Zeit. Gewina 29 (2006), S. 141 – 167. [b]
—, M. Walker (Hrsg.): Physiker zwischen Autonomie und Anpassung. Die Deutsche Physikalische Gesellschaft im Dritten Reich. Weinheim: Wiley-VCH 2007.
—: Die Ramsauer-Ära und die Selbstmobilisierung der Deutschen Physikalischen Gesellschaft. In: Hoffmann/Walker 2007, S. 173 – 215.
—: „Nicht nur ein Kopf, sondern auch ein Kerl!" Zum Leben und Wirken Max von Laues (1879 – 1960). In: Physik Journal 9 (2010), H. 4, S. 39 – 43.
—, M. Walker (Hrsg.): „Fremde" Wissenschaftler im Dritten Reich. Die Debye-Affäre im Kontext. Göttingen 2011.
—: An der Bombe vorbei. In: Frankfurter Allgemeine Zeitung vom 3.1.2013, S. 26, online unter <https://faz.net/aktuell/feuilleton/buecher/rezensionen/sachbuch/richard-von-schirach-die-nacht-der-physiker-an-der-bombe-vorbei-12012387.html> verfügbar.
—: Friedrich Houtermans (1903 – 1966): Ein Physiker zwischen Hitler und Stalin. Spektrum der Wissenschaft 37 (2014), H. 2, S. 62 – 71.
—, H. Laitko: Peter Adolf Thiessen (1899 – 1990). Diener vieler Herren. In: J. Feichtinger et al. (Hrsg.): Wandlungen und Brüche. Wissenschaftsgeschichte als politische Geschichte. Festschrift für M. G. Ash. Göttingen 2018, S. 265 – 283.
—: Johannes Stark (1874 – 1957) als Präsident der Physikalisch-Technischen Reichsanstalt s.
Hoffmann, Klaus: Otto Hahn. Berlin 1978.
Hofmann, Gunter: Die Gräfin, ihre Freunde und das andere Deutschland. München: C. H. Beck 2019.
Holloway, David: Stalin & the Bomb. New Haven 1994.
Irving, David: Der Traum von der deutschen Atombombe. Gütersloh: S. Mohn 1967.
—: „So groß wie eine Ananas", 3. Fortsetzung. In: Der Spiegel Nr. 26 vom 17.6.1967, S. 87 – 100. Online verfügbar: <http://www.spiegel.de/spiegel/print/d-46251906.html>.

Joliot-Curie, Frédéric: Wissenschaft und Verantwortung. Ausgewählte Schriften. Berlin: VEB Deutscher Verlag der Wissenschaften 1962.

Jones, Vincent C.: United States Army in World War II. Special Studies. Man-hattan: The Army and the Atomic Bomb. Washington D. C.: Uni-ted States Army, Center of Military History 1985. Online verfügbar: <https://history.army.mil/html/books/011/11-10/CMH_Pub_11-10.pdf>.

Jungk, Robert: Heller als tausend Sonnen. Das Schicksal der Atomforscher. Bern, Stuttgart, Wien: Scherz 1956. (Engl. Ausgabe: Brighter than a Thousand Suns – A Personal History of the Atomic Scientists. New York: Houghton Mifflin Harcourt 1958.)

Kant, Horst: Albert Einstein, Max von Laue, Peter Debye und das Kaiser-Wilhelm-Institut für Physik in Berlin (1917 – 1939). In: Bernhard vom Brocke, Hubert Laitko (Hrsg.): Die Kaiser-Wilhelm-/Max-Planck-Gesellschaft und ihre Institute. Studien zu ihrer Geschichte: Das Harnack-Prinzip. Berlin, New York: De Gruyter 1996, S. 227 – 244.

—: Betrachtungen zur Physik an der Reichsuniversität Straßburg 1942 – 1944. In: Baechler et al. 2005, S. 185 – 203.

—, Carsten Reinhardt (Hrsg.): 100 Jahre Kaiser-Wilhelm- / Max-Planck-Institut für Chemie (Otto-Hahn-Institut). Facetten seiner Geschichte. Berlin-Dahlem: Archiv der Max-Planck-Gesellschaft 2012.

Karlsch, Rainer: Hitlers Bombe. Die geheime Geschichte der deutschen Kernwaffenversuche. München: Deutsche Verlags-Anstalt 2005.

—: Uran für Moskau. Die Wismut – Eine populäre Geschichte. Berlin 2007.

—, Heiko Petermann (Hrsg.): Für und Wider „Hitlers Bombe". Studien zur Atomforschung in Deutschland. Cottbuser Studien zur Geschichte von Technik, Arbeit und Umwelt, Band 29. Münster u. a.: Waxmann 2007.

Keiser, Vera (Hrsg.): Radiochemie, Fleiß und Intuition. Neue Forschungen zu Otto Hahn. Diepholz; Berlin: GNT-Verlag 2018.

Kern, Ulrich: Forschung und Präzisionsmessung. Die Physikalisch-Technische Reichsanstalt zwischen 1918 – 1948. Weinheim 1994.

Kleint, Christian: Leben und Wirken von Robert Döpel. In: L. Hiersemann (Hrsg.), Beiträge zur Geschichte von Technik und Bildung, Folge 13 (Gedenkband zum 100. Geburtstag von R. Döpel). Leipzig 1995, S. 3 – 12.

Klemperer, Victor: LTI. Notizbuch eines Philologen. Leipzig: Reclam, 2. Aufl. 1968.

Kohl, Ulrike: Die Präsidenten der Kaiser-Wilhelm-Gesellschaft im Nationalsozialismus. Max Planck, Carl Bosch und Albert Vögler zwischen Wissenschaft und Macht. Stuttgart 2002.

Koos, Volker: Höhenversuchsflugzeug Henschel HS 128 (DVL). In: JET + PROP (1997) H. 5, S. 18 – 20. Online verfügbar: <http://adl-luftfahrthistorik.de/dok/Henschel_Hs_128.pdf>.

Krafft, Fritz: Im Schatten der Sensation. Weinheim 1981.

Kragh, Helge: Dirac. Cambridge 1990.

Kramish, Arnold: Der Greif. Paul Rosbaud – der Mann, der Hitlers Atompläne scheitern ließ. München: Kindler 1987.

Laue, Max von: Eindeutigkeitssätze in der Theorie der Supraleitungen. In: Nachrichten der Akademie der Wissenschaften in Göttingen Mathematisch-Physikalische Klasse (1946), S. 86 – 88.

—: Geschichte der Physik. Bonn: Universitäts-Verlag 1947.

—: My Development as a Physicist – An Autobiography. In: Fifty Years of X-ray Diffraction, ed. by P. P. Ewald. Utrecht: International Union of Crystallography 1962, S. 278 – 307.

Lässing, Volker: Forschung im Schatten der Zollernburg. Die Kaiser-Wilhelm-Institute und ihre Nobelpreisträger in Hechingen, Haigerloch und Taiflingen. Albstadt 2013.

Lemmerich, Jost (Hrsg.): Mein lieber Sohn! Die Briefe von Max von Laue an seinen Sohn Theodor in den Vereinigten Staaten von Amerika 1937 bis 1946. Berlin; Liebenwalde: ERS 2011. [Auch: Diepholz; Berlin: GNT-Verlag 2011.]

Lewandowski, Rainer: Die Bombe. Paul Rosbaud und die Atombombe unter Hitler. Sprechtheater/Schauspiel, Uraufführung: 4.12.2014. <https://www.theatertexte.de/nav/2/2/3/werk?verlag_id=hartmann_und_stauffacher&wid=o_34915758>.

„Lise Meitner: Landsflyktig kvinnlii fysiker en av atombombens bangrytare". In: Leksand Falu-Kuriren vom 8.8.1945, Interview mit L. Meitner, Verbannte Physikerin, eine der Bauerin der Atombombe.

Matematiske-fysiske Meddelelser Udgivet af Det Kgl. Danske Videnskabernes Selskab Kobenhavn XXII (1945).

Mau, Hermann: Die „Zweite Revolution" – Der 30. Juni 1934. In: Vierteljahrshefte für Zeitgeschichte 1 (1953), H. 2, S. 119 – 137.

Maxwell, James Clerk. A Commemoration Volume, 1831 – 1931. Cambridge: University Press 1931.

Milne, Edward Arthur: Thermodynamics of the Stars. Berlin: Springer 1930.

Milton, John: On his Blindness, In: A. Quiller-Couch, The Oxford Book of English Verse. Oxford 1919.

Nagel, Günter: Atomversuche in Deutschland. Geheime Uranarbeiten in Gottow, Oranienburg, Stadtilm. Zella Mehlis 2002.

—: Wissenschaft für den Krieg. Die geheimen Arbeiten der Abteilung Forschung des Heereswaffenamtes. Stuttgart 2012.

Naimark, Norman M.: The Russians in Germany: A History of the Soviet Zone Occupation, 1945 – 1949. Cambridge 1995.

Nelkowski, Horst: Die Physikalische Gesellschaft zu Berlin in den Jahren nach dem Zweiten Weltkrieg. In Th. Mayer-Kuckuk (Hrsg.): Festschrift 150 Jahre Deutsche Physikalische Gesellschaft. Weinheim 1995, S. 143 – 156.

Nier, Keith A.; Yergey, Alfred L.; Gale, P. Jane (Hrsg.): The Encyclopedia of Mass Spectrometry. Volume 9: Historical Perspectives. Part B: Notable People in Mass Spectrometry. Amsterdam: Elsevier 2015.

Nobel Awards for 2 Years. The Daily Telegraph 4 A. M. v. 16.11.1945, S. 3.

Nye, Mary Jo: Blackett. Physics, War, and Politics in the Twentieth Century. Cambridge: Harvard University Press 2004.

Oexle, Otto Gerhard: Hahn, Heisenberg und die anderen. Anmerkungen zu „Kopenhagen", „Farm Hall" und „Göttingen". Ergebnisse. Vorabdrucke aus dem Forschungsprogramm „Geschichte der Kaiser-Wilhelm-Gesellschaft im Nationalsozialismus", Nr. 9. Berlin 2003. <https://www.mpiwg-berlin.mpg.de/KWG/publications.htm>.

Operation Epsilon. The Farm Hall Transcripts. Introduced by Sir Charles Frank. Bristol; Philadelphia: CRC Press 1993.

Operazione Epsilon: Le trascrizioni di Farm Hall. Milano: Selene Edizioni 1994.

Pais, Abraham: Niels Bohr's Times. Oxford 1991.

Popp, Manfred: Misinterpreted Documents and Ignored Physical Facts – The History of "Hitler's Atomic Bomb" needs to be corrected. In: Berichte zur Wissenschaftsgeschichte 39 (2016), H. 3, S. 265 – 282. [a]

—: Hitlers Atombombe. Störfall der Wissenschaftsgeschichte. In: Spektrum der Wissenschaft 39 (2016), H. 12, S. 12 – 21. [b]

Pose, Rudolf Arthur: Deutsche Wissenschaftler und Spezialisten im Sowjetischen Atomprojekt, Leipzig 2019.

Powers, Thomas: Heisenbergs Krieg. Die Geheimgeschichte der deutschen Atombombe. Hamburg: Hoffmann und Campe 1993.

Quiller, Arthur-Couch: The Oxford Book of English Verse. Oxford: Clarendon 1919. <https://archive.org/details/oxfordbookofengl00quiluoft/page/342>.

Radkau, Joachim: Aufstieg und Krise der deutschen Atomwirtschaft 1945 – 1975. Verdrängte Alternativen in der Kerntechnik und der Ursprung der nuklearen Kontroverse. Reinbek: Rowohlt 1983.

Rammer, Gerhard: Göttinger Physiker nach 1945. Über die Wirkung kollegialer Netze. Göttinger Jahrbuch 51 (2003) 83 – 104.

—: „Sauberkeit im Kreis der Kollegen". Die Vergangenheitspolitik der Deutschen Physikalischen Gesellschaft. In: Hoffmann / Walker 2007, S. 359 – 420.

Raiser, Elisabeth, B. Robra: Gundalena. Ein Leben im 20. Jahrhundert. Film 2011. (Kurzfassung: <https://vimeo.com/346726930>.)

Rasch, Manfred: Kohlechemie im Revier. Zur Geschichte der Ruhrchemie AG 1927 – 1966. Münster 2018.

Reed, Bruce Cameron: The History and Science of the Manhattan Project. Heidelberg u. a.: Springer 2015.

—: The Physics of the Manhattan Project. Heidelberg u. a.: Springer 2015.

Rechenberg, Helmut: Transurane, Uranspaltung und das deutsche Uranprojekt. In: Physikalische Blätter 44 (1988), H. 12, S. 453 – 459.
—: Über die Uranbombe. Werner Heisenbergs abgehörter Vortrag vom 14. August 1945 in Farm Hall. Physikalische Blätter 48 (1992), H. 12, S. 994 – 1001.
—: Farm-Hall-Berichte. Die abgehörten Gespräche der 1945 / 46 in England internierten deutschen Atomwissenschaftler. Ein Kommentar. Stuttgart: Hirzel 1994.
Rhodes, Richard: Die Atombombe oder die Geschichte des 8. Schöpfungstages. Nördlingen: Greno 1988.
Robertson, Peter: The Early Years. The Niels Bohr Institute 1921 – 1930. Kopenhagen: Akademisk Forlag 1979.
Röseberg, Ulrich: Niels Bohr. Berlin 1985.
Rose, Paul Lawrence: Heisenberg and the Nazi Atomic Bomb Project. A Study in German Culture. Berkeley, Los Angeles, London: University of California Press 1998.
Schaaf, Michael: Der Physikochemiker Paul Harteck(1902 – 1985). Dissertation Universität Stuttgart 1999.
—: Atomforschung in Celle 1944 – 45, In: B. Polster, RWLE Möller (Hrsg.): Celle – Das Stadtbuch. Bonn 2003, S. 44 – 46.
—: Die Nacht der Physiker. Physik Journal 12 (2013) 4, 54.
—: Heisenberg, Hitler und die Bombe. Gespräche mit Zeitzeugen. Diepholz, Berlin: GNT-Verlag 2018.
Schirach, Richard von: Die Nacht der Physiker. Heisenberg, Hahn, Weizsäcker und die deutsche Bombe. Berlin: Berenberg 2012.
Schmidt am Busch, Hans-Christoph; Kai F. Wehmeier: Heinrich Scholz und Jan Lukasiewicz. In: H.-Chr. Schmidt am Busch, K. F. Wehmeier (Hrsg.): Heinrich Scholz: Logiker, Philosoph, Theologe. Paderborn 2005, S. 119 – 131.
Schmidt-Rohr, Ulrich: Die Deutschen Kernphysikalischen Laboratorien von 1911 bis zur Gründung des Atomministeriums. Heidelberg 2003.
Schwarz, Stefan: Science, Technology, and the Niels Bohr Institute in Occupied Denmark. Physics in Perspective 13 (2011), S. 401 – 432.
Schwelien, Michael: Denn sie wußten, was sie tun. Die Zeit Nr. 14 vom 29.3.1991.
Schuppe, N. G.: Leninskije Premii Fisikami. Moskau 1970.
Schwelien, Michael: Denn sie wußten, was sie tun. In: Die Zeit Nr. 14 vom 29.3.1991, online verfügbar unter <https://www.zeit.de/1991/14/denn-sie-wussten-was-›sie-tun>.
Science in France. Bold and Rapid Planning for National Welfare. Research under German Rule. In: The Times (London) vom 3. November 1945, S. 5.
Sime, Ruth: Lise Meitner. Ein Leben für die Physik. Frankfurt/Leipzig 2001.
—: The Politics for Forgetting: Otto Hahn and the German Nuclear-Fission project in World War II. In: Physics in Perspective 14 (2012), S. 59 – 94.

Smyth, Jr., Datus C.: The Publishing History of the „Smyth Report". In: The Princeton University Library Chronicle 37 (1976), S. 191 – 203.

Smyth, Henry De Wolf: Atomic Energy for Military Purposes. The Official Report on the Development of the Atomic Bomb under The Auspices of the United States Government 1940 – 1945. Princeton 1945. Online verfügbar unter <https://archive.org/details/atomicenergyform00smytrich>.

Speer, Albert: Erinnerungen. Frankfurt/M.; Berlin; Wien: Ullstein 1969.

Stamm, Thomas: Zwischen Staat und Selbstverwaltung. Die deutsche Forschung im Wiederaufbau 1945 – 1965. Köln: Verlag Wissenschaft und Politik 1981.

Stange, Thomas (2000): Institut X. Die Anfänge der Kern- und Hochenergiephysik in der DDR. Stuttgart 2000.

Steinhauser, Thomas, D. Hoffmann, B. Friedrich, J. James: Hundert Jahre an der Schnittstelle von Chemie und Physik. Das Fritz-Haber-Institut der Max-Planck-Gesellschaft zwischen 1911 und 2011. Berlin 2011.

Stolz, Werner: Otto Hahn / Lise Meitner. (Biographien hervorragender Naturwissenschaftler, Techniker und Mediziner, Bd. 64.). Leipzig: Teubner, 2. Aufl. 1989.

Szilard, Leo: His Version of the Facts. Seleced Recollections and Correspondence. Edited by Spencer R. Weart and Gertrud Weiss Szilard. (The collected works of Leo Szilard, Band 2). Cambridge, Mass.: MIT Press, 1978.

The Atomic Bomb: Its First Explosion Opens A New Era. In: Life 19 (1945), 20.8.1945, S. 87 B – 95.

The Clerk Maxwell Centenary Celebrations. Nature 128 (1931), S. 604 – 607.

Trevelyan, George Macaulay: English Social History. A Survey of Six Centuries from Chaucer to Queen Victoria. Oxford 1944.

Turner, Louis A.: Nuclear Fission. In: Revue Modern Physics 12 (1940), H. 1, S. 1 – 29.

Walcher, Wilhelm: Physikalsiche Gesellschaften im Umbruch. In: Theo Mayer-Kuckuk (Hrsg.): 150 Jahre Deutsche Physikalische Gesellschaft. In: Physikalische Blätter 51 (1995), H. 1, S. 107 – 134.

Walker, Mark: Die Uranmaschine. Mythos und Wirklichkeit der deutschen Atombombe. Berlin: Siedler 1990.

—: Legenden um die deutsche Atombombe. Vierteljahrshefte für Zeitgeschichte 38 (1990), H. 1., S. 45 – 74. Online verfügbar unter <http://www.ifz-muenchen.de/›heftarchiv/1990_1_2_walker.pdf>.

—: Physics and propaganda – Werner Heisenberg's foreign lectures under National Socialism. In: Historical Studies in the Physical Sciences 22 (1992), Nr. 2, S. 339 – 389.

—: Selbstreflexionen deutscher Atomphysiker. Die Farm Hall-Protokolle und die Entstehung neuer Legenden um die „deutsche Atombombe". In: Vierteljahrshefte für Zeitgeschichte 41 (1993), H. 4, S. 519 – 542. Online verfügbar unter <http://www.ifz-muenchen.de/heftarchiv/›1993_4_5_walker.pdf>.

—: Nazi Science. Myth, Truth, and the German Atomic Bomb. New York: Plenum Press 1995.
—: Otto Hahn. Verantwortung und Verdrängung. Ergebnisse, Vorabdrucke aus dem Forschungsprogramm Geschichte der Kaiser-Wilhelm-Gesellschaft im Nationalsozialismus, Nr. 10, Berlin 2003.
—: Eine Waffenschmiede? Kernwaffen und Reaktorforschung am Kaiser-Wilhelm-Institut für Physik. Ergebnisse, Vorabdruck aus dem Forschungsprogramm „Geschichte der Kaiser-Wilhelm-Gesellschaft im Nationalsozialismus", Nr. 26. Berlin 2005. <https://www.mpiwg-berlin.mpg.de/KWG/publications.htm>.
—: Walker, Mark: Physics, History and the German Atomic Bomb. In: Berichte zur Wissenschaftsgeschichte 40 (2017) 2, S. 271 - 288.
Weart, Spencer R.: Scientists in Power. Cambridge, Mass.: Harvard University Press 1979.
Wein, Martin: Die Weizsäckers. Geschichte einer deutschen Familie. Stuttgart 1988.
Weiss, Burghard: „Forschungsstelle D": der Schweizer Ingenieur Walter Dällenbach (1892 – 1990), die AEG und die Entwicklung kernphysikalischer Grossgeräte im nationalsozialistischen Deutschland. Berlin 1996.
Weizsäcker, Carl-Friedrich von: Zur Kosmogonie. In: Zeitschrift für Astrophysik 24 (1948), S. 181 - 206.
—: Nachruf für Werner Heisenberg. In: Max-Planck-Gesellschaft (Hrsg.), Berichte und Mitteilungen 2 (1976), Sonderheft, S. 10.
—: Zeit und Wissen. München; Wien: Hanser 1992.
—: Spaziergang an der Langen Linie. In: Die Zeit Nr. 24 vom 5. Juni 1992, online verfügbar unter <https://www.zeit.de/1992/24/spaziergang-an-der-langen-linie>.
Weizsäcker, Ernst von: Erinnerungen. München 1950.
Weizsäcker; Richard von: Von Deutschland aus. Berlin: Siedler 1985.
Wirtz, Karl: Historisches zu den Uranarbeiten in Deutschland in den Jahren 1940 – 1945. In: Physikalische Blätter 3 (1947), H. 11, S. 371 – 379.
—: Im Umkreis der Physik. Karlsruhe: Kernforschungszentrum 1988.

Sämtliche im Buch aufgeführten externen Links wurden zuletzt am 17.10.2022 abgerufen.

Bildquellen

Coverabbildungen

Bildausschnitte von links oben nach rechts unten: Farm Hall 1945, Archiv der Max-Planck-Gesellschaft, Berlin (S. 202 in diesem Buch); Lieutenant Warner Hanno und Ilse Hahn im November 1945 in Tailfingen, Privatarchiv Dietrich Hahn (S. 269); Verhaftung von Otto Hahn (im hellen Mantel) am 25. April 1945, auf der Mauer sitzend Fred Wardenburg vom amerikanischen Geheimdienst, Atomkeller-Museum, Stadt Haigerloch; Die Nobelpreisträger von Farm Hall, Werner Heisenberg, Max von Laue und Otto Hahn nach ihrer Rückkehr Anfang 1946, Archiv der Max-Planck-Gesellschaft, Berlin (S. 51); Titelseite des Vorberichts, The National Archives, Kew, London, WO 208/5019, Bl. 3 (S. 87); Otto Hahns Tagebucheintrag vom 6. August 1945 nach dem Atombombenabwurf, Archiv der Max-Planck-Gesellschaft, Berlin (S. 443, auch Faksimile im Hintergrund); Demontage des letzten deutschen Reaktorexperiments durch die Alsos-Mission in Haigerloch, Atomkeller-Museum, Stadt Haigerloch (S. 23).

Backcover

Dieter Hoffmann in der Walhalla bei Regensburg, Juli 2022. Das Foto stammt von Christoph Meinel. Das Faksimile im Hintergrund zeigt die Unterschriftenseite des Memorandums der Internierten vom 8.8.1945 (S. 205 ff.), The National Archives, Kew, London, WO 208/5019.

Inhaltsseiten

Archiv der Max-Planck-Gesellschaft, Berlin-Dahlem: S. 51, 65 – 83, 202 – 204, 440, 443, 446, 461, 484, 519.
Atomkeller-Museum, Stadt Haigerloch: S. 14, 23, 27, 30.
Deutsches Museum, München, Archiv:
S. 19 (FA 002/461, Bl. 24),
S. 21 (FA 002/634, S. 3 f.),
S. 84 (CD_87698),
S. 94 (CD_87699),
S. 97 (CD_87704),
S. 100 o. (CD_87702),

Dieter Hoffmann (Hrsg.): Operation Epsilon.
© 2023 GNT-Verlag GmbH, Berlin, Germany. DOI: <https://doi.org/10.47261/1508>.

S. 100 u. (CD_87700),
S. 108 (CD_87701),
S. 125 (FA 002/735, Bl. 91),
S. 156 (CD_87705),
S. 350 (FA 002/748, Bl. 1),
S. 408 (CD_87707),
S. 435 (CD_87703),
S. 438 (CD_87706).
Dieter Hoffmann, Berlin, Privatarchiv: S. 422 o., 587.
Dietrich Hahn, Privatarchiv: S. 269, 422 u. (aus D. Hahn 1979, Nr. 390).
Elisabeth Raiser, Berlin: S. 546.
Erich Bagge: S. 33, 55.
GNT-Verlag Berlin, Archiv: S. 17.
The National Archives, Kew, London, WO 208/5019: S. 85, 87, 111, 129, 157, 165, 206, 208, 209, 266, 267, 275, 307, 323, 331, 338, 339, 349, 351, 353, 355, 362, 363, 369, 396, 403, 405.
The Nobel Foundation, Stockholm: S. 277.

Von einigen Bildern konnten die Rechteinhaber leider nicht ermittelt werden.
Der Verlag bittet etwaige Rechteinhaber, sich bei ihm zu melden.

Ausführliches Inhaltsverzeichnis

Dieter Hoffmann (Hrsg.): Operation Epsilon.
© 2023 GNT-Verlag GmbH, Berlin, Germany. DOI: <https://doi.org/10.47261/1508>.

Die Farm-Hall-Protokolle

Dokumentenanhang

Personenindex

A

B

Dieter Hoffmann (Hrsg.): Operation Epsilon.
 DOI: <https://doi.org/10.47261/1508>.

C

D

G

I

J

K

L

M

N

O

P

Q

R

S

T

Über den Herausgeber

Dieter Hoffmann,

geboren 1948 in Berlin, ist seit 1995 Mitarbeiter am MPI für Wissenschaftsgeschichte in Berlin, ab 2014 im Ruhestand. Er hat an der Humboldt-Universität Physik studiert und dort auf dem Gebiet der Wissenschaftsgeschichte promoviert (1976) und habilitiert (1989); diese berief ihn auch 2003 zum außerplanmäßigen Professor für Wissenschaftsgeschichte. Von 1976 bis 1990 forschte er an der Akademie der Wissenschaften der DDR und war danach Stipendiat der Alexander-von-Humboldt-Stiftung, Mitarbeiter der Physikalisch-Technischen Bundesanstalt und schließlich der Max-Planck-Gesellschaft. Seit 2002 ist er Mitglied der International Academy oft the History of Science, 2010 wählte ihn die Leopoldina, Nationale Akademie der Wissenschaften, zu ihrem Mitglied. Im selben Jahr wurde er zudem mit der Ehrennadel der Deutschen Physikalischen Gesellschaft (DPG) geehrt, deren Fachverband Geschichte der Physik er über viele Jahre geleitet hat. Die Amerikanische Physikalische Gesellschaft zeichnete ihn 2020 mit dem Abraham Pais Prize for History of Physics aus.

Sein Forschungsschwerpunkt ist die Wissenschafts- und Physikgeschichte des 19. und 20. Jahrhunderts, insbesondere die wissenschaftshistorische Biographik und die Geschichte wissenschaftlicher Institutionen. Berlin als herausragendes Zentrum von Wissenschaft und Technik spielt dabei eine zentrale Rolle. Ein anderer Forschungsfokus betrifft die gesellschaftlichen Rahmenbedingungen wissenschaftlicher Forschung in totalitären Regimen, namentlich während des Dritten Reiches und in der DDR.

Dieter Hoffmann (Hrsg.): Operation Epsilon.
 DOI: <https://doi.org/10.47261/1508>.

Er ist Autor bzw. (Mit-)Herausgeber von über 50 Büchern und 350 wissenschaftlichen Aufsätzen. Die deutsche Erst-Edition der Farm-Hall-Protokolle wurde 1993 von der Zeitschrift *Bild der Wissenschaft* zum „brisantesten Wissenschaftsbuch des Jahres“ gekürt. Aktuell arbeitet er an einer Biografie des Physikers Max Planck.

Dieter Hoffmann in der Walhalla bei Regensburg, Sommer 2022.

1/221107

GNT-Verlag

Michael Schaaf

Heisenberg, Hitler und die Bombe

Gespräche mit Zeitzeugen

Gebundene Ausgabe, 14,8 × 21 cm

316 Seiten, 56 Abb., ***24,80 €***
ISBN 978-3-86225-115-5

↗ gnt-verlag.de/1115

In Gesprächen mit Pionieren der Atomforschung und führenden Wissenschaftlern der geheimen deutschen und amerikanischen Kernforschungsprogramme im Zweiten Weltkrieg versucht der Autor, dem Mythos von der deutschen Atombombe auf die Spur zu kommen, indem er Kooperationsverhältnisse aufzeigt, Fehleinschätzungen auslotet und Ressentiments der beteiligten Wissenschaftler offenlegt. Im Fokus steht hier vor allem der Mitbegründer der Quantenmechanik Werner Heisenberg, der einer der führenden Physiker im deutschen „Uranverein“ war.

Vera Keiser (Hrsg.)

Radiochemie, Fleiß und Intuition

Neue Forschungen zu Otto Hahn

Gebundene Ausgabe, 14,8 × 21 cm

504 Seiten, 118 Abb., ***34,00 €***
ISBN 978-3-86225-113-1

↗ gnt-verlag.de/1113

Kaum eine andere Entdeckung des 20. Jahrhunderts hatte eine solche Tragweite und war gleichzeitig derart umstritten wie die der Kernspaltung. Der Radiochemiker Otto Hahn erhielt dafür während seiner Internierung in England kurz nach dem Krieg den Nobelpreis für Chemie, während seine enge Physiker-Kollegin Lise Meitner im entscheidenden Jahr als Jüdin ins Exil fliehen musste. Bis heute schwankt das historische Bild daher zwischen den Extremen der Heldenverehrung eines großen Chemikers und der Darstellung eines egoistischen Opportunisten.

Kurt Scharnberg

Hans Jensen, Physiker und Nobelpreisträger

Opportunist oder Widerständler im Dritten Reich?

Gebundene Ausgabe, 14,8 × 21 cm

266 Seiten, 50 Abb., ***34,80 €***
ISBN 978-3-86225-123-0

↗ gnt-verlag.de/1123

Der Kernphysiker Hans Jensen widmete sich der Frage nach der Stabilität und damit der Häufigkeit von Elementen und ihrer Isotope. Für seine Antwort auf diese Fragen, das Schalenmodell der Kerne, wurde er 1963 mit dem Nobelpreis geehrt. 1937 trat er in die NSDAP ein und arbeitete am „Uranverein“ mit, gab seine Erkenntnisse 1943 jedoch einer Gruppe norwegischer Kollegen weiter. Sein Wirken zwischen Opportunismus und Widerstand wird hier erstmals ausführlich dargestellt.